Identidad católica
Edición Bilingüe
Catequesis en familia

Sadlier

CREEMOS™

Con Cristo en los sacramentos

Emily Martinez

Quinto curso

Mayra
253 670 4797

This advanced publication copy is pending Spanish language verification.

Esta publicación es un avance de la próxima edición en español que está en revisión.

Acknowledgments

Excerpts from the English translation of *The Roman Missal*, © 2010, International Committee on English in the Liturgy, Inc. All rights reserved.

Scripture excerpts are taken from the *New American Bible with Revised New Testament and Psalms* Copyright © 1991, 1986, 1970, Confraternity of Christian Doctrine, Inc., Washington, D.C. Used with permission. All rights reserved. No part of the *New American Bible* may be reproduced by any means without permission in writing from the copyright owner.

Excerpts from *La Biblia con Deuterocanónicos*, versión popular, copyright © 1966, 1970, 1979, 1983, William H. Sadlier, Inc. Distribuido con permiso de la Sociedad Bíblica Americana. Reservados todos los derechos.

Excerpts from English translation of *Rite of Baptism for Children* © 1969, International Committee on English in the Liturgy, Inc. (ICEL); excerpts from the English translation of *Lectionary for Mass* © 1969, 1981, ICEL; excerpts from the English translation of *Book of Blessings* © 1988, International Committee on English in the Liturgy, Inc. All rights reserved.

Excerpts from the *Ritual conjunto de los sacramentos* © 1976, CELAM, Departamento de Liturgia Apartado Aéreo 5278, Bogotá, Colombia. Reservados todos los derechos.

Excerpts from the *Misal Romano* © 1993, Conferencia Episcopal Mexicana, Obra Nacional de la Buena Prensa, A.C. Apartado M-2181, 06000 México, D.F. Reservados todos los derechos.

English translation of the Glory Be to the Father, the Lord's Prayer, and the Apostles' Creed by the International Consultation on English Texts. (ICET)

"Gracias, Señor" © 1972, Manuel de Terry y Ediciones Musical PAX-PPC. Derechos reservados. Administradora exclusiva en EE. UU.: OCP Publications. "Los niños aman a Cristo" © 1995, José Ysidro López. Obra publicada por OCP Publications. Derechos reservados. "Jesús nos quiere ayudar" © 1999, 2004, Paule Freeburg, D.C. y Christopher Walkers. Obra publicada por OCP Publications. Derechos reservados. Con las debidas licencias. "Jesus Wants to Help Us" music and text © 1999, Christopher Walker and Paule Freeburg, DC. Published by OCP Publications, 5536 NE Hassalo, Portland, OR 97213. All rights reserved. Used with permission. "Salmo 117: Aleluya/Alleluia" letra en español © 1982, SOBICAIN. Derechos reservados. Con las debidas licencias. Respuesta II en inglés © 1969, 1981, 1997, ICEL. Derechos reservados. Con las debidas licencias. Obra publicada por OCP Publications. Derechos reservados. "Nueva creación" © 1979, Cesáreo Gabaráin. Obra publicada por OCP Publications. Derechos reservados. "Pueblo santo y elegido/Holy People, Chosen People" © 1981, 1999, J. Pedro Martins y San Pablo Comunicación, SSP. Derechos reservados. Administradora exclusiva en EE. UU.: OCP Publications. "Jesus, Come to Us" © 1981, 1982, OCP Publications, 5536 NE Hassalo, Portland, OR 97213. All rights reserved. Used with permission. "Alabaré" © 1979, Manuel José Alonso, José Pagán y Ediciones Musical PAX-PPC. Derechos reservados. Administradora exclusiva en EE. UU.: OCP Publications. "Open Our Hearts" © 1989, Christopher Walker. Published by OCP Publications, 5536 NE Hassalo, Portland, OR 97213. All rights reserved. Used with permission. "Con amor jovial/With Rejoicing Hearts" © 1995, Jaime Cortez. Obra publicada por OCP Publications. Derechos reservados. "Somos una Iglesia" © 1994, Eleazar Cortés. Obra publicada por OCP Publications. Derechos reservados. "Walk in the Light" © 1996, Carey Landry. Published by OCP Publications, 5536 NE Hassalo, Portland, OR 97213. All rights reserved. Used with permission. "La alegría en el perdón" © 1982, Cesáreo Gabaráin. Obra publicada por OCP Publications. Derechos reservados. "Children of God" © 1991, Christopher Walker. Published by OCP Publications, 5536 NE Hassalo, Portland, OR 97213. All rights reserved. Used with permission. "Levántate" © 1989, Cesáreo Gabaráin. Obra publicada por OCP Publications. Derechos reservados. "Awake! Arise, and Rejoice © 1992, Marie-Jo Thum. Published by OCP Publications. 5536 NE Hassalo, Portland, OR 97213. All rights reserved. Used with permission. "Santo, Santo, Santo" © Cristóbal H. Gibson. Obra publicada por OCP Publications. Derechos reservados. Con las debidas licencias."Shout from the Mountains" © 1992, Marie-Jo Thum. Published by OCP Publications, 5536 NE Hassalo, Portland, OR 97213. All rights reserved. Used with permission. "Celebración de unidad" © 1997, Eleazar Cortés. Obra publicada por OCP Publications. Derechos reservados. "We Come to Share God's Special Gift" © 1991, Christopher Walker. Published by OCP Publications, 5536 NE Hassalo, Portland, OR 97213. All rights reserved. Used with permission. "El amor nos unió" © 1977, Carlos Rosas. Obra publicada por OCP Publications. Derechos reservados. "Walk in Love" © 1990, North American Liturgy Resources (NALR), 5536 NE Hassalo, Portland, OR 97213. All rights reserved. Used with permission. "Santos del Señor" © 1993, Jaime Cortez. Obra publicada por OCP Publications. Derechos reservados. "Canto de toda criatura" © 1999, Arsenio Córdova. Obra publicada por OCP Publications. Derechos reservados. "Malo! Malo! Thanks Be to God" © 1993, Jesse Manibusan. Administered by OCP Publications, 5536 NE Hassalo, Portland, OR 97213. All rights reserved. Used with permission. "Aleluya, el Señor resucitó" © 1977, Carlos Rosas. Obra publicada por OCP Publications. Derechos reservados. "Alleluia No. 1" Donald Fishel. © 1973, WORD OF GOD MUSIC (Administered by THE COPYRIGHT COMPANY, Nashville, TN). All rights reserved. International copyright secured. Used with permission.

Printed in the United States of America.

® is a registered trademark of William H. Sadlier, Inc.
CREEMOS™ is a trademark of William H. Sadlier, Inc.

William H. Sadlier, Inc.
9 Pine Street
New York, NY 10005-4700

ISBN: 978-0-8215-6105-8
3 4 5 6 7 8 9 WEBC 23 22 21 20 19

El subcomité para el Catecismo de la Conferencia de Obispos Católicos de los Estado Unidos consideró que esta serie catequética, copyright 2015, está en conformidad con el *Catecismo de la Iglesia Católica.*

The subcommittee on Catechism, United States Conference of Catholic Bishops, has found this catechetical series, copyright 2015, to be in conformity with the *Catechism of the Catholic Church.*

Photo Credits

Cover: Corbis/Brian Fraunfelter: *water swirl*; Getty Images/Photographer's Choice/Greg Pease: *schooner in Chesapeake Bay*; Ken Karp: *bottle of anointing oil*; Used under license from Shutterstock.com/Nagel Photography: *interior of Holy Name Cathedral, Chicago*. Interior: age fotostock/AME: 46–47 *background*; Blend Images/David & Les Jacobs: R41; Godong/BSIP: R49; kroach: 352, 362. Alamy/Nir Alon: R30–R31; Yuri Arcurs: 195 *left*; Peter Horree: 351 *top*, 361 *top*; Zdeněk Malý: R50–R51; Mode/Richard Gleed: 20 *top right*, 21 *top right*, 144 *bottom*, 145 *bottom*; 184 *top right*, 185 *top right*, 194 *right*, 195 *right*; Petter Oftedal: 140–141 *background*; Photodisc/Thomas Northcut: 152, 153 *right*; SFM GM World: R54, R55; Gordon Sinclair: 259. AP Photo/Aaron Favila: 27; Emilio Morenatti: 356, 366; Suzanne Plunkett: 186, 187. Art Resource, NY/Balage Balogh: R18; Erich Lessing: 118, 119, R53; The Kobal Collection/IT/RAI: 240–241; Scala: 277; Schalkwijk/@2009 Banco de Mexico Diego Rivera Frida Kahlo Museums Trust, Mexico, D.F./Artists Rights Society (ARS): 145 *top*. Lori Berkowitz: 153 *left*. Jane Bernard: 37 *top*, 38, 41, 60, 61, 65, 68 *top*, 111, 113 *right*, 122, 124, 125, 139 *left*, 178, 266 *left*, 267. Gary Bogdon: 254. Bridgeman Images/Giraudon/Musée des Beaux-Arts, Nantes, France: 200. Karen Callaway: 37 *bottom*, 63 *bottom*, 66 *center right*, 67 *center right*, 76, 94, 100 *left*, 100 *right*, 101 *top*, 101 *bottom*, 112 *right*, 138, 142, 300. Clipart.com: 42, 43, 56 *bottom*, 57 *bottom*, 68 *bottom*, 69 *bottom*, 182, 183, 304, 305. Comstock Images: 266 *center left*, 267 *center left*. Corbis/Andy Aitchison: 86A, 86B; Dave Bartruff: 216; Peter Beck: 288 *top left*; Alessandra Benedetti: 285 *top*; Bettmann: 261; Jonathan Blair: 120; Ed Bock: 174; Rolf Bruderer: 251 *bottom left*; Richard Cummins: 221; Design Pics/David Chapman: 353 *bottom*, 363 *bottom*; Godong/P Deliss: 95; Pascal Deloche: 109; Ted Horowitz: 250 *top left*; Wolfgang Kaehler: 292 *bottom*, 293 *right*; LWA/Dann Tardiff: 250 *bottom right*, 312; Tom & Dee Ann McCarthy: 269; Mark Peterson: 292 *top*; Anthony Redpath: 250 *center left*; Reuters: 108; Stringer/Mexico/Felipe Courzo: xvi *bottom*; Liba Taylor: 82; The Art Archive/Alfredo Dagli Orti: 114; Kurt-Michael Westermann: 156. Gerald Cubitt: 224. Courtesy, Daughters of Charity Archives, Emmitsburg, Maryland: 20 *bottom*, 21 *bottom*. Harry Diaz/Guatemala, www.flickr.com/harrydiaz: xiv *top*. Dreamstime.com/Monkey Business Images: R23; Perseomedusa: 357, 367; Dale Shelton: R52. Neal Farris: 23, 29, 34–35, 39 *top*, 46–47, 58–59, 84 *left*, 86, 87, 92, 93, 110, 123, 134–135, 136 *left*, 136 *right*, 162, 163, 176, 177, 179, 180, 192–193 *bottom*, 198–199 *bottom*, 210–211, 238, 239, 274, 275, 286, 289 *left*, 303, 313, 350 *bottom*, 360 *bottom*. Getty Images/AFP/Musa Al-Shaer: 169; Tiziana Fabi: 121; Tasso Marcelo: R20; Andreas Solaro: R28; Alexander: 192–193 *background*; Jason Childs: 62 *background*, 63 *background*; Digital Vision/Christine Angorola: 251 *bottom right*; Denis Felix: 167; Saul Herrera: R38; Nancy Ney: 324; Franco Origlia: R33; Jon Riley: 129 *top*; David Roth: 250 *center right*; Photodisc: 251 *bottom right*; Dave J. Anthony: 251 *top left*; Russell Illig: 264, 272 *bottom*; Spike Mafford: 273 *bottom*; Photolibrary/Index Stock Imagery/David Richardson: 147; The Image Bank/Ghislain & Marie David de Lossy: 184 *bottom*; The LIFE Images Collection/Cindy Karp: 26 *top right*, 26 *bottom*; Steven Weinberg: 85 *left*; Nicole S. Young: R48. Jeff Greenberg: 128 *bottom*; 129 *bottom*. Anne Hamersky: 70 *right*. Jesuit Volunteer Corps: 32, 33. JupiterImages/Banana Stock: 50 *right*; Creatas: 34–35 *background*; Stockbyte: 242–243. Ken Karp: 10–11, 22, 66 *left*, 67 *left*, 78, 79, 80–81, 155, 160 *left*, 161A, 268, 287, 288 *right*. Eugene Ross Llacuna: 128 *inset*. Greg Lord: 217, 358, 368. Masterfile/Gary Black: 134–135 *background*. Matton Images/Phovoir: 20 *top left*, 21 *top left*, 144 *bottom*, 145 *bottom*, 184 *top left*, 185 *top left*. NASA: 295. National Coalition for Church Vocations: 260. Odyssey Productions/Robert Frerck: 225. Photodisc: 50 *left*, 50 *center*, 50 *right*, 51 *left*, 51 *right*, 194 *left*. PhotoEdit/Robert Brenner: 146; Cathy Melloan: 158–159; A. Ramey: 144 *top*; David Young-Wolff: 355, 365. Photozion/John Theodor: 302. Polaris Images/Evelyn Hockstein: 28; Allan Tannenbaum: 168, 293 *left*. Reuters/Peter Andrews: 137; Jayanta Shaw: 255; Stringer/Chile/Jose Luis Saavedra: xvii *bottom*. Steve Satushek: 250 *bottom left*. Ellen Senisi: 112 *left*. Chris Sheridan: 140 *left*, 140 *right*. Used under license from Shutterstock.com/Hibrida: xiv *bottom*, xv *top*, xvii *top*; LilKar: 349, 350 *background*, 359, 360 *background*; Dariush M.: 296; V.J. Matthew: 351 *bottom*, 361 *bottom*; medeia: R44, R45; Thomas Moens: 160 *right*; Monkey Business Images: R34 *top*, R35 *top*; mtmmarek: 354 *frame*, 364 *frame*; pogonici: R34 *bottom*, R35 *bottom*; Zulhazmi Zabri: 66 *right*, 67 *right*. Ariel Skelley: 262–263. Susan Spann: R42, 197. SuperStock/Blend Images: R40; Corbis: R25; Design Pics: R29; Glow Images: R32; imageBROKER/Harald van Radebrecht: xvi *top*; Lisette Le Bon: 266 *right*, 267 *right*; NaturePL: 198-199 *background*; Photononstop: 353 *top*, 363 *top*. The Alexian Brothers: 208, 209 *top*. The Alexian Brothers Hospital Network: 196. The Claretians: 44, 45. The Crosiers/Gene Plaisted, OSC: R19, 36, 39 *bottom*, 52 *left*, 52 *right*, 52 *bottom*, 53 *top*, 53 *bottom*, 56 *top*, 57 *top*, 62 *right*, 83 *left*, 83 *right*, 107, 113 *left*, 126, 127, 132, 133, 143, R43, 162A, 162B, 202, 207, 219, 232, 237, 265, 272 *top*, 273 *top*, 276, 279 *right*, 314 *bottom*, 325, 326 *bottom*. The Image Works/Peter Hvizdak: 278 *bottom*; Jack Kurtz: 279 *left*, 314 *center*, 326 *center*. Arthur Tilley: 251 *bottom left*. Trinity Stores/Robert Lentz: 172, 173. Veer/Photodisc: 66 *center left*, 67 *center left*. W.P. Wittman Ltd: 10A, 10B, 40, 50 *left*, 50 *center*, 51 *left*, 51 *right*, 64, 69 *top*, 70 *left*, 71, 77, 104–105, 139 *right*, 141, 161, 181, 185 *bottom*, 203, 209 *bottom*, 229, 233, 234, 278 *top*, 297, 306, 314 *top*, 326 *top*. Wikimedia Commons: xv *bottom*, R21, 96, 97, 258. *Celebration of Saints* by Michael McGrath, copyright © World Library Publications, www.wlpmusic.com, all rights reserved, used by permission: 354, 364.

Illustrator Credits

Series Patterned Background Design: Evan Polenghi. Bassino & Guy: 121. Rayne Beaudoin: 30, 31, 130, 131, 207. Diane Bennett: 124, 125, 282, 315, 327. Harvey Chan: 136–137, 138–139. Gwen Connelly: 200–201. Margaret Cusack: 256–257. David Dean: 14–15. Rob Dunlavy: 24, 25. Suzanne Duranceau: 22–23. Jeff Fitz-Maurice: 120. Luigi Galante: 90–91. Stephanie Garcia: 17–177. Janelle Genovese: 252–253. Alex Gross: 244–245. W. B. Johnston: 38–39, 100–101, 214–215 *frames*. Dave Klug: 246, 247, 258, 259. Dave LaFleur: 64–65. Joe LeMonnier: xiv, xv. James Madsen: 171. Diana Magnuson: 221. David McGlynn: 98–99. Cliff Neilsen: 204–205. Billy Renkl: 64–65. Jane Sterrett: 48–49. Kristina Swarner: 16–17. Amanda Warren: 70–81, 84, 85, 146–151, 154–159, 161, 222–237, 248, 249, 298–305. Andrew Wheatcroft: 12, 13, 80–81, 88–89, 116–117, 164–165, 188–189, 190–191, 212–213, 214, 215.

El programa *Creemos/We Believe* de Sadlier fue desarrollado por un reconocido equipo de expertos en catequesis, desarrollo del niño y currículo a nivel nacional. Estos maestros y practicantes de la fe nos ayudaron a conformar cada lección a la edad de los niños. Además, un equipo de respetados liturgistas, catequistas, teólogos y ministros pastorales compartieron sus ideas e inspiraron el desarrollo del programa.

Contribuyentes en la inspiración y el desarrollo de este programa:

Dr. Gerard F. Baumbach
Profesor emérito, Instituto para la vida de la Iglesia
Director emérito programa Echo
Universidad de Notre Dame

Carole M. Eipers, D.Min.
Vicepresidenta y Directora Ejecutiva de Catequesis
William H. Sadlier, Inc.

Consultores en teología

Reverendísimo Donald Cardinal Wuerl, M.A., S.T.D.
Arzobispo de Washington

Reverendísimo Edward K. Braxton, Ph.D., S.T.D.
Consultor teólogo oficial
Obispo de Belleville

Reverendo Joseph A. Komonchak, Ph.D.
Profesor, Escuela de Estudios Religiosos
Catholic University of America

Reverendísimo Richard J. Malone, Th.D.
Obispo de Búfalo

Reverendo Monseñor John E. Pollard, S.T.L.
Pastor, Basílica Reina de Todos los Santos
Chicago, IL

Consultores en la escritura

Reverendo Donald Senior, CP, Ph.D., S.T.D. Miembro,
Comisión Bíblica Pontificia
Presidente, Catholic Theological Union
Chicago, IL

Consultores en liturgia y catequesis

Patricia Andrews
Directora de Educación Religiosa
Parroquia Nuestra Señora de Lourdes
Slidell, LA

Reverendo Monseñor John F. Barry P.A.
Párroco, Parroquia American Martyrs
Manhattan Beach, CA

Reverendo Monseñor John M. Unger
Superintendente Catequesis y Evangelización
Arquidiócesis de San Luis

Thomas S. Quinlan
Director oficina educación religiosa
Diócesis de Joliet

Consultores en currículo y desarrollo del niño

Hermano Robert R. Bimonte, FSC
Presidente, NCEA

Hna. Carol Cimino, SSJ, Ed.D.
Superintendente de escuelas católicas de la diócesis de Búfalo

Gini Shimabukuro, Ed.D.
Profesora asociada
Institute for Catholic Educational Leadership
Escuela de Educación
Universidad de San Francisco

Doctrina social de la Iglesia

John Carr
Director ejecutivo
Initiative on Catholic Social Thought and Public Life
Georgetown University

Joan Rosenhauer
Vicepresidenta ejecutiva, operaciones en EE.UU
Catholic Relief Services
Baltimore, MD

Consultores en multicultura

Reverendo Allan Figueroa Deck, S.J., Ph.D., S.T.D.
Rector de la comunidad jesuita
Profesor de la cátedra Charles Casassa, Valores Sociales
Universidad Loyola Marymount

Kirk P. Gaddy, Ed.D.
Middle School Team Leader/Religion Teacher
St. Francis International
School Silver Spring, MD

Reverendo Nguyen Viêt Hung
Comité vietnamita de catequesis

Dulce M. Jiménez-Abreu
Directora de programas en español
William H. Sadlier, Inc.

Consultores en mariología

Hermana M. Jean Frisk, ISSM, S.T.L.
Instituto International de investigaciones marionar
Dayton, OH

Consultores en medios y tecnología

Hermana Judith Dieterle, SSL
Ex Presidenta, Asociación Nacional de Profesionales en Catequesis y Medios

Consultores en catequesis bilingüe

Rosa Monique Peña, OP
Arquidiócesis de Miami

Reverendísimo James Tamayo D.D.
Obispo de Laredo
Laredo, TX

Maruja Sedano
Directora, Educación Religiosa
Arquidiócesis de Chicago

Timoteo Matovina
Departamento de teología
Universidad de Notre Dame

Reverendo José J. Bautista
Director, Oficina del Ministerio Hispano
Diócesis de Orlando

Equipo de desarrollo

Alexandra Rivas-Smith
Vice Presidenta ejecutiva de Producción y administración

Joanne McDonald
Directora editorial

Regina Kelly
Supervisora editorial

William M. Ippolito
Director de planificación corporativa

Dignory Reina
Editora

Escritores
Christian García
Kathy Hendricks
Shannon Jones
Theresa Macdonald
Gloria Shahin

Suzan Laroquette
Directora de catequesis y servicios de consultoría

Judith A. Devine
Consultora nacional de ventas

Víctor Valenzuela
Consultor nacional bilingüe

Equipo de edición y operaciones

Blake Bergen
Vicepresidente de Publicaciones

Carole Uettwiller
Vicepresidenta de planificación y tecnología

Robert Methven
Vicepresidente, publicación digital

Vince Gallo
Senior Director creativo

Francesca O'Malley
Directora asociada de arte

Cheryl Golding
Directora de producción

Laura Reischour
Coordinadora de producción

Jovito Pagkalinawan
Director electrónico de prensa

Martin Smith
Director de planificación y análisis de proyectos

Yolanda Miley
Directora cuentas y permisos

Lucy Rotondi
Directora administrativa

Diseño y equipo fotográfico
Kevin Butler, Nancy Figueiredo, Stephen Flanagan, Lorraine Forte, Debrah Kaiser, Cesar Llacuna, Bob Schatz, Karen Tully

Equipo de producción
Evie Alvarez, Robin D'Amato, Carol Lin, Vincent McDonough, Allison Pagkalinawan, Monica Reece

We are grateful to our loyal *Creemos* users whose insights and suggestions have inspired *Creemos: Catholic Identity Edition*—the premier faith formation tool built on the six tasks of catechesis.

Indice

Contents

UNIT 3 The Sacraments of Healing Restore Us

UNIT 4 We Love and Serve as Jesus Did

Seasonal Chapters

Tú familia está en una jornada de continuo crecimiento como discípulos de Jesucristo. Su identidad católica es fortalecida con estos nuevos componentes en su libro:

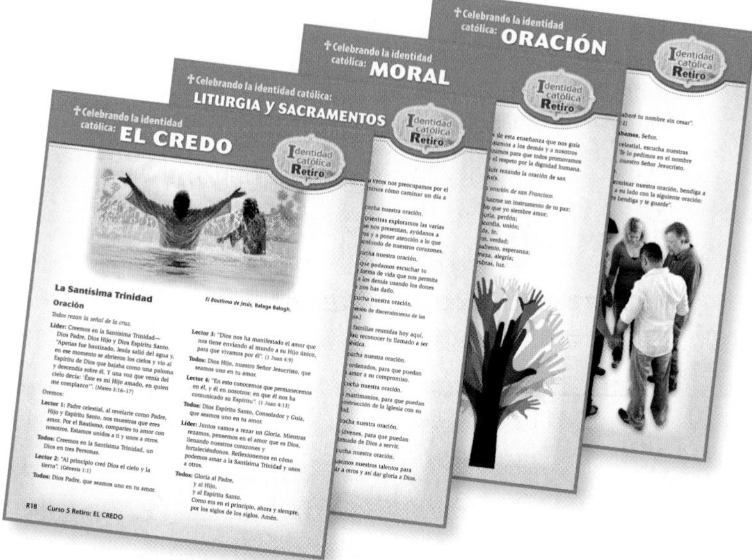

Retiros de identidad católica ofrecen a la familia tiempo para reflexionar en lo que significa ser católico. Hay cuatro retiros en cada libro, basados en los cuatro pilares del *Catecismo de la Iglesia Católica*.

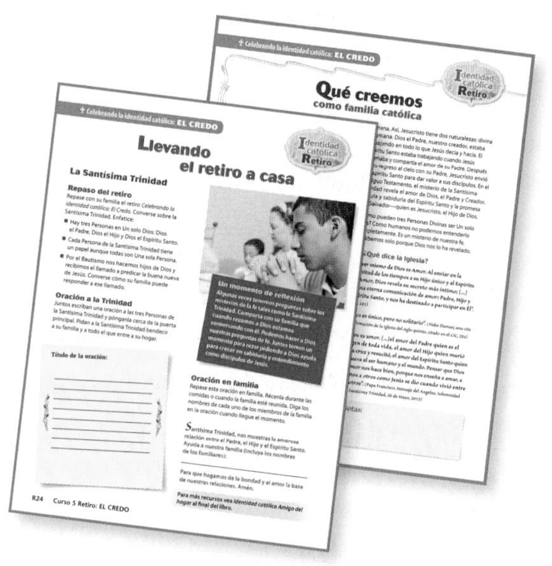

Llevando el retiro a casa le ayudará a compartir cada retiro en familia. **Qué creemos como familia católica** ayuda a toda la familia a conocer y explicar la fe católica a otros.

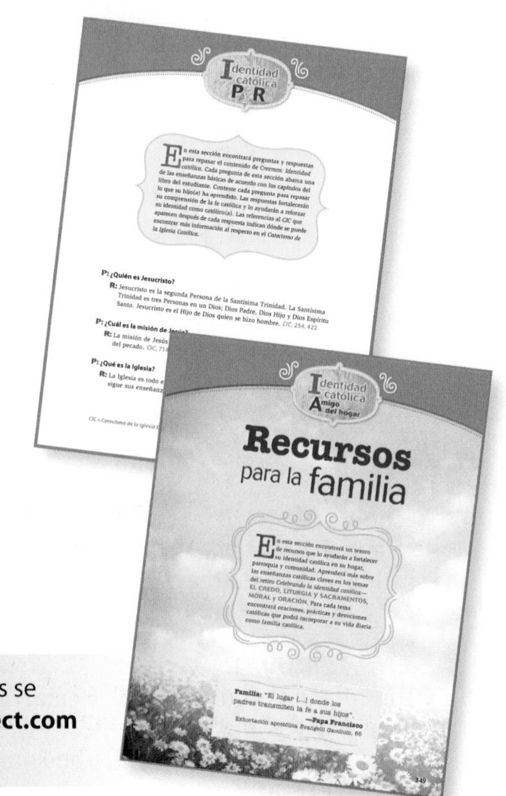

P y R sobre identidad católica ofrece un repaso de las enseñanzas de la Iglesia. Mientras más sabe sobre estas verdades más se fortalecerá su fe católica.

Identidad católica: Amigo del hogar ofrece a toda la familia recursos, oraciones, prácticas y otras informaciones que enriquecerán la identidad católica de toda la familia.

Información adicional para estudiantes y familias se encuentra disponible en: **religion.sadlierconnect.com** y en la aplicación: Creemos.

We Believe

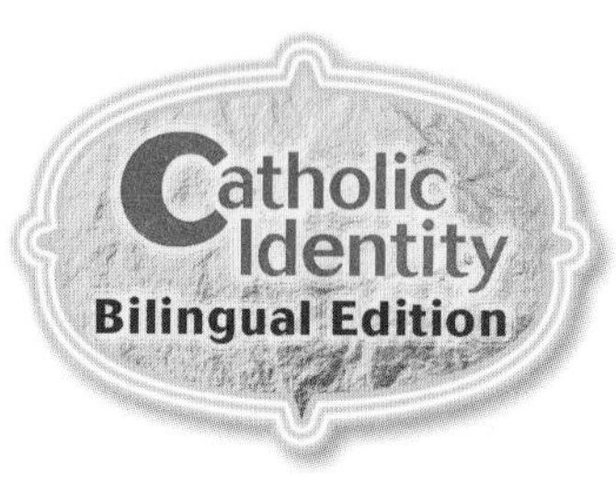

Your family is on a journey to continue to grow as disciples of Jesus Christ. Your Catholic Identity is strengthened through these new features:

Catholic Identity: Retreats provide time for the entire family to reflect on what it means to be Catholic. There are four retreats in each book, based on the Four Pillars of the *Catechism of the Catholic Church*.

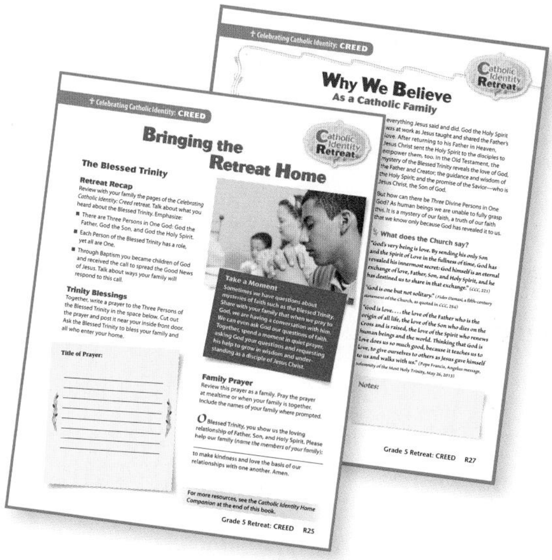

Bringing the Retreat Home helps your family to share the theme and highlights of each retreat. **Why We Believe as a Catholic Family** helps the entire family to uphold and explain your Catholic faith to others.

Catholic Identity: Q & A offers you a way to review what the Church teaches. The more you know these truths the more you strengthen your Catholic Identity.

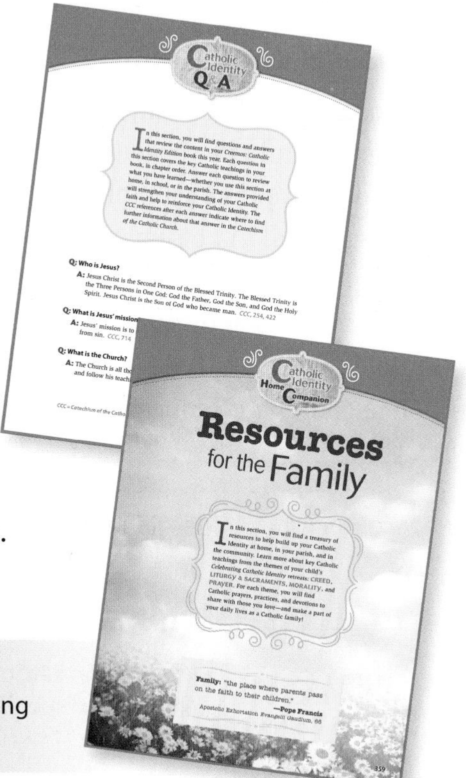

Catholic Identity: Home Companion provides all family members with a resource of prayers, practices, and other information to enrich your identity as a Catholic family.

Student and Family resources are available at: **religion.sadlierconnect.com** and by downloading the Creemos app.

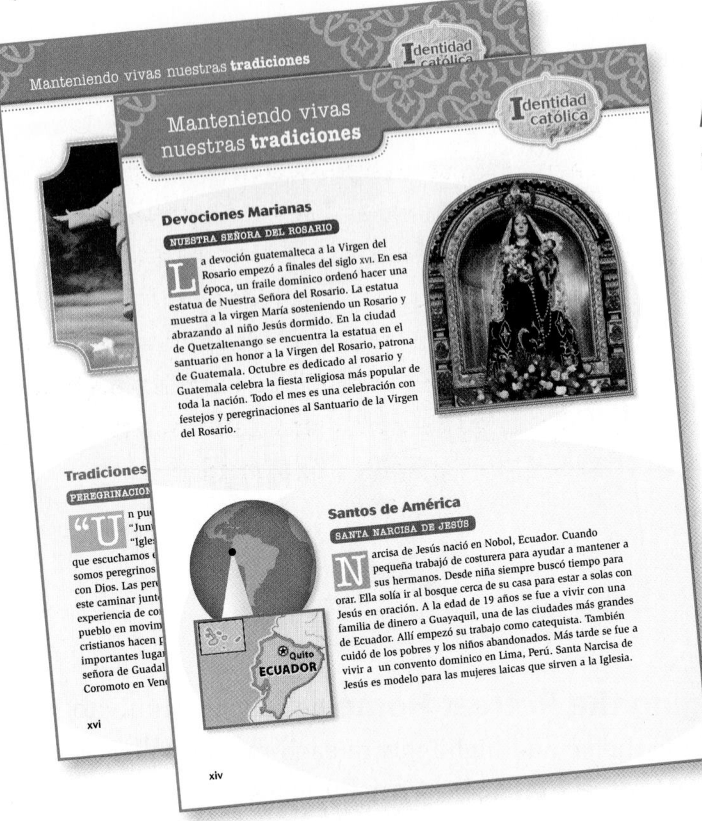

Manteniendo vivas nuestras tradiciones

Identidad católica

Manteniendo vivas nuestras tradiciones

Devociones Marianas

NUESTRA SEÑORA DEL ROSARIO

La devoción guatemalteca a la Virgen del Rosario empezó a finales del siglo XVI. En esa época, un fraile dominico ordenó hacer una estatua de Nuestra Señora del Rosario. La estatua muestra a la virgen María sosteniendo un Rosario y abrazando al niño Jesús dormido. En la ciudad de Quetzaltenango se encuentra la estatua en el santuario en honor a la Virgen del Rosario, patrona de Guatemala. Octubre es dedicado al rosario y Guatemala celebra la fiesta religiosa más popular de toda la nación. Todo el mes es una celebración con festejos y peregrinaciones al Santuario de la Virgen del Rosario.

Santos de América

SANTA NARCISA DE JESÚS

Narcisa de Jesús nació en Nobol, Ecuador. Cuando pequeña trabajó de costurera para ayudar a mantener a sus hermanos. Desde niña siempre buscó tiempo para orar. Ella solía ir al bosque cerca de su casa para estar a solas con Jesús en oración. A la edad de 19 años se fue a vivir con una familia de dinero a Guayaquil, una de las ciudades más grandes de Ecuador. Allí empezó su trabajo como catequista. También cuidó de los pobres y los niños abandonados. Más tarde se fue a vivir a un convento dominico en Lima, Perú. Santa Narcisa de Jesús es modelo para las mujeres laicas que sirven a la Iglesia.

Quito
ECUADOR

xiv

xvi

Manteniendo vivas nuestras tradiciones

En cado grado de *Creemos* encontrará dos páginas sobre tradiciones y devociones de América Latina. Estas páginas están diseñadas para ofrecer diferentes formas en las que la Virgen María y Jesús son honrados, destacando las de los santos. Además, hay una sección que explica las celebraciones anuales en América Latina.

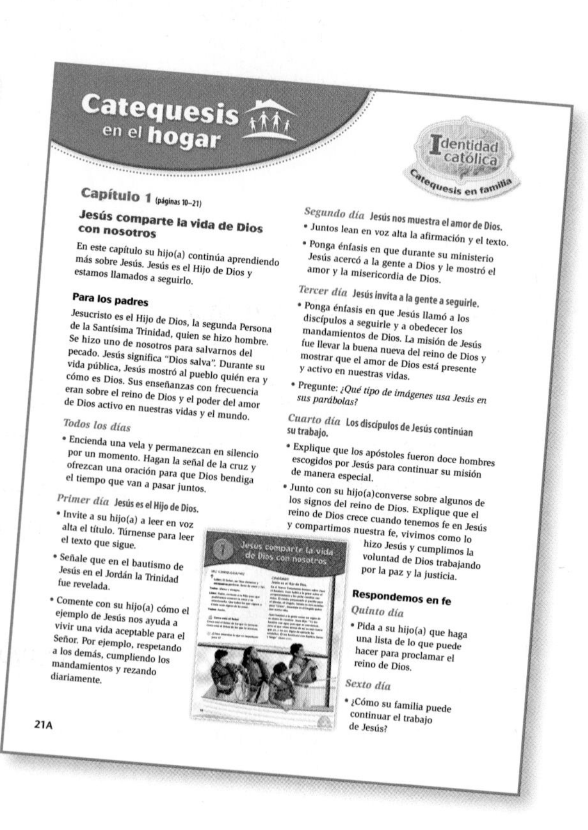

Catequesis en el hogar

Identidad católica

Catequesis en familia

Capítulo 1 (páginas 10–21)

Jesús comparte la vida de Dios con nosotros

En este capítulo su hijo(a) continúa aprendiendo más sobre Jesús. Jesús es el Hijo de Dios y estamos llamados a seguirlo.

Para los padres

Jesucristo es el Hijo de Dios, la segunda Persona de la Santísima Trinidad, quien se hizo hombre. Se hizo uno de nosotros para salvarnos del pecado. Jesús significa "Dios salva". Durante su vida pública, Jesús mostró al pueblo quién era y cómo es Dios. Sus enseñanzas con frecuencia eran sobre el reino de Dios y el poder del amor de Dios activo en nuestras vidas y el mundo.

Todos los días

- Encienda una vela y permanezcan en silencio por un momento. Hagan la señal de la cruz y ofrezcan una oración para que Dios bendiga el tiempo que van a pasar juntos.

Primer día Jesús es el Hijo de Dios.

- Invite a su hijo(a) a leer en voz alta el título. Túrnense para leer el texto que sigue.
- Señale que en el bautismo de Jesús en el Jordán la Trinidad fue revelada.
- Comente con su hijo(a) cómo el ejemplo de Jesús nos ayuda a vivir una vida aceptable para el Señor. Por ejemplo, respetando a los demás, cumpliendo los mandamientos y rezando diariamente.

Segundo día Jesús nos muestra el amor de Dios.

- Juntos lean en voz alta la afirmación y el texto.
- Ponga énfasis en que durante su ministerio Jesús acercó a la gente a Dios y le mostró el amor y la misericordia de Dios.

Tercer día Jesús invita a la gente a seguirle.

- Ponga énfasis en que Jesús llamó a los discípulos a seguirle y a obedecer los mandamientos de Dios. La misión de Jesús fue llevar la buena nueva del reino de Dios y mostrar que el amor de Dios está presente y activo en nuestras vidas.
- Pregunte: *¿Qué tipo de imágenes usa Jesús en sus parábolas?*

Cuarto día Los discípulos de Jesús continúan su trabajo.

- Explique que los apóstoles fueron doce hombres escogidos por Jesús para continuar su misión de manera especial.
- Junto con su hijo(a)converse sobre algunos de los signos del reino de Dios. Explique que el reino de Dios crece cuando tenemos fe en Jesús y compartimos nuestra fe, vivimos como lo hizo Jesús y cumplimos la voluntad de Dios trabajando por la paz y la justicia.

Respondemos en fe

Quinto día

- Pida a su hijo(a) que haga una lista de lo que puede hacer para proclamar el reino de Dios.

Sexto día

- ¿Cómo su familia puede continuar el trabajo de Jesús?

Jesús comparte la vida de Dios con nosotros

21A

Catequesis en el hogar

Ahora toda su familia puede compartir con sus hijos cada capítulo de *Creemos*. Al tiempo que el contenido del capítulo es explicado su familia puede seguirlo diaria o semanalmente en la casa. En "Catequesis en el hogar" su familia encontrará sugerencias que son ofrecidas para repasar cada capítulo de *Creemos*. Toda la familia aprende y responde con una catequesis sólida y amena.

Información adicional para estudiantes y familias se encuentra disponible en: **religion.sadlierconnect.com** y en la aplicación: Creemos.

We Believe

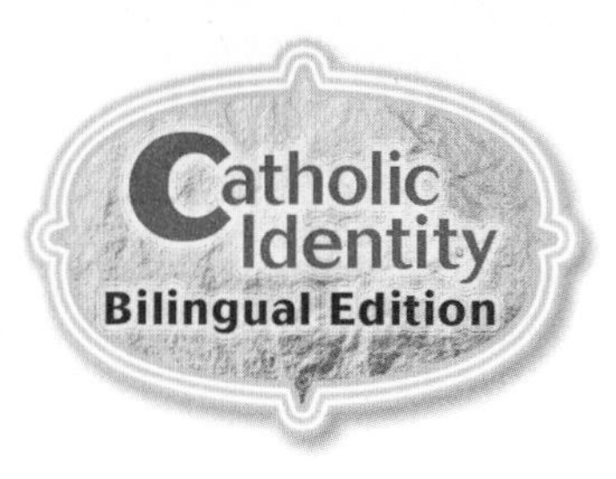

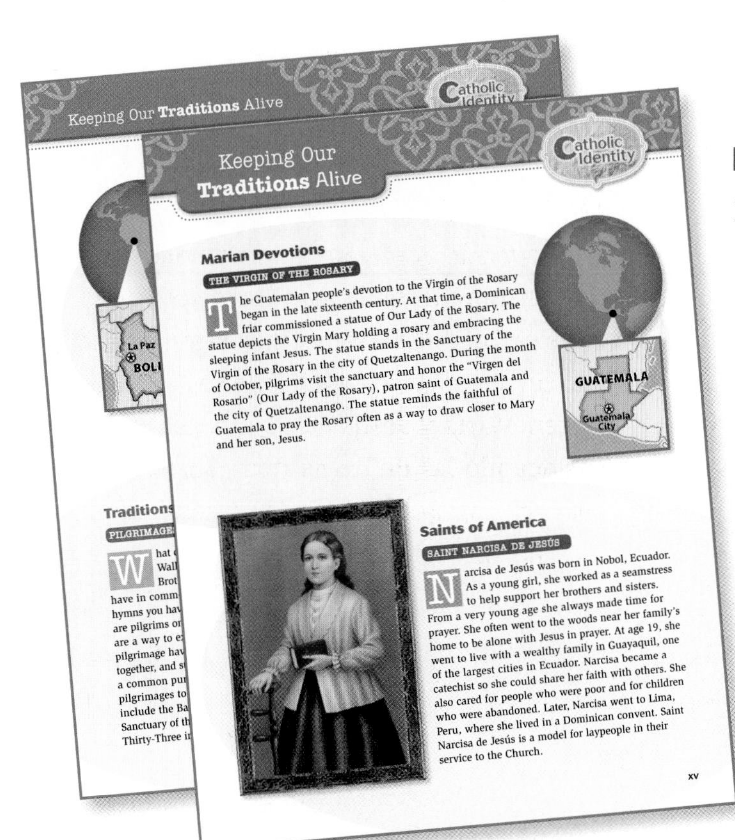

Keeping Our Traditions Alive

Marian Devotions

THE VIRGIN OF THE ROSARY

The Guatemalan people's devotion to the Virgin of the Rosary began in the late sixteenth century. At that time, a Dominican friar commissioned a statue of Our Lady of the Rosary. The statue depicts the Virgin Mary holding a rosary and embracing the sleeping infant Jesus. The statue stands in the Sanctuary of the Virgin of the Rosary in the city of Quetzaltenango. During the month of October, pilgrims visit the sanctuary and honor the "Virgen del Rosario" (Our Lady of the Rosary), patron saint of Guatemala and the city of Quetzaltenango. The statue reminds the faithful of Guatemala to pray the Rosary often as a way to draw closer to Mary and her son, Jesus.

Saints of America

SAINT NARCISA DE JESÚS

Narcisa de Jesús was born in Nobol, Ecuador. As a young girl, she worked as a seamstress to help support her brothers and sisters. From a very young age she always made time for prayer. She often went to the woods near her family's home to be alone with Jesus in prayer. At age 19, she went to live with a wealthy family in Guayaquil, one of the largest cities in Ecuador. Narcisa became a catechist so she could share her faith with others. She also cared for people who were poor and for children who were abandoned. Later, Narcisa went to Lima, Peru, where she lived in a Dominican convent. Saint Narcisa de Jesús is a model for laypeople in their service to the Church.

xv

Keeping Our Traditions Alive

Each grade of *Creemos* includes two pages of unique traditions and devotions from Latin America. These pages are designed to offer different ways the Virgin Mary and Jesus are honored as well as highlighting the lives of holy people. In addition, there is a section that explains how yearly celebrations are done throughout Latin America.

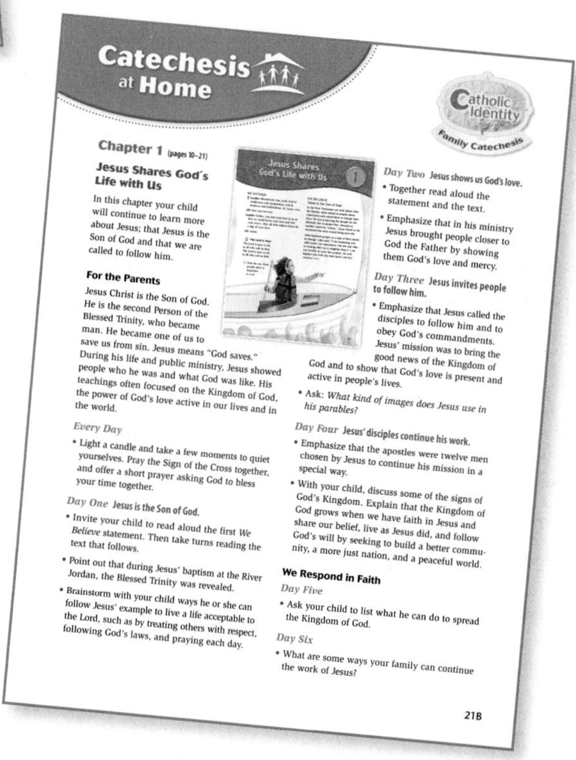

Catechesis at Home

Chapter 1 (pages 10–21)

Jesus Shares God's Life with Us

In this chapter your child will continue to learn more about Jesus; that Jesus is the Son of God and that we are called to follow him.

For the Parents

Jesus Christ is the Son of God. He is the second Person of the Blessed Trinity, who became man. He became one of us to save us from sin. Jesus means "God saves." During his life and public ministry, Jesus showed people who he was and what God was like. His teachings often focused on the Kingdom of God, the power of God's love active in our lives and in the world.

Every Day

- Light a candle and take a few moments to quiet yourselves. Pray the Sign of the Cross together, and offer a short prayer asking God to bless your time together.

Day One Jesus is the Son of God.

- Invite your child to read aloud the first *We Believe* statement. Then take turns reading the text that follows.
- Point out that during Jesus' baptism at the River Jordan, the Blessed Trinity was revealed.
- Brainstorm with your child ways he or she can follow Jesus' example to live a life acceptable to the Lord, such as by treating others with respect, following God's laws, and praying each day.

Day Two Jesus shows us God's love.

- Together read aloud the statement and the text.
- Emphasize that in his ministry Jesus brought people closer to God the Father by showing them God's love and mercy.

Day Three Jesus invites people to follow him.

- Emphasize that Jesus called the disciples to follow him and to obey God's commandments. Jesus' mission was to bring the good news of the Kingdom of God and to show that God's love is present and active in people's lives.
- Ask: *What kind of images does Jesus use in his parables?*

Day Four Jesus' disciples continue his work.

- Emphasize that the apostles were twelve men chosen by Jesus to continue his mission in a special way.
- With your child, discuss some of the signs of God's Kingdom. Explain that the Kingdom of God grows when we have faith in Jesus and share our belief, live as Jesus did, and follow God's will by seeking to build a better community, a more just nation, and a peaceful world.

We Respond in Faith

Day Five

- Ask your child to list what he can do to spread the Kingdom of God.

Day Six

- What are some ways your family can continue the work of Jesus?

21B

Catechesis at Home

Now your whole family can share with your child each chapter of *Creemos*. As each chapter's content is explained, the entire family can follow along at home with a simple family plan for each day of the week. Easy to follow suggestions are offered for sharing each chapter of your *Creemos* with all the members of the family. As your child learns, you will learn. As you respond, your child will respond. All this adds up to shared Family Catechesis that will be both enjoyable and inspiring!

Student and Family resources are available at: **religion.sadlierconnect.com** and by downloading the Creemos app.

Manteniendo vivas nuestras **tradiciones**

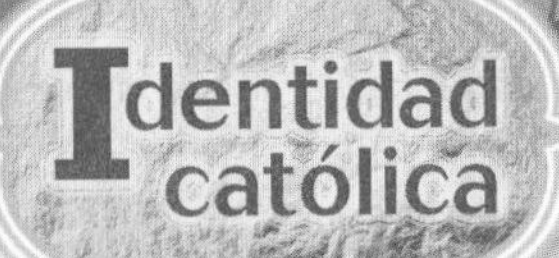

Devociones Marianas

NUESTRA SEÑORA DEL ROSARIO

La devoción guatemalteca a la Virgen del Rosario empezó a finales del siglo XVI. En esa época, un fraile dominico ordenó hacer una estatua de Nuestra Señora del Rosario. La estatua muestra a la virgen María sosteniendo un Rosario y abrazando al niño Jesús dormido. En la ciudad de Quetzaltenango se encuentra la estatua en el santuario en honor a la Virgen del Rosario, patrona de Guatemala. Octubre es dedicado al rosario y Guatemala celebra la fiesta religiosa más popular de toda la nación. Todo el mes es una celebración con festejos y peregrinaciones al Santuario de la Virgen del Rosario.

Quito
ECUADOR

Santos de América

SANTA NARCISA DE JESÚS

Narcisa de Jesús nació en Nobol, Ecuador. Cuando pequeña trabajó de costurera para ayudar a mantener a sus hermanos. Desde niña siempre buscó tiempo para orar. Ella solía ir al bosque cerca de su casa para estar a solas con Jesús en oración. A la edad de 19 años se fue a vivir con una familia de dinero a Guayaquil, una de las ciudades más grandes de Ecuador. Allí empezó su trabajo como catequista. También cuidó de los pobres y los niños abandonados. Más tarde se fue a vivir a un convento dominico en Lima, Perú. Santa Narcisa de Jesús es modelo para las mujeres laicas que sirven a la Iglesia.

Marian Devotions

THE VIRGIN OF THE ROSARY

The Guatemalan people's devotion to the Virgin of the Rosary began in the late sixteenth century. At that time, a Dominican friar commissioned a statue of Our Lady of the Rosary. The statue depicts the Virgin Mary holding a rosary and embracing the sleeping infant Jesus. The statue stands in the Sanctuary of the Virgin of the Rosary in the city of Quetzaltenango. During the month of October, pilgrims visit the sanctuary and honor the "Virgen del Rosario" (Our Lady of the Rosary), patron saint of Guatemala and the city of Quetzaltenango. The statue reminds the faithful of Guatemala to pray the Rosary often as a way to draw closer to Mary and her son, Jesus.

Saints of America

SAINT NARCISA DE JESÚS

Narcisa de Jesús was born in Nobol, Ecuador. As a young girl, she worked as a seamstress to help support her brothers and sisters. From a very young age she always made time for prayer. She often went to the woods near her family's home to be alone with Jesus in prayer. At age 19, she went to live with a wealthy family in Guayaquil, one of the largest cities in Ecuador. Narcisa became a catechist so she could share her faith with others. She also cared for people who were poor and for children who were abandoned. Later, Narcisa went to Lima, Peru, where she lived in a Dominican convent. Saint Narcisa de Jesús is a model for laypeople in their service to the Church.

Cristo en América Latina

CRISTO DE LA CONCORDIA

Se cree que la estatua del Cristo de la Concordia, Cristo de la Paz, es la estatua de Jesús más alta del mundo. La estatua está erigida en la cima del monte San Pedro, cerca de Cochabamba. Muestra a Jesús con los brazos extendidos en señal de acogida, de abrazo. El Cristo de la Concordia se construyó para conmemorar la visita del san Juan Pablo II a Bolivia en 1988. Fue terminada y dedicada en 1994. La estatua se ha convertido en un importante lugar de peregrinación para el pueblo de Bolivia. La gente va allí a rezar por la paz en el mundo.

Tradiciones

PEREGRINACIONES

"Un pueblo que camina", "Juntos como hermanos" e "Iglesia peregrina" son himnos que escuchamos en la iglesia. Como pueblo somos peregrinos. Nuestro destino es la unión con Dios. Las peregrinaciones son formas de expresar este caminar juntos. En las peregrinaciones tenemos una experiencia de comunidad que camina, reza, come, descansa y siente como pueblo en movimiento compartiendo un mismo propósito. Por siglos los cristianos hacen peregrinaciones a lugares santos. En América Latina tenemos importantes lugares de peregrinaje. Podemos incluir la Basílica de Nuestra señora de Guadalupe en México, el Santuario Nacional de la Virgen de Coromoto en Venezuela y la Virgen de los Treinta y Tres en Uruguay.

Christ in Latin America

CHRIST OF LA CONCORDIA, CHRIST OF PEACE

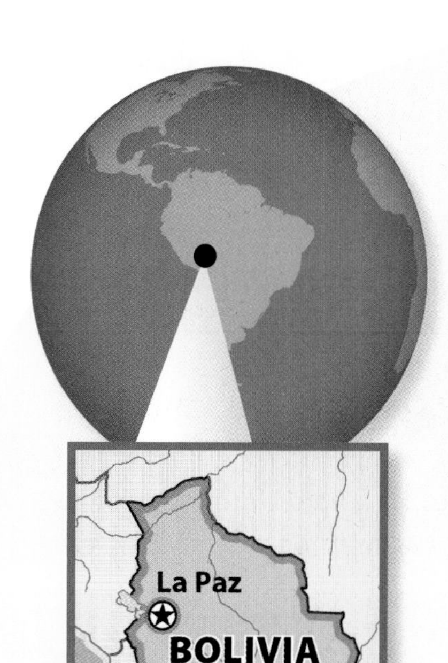

The statue of Jesus called *Cristo de la Concordia,* Christ of Peace, is believed to be the tallest statue of Jesus in the world. The statue stands at the top of San Pedro Hill, near Cochabamba, a city in central Bolivia. It depicts Jesus with his arms outstretched in a welcoming embrace. The Cristo de la Concordia was built to commemorate Saint John Paul II's visit to Bolivia in 1988. It was completed and dedicated in 1994. The statue has become an important pilgrimage site for the people of Bolivia who go there to pray for peace for their nation and for the world.

Traditions

PILGRIMAGES

What do the titles, "We Are a Walking People," "Together As Brothers," and "Pilgrim Church" have in common? These are titles of Spanish hymns you have probably heard in church many times. As God's people, we are pilgrims on a journey; our destination is union with God. Pilgrimages are a way to express this sense of a journey taken together. People on a pilgrimage have an experience of community: they walk with others, pray together, and stop to eat and rest. Pilgrims are a people on the move sharing a common purpose. Throughout the centuries, Christians have gone on pilgrimages to holy places. In Latin America, important pilgrimage sites include the Basilica of Our Lady of Guadalupe in Mexico, the National Sanctuary of the Virgin of Coromoto, and the Sanctuary of the Virgin of the Thirty-Three in Uruguay.

El Bautismo de Jesús, **Balage Balogh.**

La Santísima Trinidad

Oración

Todos rezan la señal de la cruz.

Líder: Creemos en la Santísima Trinidad—
Dios Padre, Dios Hijo y Dios Espíritu Santo.
"Apenas fue bautizado, Jesús salió del agua y, en ese momento se abrieron los cielos y vio al Espíritu de Dios que bajaba como una paloma y descendía sobre él. Y una voz que venía del cielo decía: 'Éste es mi Hijo amado, en quien me complazco'". (Mateo 3:16–17)

Oremos:

Lector 1: Padre celestial, al revelarte como Padre, Hijo y Espíritu Santo, nos muestras que eres amor. Por el Bautismo, compartes tu amor con nosotros. Estamos unidos a ti y unos a otros.

Todos: Creemos en la Santísima Trinidad, un Dios en tres Personas.

Lector 2: "Al principio creó Dios el cielo y la tierra". (Génesis 1:1)

Todos: Dios Padre, que seamos uno en tu amor.

Lector 3: "Dios nos ha manifestado el amor que nos tiene enviando al mundo a su Hijo único, para que vivamos por él". (1 Juan 4:9)

Todos: Dios Hijo, nuestro Señor Jesucristo, que seamos uno en tu amor.

Lector 4: "En esto conocemos que permanecemos en él, y él en nosotros: en que él nos ha comunicado su Espíritu". (1 Juan 4:13)

Todos: Dios Espíritu Santo, Consolador y Guía, que seamos uno en tu amor.

Líder: Juntos vamos a rezar un Gloria. Mientras rezamos, pensemos en el amor que es Dios, llenando nuestros corazones y fortaleciéndonos. Reflexionemos en cómo podemos amar a la Santísima Trinidad y unos a otros.

Todos: Gloria al Padre,
y al Hijo,
y al Espíritu Santo.
Como era en el principio, ahora y siempre,
por los siglos de los siglos. Amén.

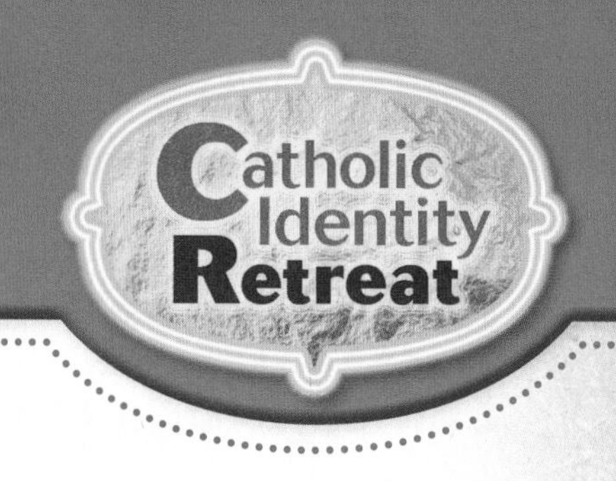

The Blessed Trinity

Prayer

All pray the Sign of the Cross.

Leader: We believe in the Blessed Trinity—God the Father, God the Son, and God the Holy Spirit. "After Jesus was baptized, he came up from the water and behold, the heavens were opened [for him], and he saw the Spirit of God descending like a dove [and] coming upon him. And a voice came from the heavens, saying, 'This is my beloved Son, with whom I am well pleased.'" (Matthew 3:16–17)

Let us pray.

Reader 1: O God, as you reveal yourself to us as Father, Son, and Holy Spirit, you show us that you are love. Through Baptism, you share your love with us. We are joined to you and to one another.

All: I believe in the Blessed Trinity, One God in Three Persons.

Reader 2: "In the beginning, . . . God created the heavens and the earth." (Genesis 1:1)

All: God, our Father, let us be one in your love.

Reader 3: "In this way the love of God was revealed to us: God sent his only Son into the world so that we might have life through him." (1 John 4:9)

All: God, the Son, our Lord Jesus Christ, let us be one in your love.

Reader 4: "This is how we know that we remain in him and he in us, that he has given us of his Spirit." (1 John 4:13)

All: God, the Holy Spirit, our Advocate and Guide, let us be one in your love.

Leader: Let us pray together the Glory Be. As we pray, let us think about the love that is God, filling our hearts and strengthening us. Let us reflect on how we can love the Blessed Trinity and one another.

All: Glory be to the Father
and to the Son
and to the Holy Spirit,
as it was in the beginning
is now, and ever shall be
world without end. Amen.

Identidad católica Retiro

La Santísima Trinidad

Compartiendo la Palabra de Dios

Reflexión sobre la lectura de la Escritura.

> Jesús dijo a sus discípulos: "Vayan y hagan discípulos a todos los pueblos y bautícenlos para consagrarlos al Padre, al Hijo y al Espíritu Santo, enseñándoles a poner por obra todo lo que les he mandado. Y sepan que yo estoy con ustedes todos los días hasta el final de los tiempos". (Mateo 28:19–20)

LEA despacio y con atención el pasaje del Evangelio de Mateo.

REFLEXIONE sobre la lectura.

Piense en las siguientes preguntas:

- ¿Qué le dicen sobre Dios los nombres de las tres Personas de la Santísima Trinidad—Dios Padre, Dios Hijo y Dios Espíritu Santo?
- ¿Qué ayuda necesita hoy de la Santísima Trinidad—Dios Padre, Dios Hijo y Dios Espíritu Santo? ¿Cómo buscará esa ayuda?
- En esta lectura, ¿qué cree que la Santísima Trinidad le está pidiendo hacer? ¿Cómo lo hará?
- ¿Qué significa para usted la promesa de Jesús a sus discípulos de que él estaría con ellos hasta el final de los tiempos? ¿Cómo puede influir esto en la forma en que vive cada día?

COMPARTA sus pensamientos e ideas en grupo.

Conversen sobre cómo la Santísima Trinidad puede ayudarles a vivir como discípulos de Jesús y a hacer discípulos.

MEDITE y comparta sus pensamientos y sentimientos con Dios en oración. Comparta ideas de cómo puede fortalecer su relación con Dios el Padre, Dios el Hijo y Dios el Espíritu Santo.

Peregrinos de todo el mundo reunidos para la celebración de la Misa de inauguración de la Jornada Mundial de la Juventud en el 2013 en Río de Janeiro, Brasil.

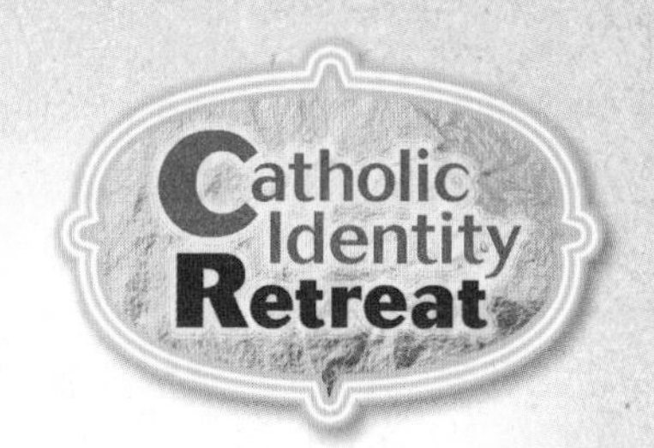

The Blessed Trinity

Sharing God's Word

Reflect on the Bible reading.

> Jesus said, "Go, therefore, and make disciples of all nations, baptizing them in the name of the Father, and of the Son, and of the holy Spirit, teaching them to observe all that I have commanded you. And behold, I am with you always, until the end of the age" (Matthew 28:19–20).

READ the passage from the Gospel of Matthew. Read slowly and carefully.

REFLECT on what you read.

Think about the following questions:

- What do the names of the Three Persons of the Blessed Trinity—God the Father, the Son, and the Holy Spirit—tell you about who God is?
- What help do you need from the Blessed Trinity—Father, Son, and Holy Spirit—today? How will you seek that help?
- In this reading, what are you, as a believer in the Blessed Trinity, asked to do? How will you do that?
- What does Jesus' promise to his disciples to be with them "until the end of the age" mean in your life? How can it influence the way you live your life each day?

SHARE your thoughts and ideas with your group.

Talk about ways the Blessed Trinity can help you live as Jesus' disciples, and also make disciples.

Trinity Icon, by Andrei Rublev (1360–1430)

CONTEMPLATE and share your thoughts and feelings with God in prayer. Share ideas on how you can strengthen your relationship with God the Father, God the Son, and God the Holy Spirit.

La Santísima Trinidad

Valoramos nuestra fe católica

El tema de nuestro retiro es *La Santísima Trinidad*.

- En el Bautismo nos hacemos hijos de Dios, quien es Padre, Hijo y Espíritu Santo. Por el Bautismo somos llamados a predicar la buena nueva. ¿Cómo puede hacer esto esta semana?
- Piense en lo que conoce sobre cada una de las Personas de la Santísima Trinidad y cómo las tres son un solo Dios.
- Cada Persona de la Santísima Trinidad trabaja cada día en nuestras vidas. Piense en cómo puede poner más atención al trabajo de la Trinidad en su vida.
- Hable con cada Persona de la Santísima Trinidad en oración. Hable con Dios como habla a un padre amoroso, con Jesús como a un amigo y maestro y con el Espíritu Santo como un consejero y guía.

Celebramos y honramos nuestra identidad católica

> "El misterio de la Santísima Trinidad es el misterio central de la fe y de la vida cristiana. Solo Dios puede dárnoslo a conocer revelándose como Padre, Hijo y Espíritu Santo". (*Catecismo de la Iglesia Católica*, 261)

Comparta palabras que pueda usar para describir a cada una de las Personas de la Santísima Trinidad. Escríbalas en los círculos.

Converse con su grupo sobre cómo las familias pueden vivir la fe en la Santísima Trinidad todos los días. Escriba algo que su familia pueda hacer durante la próxima semana.

____

____

____

____

____

Conversen sobre lo que cada una de la Personas de la Santísima Trinidad significa para cada uno en el grupo. Escriba algunas de las ideas claves y luego compártalas con el grupo.

____

____

____

____

____

Reflexione en silencio sobre algunas de las ideas que compartió con el grupo.

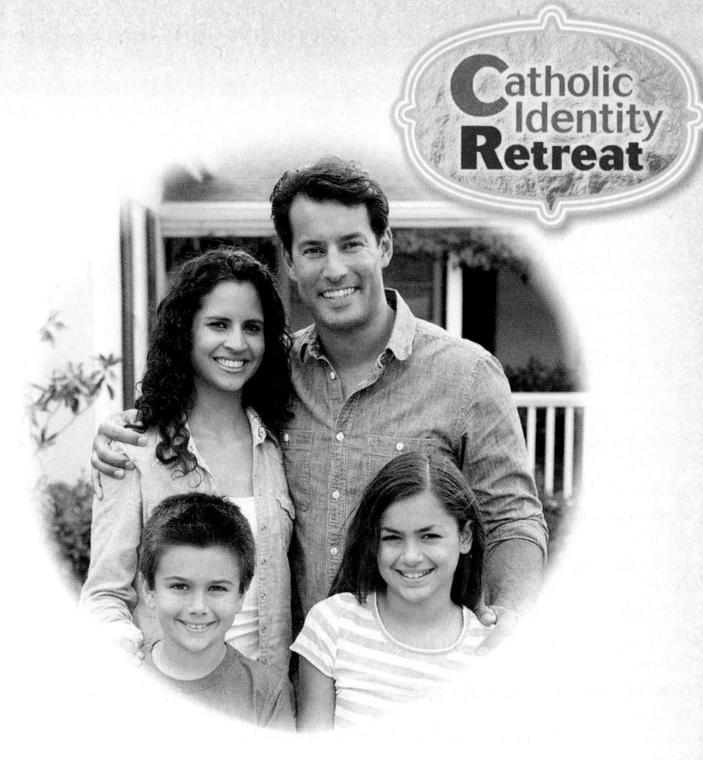

The Blessed Trinity

We Value Our Catholic Faith

The theme of our retreat is the *Blessed Trinity*.

- In Baptism you became a child of God, who is Father, Son, and Holy Spirit. Through Baptism, we are called to spread the Good News. How will you do that this week?
- Think about what you know about each Person of the Blessed Trinity and how the Three Persons are One God.
- Each Person of the Blessed Trinity is at work in our lives each day. Think about ways you can be more open to the work of the Trinity in your life.
- Take time to silently address each Person of the Blessed Trinity in prayer. Speak to God as your loving Father, to Jesus as your Friend and Teacher, and to the Holy Spirit as your Advocate and Helper.

We Celebrate and Honor Our Catholic Identity

> "The mystery of the Most Holy Trinity is the central mystery of the Christian faith and of Christian life. God alone can make it known to us by revealing himself as Father, Son, and Holy Spirit." (*Catechism of the Catholic Church*, 261)

Share words you can use to describe each Person of the Blessed Trinity. Write these words in the interlocking circles.

Talk about how your family can live out the belief in the Blessed Trinity each day. Write one way you can do so during the coming week.

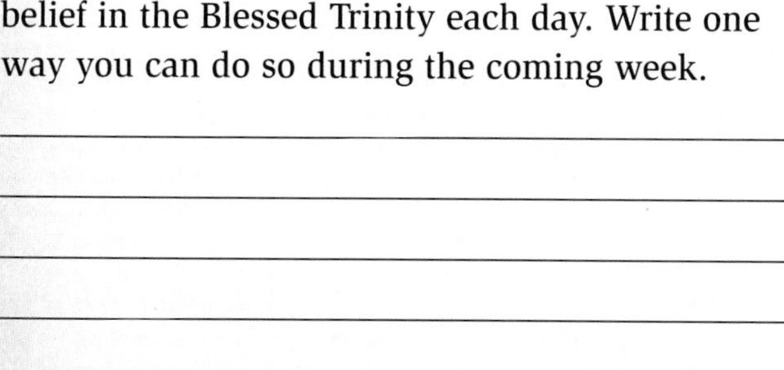

Talk about what each Person of the Blessed Trinity means to each one in the group. Write down some key insights below and share them with your group.

____

____

____

____

____

Take time to silently reflect on some of the ideas shared with your group.

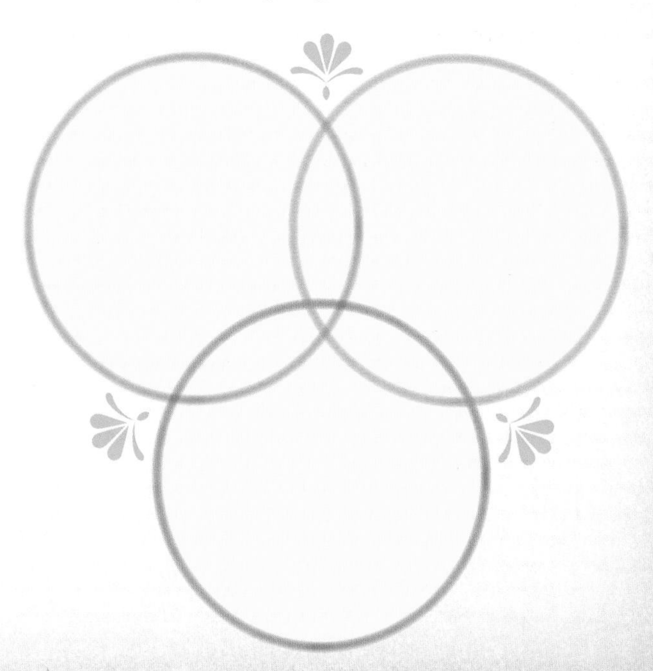

Identidad católica Retiro

Llevando el retiro a casa

La Santísima Trinidad

Repaso del retiro

Repase con su familia el retiro *Celebrando la identidad católica: El Credo.* Converse sobre la Santísima Trinidad. Enfatice:

- Hay tres Personas en Un solo Dios: Dios el Padre, Dios el Hijo y Dios el Espíritu Santo.
- Cada Persona de la Santísima Trinidad tiene un papel pero son un solo Dios.
- Por el Bautismo nos hacemos hijos de Dios y recibimos el llamado a predicar la buena nueva de Jesús. Converse cómo su familia puede responder a ese llamado.

Oración a la Trinidad

Juntos escriban una oración a las tres Personas de la Santísima Trinidad y pónganla cerca de la puerta principal. Pidan a la Santísima Trinidad bendecir a su familia y a todo el que entre a su hogar.

Un momento de reflexión

Algunas veces tenemos preguntas sobre los misterios de la fe tales como la Santísima Trinidad. Comparta con su familia que cuando rezamos a Dios estamos conversando con él. Podemos hacer a Dios nuestras preguntas de fe. Juntos tomen un momento para rezar pidiendo a Dios ayuda para crecer en sabiduría y entendimiento como discípulos de Jesús.

Oración en familia

Repase esta oración en familia. Récenla durante las comidas o cuando la familia esté reunida. Diga los nombres de cada uno de los miembros de la familia en la oración cuando llegue el momento.

Santísima Trinidad, nos muestras la amorosa relación entre el Padre, el Hijo y el Espíritu Santo. Ayuda a nuestra familia (incluya los nombres de los familiares):

____

Para que hagamos de la bondad y el amor la base de nuestras relaciones. Amén.

Para más recursos vea *Identidad católica Amigo del hogar* al final del libro.

Catholic Identity Retreat

Bringing the Retreat Home

The Blessed Trinity

Retreat Recap

Review with your family the pages of the *Celebrating Catholic Identity: Creed* retreat. Talk about what you heard about the Blessed Trinity. Emphasize:

- There are Three Persons in One God: God the Father, God the Son, and God the Holy Spirit.
- Each Person of the Blessed Trinity has a role, yet all are One.
- Through Baptism you became children of God and received the call to spread the Good News of Jesus. Talk about ways your family will respond to this call.

Trinity Blessings

Together, write a prayer to the Three Persons of the Blessed Trinity in the space below. Cut out the prayer and post it near your inside front door. Ask the Blessed Trinity to bless your family and all who enter your home.

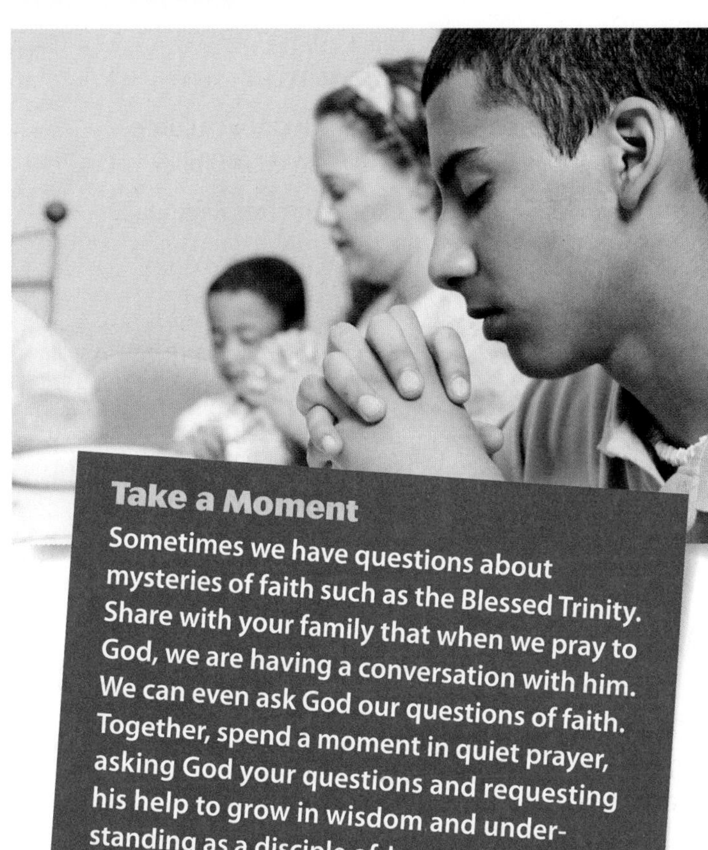

Take a Moment

Sometimes we have questions about mysteries of faith such as the Blessed Trinity. Share with your family that when we pray to God, we are having a conversation with him. We can even ask God our questions of faith. Together, spend a moment in quiet prayer, asking God your questions and requesting his help to grow in wisdom and understanding as a disciple of Jesus Christ.

Family Prayer

Review this prayer as a family. Pray the prayer at mealtime or when your family is together. Include the names of your family where prompted.

O Blessed Trinity, you show us the loving relationship of Father, Son, and Holy Spirit. Please help our family (*name the members of your family*):

____

to make kindness and love the basis of our relationships with one another. Amen.

For more resources, see the *Catholic Identity Home Companion* at the end of this book.

Qué creemos
como familia católica

Si alguien nos pregunta:

- ¿En qué se basa la creencia católica sobre la Santísima Trinidad? ¿Está en la Biblia?
- ¿Cómo puede Un Dios tener tres Personas?

Los siguientes recursos nos pueden ayudar a contestar:

La Santísima Trinidad es el misterio central de nuestra fe. Es el misterio de quién es Dios. Todos los sacramentos, las liturgias, las oraciones y la fe de la Iglesia expresan y celebran este misterio. De hecho, lo proclamamos en la Misa en el Credo de Nicea y cada vez que hacemos la señal de la cruz.

¿Qué dice la Escritura?

"Al principio creó Dios el cielo y la tierra. La tierra era una soledad caótica y las tinieblas cubrían el abismo, mientras el espíritu de Dios aleteaba sobre las aguas". (Génesis 1:1–2)

Cuando Jesús fue bautizado por Juan el Bautista, "se abrió el cielo, y el Espíritu Santo bajó sobre él en forma visible, como una paloma, y se oyó una voz que venía del cielo: 'Tú eres mi Hijo amado, en ti me complazco'". (Lucas 3:21–22).

"Al llegar el día de Pentecostés, estaban todos juntos en el mismo lugar. De repente vino del cielo un ruido, semejante a un ráfaga de viento impetuoso, y llenó toda la casa donde se encontraban. Entonces aparecieron lenguas como de fuego, que se repartían y se posaban sobre cada uno de ellos. Todos quedaron llenos del Espíritu Santo y comenzaron a hablar en lenguas extrañas, según el Espíritu los movía a expresarse". (Hechos de los Apóstoles 2:1–4)

En estas y otras palabras de la Biblia, el amor de Dios como Padre, Hijo y Espíritu Santo es revelado. En los Evangelios leemos que en la Encarnación la segunda Persona Divina de la Trinidad tomó la naturaleza humana. Así, Jesucristo tiene dos naturalezas: divina y humana. Dios el Padre, nuestro creador, estaba trabajando en todo lo que Jesús decía y hacía. El Espíritu Santo estaba trabajando cuando Jesús enseñaba y compartía el amor de su Padre. Después de su regreso al cielo con su Padre, Jesucristo envió al Espíritu Santo para dar valor a sus discípulos. En el Antiguo Testamento, el misterio de la Santísima Trinidad revela el amor de Dios, el Padre y Creador, la guía y sabiduría del Espíritu Santo y la promesa del Salvador—quien es Jesucristo, el Hijo de Dios.

¿Cómo pueden tres Personas Divinas ser Un solo Dios? Como humanos no podemos entenderlo completamente. Es un misterio de nuestra fe, lo sabemos solo porque Dios nos lo ha revelado.

¿Qué dice la Iglesia?

"El ser mismo de Dios es Amor. Al enviar en la plenitud de los tiempos a su Hijo único y al Espíritu de Amor, Dios revela su secreto más íntimo; [...] es una eterna comunicación de amor: Padre, Hijo y Espíritu Santo, y nos ha destinado a participar en Él". (*CIC*, 221)

"Dios es único, pero no solitario". (*Fides Damasi*, una cita de afirmación de la Iglesia del siglo quinto, citado en el *CIC*, 254)

"Dios es amor. [...]el amor del Padre quien es el origen de toda vida, el amor del Hijo quien murió en la cruz y resucitó, el amor del Espíritu Santo quien renueva al ser humano y el mundo. Pensar que Dios es amor nos hace bien, porque nos enseña a amar, a darnos a otros como Jesús se dio cuando vivió entre nosotros". (Papa Francisco, Mensaje del Angelus, Solemnidad de la Santísima Trinidad, 26 de Mayo, 2013)

Notas:

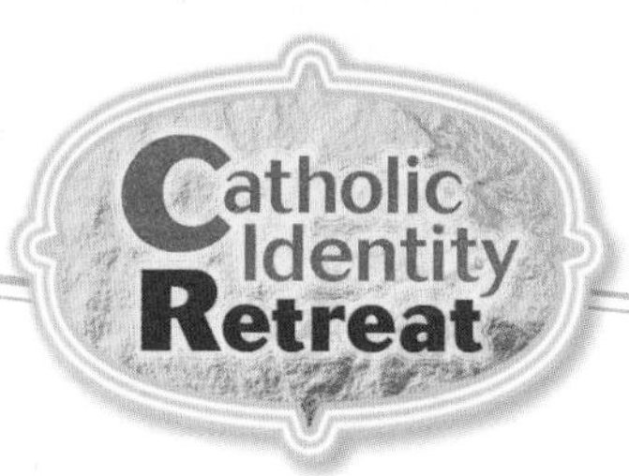

Why We Believe
As a Catholic Family

What if someone asks us:

- What is the basis of the Catholic belief in the Blessed Trinity? Is this belief found in the Bible?
- How could One God be Three Persons?

The following resources can help us to respond:

The Blessed Trinity is the central mystery of our Catholic faith. That is because it is the mystery of who God is. All the sacraments, liturgies, prayers, and faith of the Church express and celebrate this mystery. In fact, we proclaim it at every Mass in the Nicene Creed and every time we pray the Sign of the Cross!

What does Scripture say?

"In the beginning, when God created the heavens and the earth, the earth was a formless wasteland, and darkness covered the abyss, while a mighty wind swept over the waters." (Genesis 1:1–2)

When Jesus was baptized by John the Baptist, "heaven was opened and the holy Spirit descended upon him in bodily form like a dove. And a voice came from heaven, 'You are my beloved Son; with you I am well pleased'" (Luke 3:21–22).

"When the time for Pentecost was fulfilled, they were all in one place together. . . . Suddenly there came from the sky a noise like a strong driving wind, and it filled the entire house in which they were. Then there appeared to them tongues as of fire, which parted and came to rest on each one of them. And they were all filled with the holy Spirit." (Acts of the Apostles 2:1–4)

In these and other words from the Bible, the love of God as Father, Son, and Holy Spirit is revealed. From the Gospels we learn that in the Incarnation the Second Divine Person of the Trinity took on a human nature. Thus, Jesus Christ has two natures: divine and human. God the Father, our Creator, was at work in everything Jesus said and did. God the Holy Spirit was at work as Jesus taught and shared the Father's love. After returning to his Father in Heaven, Jesus Christ sent the Holy Spirit to the disciples to empower them, too. In the Old Testament, the mystery of the Blessed Trinity reveals the love of God, the Father and Creator; the guidance and wisdom of the Holy Spirit; and the promise of the Savior—who is Jesus Christ, the Son of God.

But how can there be *Three* Divine Persons in One God? As human beings we are unable to fully grasp this. It is a mystery of our faith, a truth of our faith that we know only because God has revealed it to us.

What does the Church say?

"God's very being is love. By sending his only Son and the Spirit of Love in the fullness of time, God has revealed his innermost secret: God himself is an eternal exchange of love, Father, Son, and Holy Spirit, and he has destined us to share in that exchange." (*CCC*, 221)

"God is one but not solitary." (*Fides Damasi*, a fifth-century statement of the Church, as quoted in *CCC*, 254)

"God is love. . . . the love of the Father who is the origin of all life, the love of the Son who dies on the Cross and is raised, the love of the Spirit who renews human beings and the world. Thinking that God is love does us so much good, because it teaches us to love, to give ourselves to others as Jesus gave himself to us and walks with us." (Pope Francis, Angelus message, Solemnity of the Most Holy Trinity, May 26, 2013)

Notes:

Apreciada familia

En la unidad 1 los niños aprenderán a crecer como discípulos de Jesús:

- comprendiendo que Jesucristo es el Hijo único de Dios y que vino a mostrarnos el amor de Dios
- aprendiendo que la Iglesia comparte en la misión de Jesús y viviendo las diferentes maneras de proclamar la buena nueva
- celebrando el misterio pascual de Cristo en la liturgia y participando en la vida de Dios
- reconociendo el significado de los sacramentos de iniciación, los sacramentos de sanación y los sacramentos al servicio de la comunión
- valorando el Bautismo como base de la vida cristiana que nos da la esperanza de la vida eterna.

Vidas de santos

San Pablo es uno de los autores de la Biblia que fue inspirado por el Espíritu Santo. Algunas de las imágenes maravillosas que tenemos de la Iglesia proceden de las cartas de san Pablo. "Pueblo de Dios" y "Cuerpo de Cristo" son dos de las imágenes usadas por Pablo. Inviten a su familia a completar la frase:

La Iglesia es como ______________________

______________________________________.

Investiga

En el Bautismo nos convertimos en miembros del cuerpo de Cristo, la Iglesia. Vayan al sitio Web de su parroquia o diócesis para buscar información acerca de la Iglesia local a la que pertenecen. Pueden ir también al sitio Web del Vaticano (http://w2.vatican.va/content/vatican/es.html).

Realidad

"Jesús nos da el ejemplo de la santidad en la vida cotidiana de la familia y del trabajo".

(Catecismo de la Iglesia Católica, 564)

Exprésalo

Observen las imágenes de los sacramentos en las páginas 36–41. Conversen sobre lo que su familia puede hacer para apoyar a los que reciben uno o más de ellos. Recen por ellos.

Mostrando amor

Una de las obras corporales de misericordia es visitar a los enfermos. Si conocen a un amigo de la familia o a un vecino que esté enfermo o de edad avanzada, planifiquen visitarlo. O bien, pueden hacer juntos una tarjeta para que algunos de los ministros de la parroquia puedan llevar a los enfermos cuando los visiten.

Tarea

Las tareas para esta unidad son:

Capítulo 1: Conversando acerca de las parábolas de Jesús

Capítulo 2: Escogiendo una de las obras corporales de misericordia

Capítulo 3: Compartiendo recuerdos de los sacramentos

Capítulo 4: Escogiendo a un santo patrón familiar

Capítulo 5: Conversando acerca de los símbolos usados en el Bautismo

Dear Family

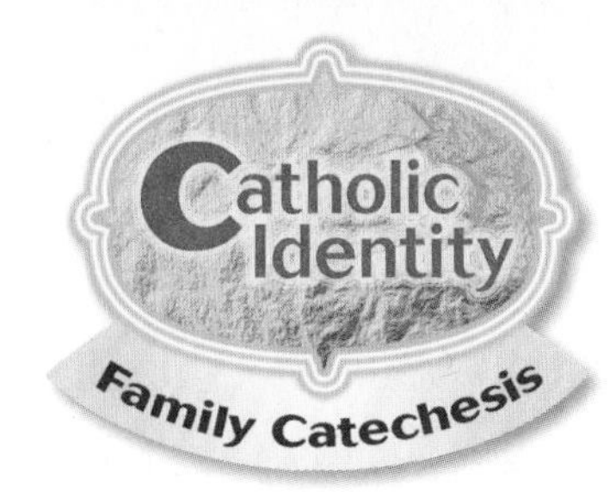

In Unit 1 your child will grow as a disciple of Jesus by:

- understanding that Jesus Christ is God's only Son and that he came to show us God's love
- learning that the Church shares in Jesus' mission and living out the ways to proclaim the Good News
- celebrating Christ's Paschal Mystery in the liturgy and sharing in God's life
- recognizing the meaning of the Sacraments of Initiation, the Sacraments of Healing and the Sacraments at the Service of Communion
- appreciating Baptism as the foundation of Christian life which gives us the hope of Eternal Life.

Saint Stories

Paul is one of the biblical writers who was inspired by the Holy Spirit. Some of the wonderful images we have for the Church came from Saint Paul's letters. "People of God" and "Body of Christ" are two images that Paul used. Invite your family to complete the sentence:

The Church is like ______________________

______________________________.

More to Explore

In Baptism we become members of the Body of Christ, the Church. Check your parish or diocesan Web site to learn more about the local Church to which you belong. You might also go to the Vatican Web site (www.vatican.va).

Reality Check

"Jesus gives us the example of holiness in the daily life of family and work."

(*Catechism of the Catholic Church*, 564)

Picture This

Look at the images of the sacraments on pages 36–41. Talk about what your family can do to support those who are receiving one or more of these. Pray for them.

Show That You Care

One of the Corporal Works of Mercy is to visit the sick. If you have a family friend or neighbor who is ill or elderly, plan a visit. Or, you might make a card together for one of the parish ministers to bring when he or she visits an ill parishioner.

Take Home

Be ready for this unit's Take Home:

Chapter 1: Talking about Jesus' parables

Chapter 2: Choosing one of the Works of Mercy

Chapter 3: Sharing memories of the sacraments

Chapter 4: Choosing a family patron saint

Chapter 5: Discussing the symbols used at Baptism

Jesús comparte la vida de Dios con nosotros

NOS CONGREGAMOS

Líder: El Señor, un Dios clemente y compasivo, paciente, lleno de amor y fiel. (Cf. Éxodo 34:6)

Todos: Ahora y siempre.

Líder: Padre, enviaste a tu Hijo para que pudiéramos conocer tu amor y tu misericordia. Que todos los que siguen a Cristo sean signos de tu amor.

Todos: Amén.

Cerca está el Señor

Cerca está el Señor de los que lo invocan.
Cerca está el Señor de los que lo invocan.

¿Cómo muestras lo que es importante para ti?

CREEMOS

Jesús es el Hijo de Dios.

En el Nuevo Testamento leemos sobre Juan el Bautista. Juan habló a la gente sobre el arrepentimiento y les pidió cambiar sus vidas. Él estaba preparando al pueblo para el Mesías, el Ungido. *Mesías* es otro nombre para "Cristo". Jesucristo es el Ungido quien trae nueva vida.

Juan bautizó a la gente como un signo de su deseo de cambiar. Juan dijo: "Yo los bautizo con agua para que se conviertan, pero el que viene detrás de mí es más fuerte que yo, y no soy digno de quitarle las sandalias. Él los bautizará con Espítitu Santo y fuego" (Mateo 3:11).

Jesus Shares God's Life with Us

WE GATHER

✠ **Leader:** Blessed are you, Lord, God of tenderness and compassion, rich in kindness and faithfulness. (Cf. Exodus 34:6)

All: Now and for ever.

Leader: Father, you sent your Son to us so that we could know your love and feel your mercy. May all who follow Christ be a sign of your love.

All: Amen.

♫ **The Lord Is Near**

The Lord is near to all,
to all who call on him.
The Lord is near to all,
to all who call on him.

How do you show people what is important to you?

WE BELIEVE

Jesus is the Son of God.

In the New Testament we read about John the Baptist. John talked to people about repentance and asked them to change their lives. He was preparing the people for the Messiah, the Anointed One. *Messiah* is another word for "Christ." Jesus Christ is the Anointed One who would bring new life.

John baptized people as a sign of their desire to change. John said, "I am baptizing you with water, for repentance, but the one who is coming after me is mightier than I. I am not worthy to carry his sandals. He will baptize you with the holy Spirit and fire" (Matthew 3:11).

Jesús creció en Nazaret con María, su madre, José, su padre adoptivo y muchos amigos y familiares. Cuando Jesús tenía treinta años fue al río Jordán y pidió a Juan que lo bautizara. Juan le dijo: "Soy yo quien necesito que tú me bautices, ¿y tú vienes a mí? (Mateo 3:14). Sin embargo, Jesús convenció a Juan de que lo bautizara. Cuando Jesús salió del agua, los cielos se abrieron. El Espíritu Santo en forma de paloma descendió sobre él y se oyó una voz del cielo que decía, "Éste es mi Hijo amado, en quien me complazco" (Mateo 3:17).

Jesucristo es el Hijo de Dios. Él es la segunda Persona de la Santísima Trinidad que se hizo hombre. La **Santísima Trinidad** es tres Personas en un Dios: Dios el Padre, Dios el Hijo y Dios el Espíritu Santo.

Después de su bautismo Jesús regresó a Nazaret. En la sinagoga leyó el siguiente pasaje del libro del profeta Isaías:

"El Espíritu del Señor está sobre mí, porque me ha ungido para anunciar la buena noticia a los pobres; me ha enviado a proclamar la liberación a loa cautivos, a dar vista a los ciegos, a libertar a los oprimidos y a proclamar un año de gracia del Señor".
(Lucas 4:18–19)

¿Qué podemos hacer hoy para seguir el ejemplo de Jesús y vivir una vida buena ante los ojos del Señor?

Jesús nos muestra el amor de Dios.

En su ministerio Jesús acercó el pueblo a Dios, su Padre. Jesús:

- enseñó acerca del amor de Dios, su Padre
- acogió al pueblo en su vida
- dio de comer a los que tenían hambre y compartió comida con los ignorados
  - perdonó los pecados de quienes estaban verdaderamente arrepentidos
  - sanó a los enfermos.

En los Evangelios leemos que Jesús viajó de pueblo en pueblo. Una vez una multitud lo estaba siguiendo mientras enseñaba. Él dijo "Siento lástima de esta gente, porque llevan ya tres días conmigo y no tienen nada para comer" (Marcos 8:2). Jesús dio de comer a todos. La preocupación de Jesús por ellos nos muestra que Dios nos cuida.

Jesus had grown up in Nazareth with Mary, his mother, Joseph, his foster father, and many relatives and friends. When Jesus was about thirty, he went to the Jordan River and asked John to baptize him. But John said to Jesus, "I need to be baptized by you, and yet you are coming to me?" (Matthew 3:14). However, Jesus convinced John to baptize him. As Jesus came up from the water, the heavens opened. The Holy Spirit in the form of a dove descended upon Jesus, and a voice from the heavens said, "This is my beloved Son, with whom I am well pleased" (Matthew 3:17).

Jesus Christ is the Son of God. He is the Second Person of the Blessed Trinity who became man. The **Blessed Trinity** is the Three Persons in One God: God the Father, God the Son, and God the Holy Spirit.

After his baptism Jesus returned to Nazareth. In the synagogue he read the following passage from the prophet Isaiah:

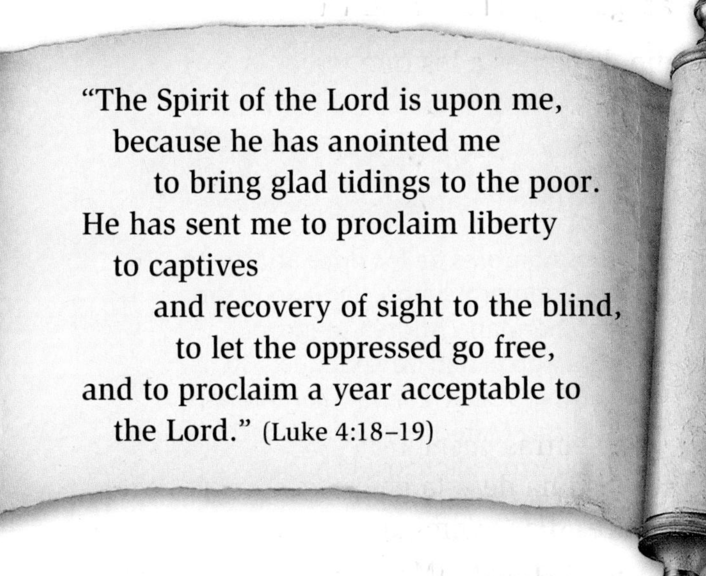

"The Spirit of the Lord is upon me,
because he has anointed me
to bring glad tidings to the poor.
He has sent me to proclaim liberty
to captives
and recovery of sight to the blind,
to let the oppressed go free,
and to proclaim a year acceptable to
the Lord." (Luke 4:18–19)

What can we do today to follow Jesus' example and live a life acceptable to the Lord?

Jesus shows us God's love.

In his ministry Jesus brought people closer to God his Father. Jesus:

- taught about the love of God his Father
- welcomed all people into his life
- fed the hungry and shared meals with people whom others ignored
- forgave those who were truly sorry
- healed those who were sick.

In the Gospels we read that Jesus traveled from town to town. Once a crowd was following Jesus while he taught. He said, "My heart is moved with pity for the crowd, because they have been with me now for three days and have nothing to eat" (Mark 8:2). Jesus then fed the people. Jesus' concern for them shows us that God cares for us.

Jesús fue justo con los pecadores, los extranjeros, los ignorados y los pobres. El comportamiento de Jesús con la gente nos muestra que Dios es justo.

Una vez un líder religioso criticó a Jesús por perdonar a un pecador. Jesús le dijo que los perdonados aman más. Las acciones de Jesús nos muestran que Dios es misericordioso.

Lucas 18:35–43

Una vez un ciego limosnero trataba de atraer la atención de Jesús. La gente le decía al hombre que se callara, pero él no se callaba. Jesús se detuvo a hablar con él, el hombre le dijo: "Señor, que recupere la vista. Jesús le dijo: Recupérala; tu fe te ha salvado" (Lucas 18:41–42). Inmediatamente el hombre vio.

En todas estas formas Jesús mostró el amor de Dios a otros. En Jesús vemos que Dios nos cuida, nos muestra misericordia, y es justo con todos.

Lee la siguiente situación. En grupo, escenifiquen lo que pueden hacer como seguidores de Jesús.

Necesitas pasar el examen final de matemáticas o irás a la escuela de verano. La nota de tu amigo Roberto es "A". Durante el examen está sentado a tu lado.

Jesús invita a la gente a seguirle.

Jesús invita a la gente a seguirle. Los que lo siguieron se convirtieron en sus discípulos. Jesús quiso que ellos vivieran como él. Él les enseñó a obedecer la ley de Dios y a confiar en Dios, no en el dinero, el poder o las posesiones. Él invitó a toda la gente a confiar en Dios y buscar su perdón. Esta fue la **misión de Jesús**, compartir la vida de Dios con todo el mundo y salvarlo del pecado.

Jesús llamó al pueblo a cambiar la forma en que vivía y a amar a Dios y a los demás. Él les dijo: "El plazo se ha cumplido. El reino de Dios está llegando. Conviértanse y crean en el evangelio" (Marcos 1:15). El **Reino de Dios** es el poder del amor de Dios activo en nuestras vidas y en el mundo. El Reino de Dios está entre nosotros por medio del amor y la vida de Jesús.

En sus enseñanzas Jesús usó parábolas, historias cortas sobre la vida diaria. En sus parábolas él usó ejemplos de la naturaleza, las granjas, las fiestas y el trabajo diario para describir el Reino de Dios.

Como católicos...

"Los nombres de los doce apóstoles son: primero Simón, llamado Pedro, y su hermano Andrés; luego Santiago el hijo de Zebedeo y su hermano Juan; Felipe y Bartolomé; Tomás y Mateo, el recaudador de impuestos; Santiago, el hijo de Alfeo, y Tadeo; Simón el cananeo, y Judas Iscariote, el que lo entregó". (Mateo 10:2-4)

¿Qué más puedes averiguar sobre estos apóstoles?

Jesus was fair to sinners, strangers, those who were ignored, and those who were poor. Jesus' treatment of people shows that God is just.

A religious leader once criticized Jesus for forgiving a sinner. Jesus told the leader that the one who is forgiven more loves more. Jesus' actions also show us that God is merciful.

Luke 18:35–43

Once a blind beggar was trying to get Jesus' attention. People told the man to be quiet, but he would not. When Jesus stopped to talk to him, the man said, "Lord, please let me see." Jesus then said to the man, "Have sight; your faith has saved you" (Luke 18:41, 42). Immediately the man could see.

In all these ways Jesus showed others God's love. In Jesus we see a God who cares for us, has mercy on us, and is just to everyone.

Read the following situation. In groups role-play what you could do as followers of Jesus.

You need a passing grade on the math final exam or you will go to summer school. Your friend is an "A" student. He is sitting next to you during the test.

Jesus invites people to follow him.

Jesus invited people to follow him. These people became his disciples. Jesus wanted them to live as he did. He taught them to obey God's law and to rely on God, not money, power, or possessions. He invited all people to trust in God and seek God's forgiveness. This was **Jesus' mission**, to share the life of God with all people and to save them from sin.

Jesus called people to change the way they lived and to love God and others. He told them, "The kingdom of God is at hand. Repent, and believe in the gospel" (Mark 1:15). The **Kingdom of God** is the power of God's love active in our lives and in the world. The Kingdom of God is here among us through the life and love of Jesus.

In his teaching Jesus used parables, short stories about everyday life. In his parables, Jesus used examples from nature, farming, feasts, and everyday work to describe the Kingdom of God.

As Catholics...

"The names of the twelve apostles are these: first, Simon called Peter, and his brother Andrew; James, the son of Zebedee, and his brother John; Philip and Bartholomew, Thomas and Matthew the tax collector; James, the son of Alphaeus, and Thaddeus; Simon the Cananean, and Judas Iscariot who betrayed him." (Matthew 10:2–4)

How can you find out about the Apostles?

Mateo 13:31–32

Jesús comparó el Reino de Dios con una semilla de mostaza: "Es la más pequeña de todas las semillas, pero cuando crece es mayor que las hortalizas y se hace como un árbol, hasta el punto que los pájaros del cielo pueden anidar en sus ramas" (Mateo 13:32).

Igual que la semilla de mostaza, el Reino de Dios puede crecer y extenderse. Jesús animó a sus discípulos a responder al amor de Dios y a predicar el mensaje del Reino de Dios.

El Reino de Dios no está completo. Seguirá creciendo hasta que Jesús regrese en gloria al final de los tiempos.

Si tuvieras que explicar el Reino de Dios, ¿qué imagen usarías?

Los discípulos de Jesús continúan su trabajo.

Entre sus discípulos Jesús escogió a doce hombres para ser sus apóstoles. **Los apóstoles** compartieron la misión de Jesús de manera especial. Ellos pudieron continuar el trabajo salvador de Jesús cuando Jesús regresó a su Padre. Jesús les dijo a los apóstoles que el Espíritu Santo vendría a ellos para ayudarlos a recordar todo lo que él había dicho y hecho.

Después de la Resurrección, Jesús dijo a los apóstoles: "Dios me ha dado autoridad plena sobre cielo y tierra. Vayan y hagan discípulos a todos los pueblos y bautícenlos para consagrarlos al Padre, al Hijo y al Espíritu Santo, enseñándoles a poner por obra todo lo que les he mandado. Y sepan que yo estoy con ustedes todos los días hasta el final de los tiempos" (Mateo 28:18–20).

Cuando el Espíritu Santo vino en Pentecostés, los apóstoles fueron fortalecidos. Ellos salieron a compartir la buena nueva de Jesucristo. Este fue el inicio de la Iglesia. La palabra *iglesia* significa "grupo que es llamado a estar junto". La **Iglesia** es todos los que creen en Jesucristo, han sido bautizados en su nombre y siguen sus enseñanzas.

Con cristo como cabeza, la Iglesia es la semilla del Reino de Dios en la tierra. Por medio de la Iglesia, el poder de la vida de Dios en el mundo aumenta. El Reino de Dios crece cuando:

- tenemos fe en Jesucristo y la compartimos
- vivimos como Jesús vivió y cumplimos la Voluntad de Dios
- buscamos construir una comunidad mejor, una nación más justa y un mundo más pacífico.

RESPONDEMOS

Junto con un compañero habla sobre algunas señales del Reino de Dios. Después escenifiquen una forma en que pueden ayudar al Reino de Dios a crecer.

Santísima Trinidad (pp 333)
misión de Jesús (pp 332)
Reino de Dios (pp 333)
apóstoles (pp 331)
Iglesia (pp 332)

Matthew 13:31–32

Jesus compared the Kingdom of God to a mustard seed. "It is the smallest of all the seeds, yet when full-grown it is the largest of plants. It becomes a large bush, and the 'birds of the sky come and dwell in its branches.'" (Matthew 13:32)

Like the mustard seed, the Kingdom of God can grow and spread. Jesus encouraged his disciples to respond to God's love and to spread the message of the Kingdom of God.

The Kingdom of God is not complete. It will continue to grow until Jesus returns in glory at the end of time.

If you were to explain God's Kingdom, what image would you use?

Jesus' disciples continue his work.

From among his disciples Jesus chose twelve men to be his Apostles. The **Apostles** shared in Jesus' mission in a special way. They would continue Jesus' saving work when Jesus returned to his Father. Jesus told the Apostles that the Holy Spirit would come to them and help them remember all that he had said and done.

After his Resurrection, Jesus told his Apostles, "All power in heaven and on earth has been given to me. Go, therefore, and make disciples of all nations, baptizing them in the name of the Father, and of the Son, and of the holy Spirit, teaching them to observe all that I have commanded you" (Matthew 28:18–20).

When the Holy Spirit came at Pentecost, the Apostles were strengthened. They went out to share the Good News of Jesus Christ. This was the beginning of the Church. The word *church* means "a group that is called together." The **Church** is all those who believe in Jesus Christ, have been baptized in him, and follow his teachings.

With Christ as its head, the Church is the seed of the Kingdom of God on earth. Through the Church, the power of God's life in the world increases. The Kingdom of God grows when we:

- have faith in Jesus Christ and share our belief
- live as Jesus did and follow God's will for us
- seek to build a better community, a more just nation, and a peaceful world.

WE RESPOND

With a partner discuss some signs of God's Kingdom. Then act out one way you can help God's Kingdom to grow.

Key Words

Blessed Trinity (p. 334)
Jesus' mission (p. 335)
Kingdom of God (p. 335)
Apostles (p. 334)
Church (p. 334)

HACIENDO DISCÍPULOS

Muestra *lo* que sabes

Completa el crucigrama usando las palabras del .

Horizontal

2. las tres Personas en un Dios: Dios el Padre, Dios el Hijo y Dios el Espíritu Santo.
3. todos los que creen en Jesucristo, han sido bautizados en él y siguen sus enseñanzas.
4. hombres escogidos por Jesús para compartir su misión de manera especial.
5. el poder del amor de Dios activo en nuestras vidas y en el mundo.

Vertical

1. compartir la vida de Dios con todo el mundo y salvarlo del pecado.

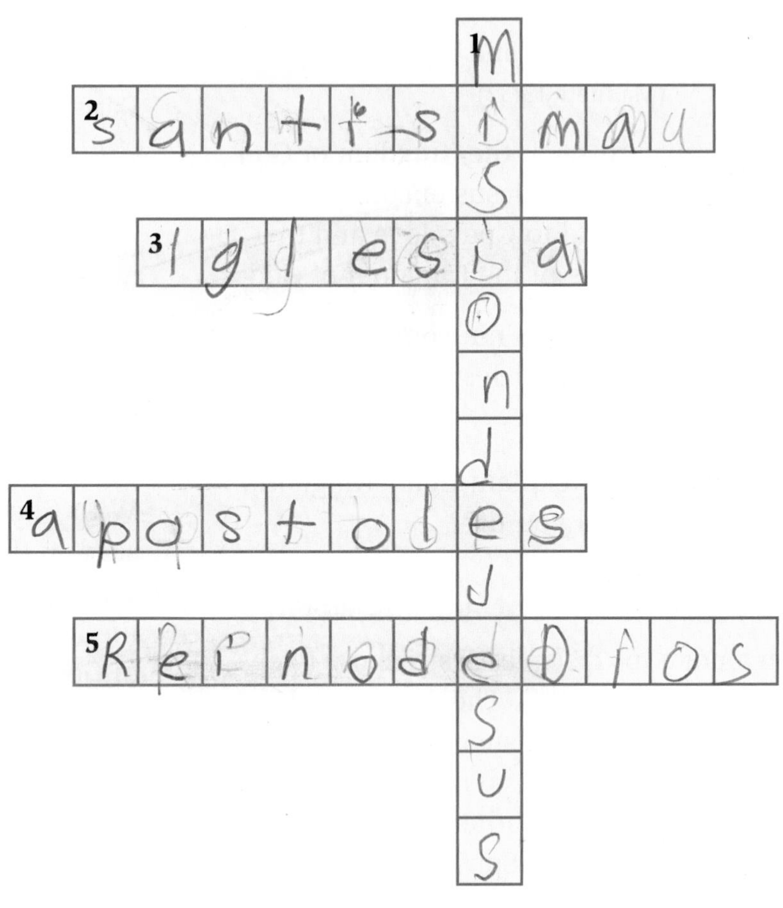

Exprésalo

Un trébol es *una* hoja con *tres* pétalos pero solo *un* tallo. Ilustra una forma en que crees que san Patricio usó el trébol para enseñar a los irlandeses sobre la Santísima Trinidad. (Idea: la Santísima Trinidad es *un* Dios en *tres* Personas: Dios el Padre, Dios el Hijo y Dios el Espíritu Santo.)

PROJECT DISCIPLE

Show What you Know

Complete the crossword puzzle using the Key Words.

Across

2. the Three Persons in One God: God the Father, God the Son, and God the Holy Spirit
3. all those who believe in Jesus Christ, have been baptized in him, and follow his teachings
4. men chosen by Jesus to share in his mission in a special way
5. the power of God's love active in our lives and in the world

Down

1. to share the life of God with all people and to save them from sin

Picture This

A shamrock is a clover with *three* leaves but just *one* stem. Illustrate a way you think Saint Patrick used the shamrock to teach the Irish people about the Blessed Trinity. (Hint: The Blessed Trinity is the *Three* Persons in *One* God: God the Father, God the Son, and God the Holy Spirit.)

HACIENDO DISCIPULOS

Hazlo

Haz una lista de las reglas para cumplir este año en el aula que ayuden a todos los alumnos a ser más compasivos, misericordiosos y justos.

____

____

____

Vidas de santos

Santa Isabel Ann Seton nació en New York en el año 1774. Ella leyó la Biblia y aprendió el gran amor de Dios por todos. Se convirtió al catolicismo después de la muerte de su esposo y empezó a educar niños sobre la Palabra de Dios. Estableció las Hermanas de la Caridad en los Estados Unidos. Esta comunidad religiosa de mujeres fundó escuelas y hogares para niños sin familia. Santa Isabel fue la primera persona nacida en los Estados Unidos nombrada santa. Su fiesta se celebra el 4 de enero.

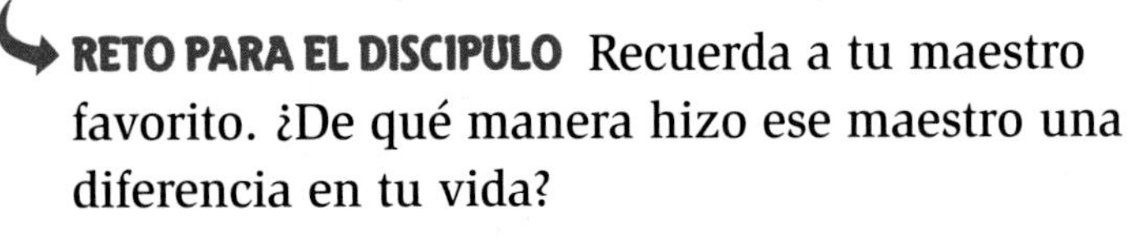

RETO PARA EL DISCIPULO Recuerda a tu maestro favorito. ¿De qué manera hizo ese maestro una diferencia en tu vida?

____

____

Reza

Al iniciar este nuevo año, escribe una oración para tus compañeros de quinto curso.

____

____

____

Tarea

El Reino de Dios es

____

____

Jesús usó parábolas, historias cortas para enseñar sobre el Reino de Dios. Un ejemplo es la parábola del grano de mostaza (Ver Mateo 13:31–32). Conversa sobre esta parábola con tu familia y lean juntos otras parábolas sobre el Reino de Dios en Mateo 13 y en Marcos 4:21–29.

PROJECT DISCIPLE

Make it Happen

Make a list of rules for your class to follow this year that helps everyone to be more compassionate, merciful, and just.

____

____

____

Saint Stories

Saint Elizabeth Ann Seton was born in New York in 1774. Elizabeth read the Bible and learned of God's great love for his people. She became a member of the Catholic Church after the death of her husband, and began educating children about the Gospel. She established the Sisters of Charity in the United States. This religious community of women founded schools and homes for children without families. Saint Elizabeth Ann Seton was the first American-born person to be named a saint. Her feast day is January 4.

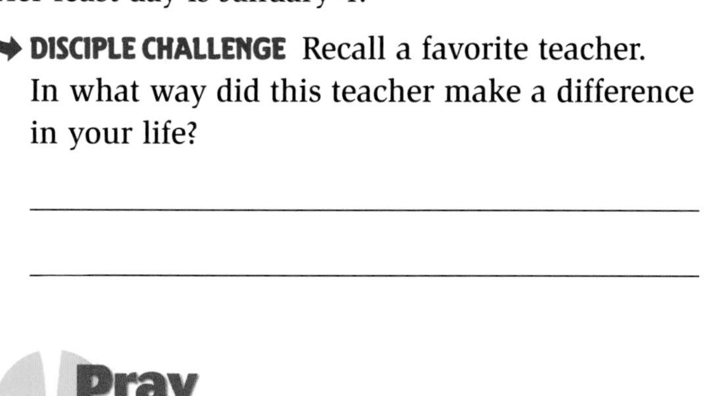

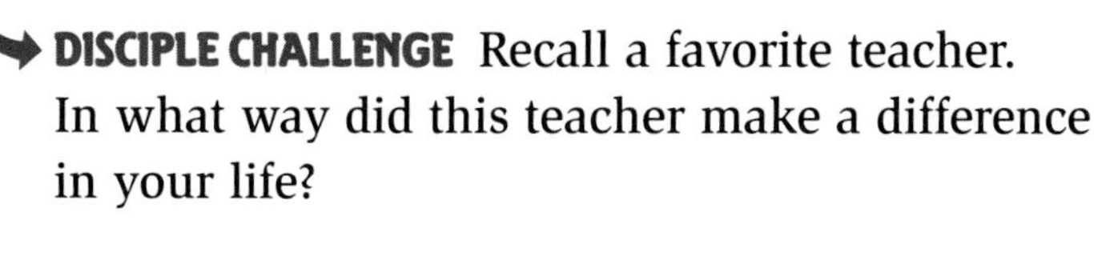

DISCIPLE CHALLENGE Recall a favorite teacher. In what way did this teacher make a difference in your life?

____

____

Pray Today

Write a prayer for your fellow fifth-graders as you all begin a new school year.

____

____

____

Take Home

The Kingdom of God is

____

____

Jesus used parables, or short stories, to teach about the Kingdom of God. One example is the Parable of the Mustard Seed. (See Matthew 13:31–32.) Talk about this parable with your family, and read together other parables about the Kingdom of God in Matthew 13 and Mark 4:21–29.

Catequesis en el hogar

Capítulo 1 (páginas 10–21)

Jesús comparte la vida de Dios con nosotros

En este capítulo su hijo(a) continúa aprendiendo más sobre Jesús. Jesús es el Hijo de Dios y estamos llamados a seguirlo.

Para los padres

Jesucristo es el Hijo de Dios, la segunda Persona de la Santísima Trinidad, quien se hizo hombre. Se hizo uno de nosotros para salvarnos del pecado. Jesús significa "Dios salva". Durante su vida pública, Jesús mostró al pueblo quién era y cómo es Dios. Sus enseñanzas con frecuencia eran sobre el reino de Dios y el poder del amor de Dios activo en nuestras vidas y el mundo.

Todos los días

- Encienda una vela y permanezcan en silencio por un momento. Hagan la señal de la cruz y ofrezcan una oración para que Dios bendiga el tiempo que van a pasar juntos.

Primer día **Jesús es el Hijo de Dios.**

- Invite a su hijo(a) a leer en voz alta el título. Túrnense para leer el texto que sigue.
- Señale que en el bautismo de Jesús en el Jordán la Trinidad fue revelada.
- Comente con su hijo(a) cómo el ejemplo de Jesús nos ayuda a vivir una vida aceptable para el Señor. Por ejemplo, respetando a los demás, cumpliendo los mandamientos y rezando diariamente.

1 Jesús comparte la vida de Dios con nosotros

NOS CONGREGAMOS

Líder: El Señor, un Dios clemente y compasivo, paciente, lleno de amor y fiel. (Cf. Éxodo 34:6)

Todos: Ahora y siempre.

Líder: Padre, enviaste a tu Hijo para que pudiéramos conocer tu amor y tu misericordia. Que todos los que siguen a Cristo sean signos de tu amor.

Todos: Amén.

Cerca está el Señor

Cerca está el Señor de los que lo invocan.
Cerca está el Señor de los que lo invocan.

¿Cómo muestras lo que es importante para ti?

CREEMOS

Jesús es el Hijo de Dios.

En el Nuevo Testamento leemos sobre Juan el Bautista. Juan habló a la gente sobre el arrepentimiento y les pidió cambiar sus vidas. Él estaba preparando al pueblo para el Mesías, el Ungido. *Mesías* es otro nombre para "Cristo". Jesucristo es el Ungido quien trae nueva vida.

Juan bautizó a la gente como un signo de su deseo de cambiar. Juan dijo: "Yo los bautizo con agua para que se conviertan, pero el que viene detrás de mí es más fuerte que yo, y no soy digno de quitarle las sandalias. Él los bautizará con Espítitu Santo y fuego" (Mateo 3:11).

10

Segundo día **Jesús nos muestra el amor de Dios.**

- Juntos lean en voz alta la afirmación y el texto.
- Ponga énfasis en que durante su ministerio Jesús acercó a la gente a Dios y le mostró el amor y la misericordia de Dios.

Tercer día **Jesús invita a la gente a seguirle.**

- Ponga énfasis en que Jesús llamó a los discípulos a seguirle y a obedecer los mandamientos de Dios. La misión de Jesús fue llevar la buena nueva del reino de Dios y mostrar que el amor de Dios está presente y activo en nuestras vidas.
- Pregunte: *¿Qué tipo de imágenes usa Jesús en sus parábolas?*

Cuarto día **Los discípulos de Jesús continúan su trabajo.**

- Explique que los apóstoles fueron doce hombres escogidos por Jesús para continuar su misión de manera especial.
- Junto con su hijo(a)converse sobre algunos de los signos del reino de Dios. Explique que el reino de Dios crece cuando tenemos fe en Jesús y compartimos nuestra fe, vivimos como lo hizo Jesús y cumplimos la voluntad de Dios trabajando por la paz y la justicia.

Respondemos en fe

Quinto día

- Pida a su hijo(a) que haga una lista de lo que puede hacer para proclamar el reino de Dios.

Sexto día

- ¿Cómo su familia puede continuar el trabajo de Jesús?

Catechesis at Home

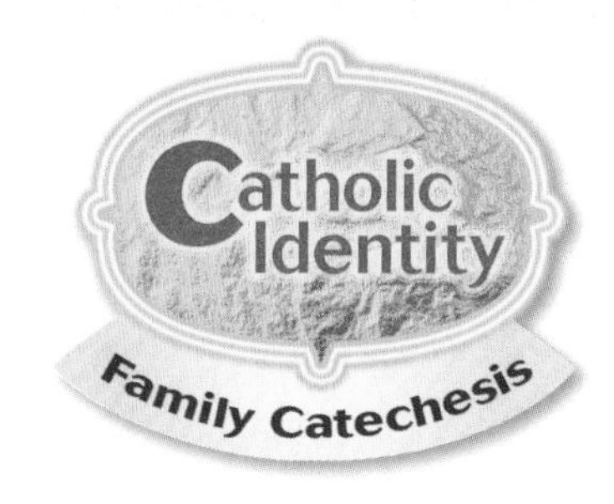

Chapter 1 (pages 10–21)

Jesus Shares God's Life with Us

In this chapter your child will continue to learn more about Jesus; that Jesus is the Son of God and that we are called to follow him.

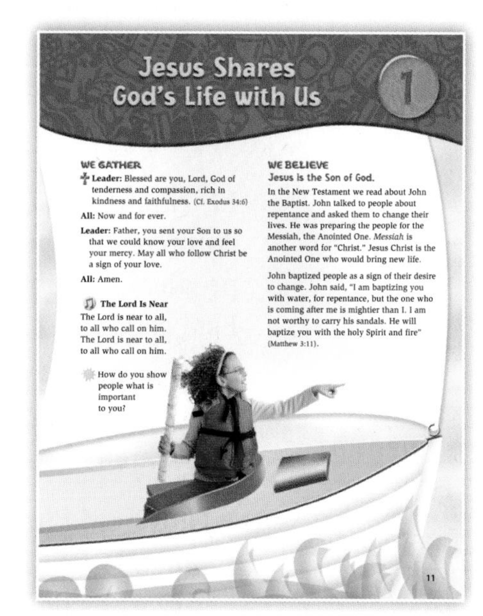

Jesus Shares God's Life with Us

1

WE GATHER

Leader: Blessed are you, Lord, God of tenderness and compassion, rich in kindness and faithfulness. (Cf. Exodus 34:6)

All: Now and for ever.

Leader: Father, you sent your Son to us so that we could know your love and feel your mercy. May all who follow Christ be a sign of your love.

All: Amen.

The Lord Is Near

The Lord is near to all,
to all who call on him.
The Lord is near to all,
to all who call on him.

How do you show people what is important to you?

WE BELIEVE

Jesus is the Son of God.

In the New Testament we read about John the Baptist. John talked to people about repentance and asked them to change their lives. He was preparing the people for the Messiah, the Anointed One. *Messiah* is another word for "Christ." Jesus Christ is the Anointed One who would bring new life.

John baptized people as a sign of their desire to change. John said, "I am baptizing you with water, for repentance, but the one who is coming after me is mightier than I. I am not worthy to carry his sandals. He will baptize you with the holy Spirit and fire" (Matthew 3:11).

11

For the Parents

Jesus Christ is the Son of God. He is the second Person of the Blessed Trinity, who became man. He became one of us to save us from sin. Jesus means "God saves." During his life and public ministry, Jesus showed people who he was and what God was like. His teachings often focused on the Kingdom of God, the power of God's love active in our lives and in the world.

Every Day

- Light a candle and take a few moments to quiet yourselves. Pray the Sign of the Cross together, and offer a short prayer asking God to bless your time together.

Day One **Jesus is the Son of God.**

- Invite your child to read aloud the first *We Believe* statement. Then take turns reading the text that follows.
- Point out that during Jesus' baptism at the River Jordan, the Blessed Trinity was revealed.
- Brainstorm with your child ways he or she can follow Jesus' example to live a life acceptable to the Lord, such as by treating others with respect, following God's laws, and praying each day.

Day Two **Jesus shows us God's love.**

- Together read aloud the statement and the text.
- Emphasize that in his ministry Jesus brought people closer to God the Father by showing them God's love and mercy.

Day Three **Jesus invites people to follow him.**

- Emphasize that Jesus called the disciples to follow him and to obey God's commandments. Jesus' mission was to bring the good news of the Kingdom of God and to show that God's love is present and active in people's lives.
- Ask: *What kind of images does Jesus use in his parables?*

Day Four **Jesus' disciples continue his work.**

- Emphasize that the apostles were twelve men chosen by Jesus to continue his mission in a special way.
- With your child, discuss some of the signs of God's Kingdom. Explain that the Kingdom of God grows when we have faith in Jesus and share our belief, live as Jesus did, and follow God's will by seeking to build a better community, a more just nation, and a peaceful world.

We Respond in Faith

Day Five

- Ask your child to list what he can do to spread the Kingdom of God.

Day Six

- What are some ways your family can continue the work of Jesus?

2 Jesús comparte su misión con la Iglesia

NOS CONGREGAMOS

Líder: Jesús está con nosotros. Él dijo: "Porque donde están dos o tres reunidos en mi nombre, allí estoy yo en medio de ellos". (Mateo 18:20)

Todos: Jesús, quédate con nosotros mientras rezamos en tu nombre.

Piensa en un miembro de tu familia o en un amigo a quien quieres mucho. ¿Cómo describes esa relación?

CREEMOS

Estamos unidos a Cristo y a los demás.

Jesús, con frecuencia, habló de su relación con Dios, su Padre. Una vez dijo que él era la vid y su Padre el viñador. Jesús también dijo a sus discípulos: "Permanezcan ustedes unidos a mí, como yo lo estoy a ustedes. Ninguna rama puede producir fruto por sí misma, sin permanecer unida a la vid, y lo mismo les ocurrirá a ustedes, si no están unidos a mí. Yo soy la vid, ustedes las ramas. El que permanece unido a mí, como yo estoy unido a él, produce mucho fruto; porque sin mí no pueden hacer nada". (Juan 15:4–5)

Jesucristo es la vid, nosotros las ramas. Estamos unidos a Jesús y unos con otros. Jesucristo es la Cabeza de la Iglesia; por esta razón la Iglesia se conoce como el Cuerpo Místico de Cristo.

El trabajo, o la misión de la Iglesia, es compartir la buena nueva de Cristo y predicar el Reino de Dios. Somos la Iglesia. Esta es la buena nueva que compartimos:

- Dios ama y cuida de todo el mundo porque somos creados a su imagen y semejanza.
- Dios amó tanto al mundo que envió a su único Hijo a mostrarnos como vivir y a salvarnos del pecado.
- Jesús comparte la vida de Dios con nosotros y nos da la esperanza de vivir por siempre con Dios.
- Todo el mundo está invitado a creer en Jesús y a ser bautizado en la fe de la Iglesia.

Escribe una forma en que ves a la Iglesia compartir la buena nueva de Cristo.

___

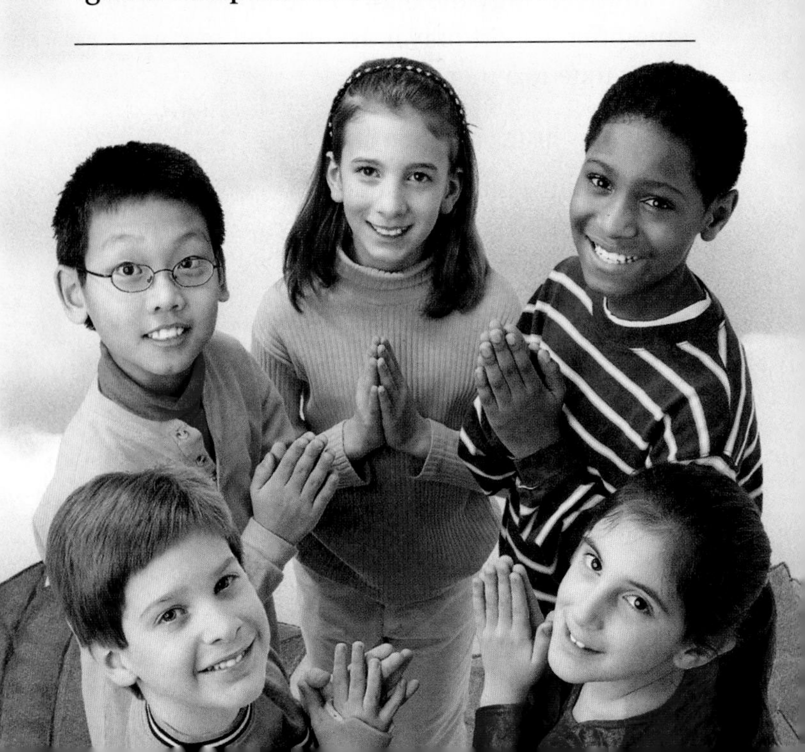

Jesus Shares His Mission with the Church

WE GATHER

✝ **Leader:** Jesus is with us. He said, "For where two or three are gathered together in my name, there am I in the midst of them" (Matthew 18:20).

All: Jesus be with us as we pray in your name.

Think of a family member or friend with whom you are very close. How would you describe that relationship?

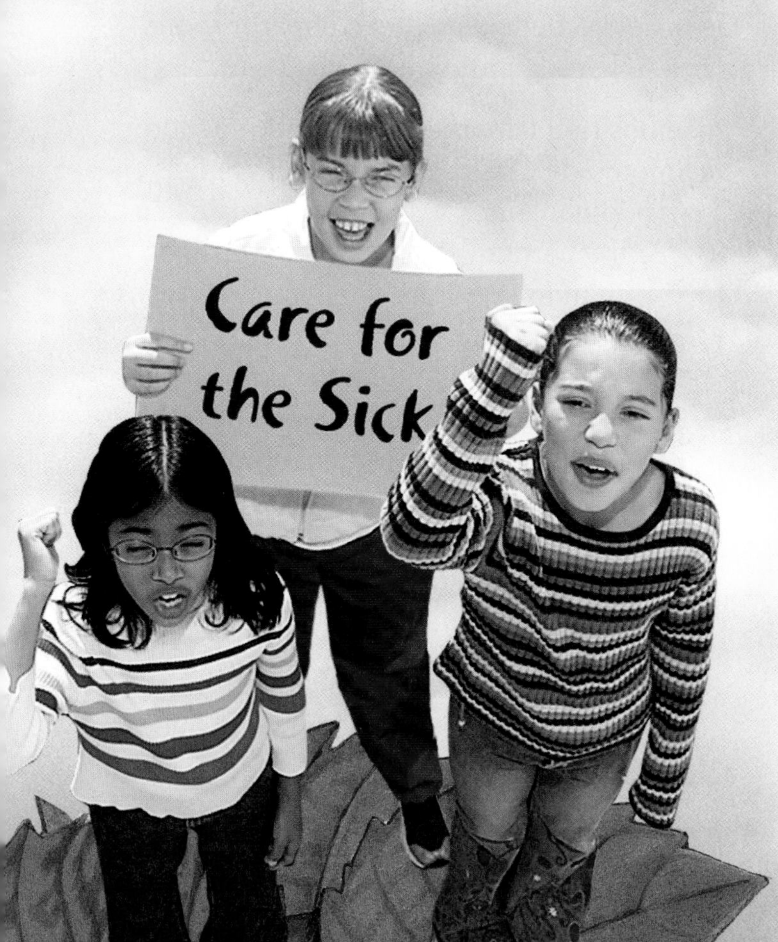

WE BELIEVE

We are joined to Jesus Christ and to one another.

Jesus often spoke of his relationship with God his Father. He once said that he was the vine and his Father was the vine grower. Jesus also told his disciples: "Just as a branch cannot bear fruit on its own unless it remains on the vine, so neither can you unless you remain in me. I am the vine, you are the branches. Whoever remains in me and I in him will bear much fruit, because without me you can do nothing" (John 15:4–5).

Jesus Christ is the vine; we are the branches. We are joined to Jesus and to one another. Jesus Christ is the Head of the Church, thus the Church is called the Mystical Body of Christ.

The work, or mission, of the Church is to share the Good News of Christ and to spread the Kingdom of God. We are the Church. This is the Good News that we share:

- God loves and cares for all people because we are created in his image and likeness.
- God so loved the world that he sent his only Son to show us how to live and to save us from sin.
- Jesus shares the life of God with us and gives us the hope of life forever with God.
- All people are invited to believe in Jesus and to be baptized in the faith of the Church.

Write one way that you see the Church sharing the Good News of Christ.

____

Proclamamos la buena nueva de Cristo con palabras y obras.

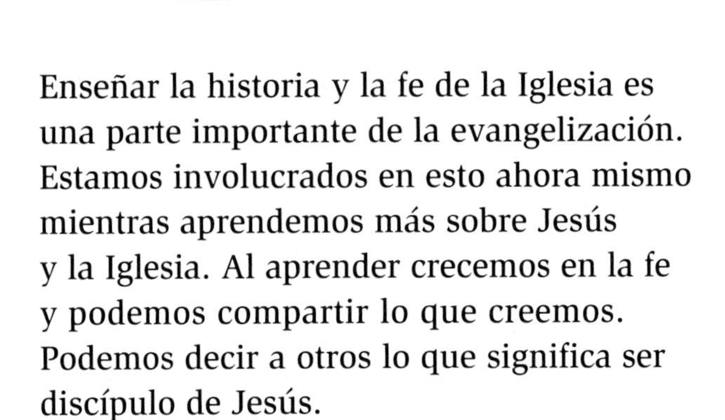

Compartimos la misión de la Iglesia. Somos llamados a proclamar la buena nueva de Cristo con lo que hacemos y decimos. Esto es la **evangelización**. La evangelización tiene lugar en nuestra vida diaria. Evangelizamos a los que todavía no han escuchado el mensaje de Jesucristo. También evangelizamos a los que han escuchado el mensaje pero necesitan valor para vivir el don de la fe.

Proclamar la buena nueva es muy importante. La gente necesita escuchar el mensaje de Jesucristo para poder creerlo. Así que hablamos a otros sobre las cosas maravillosas que Cristo ha hecho. Los animamos a descubrir más sobre su gran amor.

También proclamamos la buena nueva de Jesucristo por medio de la oración comunitaria y personal. Rezamos escuchando a y hablando con Dios en nuestras mentes y corazones. La **liturgia** es la oración pública y oficial de la Iglesia. En la liturgia nos reunimos como comunidad unida a Cristo para celebrar nuestra fe.

Enseñar la historia y la fe de la Iglesia es una parte importante de la evangelización. Estamos involucrados en esto ahora mismo mientras aprendemos más sobre Jesús y la Iglesia. Al aprender crecemos en la fe y podemos compartir lo que creemos. Podemos decir a otros lo que significa ser discípulo de Jesús.

La gente de todas partes del mundo puede predicar el mensaje de Jesucristo. Cada uno de nosotros tiene algo que compartir y que dar a la Iglesia y al mundo.

Podemos proclamar la buena nueva dando testimonio de Cristo. Podemos ser testigos cuando hablamos y actuamos basados en la buena nueva. Podemos ser testigos cuando seguimos el ejemplo de Jesús de amar a Dios y a los demás. Somos testigos cuando trabajamos por la justicia y la paz. Podemos ayudar a otros a ver el amor de Dios activo en sus vidas y en el mundo.

Nombra algunas personas que conoces que proclaman la buena nueva de Cristo. ¿En qué formas lo hacen? ¿Cómo puedes proclamar la buena nueva esta semana?

We proclaim the Good News of Christ by what we say and do.

We all share in the mission of the Church. We are called to proclaim the Good News of Christ by what we say and do. This is known as **evangelization**. Evangelization takes place in our everyday lives. We evangelize those who have not yet heard the message of Jesus Christ. We also evangelize those who have heard the message but need encouragement to live out the gift of faith.

Proclaiming the Good News is very important. People need to hear the message of Jesus Christ in order to believe it. So we tell others about the wonderful things that Christ has done. We encourage them to find out more about his great love.

We also proclaim the Good News of Jesus Christ through personal and communal prayer. We pray by listening and talking to God with our minds and hearts. The **liturgy** is the official public prayer of the Church. In the liturgy we gather as a community joined to Christ to celebrate what we believe.

Teaching the history and beliefs of the Church is an important part of evangelization. We are involved in this right now as we learn more about Jesus and the Church. As we learn, we grow in faith and can share what we believe. We can tell others what it means to be a disciple of Jesus.

People from all parts of the world can work together to spread the message of Jesus Christ. Each of us has something to share and bring to the Church and to the world.

We can proclaim the Good News by giving witness to Christ. We give witness when we speak and act based upon the Good News. We give witness when we follow Jesus' example of loving God and others. We give witness when we work for justice and peace. We can help others to see God's love active in their lives and in the world.

Name some people you know who proclaim the Good News of Jesus Christ. In what ways do they do this? How can you proclaim the Good News this week?

En la liturgia celebramos el misterio pascual de Cristo.

En la liturgia nos reunimos a alabar y a adorar a Dios: Padre, Hijo y Espíritu Santo. Proclamamos la buena nueva de Jesucristo y celebramos su **misterio pascual**. El misterio pascual es el sufrimiento, muerte, Resurrección y Ascensión al cielo de Cristo. Por su misterio pascual Jesús nos salva del pecado y nos da vida.

La liturgia incluye la celebración de la Eucaristía, llamada Misa, y los demás sacramentos. Incluye oraciones llamadas Liturgia de las Horas. La Iglesia reza la Liturgia de las Horas a diferentes horas del día. En estas oraciones celebramos el trabajo de Dios en la creación y en nuestras vidas.

La comunidad de fe se reúne los domingos para la celebración de la Misa. En esta reunión nuestra relación con Cristo y con los demás se fortalece.

En el Nuevo Testamento leemos: "Aunque somos muchos, formamos un solo cuerpo al quedar unidos a Cristo, y somos miembros los unos de los otros" (Romanos 12:5). Estamos unidos a Cristo y "Él es también la cabeza del cuerpo, que es la Iglesia" (Colosenses 1:18). Llamamos a la Iglesia el Cuerpo de Cristo. El Cuerpo de Cristo está formado por todos los miembros de la Iglesia, con Cristo como su cabeza. Todo el Cuerpo de Cristo celebra la liturgia.

Somos el Cuerpo de Cristo

Somos el Cuerpo de Cristo.
Traemos su santo mensaje.

Cuando nos servimos unos a otros damos testimonio de Cristo.

Cuando servimos a otros mostramos nuestro amor y cuidado por ellos. Jesús es nuestro gran ejemplo de servicio. Él cuidó de las necesidades de otros, especialmente de los rechazados. Él los acogió y se aseguró de que tuvieran lo que necesitaban. Jesús rezó por los necesitados, visitó a los enfermos y ofreció comida a los que tenían hambre.

Como católicos...

La doctrina social de la Iglesia nos recuerda amar y cuidar de los demás como lo hizo Jesús. Esta doctrina es la forma en que la Iglesia pone la buena nueva de Cristo en acción.

La doctrina social de la Iglesia está basada en la creencia de que toda persona tiene dignidad humana. Dignidad humana es el valor que viene de ser creado a imagen y semejanza de Dios. Los siete temas de la doctrina social de la Iglesia están en la página 316.

¿Cómo promueve tu parroquia la justicia y la paz?

In the liturgy we celebrate Christ's Paschal Mystery.

In the liturgy we gather to praise and worship God: Father, Son, and Holy Spirit. We proclaim the Good News of Jesus Christ and celebrate his Paschal Mystery. The **Paschal Mystery** is Christ's suffering, Death, Resurrection from the dead, and Ascension into heaven. By his Paschal Mystery Jesus saves us from sin and gives us life.

The liturgy includes the celebration of the Eucharist, also called the Mass, and the other sacraments. It includes prayers called the Liturgy of the Hours. The Church prays the Liturgy of the Hours at different times during the day. In these prayers we celebrate God's work in creation and in our lives.

The community of faith gathers on Sundays for the celebration of the Mass. In this gathering our relationship with Christ and one another is strengthened.

We read in the New Testament that "we, though many, are one body in Christ and individually parts of one another" (Romans 12:5). We are joined to Christ who "is the head of the body, the church" (Colossians 1:18). So we call the Church the Body of Christ. The Body of Christ is all the members of the Church, with Christ as its head. The whole Body of Christ celebrates the liturgy.

♫ **We Are the Body of Christ**

We are the Body of Christ.
We come to bring the Good News to the world.

When we serve others we give witness to Christ.

When we serve others we show our love and care for them. Jesus is our greatest example of service. He cared for the needs of others, especially those who were neglected. He welcomed them and made sure that they had what they needed. Jesus prayed for those in need, visited those who were sick, and provided food for the hungry.

Catholic social teaching reminds us to love and care for others as Jesus did. This teaching is the Church's way of putting the Good News of Christ into action.

Catholic social teaching is based on the belief that every person has human dignity. Human dignity is the value and worth that come from being created in God's image and likeness. The seven themes of Catholic social teaching are found on page 328.

How does your school promote justice and peace?

Jesús nos dice que cuando cuidamos de otros, estamos sirviéndolo a él. Él nos dice que cuando él regrese en gloria al final de los tiempos, seremos juzgados por nuestras obras y la manera como cooperamos con la gracia de Dios. La venida de Jesucristo al final de los tiempos a juzgar a todo el mundo es el **Juicio Final**. En ese momento todo el mundo estará frente a él en cuerpo para dar cuenta de sus propias acciones. Él dirá a los que actuaron con justicia: "Porque tuve hambre, y me dieron de comer; tuve sed, y me dieron de beber; era un extraño, y me hospedaron; estaba desnudo, y me vistieron; enfermo, y me visitaron; en la cárcel, y fueron a verme" (Mateo 25: 35–36).

Los justos le preguntarán cuando cuidaron de él. Y él les dirá: "Les aseguro que cuando lo hicieron con uno de estos mis hermanos más pequeños, conmigo lo hicieron" (Mateo 25:40).

Damos testimonio de Jesús cuando hacemos obras de misericordia. Las obras de misericordia son actos de amor que nos ayudan a cuidar de las necesidades de los demás. Las **obras corporales de misericordia** tratan de las necesidades físicas y materiales de los demás. Las **obras espirituales de misericordia** tratan de las necesidades de los corazones, las mentes y las almas de los demás.

Vocabulario

evangelización (pp 331)
liturgia (pp 332)
misterio pascual (pp 332)
Juicio Final (pp 332)
obras corporales de misericordia (pp 332)
obras espirituales de misericordia (pp 332)

RESPONDEMOS

Diseña un comercial para la televisión, de 30 segundos, para interesar a la gente en la buena nueva de Jesucristo. Usa estos cuadros para planificar tu comercial.

Jesus tells us that when we care for others, we are serving him, too. He tells us that when he comes again in glory at the end of time, we will be judged by our works and by the way we cooperated with God's grace. Jesus Christ coming at the end of time to judge all people is called the **Last Judgment**. At that time all people will be brought before him in their own bodies to give Christ an account of their own deeds. He will say to those who acted justly, "For I was hungry and you gave me food, I was thirsty and you gave me drink, a stranger and you welcomed me, naked and you clothed me, ill and you cared for me, in prison and you visited me" (Matthew 25:35–36).

Then those who were just will ask him when they had cared for him. And he will say, "Amen, I say to you, whatever you did for one of these least brothers of mine, you did for me" (Matthew 25:40).

We give witness to Jesus when we perform the Works of Mercy. The Works of Mercy are acts of love that help us care for the needs of others. The **Corporal Works of Mercy** deal with the physical and material needs of others. The **Spiritual Works of Mercy** deal with the needs of people's hearts, minds, and souls.

evangelization (p. 335)
liturgy (p. 335)
Paschal Mystery (p. 336)
Last Judgment (p. 335)
Corporal Works of Mercy (p. 334)
Spiritual Works of Mercy (p. 336)

WE RESPOND

Design a thirty-second TV commercial to get people interested in the Good News of Jesus Christ. Use this storyboard to plan your commercial.

HACIENDO DISCÍPULOS

Muestra lo que sabes

Completa las siguientes oraciones usando las definiciones del Vocabulario. (Idea: Usa el glosario si necesitas ayuda.)

1. Las obras corporales de misericordia son actos de ________________ que nos ayudan a cuidar de las necesidades ________________ y ________________ de los demás.
2. La ________________ es la oración pública y oficial de la ________________.
3. La venida de Jesucristo al ________________ de los tiempos para juzgar a todo el mundo es conocida como el ________________ Final.
4. Las obras espirituales de misericordia son actos de ________________ que nos ayudan a cuidar de las necesidades de los ________________, las ________________, y las almas de los demás.
5. El misterio pascual es la ________________, muerte, ________________ y Ascensión al ________________ de Jesucristo.
6. Evangelización es proclamar la ________________ nueva de Cristo con lo que ________________ y ________________.

¿Te han ayudado algunas de estas cosas a aprender sobre tu fe?

Internet	**Sí**	**No**
televisión	**Sí**	**No**
pizarra electrónica	**Sí**	**No**

Datos

El arzobispo Patricio Flores fundó CTSA, Televisión Católica de San Antonio (Texas) en 1981. Esta fue la primera estación de televisión diocesana de los Estados Unidos.

PROJECT DISCIPLE

Show What you Know

Complete the following using Key Words and definitions.
(Hint: Use the glossary if you need help!)

1. Corporal Works of Mercy are acts of ________________ that help us to care for the ________________ and ________________ needs of others.

2. The ________________ is the official public prayer of the ________________.

3. Jesus Christ coming at the ________________ of time to judge all people is known as the Last ________________.

4. Spiritual Works of Mercy are acts of ________________ that help us to care for the needs of people's ________________, ________________, and souls.

5. The Paschal Mystery is Christ's ________________, Death, ________________ from the dead, and Ascension into ________________.

6. Evangelization is proclaiming the ________________ News of Christ by what we ________________ and ________________.

Archbishop Patrick Flores founded CTSA, Catholic Television of San Antonio (Texas), in 1981. It was the first diocesan television station in the United States.

Have any of these helped you in learning about the Catholic faith?

Internet	Yes	No
television	Yes	No
whiteboard	Yes	No

HACIENDO DISCÍPULOS

Investiga

Los voluntarios católicos con frecuencia se unen a programas para servir a otros. El Cuerpo de Voluntarios Jesuita (JVC) es el programa católico laico más grande de los Estados Unidos. Los jóvenes voluntarios donan su tiempo para ayudar a los necesitados. Los miembros del JVC siguen la tradición jesuita. Los jesuitas, o Sociedad de Jesús, es una orden religiosa fundada por san Ignacio. Los jóvenes jesuitas viven bajo las enseñanzas de san Ignacio—rezar y trabajar para construir el Reino de Dios. El JVC está comprometido con la doctrina social de la Iglesia.

RETO PARA EL DISCIPULO

- Encierra en un círculo el nombre de la persona que fundó la orden Jesuita (Sociedad de Jesús).
- Subraya la oración que dice lo que el fundador de los jesuitas enseñó.

Busca en el Internet para responder a estas preguntas sobre el Cuerpo de Voluntarios Jesuita.

- ¿En qué año se fundó la organización? ______________________
- ¿Para quiénes trabajan los miembros de JVC?

____

Hazlo

Haz una lista de formas en que tu grupo puede dar testimonio compartiendo la buena nueva de Jesucristo y sirviendo a otros.

____

____

____

____

RETO PARA EL DISCIPULO Mira tu lista. Encierra en un círculo lo que pondrás en práctica esta semana.

Tarea

Jesús enseñó las obras corporales de misericordia a sus seguidores. "Porque tuve hambre, y me dieron de comer; tuve sed, y me dieron de beber; era un extraño, y me hospedaron; estaba desnudo, y me vistieron; enfermo, y me visitaron; en la cárcel, y fueron a verme". (Mateo 25:35–36)

Juntos en familia escojan una de las obras corporales de misericordia que Jesús nos enseñó. Subráyenla. Escriban acciones específicas que harán para vivirla esta semana.

____

____

PROJECT DISCIPLE

More to Explore

Catholic volunteers often join programs that serve others. The Jesuit Volunteer Corps (JVC) is the largest Catholic lay volunteer program in the United States. Young people volunteer their time to help people in need. Members of the JVC are led by Jesuit tradition. The Jesuits, or Society of Jesus, is a religious order of men founded by Saint Ignatius. The JVC lives by what Saint Ignatius taught—to pray and to work at building the Kingdom of God. The JVC is committed to Catholic social teaching.

DISCIPLE CHALLENGE

- Circle the name of the person who founded the Jesuits (Society of Jesus).
- Underline the sentence that tells what the founder of the Jesuits taught.

Search the Internet to answer these questions about the Jesuit Volunteer Corps:

- What year was the organization founded? ______________________________
- For whom do members of the JVC work?

____

Make it Happen

Make a list of ways your class can give witness by sharing the Good News of Jesus Christ and serving others.

____

____

____

____

DISCIPLE CHALLENGE Look over your list. Circle one that you will live out with your class this week.

Take Home

Jesus taught his followers the Corporal Works of Mercy. "For I was hungry, and you gave me food, I was thirsty and you gave me drink, a stranger and you welcomed me, naked and you clothed me, ill and you cared for me, in prison and you visited me." (Matthew 25:35–36)

With your family, choose one of the Corporal Works of Mercy Jesus taught us. Underline it. Write specific actions you will all take to live it out this week.

____

____

Capítulo 2 (páginas 22–33)

Jesús comparte su misión con la Iglesia

En este capítulo su hijo(a) aprenderá que participamos en la misión de la Iglesia y damos testimonio de Cristo.

2 Jesús comparte su misión con la Iglesia

NOS CONGREGAMOS

Líder: Jesús está con nosotros. Él dijo: "Porque donde están dos o tres reunidos en mi nombre, allí estoy yo en medio de ellos". (Mateo 18:20)

Todos: Jesús, quédate con nosotros mientras rezamos en tu nombre.

Piensa en un miembro de tu familia o en un amigo a quien quieres mucho. ¿Cómo describes esa relación?

CREEMOS

Estamos unidos a Cristo y a los demás.

Jesús, con frecuencia, habló de su relación con Dios, su Padre. Una vez dijo que él era la vid y su Padre el viñador. Jesús también dijo a sus discípulos: "Permanezcan ustedes unidos a mí, como yo lo estoy a ustedes. Ninguna rama puede producir fruto por sí misma, sin permanecer unida a la vid, y lo mismo les ocurrirá a ustedes, si no están unidos a mí. Yo soy la vid, ustedes las ramas. El que permanece unido a mí, como yo estoy unido a él, produce mucho fruto; porque sin mí no pueden hacer nada". (Juan 15:4–5)

Jesucristo es la vid, nosotros las ramas. Estamos unidos a Jesús y unos con otros. Jesucristo es la Cabeza de la Iglesia; por esta razón la Iglesia se conoce como el Cuerpo Místico de Cristo.

El trabajo, o la misión de la Iglesia, es compartir la buena nueva de Cristo y predicar el Reino de Dios. Somos la Iglesia. Esta es la buena nueva que compartimos:

- Dios ama y cuida de todo el mundo porque somos creados a su imagen y semejanza.
- Dios amó tanto al mundo que envió a su único Hijo a mostrarnos como vivir y a salvarnos del pecado.
- Jesús comparte la vida de Dios con nosotros y nos da la esperanza de vivir por siempre con Dios.
- Todo el mundo está invitado a creer en Jesús y a ser bautizado en la fe de la Iglesia.

Escribe una forma en que ves a la Iglesia compartir la buena nueva de Cristo.

22

Para los padres

Jesucristo vino a mostrarnos cómo es Dios y lo que significa ser un ser humano. Cuando somos bautizados nos unimos a Jesucristo y nos hacemos miembros de la Iglesia. Como parte del Cuerpo de Cristo compartimos su misión. La misión de la Iglesia es compartir la buena nueva y esparcir el reino de Dios. Proclamamos la buena nueva de Jesucristo de muchas formas. Evangelización es el acto de proclamar la buena nueva con lo que hacemos y decimos.

Todos los días

- Encienda una vela y permanezcan en silencio por un momento. Juntos hagan la señal de la cruz y ofrezcan una corta oración para que Dios bendiga el tiempo que van a pasar juntos.

Primer día **Estamos unidos a Cristo y a los demás.**

- Ponga énfasis en que Jesús tiene una estrecha relación con su Padre. Como discípulos de Jesús, debemos seguir su ejemplo y amarnos unos a otros.
- Señale que podemos ayudar al crecimiento del reino de Dios trabajando por la paz y la justicia y compartiendo la buena nueva con otros.

Segundo día **Proclamamos la buena nueva de Cristo con palabras y obras.**

- Enfatice que debemos evangelizar a los que no han escuchado la buena nueva y a los que necesitan ayuda y ánimo.
- Ponga énfasis en que las palabras y obras de cada persona pueden dar testimonio de Cristo. Ayude a su niño a nombrar a algunas personas que conoce que proclaman la buena nueva.

Tercer día **En la liturgia celebramos el misterio pascual de Cristo.**

- Lea la afirmación. Después invite a su hijo(a) a leer el texto que sigue.
- Enfatice que en la liturgia de la Iglesia celebramos el misterio pascual de Cristo. Durante la liturgia, el poder y la presencia de Cristo nos permiten rendir culto en su nombre.

Cuarto día **Cuando nos servimos unos a otros damos testimonio de Cristo.**

- Túrnense para leer la afirmación y el texto.
- Tomen tiempo para repasar el significado de las palabras del *Vocabulario* pidiendo a su hijo(a) que explique el significado con sus propias palabras.

Respondemos en fe

Quinto día

- Pregunte: *¿Cómo podemos compartir nuestra fe?*

Sexto día

- Conversen sobre cosas que su familia puede hacer para proclamar la buena nueva.

Catechesis at Home

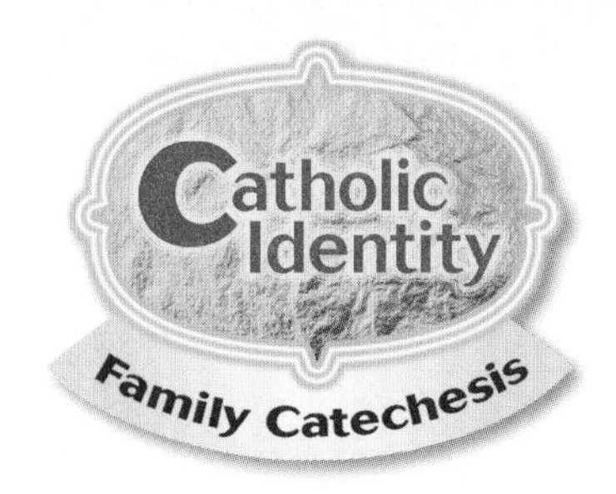

Chapter 2 (pages 22–33)

Jesus Shares His Mission with the Church

In this chapter your child will learn that we participate in the mission of the Church and witness to Christ.

For the Parents

Jesus Christ came to show us what God was like and who we were meant to be as human beings. When we are baptized we are joined to Jesus Christ, as we become members of the Church. As part of the Body of Christ, we share his mission. The mission of the Church, then, is to share the good news of Christ and to spread the Kingdom of God. We proclaim the good news of Jesus Christ in many ways. Evangelization is the act of proclaiming the good news by what we say and do.

Every Day

- Light a candle and take a few moments to quiet yourselves. Pray the Sign of the Cross together, and offer a short prayer asking God to bless your time together.

Day One **We are joined to Jesus Christ and to one another.**

- Emphasize that Jesus had a special relationship with his Father. As disciples of Jesus, we must follow his example and love one another.
- Point out that we can help the Kingdom of God grow by working for peace and justice and by sharing the good news with others.

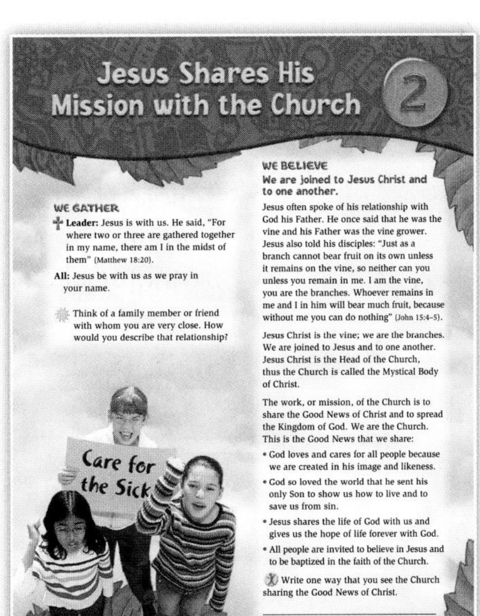

Jesus Shares His Mission with the Church 2

WE GATHER

Leader: Jesus is with us. He said, "For where two or three are gathered together in my name, there am I in the midst of them" (Matthew 18:20).

All: Jesus be with us as we pray in your name.

Think of a family member or friend with whom you are very close. How would you describe that relationship?

WE BELIEVE

We are joined to Jesus Christ and to one another.

Jesus often spoke of his relationship with God his Father. He once said that he was the vine and his Father was the vine grower. Jesus also told his disciples: "Just as a branch cannot bear fruit on its own unless it remains on the vine, so neither can you unless you remain in me. I am the vine, you are the branches. Whoever remains in me and I in him will bear much fruit, because without me you can do nothing" (John 15:4–5).

Jesus Christ is the vine; we are the branches. We are joined to Jesus and to one another. Jesus Christ is the Head of the Church, thus the Church is called the Mystical Body of Christ.

The work, or mission, of the Church is to share the Good News of Christ and to spread the Kingdom of God. We are the Church. This is the Good News that we share:

- God loves and cares for all people because we are created in his image and likeness.
- God so loved the world that he sent his only Son to show us how to live and to save us from sin.
- Jesus shares the life of God with us and gives us the hope of life forever with God.
- All people are invited to believe in Jesus and to be baptized in the faith of the Church.

Write one way that you see the Church sharing the Good News of Christ.

23

Day Two **We proclaim the good news of Christ by what we say and do.**

- Stress that we are to evangelize those who have not heard the good news and those who might need help and encouragement.
- Emphasize that each person's words and actions can give witness to Christ. Help your child name some people they know who proclaim the good news.

Day Three **In the liturgy we celebrate Christ's Paschal Mystery.**

- Read aloud the statement. Then invite your child to read the text that follows.
- Stress that in the Church's liturgy we celebrate Christ's Paschal Mystery. During the liturgy and the sacraments, Christ's power and presence enable us to worship in his name.

Day Four **When we serve others we give witness to Christ.**

- Take turns reading the statement and the text that follows.
- Take some time to review the meanings of the *Key Words* by having your child explain their meanings in his or her own words.

We Respond in Faith

Day Five

- Ask: *In what ways can we share our beliefs?*

Day Six

- Then discuss some things your family might do this week to proclaim the good news.

3 La Iglesia celebra siete sacramentos

NOS CONGREGAMOS

Líder: Recordemos que Jesús está presente en nuestras vidas.

Lector: Lectura del santo Evangelio según san Juan.

"Como el Padre me ama a mí, así los amo yo a ustedes. Permanezcan en mi amor. Pero sólo permanecerán en mi amor, si ponen en práctica mis mandamientos, lo mismo que yo he puesto en práctica los mandamientos de mi Padre y permanezco en su amor.

Les he dicho todo esto para que participen en mi alegría, y su alegría sea completa. Mi mandamiento es éste: Ámense los unos a los otros, como yo los he amado". (Juan 15:9–12)

Palabra del Señor.

Todos: Gloria a ti, Señor Jesús.

¿Cuáles son algunos signos que ves todos los días? ¿Por qué son importantes para ti?

CREEMOS

Jesús dio siete sacramentos a la Iglesia.

Un signo es algo que nos señala alguna cosa. Un signo puede ser algo que vemos, por ejemplo una señal de pare. Un signo puede ser algo que hacemos, como por ejemplo darnos las manos o abrazar a alguien. Un evento o una persona puede también ser signo. El mundo está lleno de signos del amor de Dios. Pero Jesucristo es el signo más grande del amor de Dios. Todo lo que Jesús dijo e hizo señala el amor de Dios por nosotros. Jesús trató a todos con justicia. Él acogió a los que eran despreciados. Él dio de comer a los que tenían hambre y perdonó a los pecadores. Jesús es el signo mas grande del amor de Dios Padre, porque él es Hijo de Dios.

Habla de algunos signos del amor y la presencia de Dios en el mundo.

The Church Celebrates Seven Sacraments

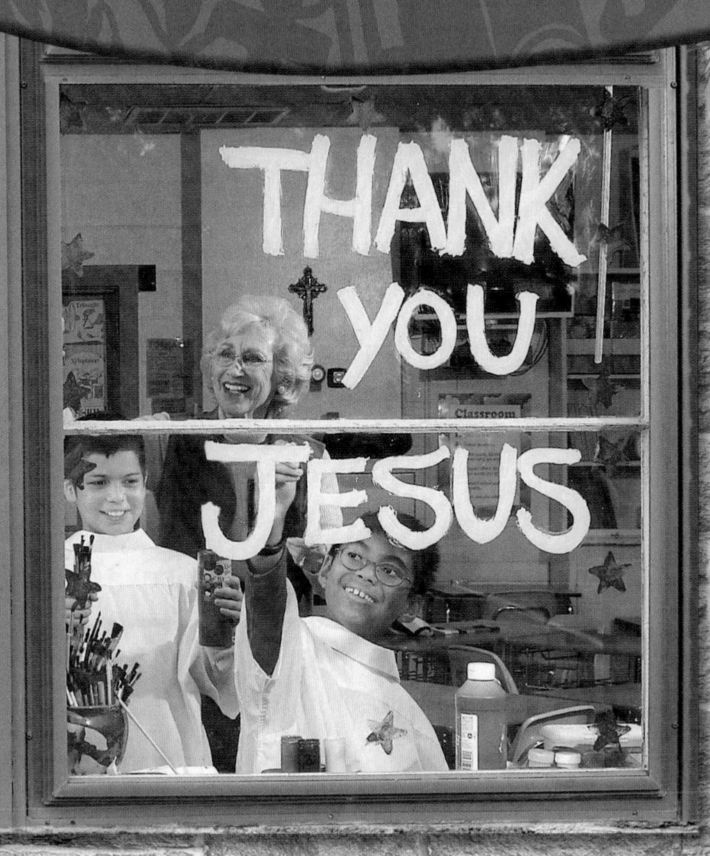

WE GATHER

✝ **Leader:** Let us remember that Jesus is present in our lives.

Reader: A reading from the holy Gospel according to John

"As the Father loves me, so I also love you. Remain in my love. If you keep my commandments, you will remain in my love, just as I have kept my Father's commandments and remain in his love.

I have told you this so that my joy might be in you and your joy might be complete. This is my commandment: love one another as I love you." (John 15:9–12)

The Gospel of the Lord.

All: Praise to you, Lord Jesus Christ.

What are some signs that you see every day? Why are they important to you?

WE BELIEVE

Jesus gave the Church Seven Sacraments.

A sign stands for or tells us about something. A sign can be something that we see, such as a stop sign. A sign can be something that we do, such as shaking hands or hugging someone. An event or a person can also be a sign. The world is filled with signs of God's love. But Jesus Christ is the greatest sign of God's love. Everything that Jesus said or did pointed to God's love for us. Jesus treated all people fairly. He welcomed people whom others neglected. He fed those who were hungry and forgave sinners. Jesus is the greatest sign of God the Father's love because he is the Son of God.

Talk about some of the signs of God's love and presence in the world.

El Espíritu Santo nos ayuda a ser signos de Jesús. Al continuar el trabajo de Jesús, la Iglesia misma es un signo del amor y cuidado de Dios.

La Iglesia tiene siete celebraciones que son signos especiales del amor y la presencia de Dios. Llamamos a estos signos, sacramentos. Jesús instituyó, o empezó, los sacramentos para que su trabajo de salvación continuara siempre.

Los sacramentos son diferentes a cualquier otro signo. Los sacramentos verdaderamente ofrecen lo que representan. Por ejemplo, en el Bautismo no solo celebramos ser hijos de Dios sino que verdaderamente nos convertimos en hijos de Dios. Es por eso que decimos que un **sacramento** es un signo efectivo dado por Jesús por medio del cual compartimos la vida de Dios.

El don de compartir la vida de Dios, que recibimos en los sacramentos, es la **gracia santificante**. Esta gracia nos ayuda a confiar y a creer en Dios. Nos fortalece para vivir como vivió Jesús.

Los sacramentos son las celebraciones más importantes de la Iglesia. Los sacramentos unen a los católicos de todo el mundo a Jesús y a unos con otros. Nos unen como Cuerpo de Cristo.

LOS SIETE SACRAMENTOS

Bautismo

Confirmación

Eucaristía

Penitencia y Reconciliación

Unción de los Enfermos

Orden Sagrado

Matrimonio

Los sacramentos de iniciación cristiana son Bautismo, Confirmación y Eucaristía.

Iniciación cristiana es el proceso de convertirse en miembro de la Iglesia. Los sacramentos del Bautismo, la Confirmación y la Eucaristía nos inician en la Iglesia.

En el Bautismo nos unimos a Cristo y nos hacemos parte del Cuerpo de Cristo y del Pueblo de Dios. La celebración de este primer sacramento de iniciación cristiana es muy importante. Es nuestra bienvenida a la Iglesia.

En la Confirmación somos sellados con el don del Espíritu Santo. La Confirmación continúa lo iniciado por el Bautismo. Somos fortalecidos para vivir como seguidores de Cristo.

La Eucaristía es el sacramento del Cuerpo y la Sangre de Cristo. La Eucaristía está relacionada con nuestro bautismo. Cada vez que recibimos la Comunión, nuestros lazos como Cuerpo de Cristo se fortalecen. Nuestra comunidad de fe es alimentada por la vida de Dios.

The Holy Spirit helps us to be signs of Jesus. By continuing Jesus' work, the Church herself is a sign of God's love and care.

The Church has seven celebrations that are special signs of God's love and presence. We call these special signs sacraments. Jesus instituted, or began, the sacraments so that his saving work would continue for all time.

The sacraments are different from all other signs. Sacraments truly bring about what they represent. For example, in Baptism we not only celebrate being children of God, we actually become children of God. This is why we say that a **sacrament** is an effective sign given to us by Jesus through which we share in God's life.

The gift of sharing in God's life that we receive in the sacraments is **sanctifying grace**. This grace helps us to trust and believe in God. It strengthens us to live as Jesus did.

The sacraments are the most important celebrations of the Church. The sacraments join Catholics all over the world with Jesus and with one another. They unite us as the Body of Christ.

The Sacraments of Christian Initiation are Baptism, Confirmation, and Eucharist.

Christian initiation is the process of becoming a member of the Church. The Sacraments of Baptism, Confirmation, and Eucharist initiate us into the Church.

In Baptism we are united to Christ and become part of the Body of Christ and the People of God. The celebration of this first Sacrament of Christian Initiation is very important. It is our welcome into the Church.

In Confirmation we are sealed with the Gift of the Holy Spirit. Confirmation continues what Baptism has begun. We are strengthened to live as Christ's followers.

The Eucharist is the Sacrament of the Body and Blood of Christ. The Eucharist is connected to our Baptism, too. Each time we receive Holy Communion, our bonds as the Body of Christ are made stronger. Our community of faith is nourished by God's life.

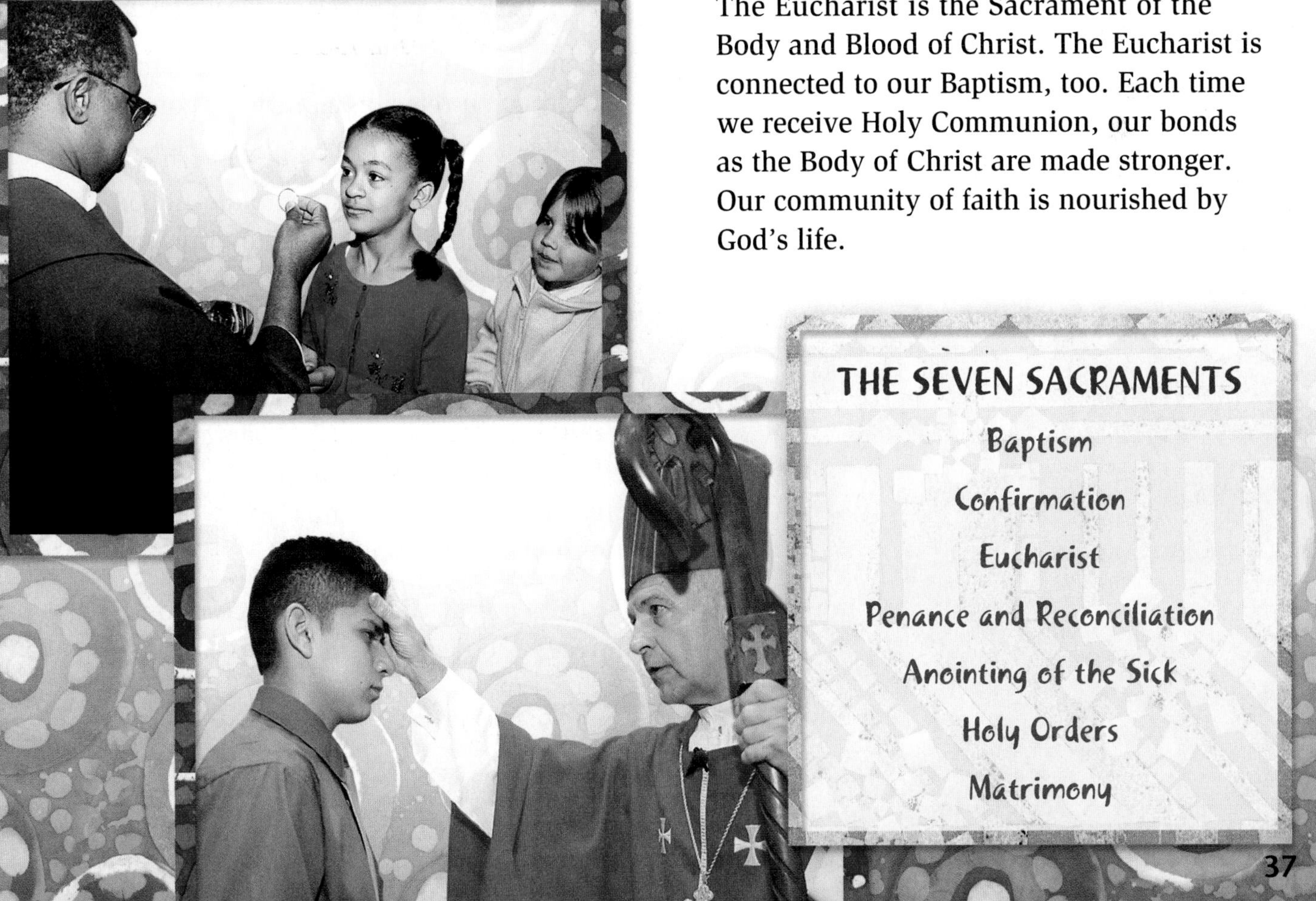

THE SEVEN SACRAMENTS

Baptism

Confirmation

Eucharist

Penance and Reconciliation

Anointing of the Sick

Holy Orders

Matrimony

Todos los que reciben los sacramentos de iniciación cristiana comparten una **vocación común**, un llamado a la santidad y a la evangelización. Dios nos llama a cada uno a:

- proclamar la buena nueva de Cristo
- compartir y dar testimonio de nuestra fe
- crecer en santidad.

Sólo Dios es santo, pero él comparte su santidad con nosotros. **Santidad** es compartir la bondad de Dios y responder a su amor con la forma en que vivimos. Nuestra santidad viene por medio de la la gracia.

Para crecer en santidad tenemos que responder a la gracia que recibimos en los sacramentos con la ayuda del Espíritu Santo. Tratamos de seguir el ejemplo de Jesús y su mandamiento de amarnos unos a otros.

Escribe una manera en que responderás al amor de Dios hoy.

____

____

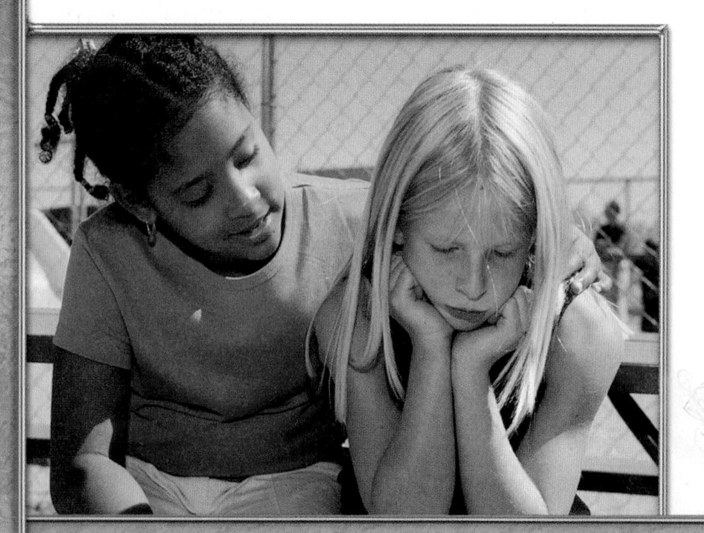

Los sacramentos de sanación son la Reconciliación y la Unción de los Enfermos.

Aprendemos del evangelio que Jesús con frecuencia perdonaba y sanaba a los creyentes. Jesús mostró que Dios tiene poder sobre la enfermedad y el pecado. Jesús dio autoridad a los apóstoles para perdonar y sanar. Esta autoridad continúa en la Iglesia. Los sacramentos de la Penitencia y Reconciliación y la Unción de los Enfermos son dos formas de celebrar el poder de sanar de Jesús.

En el sacramento de la Reconciliación, los miembros de la Iglesia son reconciliados con Dios y con la Iglesia. Los verdaderamente arrepentidos confiesan sus pecados al sacerdote y son perdonados. Los que reciben el sacramento de la Reconciliación restablecen su relación con Dios y con toda la Iglesia.

La Iglesia ofrece el sacramento de Unción de los Enfermos a los que están gravemente enfermos. Es también para los que están próximos a morir. En este sacramento el sacerdote unge a la persona que está enferma y todos los reunidos rezan por su salud. Los que reciben el sacramento obtienen la gracia para responder a su enfermedad con esperanza. Su fe en el amor de Dios se fortalece.

Reza por alguien que conoces y que está en necesidad de reconciliación o sanación.

All those who receive the Sacraments of Christian Initiation share a **common vocation**. This is the call to holiness and evangelization. God calls each of us:

- to proclaim the Good News of Christ
- to share and give witness to our faith
- to grow in holiness.

God alone is holy, but he shares his holiness with us. **Holiness** is sharing in God's goodness and responding to his love by the way we live. Our holiness comes through grace.

To grow in holiness we have to respond to the grace we receive in the sacraments. The Holy Spirit helps us to do this. We try to follow Jesus' example and his commandment to love others.

Write one way you will respond to God's love today.

____

____

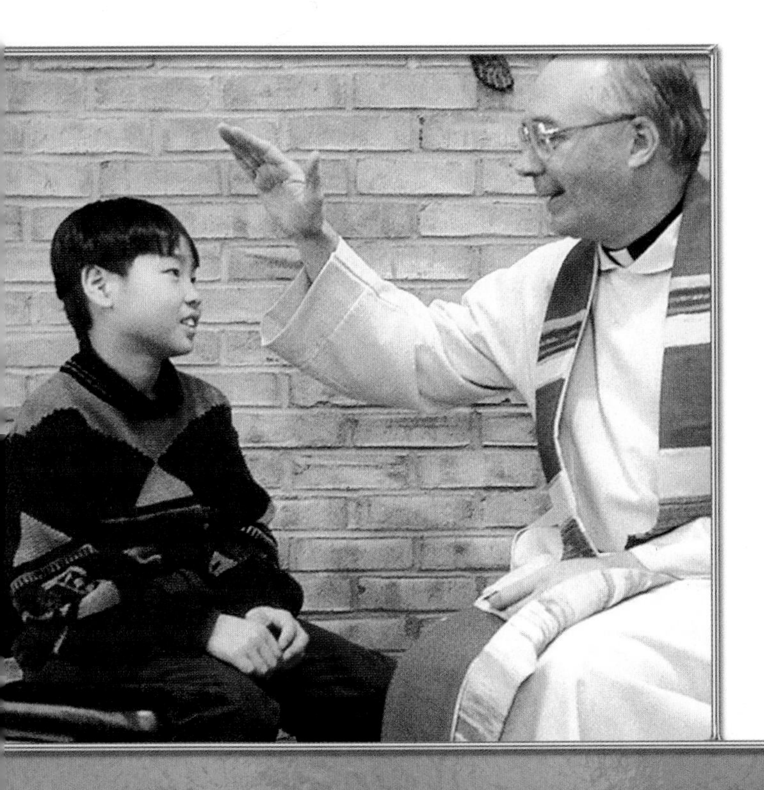

The Sacraments of Healing are Penance and Reconciliation and Anointing of the Sick.

We learn from the Gospels that Jesus often forgave and healed those who believed. Jesus was showing that God has power over sickness and sin. Jesus gave the Apostles the authority to forgive and to heal. This authority continues in the Church. The Sacraments of Penance and Reconciliation and Anointing of the Sick are two ways that we celebrate Jesus' healing power.

In the Sacrament of Penance and Reconciliation members of the Church are reconciled with God and with the Church. Those who are truly sorry confess their sins to a priest and are forgiven. For those who receive the Sacrament of Penance and Reconciliation, their relationship with God and the entire Church is made whole again.

The Church offers the Sacrament of the Anointing of the Sick to those who are very sick. It is also for those who are near death. In this sacrament the priest anoints the person who is sick, and all gathered pray for his or her health. Those who receive the sacrament are given the grace to respond to their illness with hope. Their faith in a loving God can be strengthened.

Pray for someone you know who is in need of reconciliation or healing.

El Orden Sagrado y el Matrimonio son los sacramentos de servicio a la comunión.

Los que reciben los sacramentos del Orden y del Matrimonio son fortalecidos para servir a Dios y a la Iglesia por medio de una vocación especial. En el sacramento del Orden, Dios llama a algunos hombres para que sirvan como ministros ordenados en la Iglesia. Ellos son ordenados como obispos, sacerdotes o diáconos. Ellos tienen diferentes papeles y responsabilidades al servir a la Iglesia.

Los obispos son los sucesores de los apóstoles. Ellos son los líderes y maestros oficiales de la Iglesia. Los obispos son llamados a ayudar a los seguidores de Jesús a crecer en santidad. Ellos cumplen esta misión por medio de la oración, la prédica y la celebración de los sacramentos.

Los sacerdotes son colaboradores de los obispos. Ellos son llamados a predicar la buena nueva, a celebrar los sacramentos con y por nosotros y a guiar a los miembros de la Iglesia.

Los diáconos asisten a los obispos en el trabajo de servicio en toda la Iglesia. Ellos bautizan, son testigos en matrimonios, presiden funerales, proclaman la buena nueva y predican.

Vocabulario

sacramento (pp 333)
gracia santificante (pp 332)
iniciación cristiana (pp 332)
vocación común (pp 333)
santidad (pp 333)

En el sacramento del Matrimonio, un hombre y una mujer bautizados se comprometen a amarse como Dios los ama. Ellos prometen ser fieles uno al otro y a vivir vidas de servicio a ellos y a sus hijos.

El sacramento del Matrimonio fortalece a la pareja para construir una familia basada en una fe fuerte en Dios y en cada uno. Esto los capacita para compartir su fe con su familia y a servir a la Iglesia y a la comunidad.

RESPONDEMOS

Haz una lista de los sacramentos que has recibido. Conversa sobre las formas en que cada uno te ha ayudado a estar más cerca de Dios y de la Iglesia.

___

___

___

Como católicos...

Una vocación es un llamado a una forma de vida. Dios llama a cada uno de nosotros a servirle de una forma especial. Hay maneras específicas de seguir nuestra vocación: como laicos fieles, como hermanas o hermanos religiosos, o como sacerdotes o diáconos.

Descubrir nuestra vocación es una parte importante de nuestras vidas. El Espíritu Santo nos guía cuando rezamos. Familiares, amigos y maestros también nos ayudan a conocer las formas en que Dios nos llama.

Reza para que Dios te guíe a saber cual es tu vocación.

Holy Orders and Matrimony are Sacraments at the Service of Communion.

Those who receive the Sacraments of Holy Orders and Matrimony are strengthened to serve God and the Church through a particular vocation. In the Sacrament of Holy Orders, God calls some men to serve him as ordained ministers in the Church. They are ordained as bishops, priests, or deacons. They have different roles and duties in serving the Church.

The bishops are the successors of the Apostles. They are the leaders and official teachers of the Church. The bishops are called to help Jesus' followers grow in holiness. They do this through prayer, preaching, and the celebration of the sacraments.

Priests are coworkers with the bishops. They are called to preach the Good News, celebrate the sacraments with and for us, and guide the members of the Church.

Deacons assist the bishops in works of service for the whole Church. They baptize, witness marriages, preside at funerals, proclaim the Good News, and preach.

In the Sacrament of Matrimony, a baptized man and woman pledge to love each other as God loves them. They promise to remain faithful to each other and to live lives of service to each other and to their children.

sacrament (p. 336)
sanctifying grace (p. 336)
Christian Initiation (p. 334)
common vocation (p. 334)
holiness (p. 335)

The Sacrament of Matrimony strengthens the couple to build a family rooted in a strong faith in God and each other. It enables them to share their faith with their family and to serve the Church and the community.

WE RESPOND

List the sacraments you have received. Discuss ways each has helped you grow closer to God and the Church.

____

____

____

As Catholics...

A vocation is a calling to a way of life. God calls each of us to serve him in a particular way. There are specific ways to follow our vocation: as members of the lay faithful, as religious brothers or sisters, or as priests or deacons.

Discovering our vocation is an exciting part of our lives. The Holy Spirit guides us as we pray. Family, friends, and teachers also help us to know the ways that God is calling us.

Pray that you will know how God is calling you to live.

HACIENDO DISCIPULOS

Muestra lo que sabes

Usa las claves para descubrir las palabras del 
.

Clave	palabra revueltas	tu respuesta
el proceso de hacerse miembro de la Iglesia por medio de los sacramentos del Bautismo, la Confirmación y la Eucaristía	CNICIANIOI SINRACIAT	iniciacion cristiana
el don de compartir la vida de Dios que recibimos en los sacramentos	ARIGCA TANFISCETANI	gracia santificante
compartir la bondad de Dios y responder a su amor en la forma en que vivimos	TADNIDSA	santidad
signo efectivo dado por Jesús por medio del cual compartimos la vida de Dios	AMTOSEANCR	Sacramento
llamado a la santidad y a la evangelización compartido por todos los cristianos	COVAOCNI MONCU	vocalion comon

Escritura

"Y les dijo: Estaba escrito que el Mesías tenía que morir y resucitar de entre los muertos al tercer día, y que en su nombre se anunciaría a todas las naciones, comenzando desde Jerusalén, la conversión y el perdón de los pecados". (Lucas 24:46–47)

- ¿Qué dijo Jesús que se debía anunciar en su nombre a todas las naciones?

  ____

- Encierra en un círculo el nombre dado a Jesús en este pasaje.

PROJECT DISCIPLE

Show What you Know

Using the clues, unscramble the .

Clue	Scrambled Key Word	Your Answer
the process of becoming a member of the Church through the Sacraments of Baptism, Eucharist, and Confirmation	TICNASHRI NTIAITIONI	
the gift of sharing in God's life that we receive in the sacraments	YGNSTAFCNII ERACG	
sharing in God's goodness and responding to his love by the way we live	SESILOHN	
an effective sign given to us by Jesus through which we share in God's life	TEMCASRAN	
the call to holiness and evangelization that all Christians share	NMCOOM CVAINOTO	

What's the Word?

"And he said to them, 'Thus it is written that the Messiah would suffer and rise from the dead on the third day and that repentance, for the forgiveness of sins, would be preached in his name to all the nations.'"
(Luke 24:46–47)

- What did Jesus say would be preached in his name to all the nations?

____

- Circle the other name for Jesus given in the passage.

HACIENDO DISCÍPULOS

Los siete sacramentos son las celebraciones más importantes de la Iglesia. Clasifica los siete sacramentos por su categoría.

Sanación	Servicio	Iniciación cristiana

RETO PARA EL DISCÍPULO Marca los sacramentos que has celebrado.

Investiga

Los Claretianos es una orden religiosa de sacerdotes y hermanos. Ellos se dedican a la evangelización. Ellos llevan el mensaje del evangelio a los pobres y a necesitados en todo el mundo. Los claretianos están involucrados en asuntos de justicia, paz y medio ambiente. Ellos ministran a inmigrantes, jóvenes y familias. San Antonio María Claret fundó la orden en 1849. Hoy hay más de 3,000 claretianos sirviendo en más de 60 países y cinco continentes.

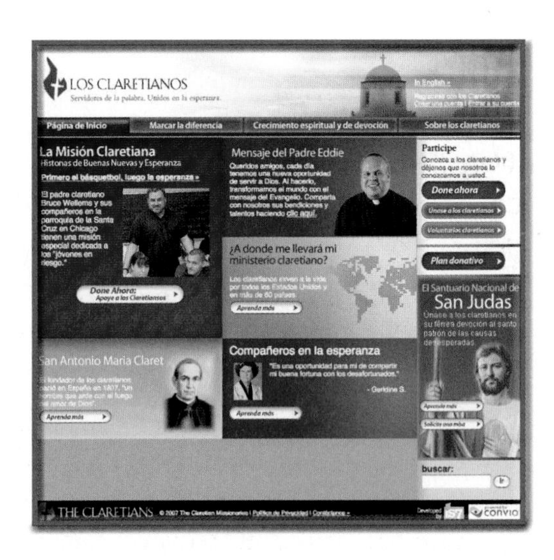

RETO PARA EL DISCIPULO

- Subraya la oración que describe como evangelizan los claretianos.
- Encierra en un círculo el nombre de la persona que fundó a los Claretianos.

Busca en la página web de los Claretianos www.claretians.org para contestar estas preguntas:

- ¿En que país se fundó la orden de los claretianos?

____

- ¿A qué santo honraron los claretianos con un santuario nacional?

____

Tarea

Haz una lista de los sacramentos que cada miembro de tu familia ha celebrado.

____

____

____

____

____

Conversa sobre tus experiencias.

PROJECT DISCIPLE

The Seven Sacraments are the most important celebrations of the Church. Classify the Seven Sacraments by category.

Healing	Service	Christian Initiation

DISCIPLE CHALLENGE Check the sacraments that you have celebrated.

More to Explore

The Claretian Missionaries are a religious community of priests and brothers. They are dedicated to evangelization. They bring the Gospel message to those who are poor or in need throughout the world. The Claretians are involved in issues of justice, peace, and the environment. They minister to immigrants, young people, and families. Saint Anthony Claret founded the Claretians in 1849. Today, there are more than 3,000 Claretians serving in more than 60 countries on five continents.

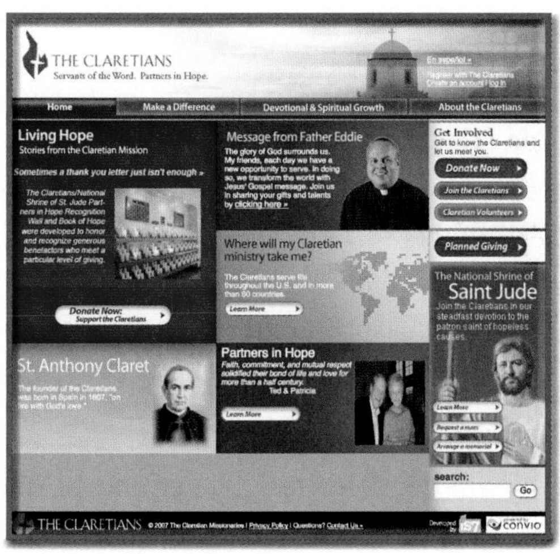

DISCIPLE CHALLENGE

- Underline the sentence that describes how the Claretians evangelize.
- Circle the name of the person who founded the Claretians.

Search the Claretians Web site at www.claretians.org to answer these questions:

- In what country was the Claretian community founded?

____

- Which saint did the Claretians honor by opening a national shrine?

____

Take Home

Make a list of the sacraments that each of your family members have celebrated.

____

____

____

____

____

Talk about your experiences.

Catequesis en el hogar

Capítulo 3 (páginas 34–45)

La Iglesia celebra siete sacramentos

En este capítulo su hijo(a) aprenderá que la Iglesia celebra siete sacramentos, los signos del amor de Jesús.

Para los padres

Dios se hizo uno de nosotros en Jesús. Jesús es el signo del amor de Dios, visible, tangible signo del Dios invisible. Como católicos creemos que los sacramentos son signos efectivos que otorgan lo que representan. Nos han sido dados para que podamos compartir en la vida de Dios por medio de ellos. Los sacramentos nos ayudan a responder a nuestra vocación común: nuestro llamado a la santidad. Los sacramentos también nos dan gracia, el don de compartir en la vida de Dios.

Todos los días

- Encienda una vela y permanezcan en silencio por un momento. Ofrezcan una corta oración para que Dios bendiga el tiempo que van a pasar juntos.

Primer día **Jesús dio siete sacramentos a la Iglesia.**

- Invite a su hijo(a) a leer el título y el primer párrafo.
- Ponga énfasis en que el mundo está lleno de signos del amor de Dios y cada sacramento es un signo especial del amor de Dios. Ponga énfasis en los nombres de los siete sacramentos.

3 La Iglesia celebra siete sacramentos

NOS CONGREGAMOS

Líder: Recordemos que Jesús está presente en nuestras vidas.

Lector: Lectura del santo Evangelio según san Juan.

"Como el Padre me ama a mí, así los amo yo a ustedes. Permanezcan en mi amor. Pero sólo permanecerán en mi amor, si ponen en práctica mis mandamientos, lo mismo que yo he puesto en práctica los mandamientos de mi Padre y permanezco en su amor.

Les he dicho todo esto para que participen en mi alegría, y su alegría sea completa. Mi mandamiento es éste: Ámense los unos a los otros, como yo los he amado". (Juan 15:9–12)

Palabra del Señor.

Todos: Gloria a ti, Señor Jesús.

¿Cuáles son algunos signos que ves todos los días? ¿Por qué son importantes para ti?

CREEMOS

Jesús dio siete sacramentos a la Iglesia.

Un signo es algo que nos señala alguna cosa. Un signo puede ser algo que vemos, por ejemplo una señal de pare. Un signo puede ser algo que hacemos, como por ejemplo darnos las manos o abrazar a alguien. Un evento o una persona puede también ser signo. El mundo está lleno de signos del amor de Dios. Pero Jesucristo es el signo más grande del amor de Dios. Todo lo que Jesús dijo e hizo señala el amor de Dios por nosotros. Jesús trató a todos con justicia. Él acogió a los que eran despreciados. Él dio de comer a los que tenían hambre y perdonó a los pecadores. Jesús es el signo mas grande del amor de Dios Padre, porque él es Hijo de Dios.

Habla de algunos signos del amor y la presencia de Dios en el mundo.

ALABANZAS A TI

34

Segundo día **Los sacramentos de iniciación cristiana son Bautismo, Confirmación y Eucaristía.**

- Lea el título y el texto que sigue. Enfatice que la iniciación cristiana es un proceso de unirse más a Cristo y a su Iglesia.

Tercer día **Los sacramentos de sanación son Reconciliación y la Unción de los Enfermos.**

- Lea el título e invite a su hijo(a) a leer el texto que sigue. Explique que en el sacramento de la Penitencia y Reconciliación renovamos nuestra relación con Dios y la Iglesia.
- En el sacramento de la Unción de los Enfermos, la Iglesia ofrece la paz y la sanación de Dios.

Cuarto día **Orden Sagrado y Matrimonio son los sacramentos de servicio a la comunión.**

- Juntos lean el título y el texto que sigue. Ponga énfasis en que hombres son ordenados como obispos, sacerdotes y diáconos en el sacramento del Orden.
- Señale que un hombre y una mujer se prometen amarse y ser fiel uno al otro en el sacramento del Matrimonio.

Respondemos en fe

Quinto día

- Pida a su hijo(a) que haga una lista de los sacramentos que ha celebrado. Después conversen sobre cada uno de esos sacramentos.

Sexto día

- Tome un momento con su hijo(a) para rezar por alguien que conocen y que necesita reconciliación o salud.

Catechesis at Home

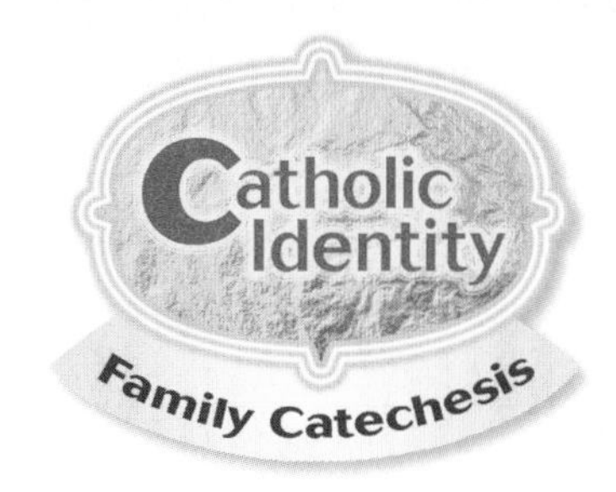

Chapter 3 (pages 34–45)

The Church Celebrates Seven Sacraments

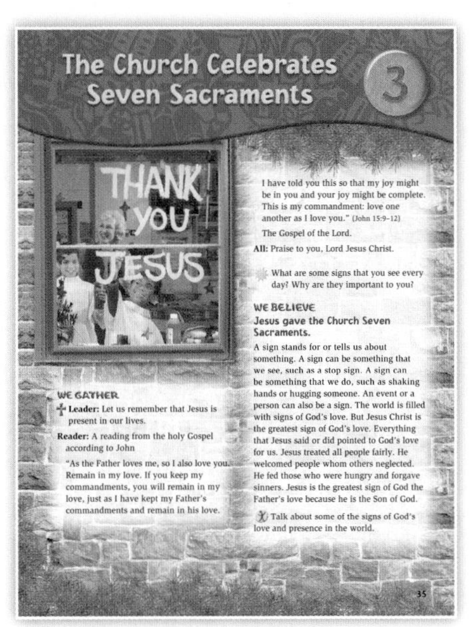

The Church Celebrates Seven Sacraments 3

WE GATHER

Leader: Let us remember that Jesus is present in our lives.

Reader: A reading from the holy Gospel according to John

"As the Father loves me, so I also love you. Remain in my love. If you keep my commandments, you will remain in my love, just as I have kept my Father's commandments and remain in his love. I have told you this so that my joy might be in you and your joy might be complete. This is my commandment: love one another as I love you." (John 15:9–12)

The Gospel of the Lord.

All: Praise to you, Lord Jesus Christ.

What are some signs that you see every day? Why are they important to you?

WE BELIEVE

Jesus gave the Church Seven Sacraments.

A sign stands for or tells us about something. A sign can be something that we see, such as a stop sign. A sign can be something that we do, such as shaking hands or hugging someone. An event or a person can also be a sign. The world is filled with signs of God's love. But Jesus Christ is the greatest sign of God's love. Everything that Jesus said or did pointed to God's love for us. Jesus treated all people fairly. He welcomed people whom others neglected. He fed those who were hungry and forgave sinners. Jesus is the greatest sign of God the Father's love because he is the Son of God.

Talk about some of the signs of God's love and presence in the world.

35

In this chapter your child will learn that the Church celebrates seven sacraments, the signs of Jesus love.

For the Parents

God became one of us in Jesus. Jesus is the sign of God's love, a visible, tangible sign of an invisible God. As Catholics we believe the sacraments are effective signs, that is, they bring about what they signify. They are given to us so that through them we can share in God's life. The sacraments help us respond to our common vocation: our call to holiness. The sacraments also give us grace, the gift of sharing in God's life.

Every Day

- Light a candle and take a few moments to quiet yourselves. Offer a short prayer asking God to bless your time together.

Day One **Jesus gave the Church seven sacraments.**

- Invite your child to read aloud the *We Believe* statement and the first paragraph.
- Emphasize that the world is filled with signs of God's love, and each sacrament is a special sign of God's love. Emphasize the names of the seven sacraments.

Day Two **The sacraments of Christian initiation are Baptism, Confirmation, and Eucharist.**

- Read the statement and the text that follows. Stress that Christian initiation is a process of becoming more deeply united to Christ and his Church.

Day Three **The sacraments of healing are Penance and Reconciliation and Anointing of the Sick.**

- Read aloud the statement and invite your child to read the text that follows. Explain that when people receive the sacrament of Penance and Reconciliation, they renew their relationship with God and the Church.
- In the sacrament of the Anointing of the Sick, the Church offers God's peace and healing mercy to those who are ill.

Day Four **Holy Orders and Matrimony are sacraments at the Service of Communion.**

- Read together the statement and the text that follows. Emphasize that some men are ordained as bishops, priests, and deacons in the sacrament of Holy Orders.
- Point out that a man and a woman promise to love and be faithful to each other in the sacrament of Matrimony.

We Respond in Faith

Day Five

- Ask your child to list the sacraments he or she has received. Then talk with your child about each of these sacraments.

Day Six

- Then discuss some things your family might do this week to proclaim the good news.

Nueva vida en Cristo

NOS CONGREGAMOS

Líder: Vamos a rezar a Dios como una familia.

Lector: Lectura del Libro del profeta Isaías.

"Y ahora, escucha, Jacob, siervo mío; Israel, a quien yo elegí. Yo derramaré agua sobre el suelo sediento, torrentes sobre la tierra seca; derramaré mi espíritu sobre tu descendencia, mi bendición sobre tu linaje". (Isaías 44:1,3)

Palabra de Dios.

Todos: Te alabamos, Señor.

Somos todos el pueblo de Dios

Todos unidos en un solo amor,
somos todos el pueblo de Dios.
Y alabamos tu nombre, Señor.
Somos todos el pueblo de Dios.

¿Cuáles son algunas cosas que te unen a los miembros de tu familia? ¿a tus compañeros de clase? ¿a la gente de tu vecindario?

CREEMOS

El Bautismo es la base de nuestra vida cristiana.

Jesús quiere que todos lo conozcan y que compartan su vida y amor. Antes de regresar a su Padre en el cielo, Jesús pidió a sus discípulos hablar de él a los demás. Él envió a sus apóstoles a ir por todas las naciones a bautizar creyentes.

New Life in Christ

WE GATHER

Leader: Let us pray to God as one family.

Reader: A reading from the Book of the Prophet Isaiah

"Hear then, O Jacob, my servant,
Israel, whom I have chosen.
I will pour out water upon the thirsty ground,
and streams upon the dry land;
I will pour out my spirit upon your offspring,
and my blessing upon your descendants."
(Isaiah 44:1, 3)
The word of the Lord.

All: Thanks be to God.

We Are All the People of God

We are united in God who is love,
we are all the People of God.
Lord, we sing praise to your holy name.
We are all the People of God.

What are some things that unite you with members of your family? your classmates? people in your neighborhood?

WE BELIEVE

Baptism is the foundation of Christian life.

Jesus wanted everyone to know him and to share his life and love. Before he returned to his Father in heaven, Jesus asked his disciples to tell others about him. He sent his Apostles out to all nations to baptize believers.

Con la venida del Espíritu Santo, en Pentecostés, los discípulos de Jesús fueron fortalecidos para hacer lo que él les pidió. Ellos dijeron a la multitud que Jesucristo había muerto y había resucitado a una nueva vida. Ellos compartieron su creencia de que Cristo es el Hijo de Dios. Pedro les dijo: "Conviértanse y hágase bautizar cada uno de ustedes en el nombre de Jesucristo, para que queden perdonados sus pecados. Entonces recibirán el don del Espíritu Santo" (Hechos de los apóstoles 2:38).

Muchas personas escucharon la buena nueva de Cristo, se bautizaron y se convirtieron en discípulos.

El Bautismo es la base de la vida cristiana. Es por el Bautismo que construimos nuestras vidas como seguidores de Cristo. El **Bautismo** es el sacramento en el que somos librados del pecado, nos hacemos hijos de Dios y somos bienvenidos a la Iglesia. Por medio de este sacramento:

- somos unidos a Cristo y elevados a una nueva vida junto a él
- nos hacemos miembros de la Iglesia, el Cuerpo de Cristo y Pueblo de Dios
- nos unimos a otros bautizados
- se nos confiere la justificación, la cual fue ganada a nuestro favor por medio de la Pasión de Cristo. Esta nos conforma a la justicia de Dios.

El Bautismo es el primer sacramento que celebramos. De hecho, no podemos recibir ningún otro sacramento hasta que somos bautizados. El Bautismo nos lleva a otros dos sacramentos de iniciación cristiana, la Confirmación y la Eucaristía.

En el Bautismo somos librados del pecado y nos hacemos hijos de Dios.

Dios creó a los humanos para conocerlo, para estar cerca de él, y para compartir su amor por siempre. Sin embargo, los primeros humanos se alejaron de Dios y lo desobedecieron. Por su pecado, llamado pecado original, perdieron su amistad con Dios.

Por el pecado original, los humanos sufrimos. Todos nacemos con el pecado original y somos afectados por él durante toda nuestra vida. Somos tentados a alejarnos de Dios y a cometer pecado personal.

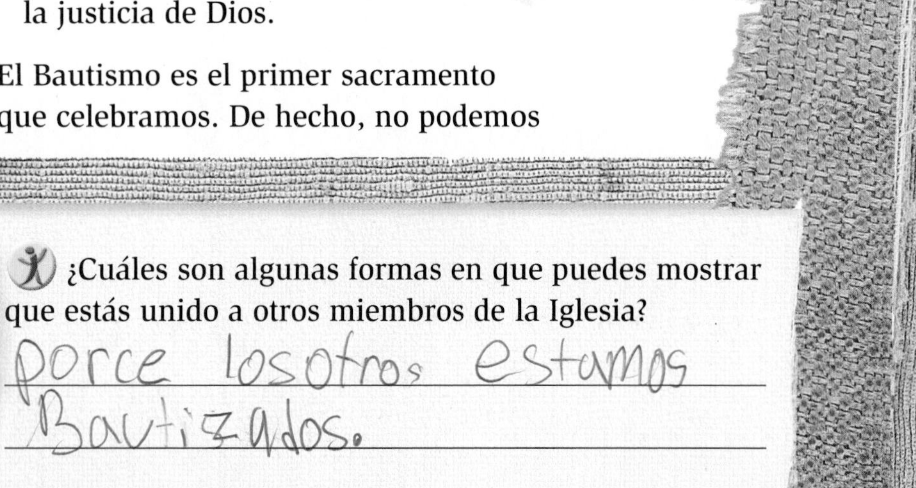

¿Cuáles son algunas formas en que puedes mostrar que estás unido a otros miembros de la Iglesia?

porce losotros estamos Bautizados.

With the coming of the Holy Spirit on Pentecost, Jesus' disciples were strengthened to do as he asked. They told the crowds that Jesus Christ had died and risen to new life. They shared their belief that Christ is the Son of God. Peter told them, "Repent and be baptized, every one of you, in the name of Jesus Christ for the forgiveness of your sins; and you will receive the gift of the holy Spirit" (Acts of the Apostles 2:38).

Many people who heard the Good News of Christ were baptized and became disciples.

Baptism is the foundation of Christian life. It is upon Baptism that we build our lives as followers of Christ. **Baptism** is the sacrament in which we are freed from sin, become children of God, and are welcomed into the Church. Through this sacrament we:

- we are joined to Christ and rise to new life in him
- we become members of the Church, the Body of Christ and the People of God
- we are united with all others who have been baptized.
- justification is conferred on us. It has been won for us by the Passion of Christ. It conforms us more closely to the justice of God.

Baptism is the very first sacrament that we celebrate. In fact, we are unable to receive any other sacrament until we first have been baptized. Baptism leads us to the other two Sacraments of Christian Initiation, Confirmation and Eucharist.

What are some ways that you can show that you are united to other members of the Church?

____

____

In Baptism we are freed from sin and become children of God.

God created human beings to know him, to be close to him, to share in his love forever. However, the first human beings turned away from God and disobeyed him. Because of their sin, called Original Sin, they lost their closeness with God.

Because of Original Sin, human beings suffer. We all are born with Original Sin and are affected by it throughout our lives. We are tempted to turn away from God and commit personal sin.

Pero Dios no se alejó de su pueblo. Él prometió salvarnos. Por amor, Dios envió a su Hijo a reparar nuestra relación con él. La verdad de que el Hijo de Dios se hizo hombre es la **Encarnación**.

Por su muerte y Resurrección, Jesucristo, el Hijo de Dios, nos salvó del pecado. Su victoria sobre el pecado y la muerte nos ofrece salvación. **Salvación** es el perdón de los pecados y la reparación de la amistad con Dios.

Al igual que la fe, el Bautismo es necesario para la salvación. El Bautismo nos permite entrar en una comunidad de creyentes dirigida por el Espíritu Santo. Nos libera del pecado original y todo pecado personal se nos perdona.

Cuando somos bautizados nos hacemos hijos de Dios y miembros de una familia guiada por el Espíritu Santo. En esta familia, no hay fronteras ni preferencias. Dios nos ve a todos como a sus hijos.

Cuando somos bautizados compartimos la vida de Dios. Nuestro compartir la vida de Dios es llamado gracia. La gracia del Bautismo nos ayuda a creer en Dios el Padre y a amarlo. Nos da el poder de vivir y actuar como discípulos de Cristo en el mundo.

¿Qué harás esta semana para vivir como miembro de la familia de Dios?

Somos sacerdote, profeta y rey.

Cuando Jesús fue bautizado en el río Jordán, el Espíritu Santo se posó sobre él. Esta unción del Espíritu Santo establece que Jesús es sacerdote, profeta y rey. Llamamos sacerdote a Jesús porque él hizo un sacrificio que nadie más ha hecho. Jesús se ofreció a sí mismo para salvarnos. Jesús fue un profeta porque él trajo el mensaje de amor y perdón de Dios. Él habló sobre la verdad y la justicia. Jesús mostró que él era un rey porque cuidó de su pueblo.

En el Bautismo somos ungidos, bendecidos con óleo santo. Este sello del Bautismo nos marca como pertenecientes a Cristo y es por eso que recibimos el Bautismo sólo una vez. Compartimos con Jesús el papel de sacerdote, profeta y rey.

Sabemos que Jesús es el único, verdadero sacerdote. Sin embargo, él llama a todos los bautizados a compartir su sacerdocio. Esto es el sacerdocio de los fieles. Podemos vivir nuestro sacerdocio de muchas formas. Podemos rezar todos los días. Podemos participar en la liturgia, especialmente la Eucaristía. Podemos ofrecer nuestras vidas a Dios.

Un **profeta** es alguien que habla en nombre de Dios, defiende la verdad y trabaja por la justicia. Somos llamados a ser profetas, como los hombres y mujeres del Antiguo Testamento, como Juan el Bautista y como Cristo. Somos profetas cuando hablamos la verdad sobre Jesucristo y vivimos como debemos. Podemos ser profetas en nuestras escuelas, comunidades y familias.

Como el Ungido Rey y Mesías, Jesús vino a servir no a ser servido. Guía a su pueblo como rey sirviente. El reino de Jesús hace que el amor de Dios esté presente y activo en el mundo.

Jesús nos llama a servir. Él quiere que cuidemos de otros, especialmente los pobres y los que sufren. Él nos pide animar a otros a responder al amor de Dios en su vidas.

Compartes el papel de sacerdote, profeta y rey de Jesús. ¿Qué tareas puedes asignarte como sacerdote, como profeta y como rey que sirve?

But God did not turn away from his people. He promised to save us. Out of love, God sent his Son to restore our relationship with God. The truth that the Son of God became man is called the **Incarnation**.

By his Death and Resurrection, Jesus Christ—the Son of God—saves us from sin. His victory over sin and death offers us salvation. **Salvation** is the forgiveness of sins and the restoring of friendship with God.

Like faith, Baptism is necessary for salvation. Baptism draws us into a community of believers led by the Holy Spirit. It frees us from Original Sin, and all of our personal sins are forgiven.

When we are baptized we become children of God, as members of one family led by the Holy Spirit. In this family, there are no boundaries or preferences. God sees us all as his children.

When we are baptized we share in God's own life. Our share in God's life is called grace. The grace of Baptism helps us to believe in God the Father and to love him. It gives us the power to live and act as disciples of Christ in the world.

What will you do this week to live as a member of God's family?

We are a priestly, prophetic, and royal people.

At Jesus' baptism at the Jordan River the Holy Spirit came upon him. This anointing by the Holy Spirit established Jesus as priest, prophet, and king. We call Jesus a priest because he gave the sacrifice that no one else could. Jesus offered himself to save us. Jesus was a prophet because he delivered God's message of love and forgiveness. He spoke out for truth and justice. Jesus showed himself to be a king by the care he gave to all his people.

In Baptism we are anointed, blessed with holy oil. This seal of Baptism marks us as belonging to Christ, and thus we receive Baptism only once. We share in Jesus' role of priest, prophet, and king.

We know that Jesus is the only one, true priest. However, he calls all the baptized to share in his priesthood. This is the priesthood of the faithful. We can live out our priesthood in many ways. We can pray daily. We can participate in the liturgy, especially the Eucharist. We can offer our lives to God.

A **prophet** is someone who speaks on behalf of God, defends the truth, and works for justice. We are called to be prophets like the men and women in the Old Testament, like John the Baptist and like Christ. We are prophets when we speak truthfully about Christ and live as we should. We can be prophets in our schools, communities, and families.

As the Anointed King and Messiah, Jesus came to serve not to be served. He leads his people as a servant-king. Jesus' reign makes God's love present and active in the world.

Jesus calls us to be servants. He wants us to care for others, especially those who are poor or suffering. He asks us to encourage others to respond to God's love in their lives.

You share in Jesus' role of priest, prophet, and king. What tasks would you assign yourself as a priest, as a prophet, and as a servant-king?

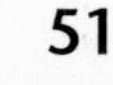

Por nuestro bautismo, tenemos esperanza de vida eterna.

Como parte del Cuerpo de Cristo, seguimos las enseñanzas de Cristo y tratamos de vivir como él vivió. Los que respondan a la gracia de Dios y permanezcan en su amistad tendrán la vida eterna cuando mueran. **Vida eterna** es vivir feliz con Dios por siempre. Los que han vivido en santidad en la tierra comparten inmediatamente el gozo del cielo y la vida eterna. Los que necesitan crecer en santidad se preparan en el Purgatorio para ir al cielo. Por medio de ciertas obras buenas y oraciones, podemos ganar indulgencias para nosotros o para las almas del Purgatorio. Una indulgencia es la remisión del castigo merecido por el pecado.

Desafortunadamente, hay quienes deciden romper completamente su relación con Dios. Continuamente se alejan de la misericordia de Dios y rechazan su perdón. Ellos se separan de Dios por siempre y no compartirán su vida eterna. Esta separación eterna se llama Infierno.

Sin embargo, Dios quiere que todos sus hijos respondan a su gracia. Dios da a cada uno de nosotros la gracia de crecer en santidad. Esto facilita que podamos responder a su amor. Mostramos nuestro amor en la forma en que vivimos.

Santos son todos los seguidores de Cristo que vivieron vidas santas en la tierra y ahora comparten la vida eterna con Dios en el cielo. Como lo santos están cerca de Cristo, ellos ayudan a la Iglesia a crecer en santidad. Pedimos a los santos rezar a Dios por nosotros y por los que han muerto.

RESPONDEMOS

El sacramento del Bautismo es la base de la vida cristiana. Escribe algo que exprese que eres un bautizado que sigue a Cristo.

Borce losotros Biny al la misa

Vocabulario

Bautismo (pp 331)
Encarnación (pp 331)
salvación (pp 333)
profeta (pp 333)
vida eterna (pp 333)
santos (pp 333)

Como católicos...

El Cuerpo de Cristo nos une a todos los bautizados. La unión de los miembros bautizados de la Iglesia en la tierra con los que están en el cielo y en el Purgatorio es llamada comunión de los santos. Rezamos para que los que han muerto pueden conocer el amor y la misericordia de Dios y puedan un día compartir la vida eterna.

¿Cuándo reza tu parroquia por los que han muerto?

Because of our Baptism, we have hope of eternal life.

As part of the Body of Christ, we follow Christ's teachings and try to live as he did. People who have responded to God's grace and have remained in his friendship will have eternal life when they die. **Eternal life** is living in happiness with God forever. Those who have lived lives of holiness on earth will immediately share in the joy of heaven and eternal life. Others who need to grow in holiness will prepare for heaven in Purgatory. Through certain good works and prayers, we can obtain indulgences for ourselves or souls in Purgatory. An indulgence is the remission of punishment due to sin.

Unfortunately, there are those who have chosen to completely break their friendship with God. They have continually turned away from God's mercy and refused his forgiveness. They remain forever separated from God and do not share in eternal life. This eternal separation is called Hell.

However, God wants all of his children to respond to his grace in their lives. God gives each of us the grace to grow in holiness. This makes it possible for us to respond to his love. We show our love by the way we live our lives.

Saints are followers of Christ who lived lives of holiness on earth and now share in eternal life with God in heaven. Because the saints are closely united to Christ, they help the Church to grow in holiness. We ask the saints to pray to God for us and for those who have died.

WE RESPOND

The Sacrament of Baptism is the foundation of Christian life. Write a way that you can show you are a baptized follower of Jesus Christ.

____

____

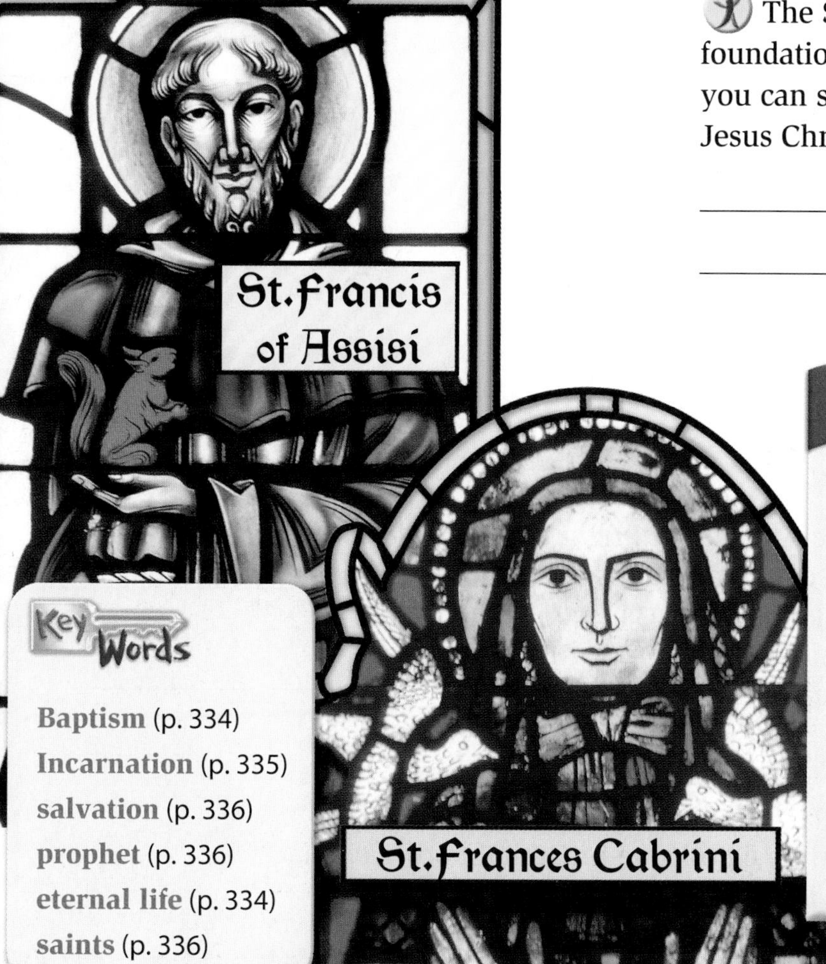

Key Words

Baptism (p. 334)
Incarnation (p. 335)
salvation (p. 336)
prophet (p. 336)
eternal life (p. 334)
saints (p. 336)

As Catholics...

The Body of Christ unites us to all who have been baptized. The union of the baptized members of the Church on earth with those who are in heaven and in Purgatory is called the Communion of Saints. We pray that those who have died may know God's love and mercy and may one day share in eternal life.

When are some times that your parish prays for those who have died?

HACIENDO DISCIPULOS

Muestra lo que sabes

Haz un juego para memorizar las palabras del Vocabulario. Escribe las palabras y las definiciones en diferentes cuadros. Luego cubre cada cuadro con un pedazo de papel. Juega pidiendo a un compañero escoger cuadros para encontrar parejas de palabras del vocabulario y sus definiciones.

Santos	Profeta	vida eterna
Encarnacion	Bautismo	
Salvacion		
sacramento por medio del cual somos librados del pecado, nos hacemos hijos de Dios y somos bienvenidos a la Iglesia		

Escritura

"Pedro les respondió: 'Conviértanse y hágase bautizar cada uno de ustedes en el nombre de Jesucristo, para que queden perdonados sus pecados. Entonces recibirán el don del Espíritu Santo'". (Hechos de los apóstoles 2:38)

- ¿En nombre de quién dijo Pedro que el pueblo debía bautizarse? ______________________
- ¿Para qué la gente debe bautizarse? ______________________
- Subraya el don recibido en el Bautismo.

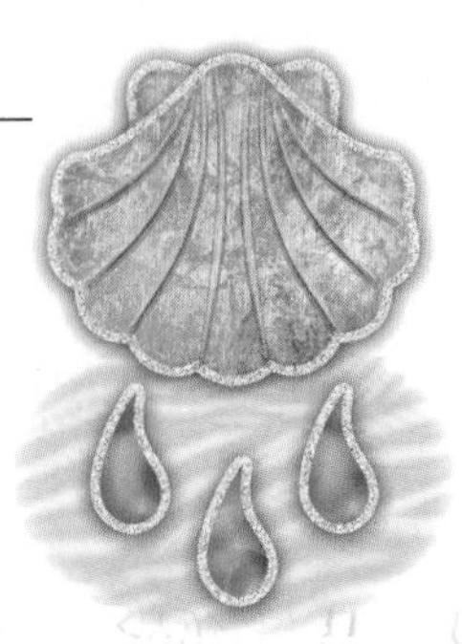

RETO PARA EL DISCIPULO Si alguien no católico te preguntara acerca de la importancia del Bautismo, ¿qué le responderías?

____

PROJECT DISCIPLE

Show What you Know

Make a memory game using the Key Words. Write the remaining Key Words and definitions in different squares. Then, cover each square with a sticky note or scrap paper. Play the game by asking a partner to choose squares to find matching pairs of Key Words and definitions.

	Baptism	
sacrament in which we are freed from sin, become children of God, and are welcomed into the Church		

What's the Word?

"Peter said to them, 'Repent and be baptized, every one of you, in the name of Jesus Christ for the forgiveness of your sins; and you will receive the gift of the holy Spirit.'" (Acts of the Apostles 2:38)

- In whose name did Peter say the people should be baptized? ____________________
- Why should the people be baptized? ____________________
- Underline the gift received through Baptism.

DISCIPLE CHALLENGE You are asked about the importance of Baptism by someone who is not Catholic. What will you say?

____

HACIENDO DISCÍPULOS

Vidas de santos

Patrón es una persona que anima y cuida de alguien o algo. En el Bautismo a muchas personas se les pone el nombre de un santo. Ese es su santo patrón. Los santos patronos pueden cuidar de las personas que llevan su nombre y animarlas a seguir a Jesús. Muchas parroquias, hospitales y grupos católicos llevan el nombre de santos. También las ocupaciones tienen patronos. Por ejemplo, santa Bárbara es la patrona de los arquitectos.

¿Quién es el santo patrón de tu escuela o parroquia?

____

Puedes aprender más sobre los santos visitando *Vidas de santos* en **religion.sadlierconnect.com**

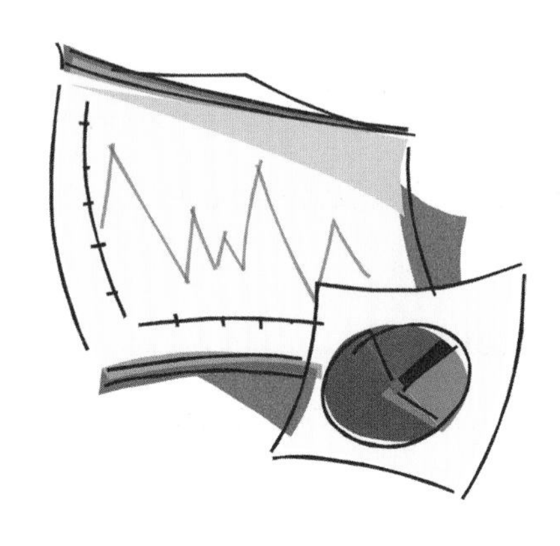

Datos

Estadísticas sobre nuevos miembros de la Iglesia para el año 2013:

713,302 niños fueron bautizados

38,042 adultos fueron bautizados

66,413 fueron recibidos en total comunión con la Iglesia.

Reza

Dios, nuestro Padre, gracias por los ejemplos de santidad que nos has dado en los santos de nuestra Iglesia. Ayúdame a usar el don de la gracia para aumentar mi santidad por

medio de ____________________

____________________. Amén.

Tarea

En familia lean sobre el santo del que se habla en *Vidas de santos*. Escojan un santo patrón para la familia.

____

¿Por qué tu familia escogió a ese santo?

____

____

PROJECT DISCIPLE

A patron is a person who encourages and takes care of someone or something. At Baptism many people are given the name of a saint. That saint is the person's patron saint. Patron saints can care for their namesakes and encourage them in following Jesus. Many parishes, hospitals, and Catholic groups may be named for patron saints. Even occupations have patron saints. For example, Saint Barbara is the patron of architects.

Who is the patron saint of your school and/or parish?

____

You can learn more about saints by visiting *Lives of the Saints* on **religion.sadlierconnect.com**

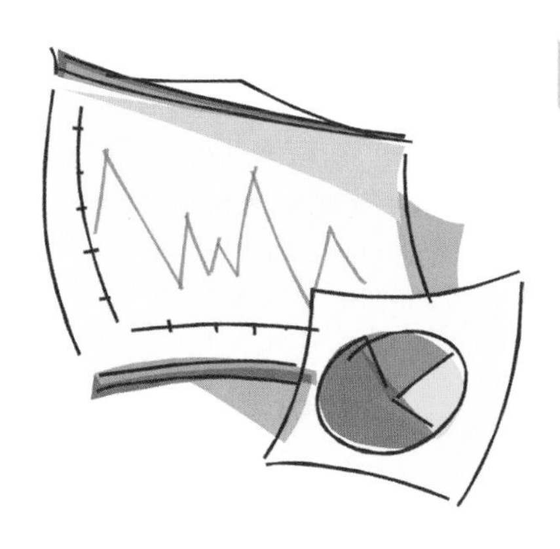

Recent statistics on new Church members (2013):

713,302 were infant baptisms

38,042 were adult baptisms

66,413 were received into full communion with the Church

Pray Today

God our Father, thank you for the examples of holiness you have given us in the saints of our Church. Help me to use your gift of grace to grow in holiness by ____________________

____________________. Amen.

Take Home

Gather your family together to read the *Saint Stories* feature. Choose a patron saint for your family.

____

Why did your family choose this saint?

____

____

Catequesis en el hogar

Capítulo 4 (páginas 46–57)

Nueva vida en Cristo

En este capítulo su hijo(a) aprenderá que el sacramento del Bautismo nos da una nueva vida en Cristo.

Para los padres

Dios nos creó a su imagen para tener una relación con él. Como leemos en la historia de Adán y Eva, la gente usó su libre albedrío para hacer su propia voluntad en vez de la Dios; por esa razón nos separamos de Dios. Como resultado, el pecado entró al mundo y “la gracia de la santidad original” (*CIC*, 399) se perdió. Dios envió a su Hijo para mostrarnos cómo vivir y para librarnos de todo lo que nos impide vivir para el reino de Dios.

Todos los días

- Encienda una vela y permanezcan en silencio por un momento. Juntos hagan la señal de la cruz y ofrezcan una corta oración para que Dios bendiga el tiempo que van a pasar juntos.

Primer día **El Bautismo es la base de nuestra vida cristiana.**

- Lea en voz alta el título de la sección y túrnense para leer en voz alta el texto que sigue. Enfatice que Jesús pidió a sus apóstoles que fueran a bautizar a todas las naciones.
- Explique que el sacramento del Bautismo siempre ha tenido una relación con los sacramentos de la Confirmación y la Eucaristía.

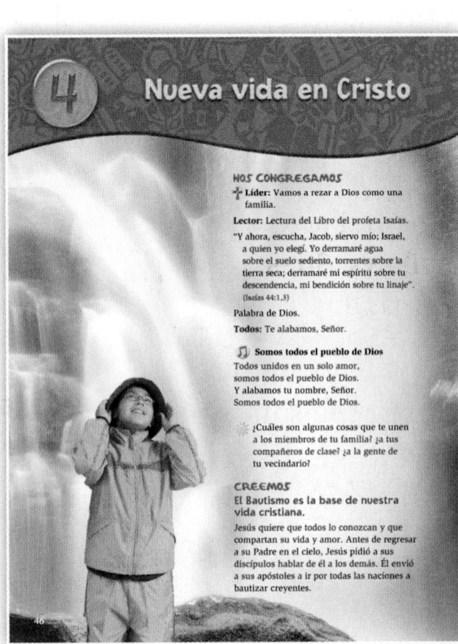

4 Nueva vida en Cristo

NOS CONGREGAMOS

Líder: Vamos a rezar a Dios como una familia.

Lector: Lectura del Libro del profeta Isaías.

“Y ahora, escucha, Jacob, siervo mío; Israel, a quien yo elegí. Yo derramaré agua sobre el suelo sediento, torrentes sobre la tierra seca; derramaré mi espíritu sobre tu descendencia, mi bendición sobre tu linaje”. (Isaías 44:1,3)

Palabra de Dios.

Todos: Te alabamos, Señor.

Somos todos el pueblo de Dios

Todos unidos en un solo amor,
somos todos el pueblo de Dios.
Y alabamos tu nombre, Señor.
Somos todos el pueblo de Dios.

¿Cuáles son algunas cosas que te unen a los miembros de tu familia? ¿a tus compañeros de clase? ¿a la gente de tu vecindario?

CREEMOS

El Bautismo es la base de nuestra vida cristiana.

Jesús quiere que todos lo conozcan y que compartan su vida y amor. Antes de regresar a su Padre en el cielo, Jesús pidió a sus discípulos hablar de él a los demás. Él envió a sus apóstoles a ir por todas las naciones a bautizar creyentes.

Segundo día **En el Bautismo somos librados del pecado y nos hacemos hijos de Dios.**

- Invite a su hijo(a) a leer el texto que sigue. Enfatice que la victoria de Jesús sobre el pecado y la muerte fue nuestra salvación.
- Pida a su hijo(a) que defina con sus propias palabras *encarnación* y *salvación*.

Tercer día **Somos sacerdotes, profetas y reyes.**

- Túrnense para leer en voz alta el título y el texto que sigue.
- Ponga énfasis en que Jesús es sacerdote, profeta y rey. Por nuestro bautismo compartimos esos papeles.

Cuarto día **Por nuestro Bautismo, tenemos esperanza de vida eterna.**

- Túrnense para leer en voz alta el título y el texto que sigue.
- Pregunte: *¿Quiénes son los santos?* (Los santos son seguidores de Cristo que vivieron vidas santas en la tierra y ahora comparten la vida eterna con Dios en el cielo).

Respondemos en fe

Quinto día

- Comparta con su hijo(a) la historia de su santo favorito.

Sexto día

- Juntos en familia busquen información de santos que murieron por defender su fe. Conversen sobre lo que hicieron para mantenerse firmes durante tiempos difíciles.

Catechesis at Home

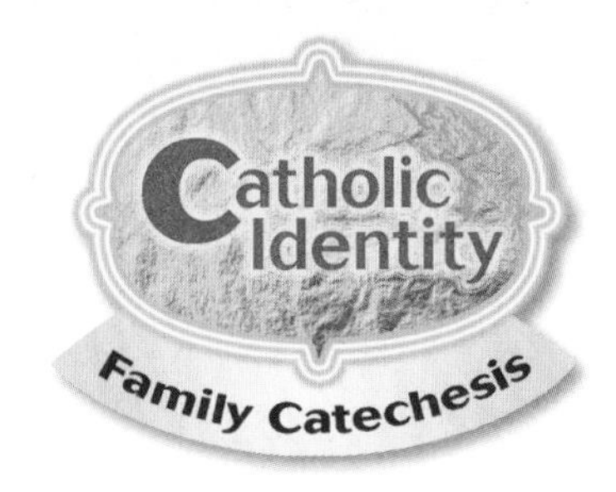

Chapter 4 (pages 46–57)

New Life in Christ

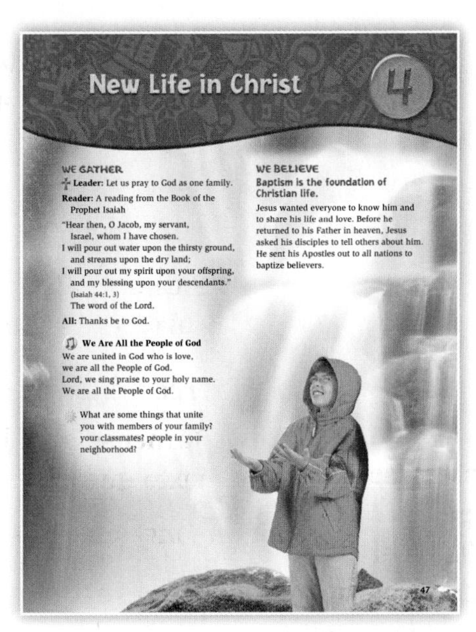

New Life in Christ 4

WE GATHER

Leader: Let us pray to God as one family.

Reader: A reading from the Book of the Prophet Isaiah

"Hear then, O Jacob, my servant,
Israel, whom I have chosen.
I will pour out water upon the thirsty ground,
and streams upon the dry land;
I will pour out my spirit upon your offspring,
and my blessing upon your descendants."
(Isaiah 44:1, 3)
The word of the Lord.

All: Thanks be to God.

We Are All the People of God
We are united in God who is love,
we are all the People of God.
Lord, we sing praise to your holy name.
We are all the People of God.

What are some things that unite you with members of your family? your classmates? people in your neighborhood?

WE BELIEVE
Baptism is the foundation of Christian life.

Jesus wanted everyone to know him and to share his life and love. Before he returned to his Father in heaven, Jesus asked his disciples to tell others about him. He sent his Apostles out to all nations to baptize believers.

47

In this chapter your child will learn that the sacrament of Baptism gives us new life in Christ.

For the Parents

God created us, in the image of God, to be in a relationship with him. But as we read in the story of Adam and Eve, people used free will to choose their own way rather than God's way, and we became separated from God. As a result, sin entered the picture and "the grace of original holiness" (*CCC*, 399) was lost. God sent his Son to show us how to live and to save us from all that prevents us from living for God's Kingdom.

Every Day

- Light a candle and take a few moments to quiet yourselves. Pray the Sign of the Cross together, and offer a short prayer asking God to bless your time together.

Day One **Baptism is the foundation of Christian life.**

- Read aloud the *We Believe* statement and take turns reading aloud the text that follows. Stress that Jesus told his apostles to go out and baptize all nations.
- Explain that the sacrament of Baptism should always be seen in connection with the sacraments of Confirmation and Eucharist.

Day Two **In Baptism we are freed from sin and become children of God.**

- Invite your child to read the text that follows. Stress that Jesus' victory over sin and death was our salvation.
- Have your child tell you in his or her own words the definitions of *Incarnation* and *salvation*.

Day Three **We are a priestly, prophetic, and royal people.**

- Take turns reading aloud the statement and the text that follows.
- Emphasize that Jesus is the priest, prophet, and king. Through our Baptism, we share in these roles.

Day Four **Because of our Baptism, we have hope of eternal life.**

- Take turns reading aloud the statement and the text that follows.
- Ask: *Who are the saints?* (The saints are followers of Christ who lived lives of holiness on earth and now share in eternal life with God in heaven.)

We Respond in Faith

Day Five

- Share with your child the story of your favorite saint.

Day Six

- With your family learn about saints who were persecuted for their faith. Talk about what they did to stay strong and faithful during trying times.

La celebración del Bautismo

NOS CONGREGAMOS

Líder: ¿Creéis en Dios, el Padre todopoderoso, creador del cielo y de la tierra?

Todos: Sí, creo.

Líder: ¿Creéis en Jesucristo, su único Hijo, nuestro Señor, que nació de María virgen, murió, fue sepultado, resucitó de entre los muertos y está sentado a la derecha del Padre?

Todos: Sí, creo.

Líder: ¿Creéis en el Espíritu Santo, en la santa Iglesia Católica, en la comunión de los santos, en el perdón de los pecados, en la resurrección de los muertos y en la vida eterna?

Todos: Sí, creo.

Líder: Esta es nuestra fe. Esta es la fe de la Iglesia, que nos gloriamos de profesar en Cristo Jesús, Señor nuestro.

Todos: Amén.

¿Cómo da tu familia la bienvenida a las visitas? ¿Por qué es importante hacerlas sentir bienvenidas?

CREEMOS

La Iglesia da la bienvenida a todos para ser bautizados.

No todo el mundo completa la iniciación cristiana al mismo tiempo. Muchas personas son bautizadas cuando son bebés o muy pequeños. Ellos celebran el resto de los sacramentos de iniciación cristiana cuando son mayores. Otros son bautizados cuando son mayores o adultos. Esos adultos participan en el Rito de Iniciación Cristiana para Adultos (RICA) y entran en el catecumenado.

The Celebration of Baptism

5

WE GATHER

✝ **Leader:** Do you believe in God, the Father almighty, Creator of heaven and earth?

All: I do.

Leader: Do you believe in Jesus Christ, his only Son, our Lord, who was born of the Virgin Mary, was crucified, died, and was buried, rose from the dead, and is now seated at the right hand of the Father?

All: I do.

Leader: Do you believe in the Holy Spirit, the holy catholic Church, the Communion of Saints, the forgiveness of sins, the resurrection of the body, and the life everlasting?

All: I do.

Leader: This is our faith. This is the faith of the Church. We are proud to profess it, in Christ Jesus our Lord.

All: Amen.

How does your family welcome people who come to your home? Why is it important to make them feel welcome?

WE BELIEVE

The Church welcomes all to be baptized.

Not everyone begins or completes Christian initiation at the same time. Many people are baptized as infants or young children. They celebrate the remaining Sacraments of Christian Initiation when they are older. Other people are baptized as older children or adults. These adults and older children participate in the Rite of Christian Initiation of Adults (RCIA) and enter the catechumenate.

El **catecumenado** es un período de formación para la iniciación cristiana. Incluye oración y liturgia, instrucción religiosa y servicio a la comunidad. Los que entran en este período de formación se llaman catecúmenos. Ellos celebran los tres sacramentos de iniciación cristiana en una celebración, generalmente en la Vigilia Pascual.

Toda la parroquia participa en la formación de los catecúmenos. Algunos feligreses sirven de padrinos. Otros enseñan a los catecúmenos sobre la fe católica. Los catecúmenos participan en celebraciones de oración para conocer los símbolos del sacramento. Generalmente se unen a la asamblea para celebrar la Eucaristía los domingos.

Cuando los bebés o niños pequeños son bautizados en la fe de la Iglesia, los padres escogen a los padrinos. Los padrinos deben ser ejemplo de cristianos y junto con los padres y la comunidad parroquial comprometerse a ayudar al niño a crecer en la fe.

Una día ideal para celebrar el Bautismo es el domingo, el día del Señor y el día en que resucitó Jesús. La celebración del Bautismo durante el domingo destaca el hecho de que resucitamos a una nueva vida igual que Jesús. También permite a la parroquia dar la bienvenida a los nuevos bautizados.

Imagina que se te ha pedido ser padrino. ¿Cuál crees que es tu responsabilidad?

Escribe una carta corta a tu futuro ahijado.

I will take the kid to church and be good the helher

La comunidad parroquial participa en la celebración del Bautismo.

He aquí la forma en que la Iglesia celebra el Bautismo de bebés y niños pequeños.

Un celebrante es un obispo, un sacerdote o un diácono, quien celebra el sacramento por y con la comunidad. En el Bautismo el celebrante recibe a la familia y los padres y padrinos presentan al bebé a la Iglesia para ser bautizado. El celebrante hace una señal de la cruz en la frente del niño. Él invita a los padres y padrinos a hacer lo mismo. Esto es señal de la nueva vida que Cristo ganó para nosotros en la cruz.

The **catechumenate** is a period of formation for Christian initiation. It includes prayer and liturgy, religious instruction, and service to others. Those who enter this formation are called catechumens. They celebrate the three Sacraments of Christian Initiation in one celebration, usually at the Easter Vigil.

The entire parish takes part in the formation of the catechumens. Some parish members serve as sponsors. Others teach the catechumens about the Catholic faith. The catechumens participate in prayer celebrations that introduce them to the symbols of the sacraments. They usually join the assembly for part of the Sunday celebration of the Eucharist.

When infants or young children are baptized in the faith of the Church, the parents choose godparents for the child. The godparents are to be a Christian example, and along with the parents and parish community agree to help the child grow in faith.

An ideal day to celebrate Baptism is on Sunday, the Lord's Day and the day of Jesus' Resurrection. The celebration of Baptism on Sunday highlights the fact that we rise to new life like Jesus did. It also allows the parish to welcome the newly baptized.

Imagine that you have been asked to be a godparent. What do you think you will have to do as a godparent?

Write a short letter to your future godchild.

____

____

____

____

The parish community participates in the celebration of Baptism.

Here is the way the Church celebrates the Baptism of infants and young children.

A celebrant is the bishop, priest, or deacon who celebrates the sacrament for and with the community. At Baptism the celebrant greets the family, and the parents and godparents present the child to the Church for Baptism. The celebrant traces the Sign of the Cross on the child's forehead. He invites the parents and godparents to do the same. This tracing is a sign of the new life Christ has won for us on the Cross.

Dos o tres lecturas de la Biblia son proclamadas. Un salmo o un himno es cantado entre las lecturas. Después el celebrante da una homilía para explicar las lecturas y el significado del sacramento.

Intercesiones, o la oración de los fieles, son ofrecidas por el pueblo. La comunidad reza por el niño que se va a bautizar, por toda la Iglesia y por el mundo.

El celebrante reza pidiendo a Dios que libere al bebé del pecado original, y luego él pide a Dios que envíe al Espíritu Santo a morar en el corazón del bebé. Después unge el pecho del bebé con el aceite de los catecúmenos. Esto limpia y fortalece al bautizado.

¿Cuáles son algunas veces en que haces la señal de la cruz? ¿Por qué?

El agua es un signo importante del Bautismo.

En el sacramento del Bautismo el agua es bendecida con una oración. En esta oración escuchamos sobre el poder del agua durante el tiempo de la creación, durante el diluvio y cuando los israelitas escaparon de la esclavitud de Egipto. Recordamos que el agua ha sido fuente de santidad, libertad y nueva vida. Porque Jesús murió y resucitó a una nueva vida, cada uno de nosotros puede tener vida eterna.

El agua es con frecuencia llamada "fuente de vida". ¿Por qué es el agua tan importante?

Como católicos...

¿Sabes que en una emergencia, cualquier persona puede bautizar? La persona bautiza derramando agua en la cabeza del bautizado mientras dice: "N., yo te bautizo en el nombre del Padre, y del Hijo, y del Espíritu Santo".

¿Quién crees que necesita ser bautizado de emergencia?

Two or three readings from the Bible are proclaimed. A psalm or song is often sung between the readings. Then the celebrant gives a homily to explain the readings and the meaning of the sacrament.

Intercessions, or the Prayer of the Faithful, are offered by the people. The community prays for the child about to be baptized, for the whole Church, and for the world.

The celebrant then prays asking God to free the child from Original Sin. He asks God to send the Holy Spirit to dwell in the child's heart. He then anoints the child on the chest with the oil of catechumens. This cleanses and strengthens the child about to be baptized.

What are some times that you make the Sign of the Cross? Why?

Water is an important sign of Baptism.

In the Sacrament of Baptism the water is blessed with a prayer. In this prayer we hear about the power of water at the time of creation, during the great flood, and in the Israelites' escape from slavery in Egypt. We recall that water has been a source of holiness, freedom, and new life. Because of Jesus' dying and rising to new life, each of us can have eternal life.

Water is often referred to as the "source of life." Why is water so important?

As Catholics...

Did you know that in an emergency, anyone can baptize? The person baptizes by pouring water over the head of the one to be baptized while saying, "N., I baptize you in the name of the Father, and of the Son, and of the Holy Spirit."

Who do you think might need to baptize in an emergency?

El celebrante sigue rezando, pidiendo a Dios ayuda y apoyo. El toca el agua con su mano derecha y dice:

"Dios todopoderoso, Padre de nuestro Señor Jesucristo, que os ha librado del pecado y os ha dado nueva vida por el agua y el Espíritu Santo, os conceda que, hechos ya cristianos y agregados a su pueblo santo, permanezcáis como miembro de Cristo, sacerdote, profeta y rey, hasta la vida eterna."

"Amén".

Luego el celebrante hace algunas preguntas a los padres y padrinos. Ellos rechazan o dicen no al pecado. También afirman lo que creen. Es la profesión de fe.

El bautizado empieza su nueva vida como hijo de Dios.

Hemos llegado a la parte central del sacramento. El Bautismo puede hacerse de dos formas. El celebrante puede sumergir al niño en la fuente tres veces o puede derramar agua sobre la cabeza del niño tres veces. Mientras eso sucede dice:

"N., yo te bautizo en el nombre del Padre, y del Hijo, y del Espíritu Santo".

El celebrante unge con crisma al niño en la corona de la cabeza. **Santo crisma** es aceite perfumado bendecido por un obispo. Esta unción es una señal del don del Espíritu Santo. Muestra que el nuevo bautizado comparte la misión de sacerdote, profeta y rey de Cristo.

Al nuevo bautizado se le pone una vestidura blanca, que simboliza la nueva vida en Cristo. Uno de los padres o padrinos enciende la vela del niño en el cirio pascual. Esto simboliza que Cristo ha iluminado al nuevo bautizado.

El Bautismo deja una marca en nuestra alma, un signo espiritual permanente. Por eso es que somos bautizados solo una vez.

Todos se reúnen en el altar a rezar el padrenuestro. Esto relaciona el Bautismo con la Eucaristía. El celebrante ofrece una bendición final para terminar el Bautismo.

RESPONDEMOS

Escribe los nombres de las personas que te ayudan en tu peregrinaje. Toma un momento para dar gracias a Dios por ellas.

Me, pardens, padres, e la Iglesa

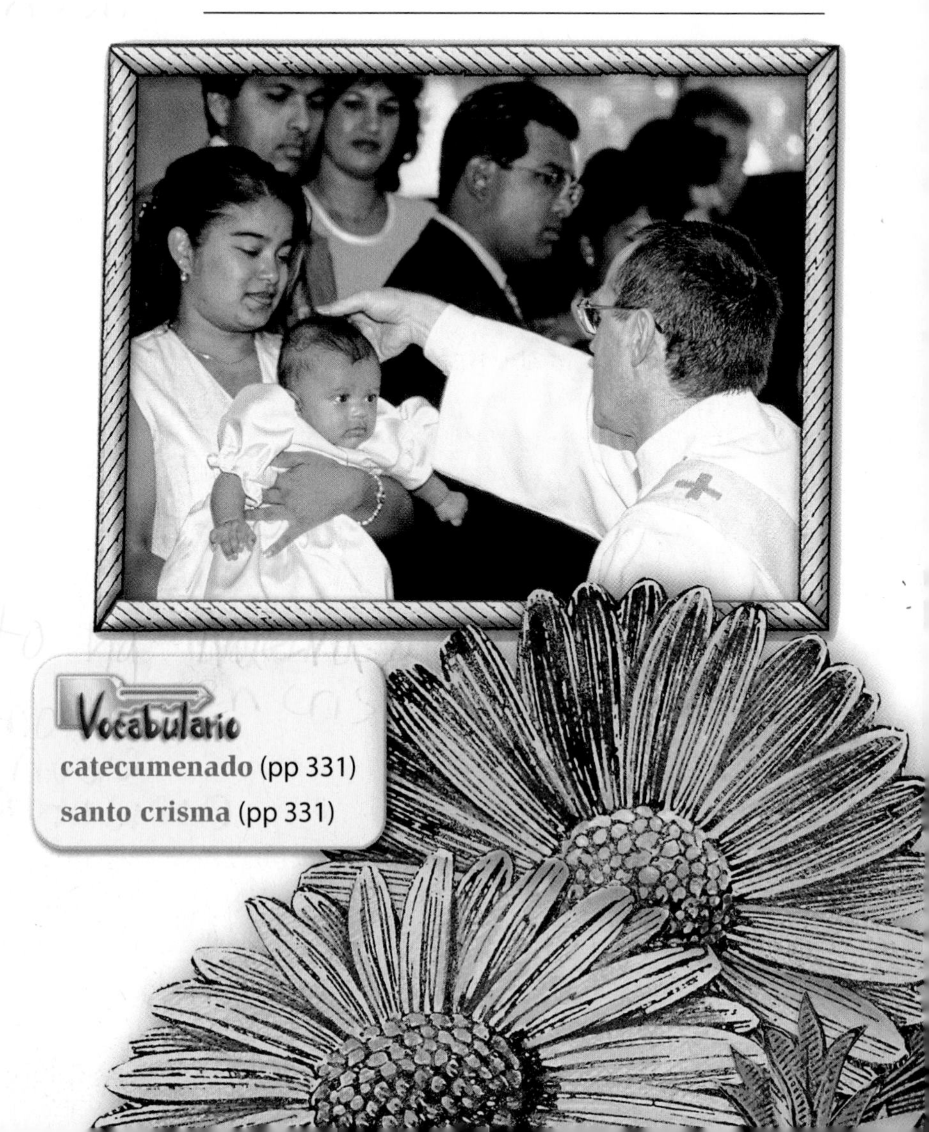

Vocabulario

catecumenado (pp 331)

santo crisma (pp 331)

The celebrant continues to pray, calling upon God for help and support. He touches the water with his right hand and says,

"We ask you, Father, with your Son
to send the Holy Spirit upon the waters of
this font.
May all who are buried with Christ in the
death of baptism
rise also with him to newness of life.

We ask this through Christ our Lord.

Amen."

Next the celebrant asks the parents and godparents some questions. The parents and godparents reject, or say no to, sin. Then they state what they believe. This is called a profession of faith.

The baptized begin their new life as children of God.

We have now arrived at the heart of the sacrament. The actual Baptism can take place in two ways. The celebrant can immerse, or plunge, the child in water three times. Or the celebrant can pour water over the child three times. While immersing or pouring, the celebrant says,

"N., I baptize you in the name of the Father,
and of the Son,
and of the Holy Spirit."

The celebrant anoints the child on the crown of the head with **Sacred Chrism**, perfumed oil blessed by the bishop. This anointing is a sign of the Gift of the Holy Spirit. It shows that the newly baptized share in Christ's mission as priest, prophet, and king.

A white garment is placed on the newly baptized symbolizing new life in Christ. One of the parents or godparents then lights the child's candle from the Easter candle. This symbolizes that Christ has enlightened the newly baptized.

Baptism imprints on our soul a character, a permanent spiritual sign. Thus, we are only baptized once.

Everyone gathers by the altar to pray the Our Father. This connects Baptism to the Eucharist. The celebrant then offers a final blessing, and those gathered are dismissed.

WE RESPOND

Write the names of the people who help you on your journey of faith. Take a moment to thank God for them.

____

____

____

____

Key Words
catechumenate (p. 334)
Sacred Chrism (p. 334)

HACIENDO DISCÍPULOS

Muestra lo que sabes

Escribe las palabras del Vocabulario usando la clave. Después escribe una oración para cada una. (Idea: Usa el glosario si necesitas ayuda.)

A	B	C	D	E	F	G	H	I	J	K	L	M	N	O	P	Q	R	S	T	U	V	W	X	Y	Z
1	2	3	4	5	6	7	8	9	10	11	12	13	14	15	16	17	18	19	20	21	22	23	24	25	26

1. S A N T O C R I S M A
19 1 14 20 15 3 18 9 19 13 1

Santo Crisma

2. C A T E C U M E N A D O
3 1 20 5 3 21 13 5 14 1 4 15

Catecumenado

Exprésalo

Agua, una vela de bautismo, un vestido blanco y crisma son usados en el Bautismo. Escribe debajo de cada foto lo que simboliza cada uno en el sacramento.

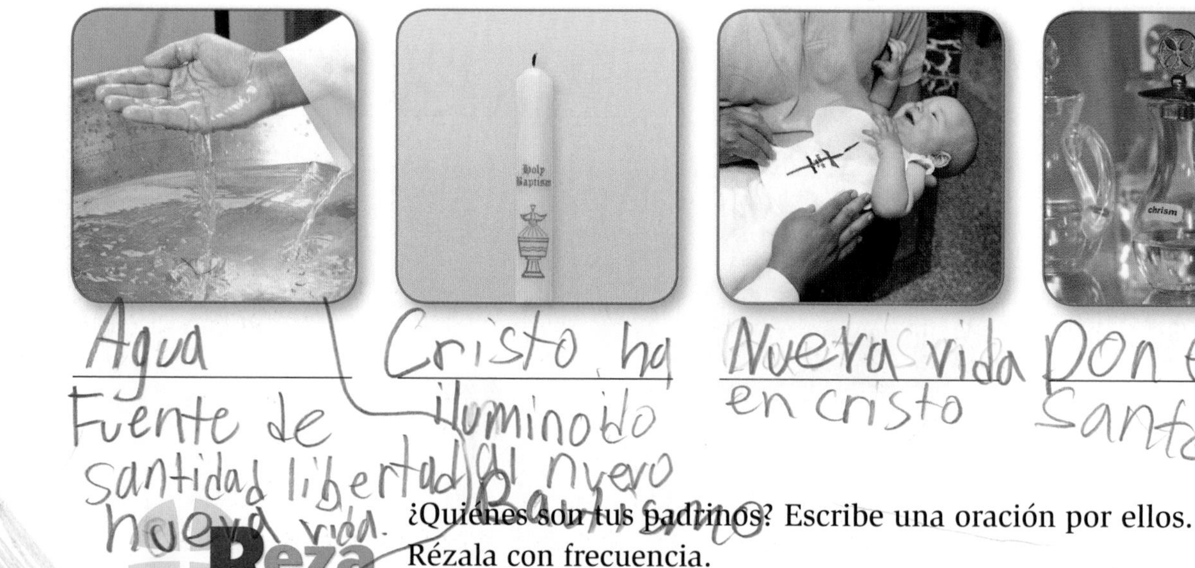

Agua Fuente de santidad libertad nueva vida

Cristo ha iluminado al nuevo Bautismo

Nueva vida en cristo

Don espiritu Santo

Reza

¿Quiénes son tus padrinos? Escribe una oración por ellos. Rézala con frecuencia.

PROJECT DISCIPLE

Show What you Know

Write the Key Words by following the code. Then, write a sentence for each. (Hint: Use your Glossary if you need help!)

A	B	C	D	E	F	G	H	I	J	K	L	M	N	O	P	Q	R	S	T	U	V	W	X	Y	Z
1	2	3	4	5	6	7	8	9	10	11	12	13	14	15	16	17	18	19	20	21	22	23	24	25	26

1. ___ ___ ___ ___ ___ ___   ___ ___ ___ ___ ___ ___
19 1 3 18 5 4   3 8 18 9 19 13

____

2. ___ ___ ___ ___ ___ ___ ___ ___ ___ ___ ___ ___ ___
3 1 20 5 3 8 21 13 5 14 1 20 5

____

Picture This

Water, a baptismal candle, a white garment, and Sacred Chrism are used at Baptism. Next to its picture, write what each symbolizes in the sacrament.

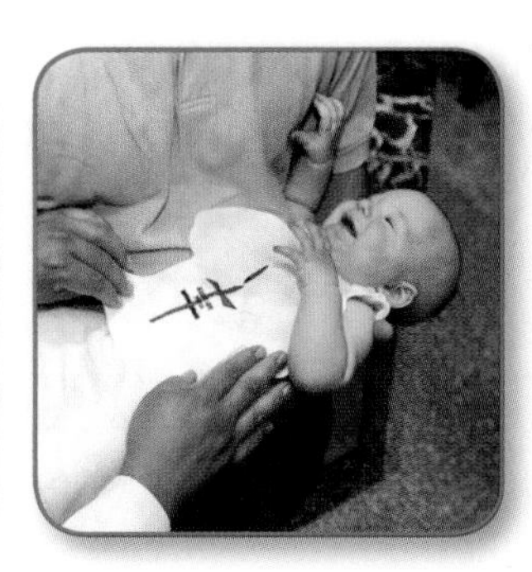

_______________ _______________ _______________ _______________

Pray Today

Who are your godparents? Write a prayer for them. Say it often.

____

____

HACIENDO DISCÍPULOS

Celebra

La cruz de Jesucristo es parte de la vida católica diaria. A la entrada de la Iglesia hay una fuente de agua bendita. Ponemos nuestra mano en el agua bendita, que es la misma agua que se usa en el sacramento del Bautismo. Al bendecirnos recordamos que pertenecemos a Jesucristo y que somos hijos de Dios. Podemos recordar a otros que pertenecen a Cristo bendiciéndolos con la señal de la cruz. Los padres pueden hacer esto con los niños antes de ir a la escuela cada día, o antes de irse a la cama. ¿Qué verdad profesamos cuando hacemos la señal de la cruz?

___

___

___

Hazlo

Pregunta si tu parroquia tiene un programa de RICA. Escribe una nota de ánimo a los catecúmenos que se preparan para celebrar los sacramentos de iniciación cristiana.

___

___

Tarea

Habla con tu familia sobre la celebración del Bautismo. Si es posible, miren fotos de los recuerdos del bautismo de cada miembro de la familia. ¿Conserva tu familia el vestido blanco y la vela usada en tu bautismo?

PROJECT DISCIPLE

Celebrate!

The Cross of Jesus Christ is part of everyday Catholic life. When we go into church, a holy water font or baptismal font is near the entrance. We dip our hands into the holy water, the same water used in the Sacrament of Baptism. As we bless ourselves we remember that we belong to Jesus Christ and are children of God. We can remind others that they belong to Christ by blessing them with the Sign of the Cross. Parents can do this for children before they leave for school each day, or before the children go to sleep. What truth are we professing our belief in when we pray the Sign of the Cross?

____

____

____

Make it Happen

Find out if your parish has an RCIA program. Write a note of encouragement to the catechumens as they prepare to celebrate the Sacraments of Christian Initiation.

____

____

Take Home

Talk about the celebration of Baptism with your family. If possible, look over photos or other mementos related to each member's Baptism. Does your family still have the white garment or candle used at your Baptism?

Catequesis en el hogar

Capítulo 5 (páginas 58–69)

La celebración del Bautismo

En este capítulo su hijo(a) aprenderá que el Sacramento del Bautismo nos da nueva vida en Cristo.

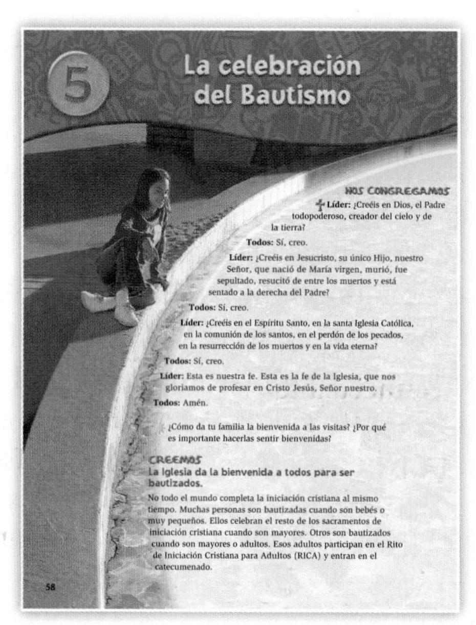

5

La celebración del Bautismo

NOS CONGREGAMOS

Líder: ¿Creéis en Dios, el Padre todopoderoso, creador del cielo y de la tierra?

Todos: Sí, creo.

Líder: ¿Creéis en Jesucristo, su único Hijo, nuestro Señor, que nació de María virgen, murió, fue sepultado, resucitó de entre los muertos y está sentado a la derecha del Padre?

Todos: Sí, creo.

Líder: ¿Creéis en el Espíritu Santo, en la santa Iglesia Católica, en la comunión de los santos, en el perdón de los pecados, en la resurrección de los muertos y en la vida eterna?

Todos: Sí, creo.

Líder: Esta es nuestra fe. Esta es la fe de la Iglesia, que nos gloriamos de profesar en Cristo Jesús, Señor nuestro.

Todos: Amén.

¿Cómo da tu familia la bienvenida a las visitas? ¿Por qué es importante hacerlas sentir bienvenidas?

CREEMOS

La Iglesia da la bienvenida a todos para ser bautizados.

No todo el mundo completa la iniciación cristiana al mismo tiempo. Muchas personas son bautizadas cuando son bebés o muy pequeños. Ellos celebran el resto de los sacramentos de iniciación cristiana cuando son mayores. Otros son bautizados cuando son mayores o adultos. Esos adultos participan en el Rito de Iniciación Cristiana para Adultos (RICA) y entran en el catecumenado.

58

Para los padres

Celebramos el Bautismo cuando sea posible durante una Misa, donde la conexión con el misterio pascual es más clara. La participación de toda la comunidad es importante, porque es en la comunidad que los nuevos bautizados son iniciados. En el Bautismo somos inmersos en agua o agua es derramada tres veces sobre nuestra cabeza en el nombre del Padre, y del Hijo, y del Espíritu Santo.

Todos los días

- Encienda una vela y permanezcan en silencio por un momento. Juntos hagan la señal de la cruz y ofrezcan una corta oración para que Dios bendiga el tiempo que van a pasar juntos.

Primer día **La Iglesia da la bienvenida a todos para ser bautizados.**

- Lea el título y túrnense para leer el texto en voz alta.
- Explique la actividad. Ayude a su hijo(a) a responder a la pregunta contándole sobre su propia experiencia de ser madrina/padrino.

Segundo día **La comunidad parroquial participa en la celebración del bautismo.**

- Túrnense para leer el título y el texto que sigue.
- Refuerce que el celebrante—un obispo o un sacerdote o un diácono—dan la bienvenida a los padres, los padrinos y al niño en nombre de toda la Iglesia.

Tercer día **El agua es un signo importante del Bautismo.**

- Túrnense para leer el título de la sección y el texto que sigue.
- Ponga énfasis en que en el Antiguo Testamento, el agua se describe como una fuente de santidad, libertad y nueva vida. En el Bautismo estas se recuerdan y se usan para proclamar que el recién bautizado está libre de pecado y tiene una nueva vida.

Cuarto día **El bautizado empieza su nueva vida como hijo de Dios.**

- Pida a su hijo(a) que lea el título y el texto que sigue.
- Ponga énfasis en que en el Bautismo, el celebrante sumerge al niño tres veces o derrama agua en su cabeza al tiempo que dice: “Yo te bautizo en el nombre del Padre, y del Hijo, y del Espíritu Santo. Amén”.

Respondemos en fe

Quinto día

- Ayude a su hijo(a) a terminar la actividad en *Muestra lo que sabes* en la página 66.

Sexto día

- Juntos hagan una oración especial por las personas en su familia que son buen ejemplo de vida cristiana. Recen por los que apoyan y ayudan a su familia en la fe.

Catechesis at Home

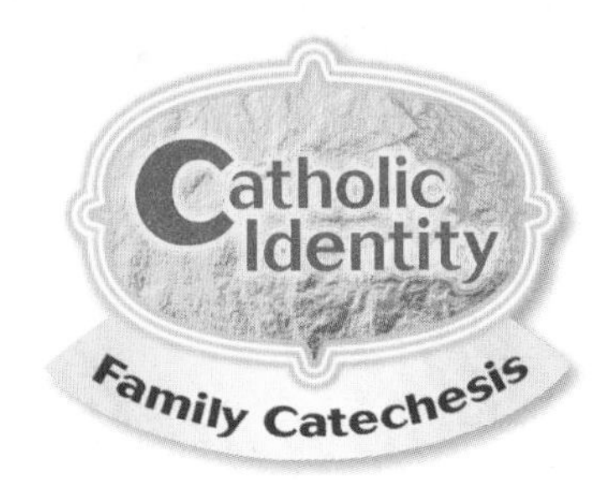

Chapter 5 (pages 58–69)

The Celebration of Baptism

In this chapter your child will learn that the Sacrament of Baptism gives us new life in Christ.

For the Parents

We celebrate Baptism whenever possible during the Mass, where it is most clearly connected to the Paschal Mystery. The participation of the whole community is important, because it is into this community that the newly baptized are being initiated. At Baptism we are either immersed or water is poured on our head three times in the name of the Father, and of the Son, and of the Holy Spirit.

Every Day

- Light a candle and take a few moments to quiet yourselves. Pray the Sign of the Cross together, and offer a short prayer asking God to bless your time together.

Day One The Church welcomes all to be baptized.

- Read the *We Believe* statement and take turns reading aloud the text that follows.
- Explain the activity directions. Help your child respond to the question by telling your child about your own experiences of being a godparent.

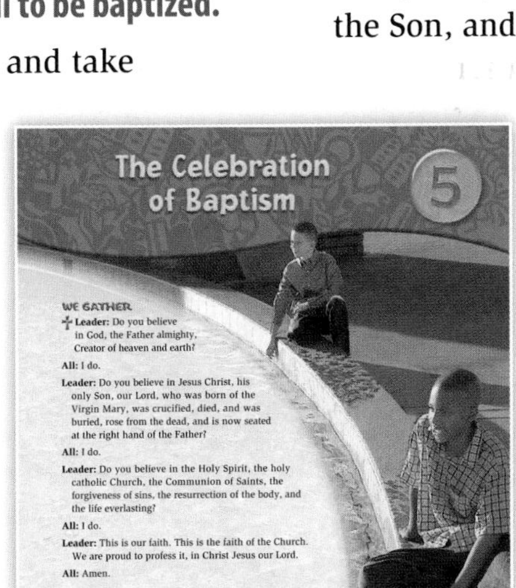

The Celebration of Baptism 5

WE GATHER

✝ **Leader:** Do you believe in God, the Father almighty, Creator of heaven and earth?

All: I do.

Leader: Do you believe in Jesus Christ, his only Son, our Lord, who was born of the Virgin Mary, was crucified, died, and was buried, rose from the dead, and is now seated at the right hand of the Father?

All: I do.

Leader: Do you believe in the Holy Spirit, the holy catholic Church, the Communion of Saints, the forgiveness of sins, the resurrection of the body, and the life everlasting?

All: I do.

Leader: This is our faith. This is the faith of the Church. We are proud to profess it, in Christ Jesus our Lord.

All: Amen.

How does your family welcome people who come to your home? Why is it important to make them feel welcome?

WE BELIEVE

The Church welcomes all to be baptized.

Not everyone begins or completes Christian initiation at the same time. Many people are baptized as infants or young children. They celebrate the remaining Sacraments of Christian Initiation when they are older. Other people are baptized as older children or adults. These adults and older children participate in the Rite of Christian Initiation of Adults (RCIA) and enter the catechumenate.

59

Day Two The parish community participates in the celebration of Baptism.

- Take turns reading the statement and the text that follows.
- Stress that the celebrant—bishop, priest, or deacon—greets or welcomes the parents, godparents, and the child in the name of the entire Church.

Day Three Water is an important sign of Baptism.

- Take turns reading the statement and the text that follows.
- Emphasize that in the Old Testament, water is described as a source of holiness, freedom, and new life. In Baptism, these images are recalled and used to proclaim that the newly baptized are freed from sin and are given new life in Christ.

Day Four The baptized begin their new life as children of God.

- Have your child read the statement and the text follows silently.
- Emphasize that in Baptism, the celebrant can immerse the child three times or pour water over the child's head three times while saying, "I baptize you in the name of the Father, and of the Son, and of the Holy Spirit. Amen."

We Respond in Faith

Day Five

- Help your child to finish the activity *Show What You Know* on page 67.

Day Six

- Together offer a special prayer for the people in your family's life who are good examples of Christian living. Pray for those who support and help your family grow in faith.

El año litúrgico

Adviento | Navidad | Tiempo Ordinario | Cuaresma | Triduo | Tiempo de Pascua | Tiempo Ordinario

Durante el año litúrgico celebramos y recordamos la vida de Cristo.

NOS CONGREGAMOS

✝ *Señor, creaste todas las cosas para glorificarte.*

¿Cómo mantienes el sentido de los días, los meses, el año o las estaciones? ¿Cómo te ayuda el saber esas cosas?

CREEMOS

El año de la Iglesia se basa en la vida de Cristo y su celebración en la liturgia. Por eso el año de la Iglesia es llamado año litúrgico. La Iglesia tiene su propia forma de marcar el paso del tiempo y los tiempos litúrgicos durante el año. Durante un año litúrgico recordamos y celebramos toda la vida de Jesucristo. Celebramos su nacimiento, sus años de juventud, sus años de enseñanza y su misión, y especialmente su misterio pascual: pasión, muerte, Resurrección y ascención al cielo. Durante el año también veneramos, mostramos devoción, a María, la madre de Dios y a todos los santos.

El año litúrgico empieza con el Tiempo de Adviento, al final de noviembre o al principio de diciembre. El Triduo Pascual es el centro de nuestro año. Las fechas de todos los demás tiempos están basados en los días del Triduo Pascual. Esa es la razón por la que los tiempos empiezan y terminan en diferentes días cada año.

"Porque creaste el universo con todo cuanto contiene".

Prefacio V para los domingos del Tiempo Ordinario

The Liturgical Year

Advent | Christmas | Ordinary Time | Lent | Triduum | Easter | Ordinary Time

Throughout the liturgical year we remember and celebrate the life of Christ.

WE GATHER

✠ *Lord, you create all things to give you glory.*

How do you keep track of the day, the month, the year, or the season? How does knowing these things help you?

WE BELIEVE

The Church year is based on the life of Christ and the celebration of his life in the liturgy. So, the Church's year is called the liturgical year. The Church has its own way of marking the passing of time and the liturgical seasons of the year. In one liturgical year we recall and celebrate the whole life of Jesus Christ. We celebrate his birth, younger years, his later years of teaching and ministry, and most especially his Paschal Mystery—his suffering, Death, Resurrection, and Ascension into heaven. During the year we also venerate, or show devotion to, Mary the Mother of God and all the saints.

The liturgical year begins with the season of Advent in late November or early December. The Easter Triduum is the center of our year, and the dates of all the other liturgical seasons are based upon the dates of the Easter Triduum. This is why the seasons begin and end at slightly different times each year.

"All things are of your making,
all times and seasons obey your laws."

Preface for Sundays in Ordinary Time V

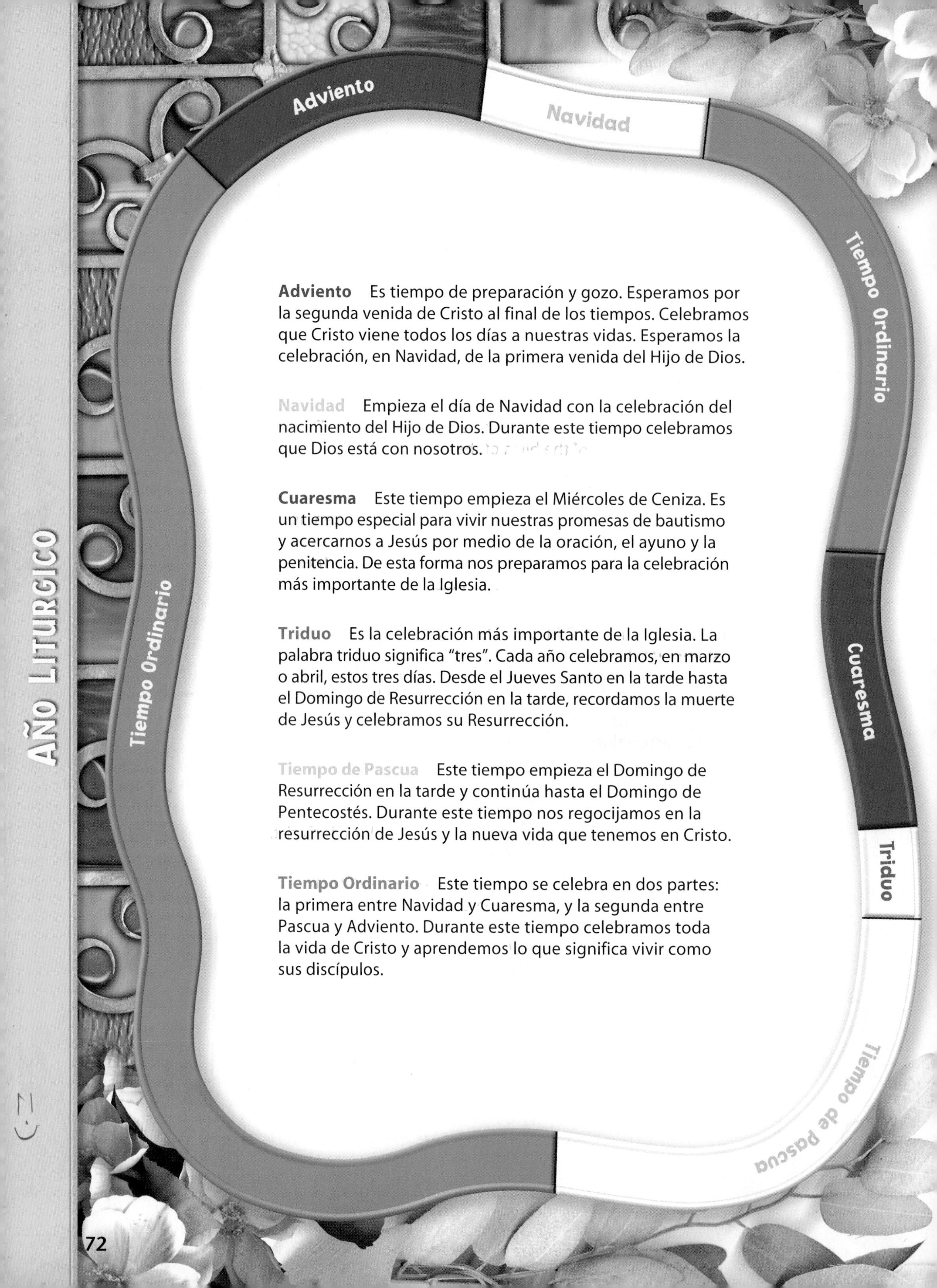

Adviento Es tiempo de preparación y gozo. Esperamos por la segunda venida de Cristo al final de los tiempos. Celebramos que Cristo viene todos los días a nuestras vidas. Esperamos la celebración, en Navidad, de la primera venida del Hijo de Dios.

Navidad Empieza el día de Navidad con la celebración del nacimiento del Hijo de Dios. Durante este tiempo celebramos que Dios está con nosotros.

Cuaresma Este tiempo empieza el Miércoles de Ceniza. Es un tiempo especial para vivir nuestras promesas de bautismo y acercarnos a Jesús por medio de la oración, el ayuno y la penitencia. De esta forma nos preparamos para la celebración más importante de la Iglesia.

Triduo Es la celebración más importante de la Iglesia. La palabra triduo significa "tres". Cada año celebramos, en marzo o abril, estos tres días. Desde el Jueves Santo en la tarde hasta el Domingo de Resurrección en la tarde, recordamos la muerte de Jesús y celebramos su Resurrección.

Tiempo de Pascua Este tiempo empieza el Domingo de Resurrección en la tarde y continúa hasta el Domingo de Pentecostés. Durante este tiempo nos regocijamos en la resurrección de Jesús y la nueva vida que tenemos en Cristo.

Tiempo Ordinario Este tiempo se celebra en dos partes: la primera entre Navidad y Cuaresma, y la segunda entre Pascua y Adviento. Durante este tiempo celebramos toda la vida de Cristo y aprendemos lo que significa vivir como sus discípulos.

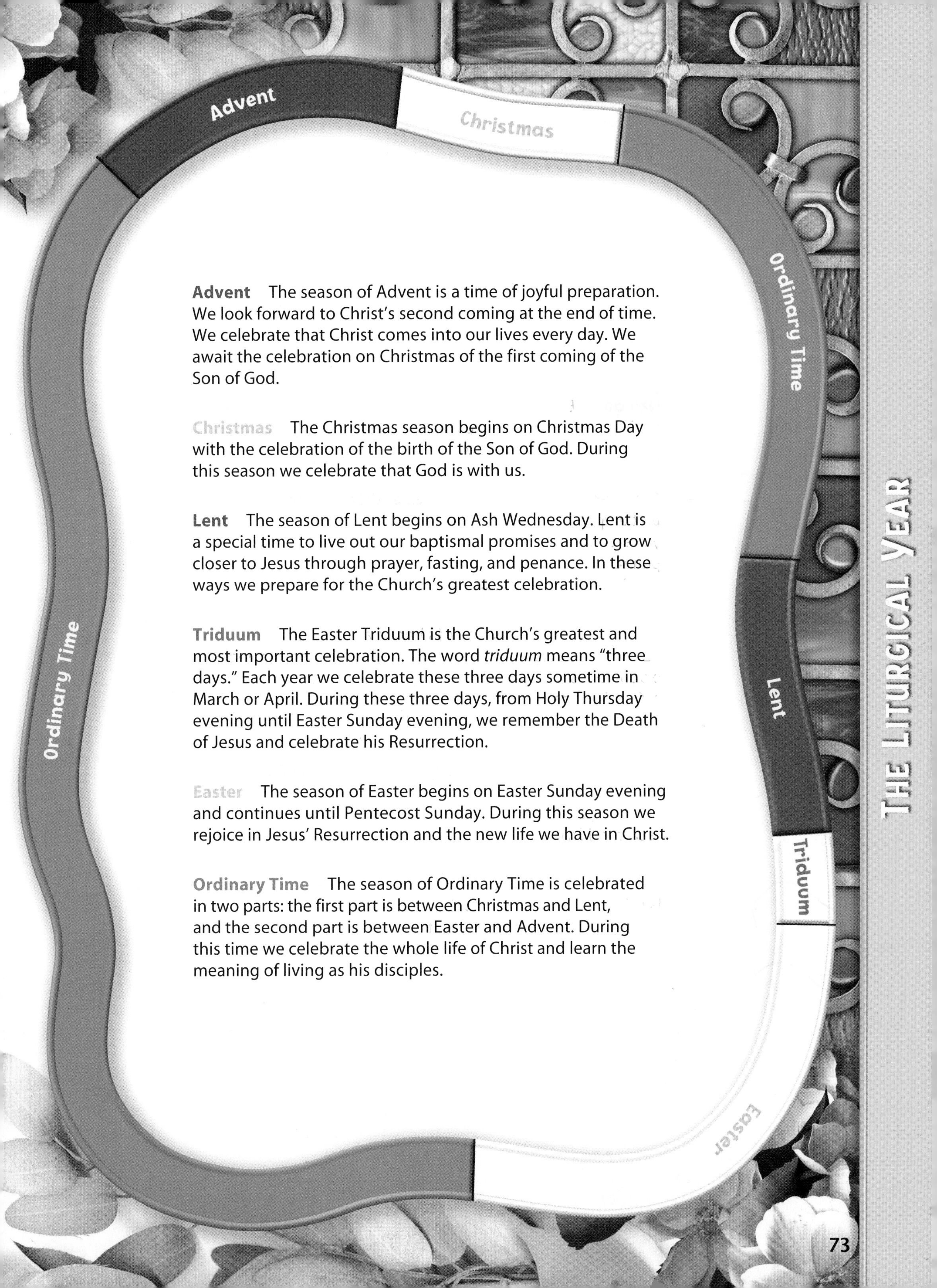

Advent The season of Advent is a time of joyful preparation. We look forward to Christ's second coming at the end of time. We celebrate that Christ comes into our lives every day. We await the celebration on Christmas of the first coming of the Son of God.

Christmas The Christmas season begins on Christmas Day with the celebration of the birth of the Son of God. During this season we celebrate that God is with us.

Lent The season of Lent begins on Ash Wednesday. Lent is a special time to live out our baptismal promises and to grow closer to Jesus through prayer, fasting, and penance. In these ways we prepare for the Church's greatest celebration.

Triduum The Easter Triduum is the Church's greatest and most important celebration. The word *triduum* means "three days." Each year we celebrate these three days sometime in March or April. During these three days, from Holy Thursday evening until Easter Sunday evening, we remember the Death of Jesus and celebrate his Resurrection.

Easter The season of Easter begins on Easter Sunday evening and continues until Pentecost Sunday. During this season we rejoice in Jesus' Resurrection and the new life we have in Christ.

Ordinary Time The season of Ordinary Time is celebrated in two parts: the first part is between Christmas and Lent, and the second part is between Easter and Advent. During this time we celebrate the whole life of Christ and learn the meaning of living as his disciples.

El calendario civil del año era diferente al que conocemos hoy. No siempre empezó en enero. Los antiguos griegos y romanos empezaban el año en primavera cuando plantaban sus frutos. Después, los romanos, por razones militares, ordenaron el año calendario para que empezara en enero.

Sin embargo, el calendario muchas veces no concordaba con las estaciones. La gente miraba un calendario que decía primavera y miraban hacia afuera y era invierno. El calendario romano tenía que ser revisado constantemente.

En 1582, el Papa Gregorio XIII asignó un grupo para revisar el calendario. También fundó el observatorio del Vaticano para que los científicos pudieran verificar sus cálculos con el movimiento del sol y las estrellas.

Estos expertos asignaron treinta días a algunos meses y treinta y uno a otros. Dieron a febrero veintiocho días con un día más cada cuatro años. Ese es el sistema que usamos hoy día. Es llamado calendario gregoriano, en nombre del Papa Gregorio XIII, quien ordenó la revisión.

RESPONDEMOS

Como católicos, además del calendario civil, tenemos nuestro calendario litúrgico. En grupos hagan una lista de algunas formas en que su parroquia les ayuda a saber que tiempo litúrgico se está celebrando. ¿Cuáles son algunos símbolos del tiempo? Planifiquen como van a preparar su lugar de oración durante los diferentes tiempos litúrgicos.

Respondemos en oración

Líder: Alabemos al Señor de los días y las estaciones.

Todos: Gloria a Dios en el cielo.

Líder: Alabamos a Dios por la gracia y la misericordia que llena nuestros días.

Lector: Lectura del libro de los Salmos. "Señor, tú has sido nuestro refugio de generación en generación. Antes que nacieran las montañas, o fuera engendrado el universo, desde siempre y para siempre tú eres Dios". (Salmo 90:1–2)

Palabra de Dios.

Todos: Te alabamos, Señor.

Líder: Recuérdanos oh Dios, que, de edad en edad, eres nuestra fortaleza. Bendícenos hoy, llena nuestros meses futuros de esperanza en la venida de Cristo.

Eres nuestro Dios que vive y reina por los siglos de los siglos.

Todos: Amén.

The civil calendar year was once very different from what it is today. It did not always begin in January. The early Greeks and Romans began their year in the spring, when they planted their crops. Later, the Romans, for military reasons, ordered the year and the calendar so that it began in January.

However, the calendar often did not match the season. People would look at a calendar that said it was spring, then look outside to see that it was really still winter! The Roman calendar constantly had to be revised.

In 1582, Pope Gregory XIII formed a group to revise the calendar. He even founded the Vatican Observatory so that astronomers could check their calculations against the movement of the sun and the stars.

These experts gave some months thirty days, others thirty-one. They made February a month of twenty-eight days, with an extra day every four years. This is the system we still have today for our civil calendar. It is called the Gregorian calendar. It was named after Pope Gregory XIII who started the revision.

WE RESPOND

As Catholics we not only follow the civil calendar year, but also the liturgical year. In groups list some ways that your parish helps you to know which liturgical season you are celebrating. What are some signs of that season? Make plans to prepare your prayer space for each of the seasons in the liturgical year.

We Respond in Prayer

Leader: Let us praise the Lord of days and seasons and years.

All: Glory to God in the highest!

Leader: We praise God for the grace and mercy that fill our days.

Reader: A reading from the Book of Psalms
"Lord, you have been our refuge [help]
through all generations.
Before the mountains were born,
the earth and the world brought forth,
from eternity to eternity you are God."
(Psalm 90:1–2)

The word of the Lord.

All: Thanks be to God.

Leader: Remember us, O God:
from age to age be our comforter.
Bless us today, and fill the months ahead
with the bright hope
that is ours in the coming of Christ.

You are our God, living and reigning,
for ever and ever.

All: Amen.

HACIENDO DISCÍPULOS

Muestra lo que sabes

Organiza las palabras para responder a las preguntas que se encuentran abajo. Algunas palabras se usan más de una vez.

CASPAU	DUTIRO	TVENODAI
EMPTIO ORNARIODI	REMACAUS	DAVADNI

1. El Tiempo de ______________ empieza el Miércoles de Ceniza.
2. El año litúrgico se inicia con el Tiempo de ______________.
3. La palabra ______________ significa “tres días”.
4. El Tiempo de ______________ termina el domingo de Pentecostés.
5. El Tiempo de ______________ empieza con la celebración del nacimiento del Hijo de Dios.
6. La parte más larga del año litúrgico es el ______________. Está dividido en dos partes.
7. Celebramos que Dios está con nosotros durante el Tiempo de ______________.
8. Durante el Tiempo de ______________ nos regocijamos en la resurrección de Cristo y la nueva vida que tenemos en Cristo.
9. Las fechas de todos los tiempos del año litúrgico se basan en los días del ______________, que es también la celebración más importante de la Iglesia.
10. El Tiempo de ______________ nos ayuda a acercarnos a Jesús por medio de la oración, el ayuno y la penitencia.

Datos

Las vestimentas del altar y del sacerdote generalmente son del color del tiempo. El verde se usa durante el Tiempo Ordinario. El morado se usa durante el Adviento y la Cuaresma. Blanco se usa durante el Triduo, Tiempo de Pascua y Navidad. Hay algunas excepciones a estas reglas generales para los días de fiestas. También se usa el rojo en Pentecostés y el Viernes Santo.

Tarea

Invita a tu familia a diseñar una tarjeta de bienvenida para una familia recién llegada a tu parroquia. El diseño de la tarjeta debe reflejar las celebraciones del año litúrgico.

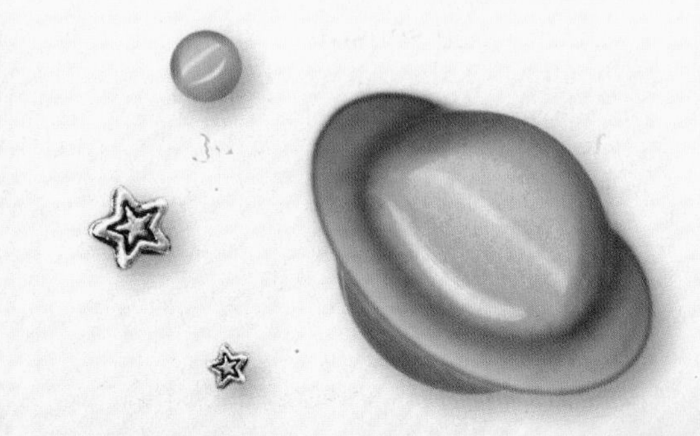

PROJECT DISCIPLE

Show What you Know

Unscramble these words to answer the questions below.
Some words are used more than once.

TRESEA	UDIMTUR	TNDAVE
EITM NDYRROIA	IAMTSRSHC	ETNL

1. The season of ________________ begins on Ash Wednesday.
2. The liturgical year begins with the season of ________________.
3. The word ________________ means "three days."
4. The season of ________________ ends on Pentecost Sunday.
5. The season of ________________ begins with the celebration of the birth of the Son of God.
6. The longest part of the liturgical year is ________________. It is split into two parts.
7. We celebrate that God is with us during the season of ________________.
8. During the ________________ season we rejoice in Christ's Resurrection and the new life we have in Christ.
9. The dates of all other seasons of the liturgical year are based on the dates of the ________________, which is the Church's greatest and most important celebration.
10. The season of ________________ helps us grow closer to Jesus through prayer, fasting, and penance.

Fast Facts

The colors of altar cloths and vestments worn by the priest generally match the season. Green is used during Ordinary Time. Violet is the color of Lent and Advent. White adorns churches during the Triduum, Easter, and Christmas. There are exceptions to these general rules for feast days. Also, red is used on Pentecost and on Good Friday.

Take Home

Invite your family to design a welcome card for a new family in your parish. The design of the card should highlight the celebrations of the liturgical year.

Catequesis en el hogar

Capítulo 6 (páginas 70–77)

El año litúrgico

En este capítulo su hijo(a) aprenderá que durante todo el año litúrgico recordamos y celebramos la vida de Cristo.

Para los padres

La celebración de cada año litúrgico nos ayuda a unirnos con Cristo y a crecer en la gracia. Los signos y símbolos del año litúrgico, desde la corona de Adviento al cirio pascual, nos recuerdan todo lo que Jesús hizo por nosotros. Cada nuevo tiempo nos adentra más y más en los misterios de la vida de Cristo. Al vivir el año de la Iglesia mantenemos a Cristo en nuestro corazón todos los días.

Todos los días

- Encienda una vela y tomen un momento para aquietarse. Hagan la señal de la cruz y recen las siguientes palabras: *Señor, creaste todas las cosas para tu gloria.*

Primer día **El año litúrgico.**

- Explique que *el año litúrgico* es el término usado para describir los tiempos del año de la Iglesia.
- Pregunte: *¿Qué nos dicen las fotos en las páginas 70–71 sobre nuestras celebraciones del año litúrgico?* Juntos proclamen las palabras que se encuentran al final de la página 70.

TIEMPO LITÚRGICO

El año litúrgico

Adviento | Navidad | Tiempo Ordinario | Cuaresma | Triduo | Tiempo de Pascua | Tiempo Ordinario

Durante el año litúrgico celebramos y recordamos la vida de Cristo.

NOS CONGREGAMOS

✝ *Señor, creaste todas las cosas para glorificarte.*

¿Cómo mantienes el sentido de los días, los meses, el año o las estaciones? ¿Cómo te ayuda el saber esas cosas?

CREEMOS

El año de la Iglesia se basa en la vida de Cristo y su celebración en la liturgia. Por eso el año de la Iglesia es llamado año litúrgico. La Iglesia tiene su propia forma de marcar el paso del tiempo y los tiempos litúrgicos durante el año. Durante un año litúrgico recordamos y celebramos toda la vida de Jesucristo. Celebramos su nacimiento, sus años de juventud, sus años de enseñanza y su misión, y especialmente su misterio pascual: pasión, muerte, Resurrección y ascención al cielo. Durante el año también veneramos, mostramos devoción, a María, la madre de Dios y a todos los santos.

El año litúrgico empieza con el Tiempo de Adviento, al final de noviembre o al principio de diciembre. El Triduo Pascual es el centro de nuestro año. Las fechas de todos los demás tiempos están basados en los días del Triduo Pascual. Esa es la razón por la que los tiempos empiezan y terminan en diferentes días cada año.

"Porque creaste el universo con todo cuanto contiene".

Prefacio V para los domingos del Tiempo Ordinario

70

Segundo día **Celebramos a Cristo durante el año litúrgico.**

- Pida a su hijo(a) que revise el cuadro del año litúrgico en la página 72.
- Explique que el año litúrgico se basa en la vida de Cristo y su celebración.

Tercer día **Durante al año litúrgico recordamos a Cristo.**

- Lea en voz alta el título y el texto que sigue.
- Enfatice que, a pesar de que celebramos todo el año la vida de Cristo, nos centramos en su misterio pascual, sufrimiento, muerte y resurrección.

Cuarto día **Durante el año litúrgico celebramos la vida de Cristo.**

- Túrnense para leer el calendario litúrgico. Note que los colores en el borde corresponden al color de cada tiempo.
- Pregunte: *¿Qué recordamos y celebramos durante el año litúrgico?* (Recordamos toda la vida de Cristo, en especial su misterio pascual).

Respondemos en fe

Quinto día

- En familia planifiquen preparar un espacio para orar durante cada uno de los tiempos del año litúrgico.

Sexto día

- Conversen en familia sobre celebraciones especiales y tradiciones que su familia observa durante cada uno de los tiempos del año litúrgico.

Catechesis at Home

Chapter 6 (pages 70–77)

The Liturgical Year

In this chapter your child will learn that throughout the liturgical year we remember and celebrate the life of Christ.

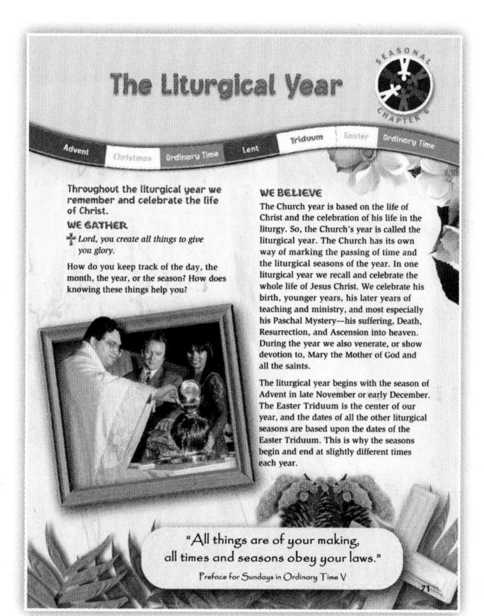

The Liturgical Year

Seasonal Chapter

Advent | Christmas | Ordinary Time | Lent | Triduum | Easter | Ordinary Time

Throughout the liturgical year we remember and celebrate the life of Christ.

WE GATHER

✝ *Lord, you create all things to give you glory.*

How do you keep track of the day, the month, the year, or the season? How does knowing these things help you?

WE BELIEVE

The Church year is based on the life of Christ and the celebration of his life in the liturgy. So, the Church's year is called the liturgical year. The Church has its own way of marking the passing of time and the liturgical seasons of the year. In one liturgical year we recall and celebrate the whole life of Jesus Christ. We celebrate his birth, younger years, his later years of teaching and ministry, and most especially his Paschal Mystery—his suffering, Death, Resurrection, and Ascension into heaven. During the year we also venerate, or show devotion to, Mary the Mother of God and all the saints.

The liturgical year begins with the season of Advent in late November or early December. The Easter Triduum is the center of our year, and the dates of all the other liturgical seasons are based upon the dates of the Easter Triduum. This is why the seasons begin and end at slightly different times each year.

"All things are of your making, all times and seasons obey your laws."

Preface for Sundays in Ordinary Time V

71

For the Parents

The celebration of each new liturgical year enables us to unite ourselves with Christ and grow in grace. The signs and symbols of the Church year, from the Advent wreath to the Paschal candle, continue to remind us of all that Jesus did for our sakes. Each new season draws us more deeply into the mysteries of Christ's life. By living the Church year, we keep Christ at the heart of all our days.

Every Day

- Light a candle and take a few moments to quiet yourselves.
- Pray the Sign of the Cross and the words *Lord, you create all things to give you glory.*

Day One **The Liturgical Year.**

- Explain that the *liturgical year* is the term we use to describe the times and seasons of the Church year.
- Ask your child: *What do the photos on pages 70–71 tell you about our liturgical celebrations?* Proclaim together the words on the bottom of page 71.

Day Two **Throughout the liturgical year we celebrate Christ.**

- Have your child go over the chart of the liturgical year on page 73.
- Explain that the liturgical year is based on the life of Christ and the celebration of his life.

Day Three **Throughout the liturgical year we remember Christ.**

- Read aloud the *We Believe* statement and the text that follows.
- Stress that, although we celebrate the entire life of Christ, we focus most of all on his Paschal Mystery, Jesus' dying and rising to new life.

Day Four **Throughout the liturgical year we celebrate the life of Christ.**

- Take turns reading the liturgical calendar. Note that the colors in the border and in the type reflect the color of each season.
- Ask: *What do we remember and celebrate during the liturgical year?* (We remember the entire life of Christ and, most especially, his Paschal Mystery.)

We Respond in Faith

Day Five

- As a family make plans to prepare our prayer space for each of the seasons in the liturgical year.

Day Six

- Talk with your family about special celebrations and traditions your family observes during each season of the liturgical year.

Tiempo Ordinario

El Tiempo Ordinario es un tiempo especial para aprender sobre la vida de Cristo y crecer como sus discípulos.

NOS CONGREGAMOS

✝ *Jesús, quédate siempre con nosotros.*

Si alguien te pide describir un día ordinario, ¿qué dirías? En grupo conversen en lo que hace que un día sea ordinario.

CREEMOS

Con frecuencia usamos la palabra *ordinario* cuando queremos describir algo como "normal", "común" o "corriente". De cierta forma podemos describir el tiempo ordinario así. Por ser el más largo de los tiempos litúrgicos, el Tiempo Ordinario es tiempo para aprender y seguir las enseñanzas de Cristo en nuestras vidas diarias. Es tiempo para crecer como seguidores de Jesús y ser más aptos para dar testimonio de la buena nueva en nuestra vida diaria "normal".

Sin embargo, cuando hablamos del Tiempo Ordinario, *ordinario* quiere decir en "orden numérico". Es llamado Tiempo Ordinario porque las semanas están en orden. Por ejemplo, al primer domingo del Tiempo Ordinario le sigue el Segundo domingo y así sucesivamente.

El Tiempo Ordinario dura treinta y tres o treinta y cuatro semanas y se celebra dos veces en el año. La primera parte es corta, tiene lugar entre la Navidad y la Cuaresma. La segunda parte dura varios meses entre Pascua y Adviento. Esta parte empieza a finales de mayo o principio de junio y termina al final de noviembre o principio de diciembre. El Tiempo Ordinario es tiempo de vida y esperanza. Durante este tiempo se usa el color verde para recordarnos la vida y la esperanza que viene de Cristo.

"Todos los días te bendeciré, alabaré tu nombre sin cesar".

Salmo 145:2

Ordinary Time

Advent | Christmas | Ordinary Time | Lent | Triduum | Easter | Ordinary Time

Ordinary Time is a special season to learn about the life of Christ and to grow as his followers.

WE GATHER

✝ *Jesus, be with us all the days of our lives.*

If someone asked you to describe an ordinary day, what would you say? In groups discuss what might make a day ordinary.

WE BELIEVE

We often use the word *ordinary* when we want to describe something as "normal," "common," or "average." In some ways we could describe the season of Ordinary Time in these ways. As the longest season of the liturgical year, Ordinary Time is a time to learn and follow the teachings of Christ in our daily lives. It is a time to grow as his followers and to become better able to give witness to his Good News in our "normal" or everyday lives.

However, in the name of this season, the word *ordinary* means "in number order." The season is called Ordinary Time because the weeks are "ordered." This means they are named in number order. For example, the First Sunday in Ordinary Time is followed by the Second Sunday in Ordinary Time, and so on.

The season of Ordinary Time lasts thirty-three to thirty-four weeks, and it is celebrated twice during the liturgical year. The first part is short. It takes place between the seasons of Christmas and Lent. The second part lasts for several months between the seasons of Easter and Advent. This part begins in late May or June and ends in late November or early December. Ordinary Time is a season of life and hope. We use the color green during its many weeks to remind us of the life and hope that come from Christ.

Otros tiempos durante el año litúrgico ponen énfasis en un evento o período de la vida de Jesús. Durante el Tiempo Ordinario recordamos todos los eventos y las enseñanzas de la vida de Jesucristo. Celebramos todo lo que nos dio con su nacimiento, vida, muerte, Resurrección y Ascensión.

Durante el Tiempo Ordinario podemos concentrarnos de manera especial en la Palabra de Dios. Durante el Tiempo Ordinario leemos los Evangelios en orden, capítulo por capítulo. De esta forma aprendemos sobre toda la vida de Jesucristo. Escuchamos sus enseñanzas sobre el amor y el perdón de Dios, su Padre, y el significado de ser sus discípulos. Jesús es nuestro gran maestro y durante este tiempo decimos: "Enséñame Señor, y seguiré tus caminos".

El testimonio de los santos

Este tiempo es de crecimiento como seguidores de Cristo. Es tiempo para mirar el ejemplo de los santos, hombres y mujeres, quienes dieron testimonio de Cristo en sus vidas diarias. La Iglesia observa días especiales para recordar a María y a los santos. Estos días nos ayudan a darle gracias a Dios por las vidas de los santos, y a pedirles a ellos que nos recuerden en sus oraciones. La Iglesia celebra esos días durante todo el año, especialmente durante las semanas del Tiempo Ordinario.

Los días especiales en que celebramos la vida de María, los santos y eventos en la vida de Jesús, son clasificados en tres categorías: memoriales, fiestas y solemnidades.

Los memoriales son celebrados en honor a los santos. Un memorial a un santo generalmente es celebrado en o cerca al día de su muerte. En esos días nos regocijamos porque los santos ahora viven felices con Dios eternamente.

Las fiestas se celebran para recordar algún evento en la vida de Jesús y María. En las fiestas celebramos a los ángeles, a los apóstoles y a los mártires, seguidores de Cristo que murieron por la fe.

Las solemnidades son las celebraciones más importantes. Solemnidad viene de la palabra *solemne* y estas fiestas son grandes celebraciones de la Iglesia.

¿Qué prácticas o devociones a los santos conoces? ¿Recuerdas a un santo de manera especial?

Una fiesta solemne importante durante el Tiempo Ordinario es el Día de Todos los Santos, el 1 de noviembre. En ese día recordamos y honramos a todos los que fueron fieles seguidores de Cristo y que ahora comparten la vida eterna. Conocemos la historia de las vidas de algunos santos. Otros son conocidos sólo por Dios. En ese día celebramos a todos los santos: a nuestros santos patrones, los santos con los que compartimos el nombre, los santos por los que son nombradas nuestras escuelas y parroquias, y los santos honrados por nuestras familias.

Other seasons during the liturgical year focus on a particular event or period in Jesus' life. During the season of Ordinary Time, we remember all of the events and teachings of the life of Jesus Christ. We celebrate all that he gave us through his birth, life, Death, Resurrection, and Ascension.

During the season of Ordinary Time, we can concentrate in a special way on the Word of God. On the Sundays and weekdays of Ordinary Time, we read from one of the Gospels of the New Testament in number order, chapter by chapter. In this way we learn about the whole life of Jesus Christ. We hear his teachings on God his Father, love and forgiveness, and the meaning of being his disciples. Jesus is our great teacher, and during this season we say, "Teach me, O Lord, and I will follow your way."

The witness of the saints

This season is a time to grow as followers of Christ. It is a time to look to the example of the holy women and men who have given witness to Christ in their daily lives. The Church has special days in memory of Mary and the saints. These days are special because they help us to thank God for the lives of the saints and to ask the saints to remember and pray for us. The Church celebrates these days all year long, but it is especially during the many weeks of Ordinary Time that we honor the saints.

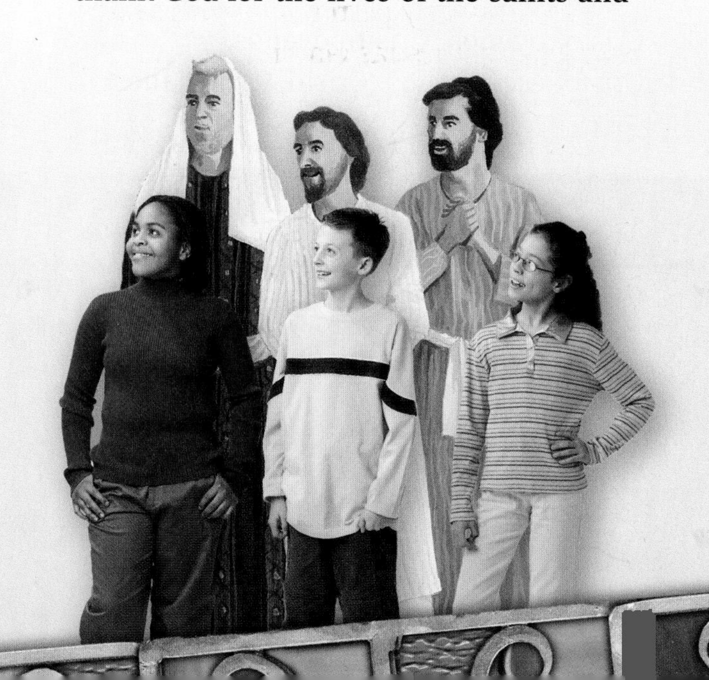

These special days to celebrate the lives of Mary, the saints, and events in the life of Jesus, are divided into three categories: memorials, feasts, and solemnities.

Memorials are usually celebrated in honor of the saints. A memorial for a saint is usually celebrated on or near the day he or she died. On these days we rejoice because the saint now lives in happiness with God forever.

Feasts are celebrations that recall some of the events in the lives of Jesus and Mary. On feasts we celebrate the Apostles, angels, and great martyrs, the followers of Christ who died for their faith.

Solemnities are the most important celebrations of all. Solemnity comes from the word *solemn*, and these feasts are great celebrations for the Church.

What practices or devotions to the saints are you most familiar with? Do you have a saint that you remember in a special way?

An important solemnity during Ordinary Time is All Saints' Day, November 1. On this day we remember and honor all those who were faithful followers of Christ and now share in eternal life. We know the stories of the lives of some of the saints. Other saints are known only to God. On this day we celebrate all of the saints. We are especially mindful of our patron saints—the saints whose names we share, the saints for whom our schools and parishes are often named, and the saints that our families honor.

El 2 de noviembre la Iglesia celebra el día de Todos los Difuntos. En ese día recordamos a todos los que han muerto, especialmente los miembros de nuestras familias y parroquias. En ese día generalmente visitamos las tumbas de nuestros parientes y amigos. Rezamos para que conozcan el amor de Dios y compartan su vida eternamente.

Día de los muertos en México

El día de los muertos es de gran celebración en México. Se celebran diferentes prácticas ese día. En algunas regiones las celebraciones se inician el 31 de octubre con la llegada de las almas de los niños que han muerto y termina el 2 de noviembre con la despedida de las almas de los adultos.

Además de la celebración de misas en honor a los muertos, muchas personas en México colocan altares en sus casas para orar por sus familiares muertos. Otra tradición es visitar las tumbas de los seres queridos. Limpian las tumbas y las decoran con flores y velas. Algunas veces llevan la comida favorita de la persona muerta y pasan tiempo celebrando su vida.

RESPONDEMOS

¿Cuáles son algunas formas en que tu familia, parroquia, escuela y vecindario recuerdan a los muertos?

Respondemos en oración

Líder: Alabado sea Dios nuestro Padre, que resucitó de la muerte a Jesucristo. Bendito sea Dios por siempre.

Todos: Bendito sea Dios por siempre.

Lector: "Yo soy la resurrección y la vida. El que cree en mí, aunque haya muerto, vivirá; y todo el que esté vivo y crea en mí, jamás morirá". (Juan 11:25–26).

Todos: Señor, creemos en ti.

Lector: Vamos a recordar en silencio a todos los que han muerto, especialmente nuestros familiares y amigos.

Líder: Vamos ahora a pedir a los santos que intercedan por nosotros y por todos nuestros seres queridos que han partido de esta vida.

Santos del Señor

Santos del Señor, santos en el cielo,
rueguen por todos nosotros,
santos del Señor.

Jesús, Hijo de Dios,
te rogamos, Señor, óyenos.

Cristo, óyenos. Cristo, óyenos.
Cristo, escúchanos. Cristo, escúchanos.

Familias reunidas en el cementerio el Día de los Muertos, Acatlán, Mexico

On November 2 the Church celebrates All Souls' Day. On this day we remember all those who have died, especially those in our own families and parishes. This day is usually a day for visiting the graves of family members and friends. We pray that they may know God's love and share in his life forever.

All Souls Day in Mexico

All Souls Day is one of the great celebrations in Mexico. There are different prayer practices and celebrations to celebrate "El Día de los Muertos," or Day of the Dead. In some parts of Mexico the celebration actually starts on October 31 with the welcoming of the souls of children who have died and ends on November 2 with the farewell of the souls of adults.

Besides the celebration of the Masses in honor of all souls, many people in Mexico set up a prayer altar in their homes for family members who have died. Another tradition is to visit the graves of their loved ones. They clean and decorate the area with flowers and candles, and sometimes even bring the favorite foods of those who have died and spend time there celebrating their lives.

WE RESPOND

What are some ways families in your parish, school, and neighborhood remember those who have died?

We Respond in Prayer

Leader: Praise be to God our Father, who raised Jesus Christ from the dead. Blessed be God for ever.

All: Blessed be God for ever.

Reader: "I am the resurrection and the life; whoever believes in me, even if he dies, will live, and everyone who lives and believes in me will never die." (John 11:25–26)

All: Lord, we believe in you.

Reader: Let us be silent as we remember all those who have died, especially those among our families and friends.

Leader: Let us now ask the saints to pray for us and for all of our loved ones who are no longer with us in this life.

All: Amen.

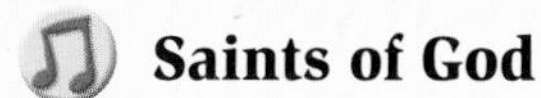

Saints of God

Refrain:

Saints of God, we stand before you.
This we ask you, pray for us.
Holy men and holy women,
in your goodness, pray for us.

Save us, Lord, from sin and every evil.
Be merciful, O Lord,
we ask you, hear our prayer. (Refrain)

HACIENDO DISCIPULOS

Muestra lo que sabes

Los días de fiesta celebran eventos en las vidas de Jesús y María. También honran apóstoles, ángeles y santos. Usa las letras en la palabra fiesta para hablar del Tiempo Ordinario.

F iesta es espepales de santos son celebrado

I mitamos a Jeso ayido a los drmas

E L tiempo Ordinario dura treinta y cuatro seo

S ellama

T odes

A nimamas a leer los ex

Reza

Dios de amor, gracias por todos los días del Tiempo Ordinario. Ayúdame a seguir a Jesús. Amén.

Realidad

Haz una lista de como seguirás a Jesús en pensamiento, palabra y obra durante el Tiempo Ordinario.

____

____

____

______________________________ **Compártelo.**

Tarea

Anima a tu familia a concentrarse en la Palabra de Dios durante el Tiempo Ordinario. Invita a tu familia a ver *Liturgia para la semana* visitando **religion.sadlierconnect.com** Ahí encontrarán las lecturas de los domingos y días de fiesta, y actividades para toda la familia.

PROJECT DISCIPLE

Show What you Know

Feast days celebrate events in the lives of Jesus and Mary. Feast days also honor the Apostles, angels, and saints. Use the letters in the word *feast* to tell others about Ordinary Time.

F ______________________________

E ______________________________

A ______________________________

S ______________________________

T ______________________________

Dear God, Thank you for all the days in Ordinary Time. Help me to follow Jesus in my daily life. Amen.

Reality Check

Make a list of specific ways you will follow Jesus in thought, word, and action during Ordinary Time.

____

____

____

______________________________ **Now, pass it on!**

Take Home

Encourage your family to concentrate on the Word of God during Ordinary Time. Invite them to visit *This Week's Liturgy*, which can be found on **religion.sadlierconnect.com**. This feature includes the Sunday readings and holy day liturgies, as well as activities for the whole family.

Catequesis en el hogar

Capítulo 7 (páginas 78–85)

Tiempo Ordinario

En este capítulo su hijo(a) aprenderá que el Tiempo Ordinario es un tiempo especial para aprender sobre la vida de Cristo.

Para los padres

La Iglesia celebra durante el curso de cada año todo el misterio de Cristo y la fe de la comunidad es testigo de su esplendor. El Tiempo Ordinario tiene dos partes: una entre Navidad y Cuaresma y otra entre Pentecostés y el primer Domingo de Adviento. A medida que el Tiempo Ordinario nos guía a través de un evangelio durante todo el año, la Iglesia también recuerda a muchos mártires y santos. Durante todo el ciclo anual los días de fiesta de los santos son presentados por su testimonio para aumentar nuestra fidelidad a nuestra vocación bautismal. El Tiempo Ordinario es un tiempo extraordinario para aumentar nuestro conocimiento de las enseñanzas de Jesús.

Todos los días

- Encienda una vela y hagan un momento de silencio. Juntos hagan la señal de la cruz y recen: *Jesús, quédate con nosotros todos los días de nuestras vidas.*

Primer día **El Tiempo Ordinario.**

- Explique que el Tiempo Ordinario es más que un simple título. Este es un tiempo especial durante el cual nos centramos en la vida de Jesús y practicamos sus enseñanzas para crecer como sus seguidores.
- Proclamen juntos las palabras debajo de la foto.

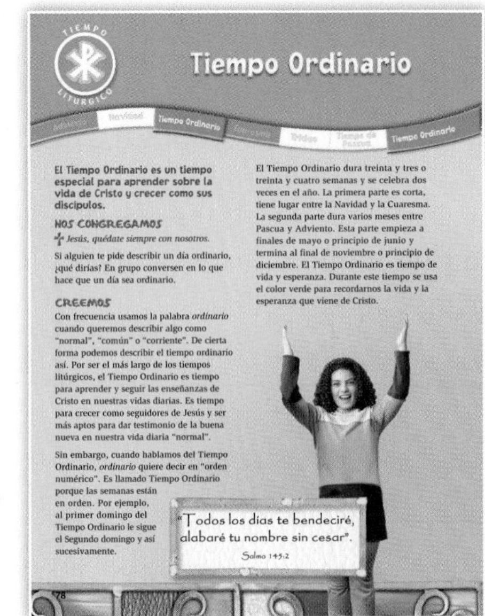

Tiempo Ordinario

El Tiempo Ordinario es un tiempo especial para aprender sobre la vida de Cristo y crecer como sus discípulos.

NOS CONGREGAMOS

✝ *Jesús, quédate siempre con nosotros.*

Si alguien te pide describir un día ordinario, ¿qué dirías? En grupo conversen en lo que hace que un día sea ordinario.

CREEMOS

Con frecuencia usamos la palabra *ordinario* cuando queremos describir algo como "normal", "común" o "corriente". De cierta forma podemos describir el tiempo ordinario así. Por ser el más largo de los tiempos litúrgicos, el Tiempo Ordinario es tiempo para aprender y seguir las enseñanzas de Cristo en nuestras vidas diarias. Es tiempo para crecer como seguidores de Jesús y ser más aptos para dar testimonio de la buena nueva en nuestra vida diaria "normal".

Sin embargo, cuando hablamos del Tiempo Ordinario, *ordinario* quiere decir en "orden numérico". Es llamado Tiempo Ordinario porque las semanas están en orden. Por ejemplo, al primer domingo del Tiempo Ordinario le sigue el Segundo domingo y así sucesivamente.

El Tiempo Ordinario dura treinta y tres o treinta y cuatro semanas y se celebra dos veces en el año. La primera parte es corta, tiene lugar entre la Navidad y la Cuaresma. La segunda parte dura varios meses entre Pascua y Adviento. Esta parte empieza a finales de mayo o principio de junio y termina al final de noviembre o principio de diciembre. El Tiempo Ordinario es tiempo de vida y esperanza. Durante este tiempo se usa el color verde para recordarnos la vida y la esperanza que viene de Cristo.

"Todos los días te bendeciré, alabaré tu nombre sin cesar".
Salmo 145:2

78

Segundo día **El Tiempo Ordinario es un tiempo especial.**

- Conversen sobre las preguntas en *Nos congregamos.* Lea el título y el texto que sigue.
- Conversen sobre la siguiente pregunta: *Si el Tiempo Ordinario es tan especial, ¿por qué se le llama ordinario?*

Tercer día **Durante el Tiempo Ordinario aprendemos sobre la vida de Cristo.**

- *¿Por qué el Tiempo Ordinario es conocido como un tiempo para aprender?* (Porque aprendemos de las lecturas del evangelio sobre toda la vida y enseñanzas de Jesús).
- Lea sobre el testimonio de los santos y conversen sobre el significado de *memoriales, fiestas* y *solemnidades.*

Cuarto día **Durante el Tiempo Ordinario crecemos como discípulos de Jesús.**

- Señale que cuando celebramos el Día de Todos los Santos, honramos a los santos conocidos por nosotros y los que solo Dios conoce. Enfatice que los católicos celebran el Día de Todos los Difuntos rezando por ellos y visitando sus tumbas.

Respondemos en fe

Quinto día

- Invite a su hijo(a) a pensar en nuevas tradiciones que su familia pueda iniciar en el hogar.

Sexto día

- En familia piensen en formas en que van a recordar a los que han muerto, especialmente los miembros de su familia.

Catechesis at Home

Chapter 7 (pages 78–85)

Ordinary Time

In this chapter your child will learn that Ordinary Time is a special season to learn about the life of Christ.

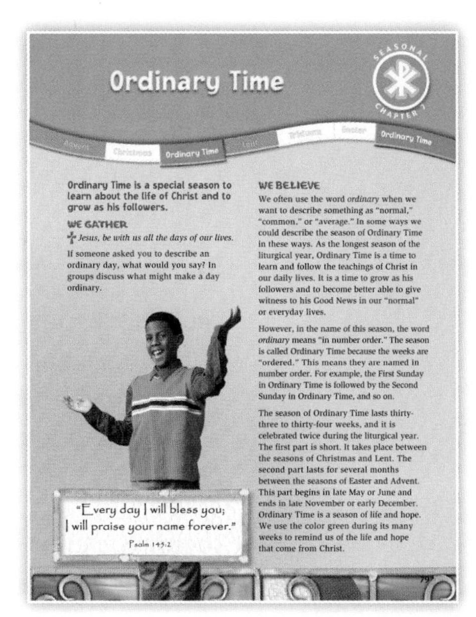

Ordinary Time

SEASONAL CHAPTER 7

Ordinary Time is a special season to learn about the life of Christ and to grow as his followers.

WE GATHER

Jesus, be with us all the days of our lives.

If someone asked you to describe an ordinary day, what would you say? In groups discuss what might make a day ordinary.

WE BELIEVE

We often use the word *ordinary* when we want to describe something as "normal," "common," or "average." In some ways we could describe the season of Ordinary Time in these ways. As the longest season of the liturgical year, Ordinary Time is a time to learn and follow the teachings of Christ in our daily lives. It is a time to grow as his followers and to become better able to give witness to his Good News in our "normal" or everyday lives.

However, in the name of this season, the word *ordinary* means "in number order." The season is called Ordinary Time because the weeks are "ordered." This means they are named in number order. For example, the First Sunday in Ordinary Time is followed by the Second Sunday in Ordinary Time, and so on.

The season of Ordinary Time lasts thirty-three to thirty-four weeks, and it is celebrated twice during the liturgical year. The first part is short. It takes place between the seasons of Christmas and Lent. The second part lasts for several months between the seasons of Easter and Advent. This part begins in late May or June and ends in late November or early December. Ordinary Time is a season of life and hope. We use the color green during its many weeks to remind us of the life and hope that come from Christ.

"Every day I will bless you; I will praise your name forever." Psalm 145:2

79

For the Parents

As the Church celebrates the course of each new year, the entire mystery of Christ unfolds and the faith community is witness to its splendor. Ordinary Time is the two-part season between the Christmas season and Lent, and between Pentecost and the First Sunday of Advent. As Ordinary Time guides us through one of the gospels each year, the Church also keeps the memorials of many martyrs and saints. Through this annual cycle of saints' days, we are drawn by their witness to increase our own fidelity to our baptismal vocation. Ordinary Time is an extraordinary season of growing in our understanding of Jesus' teachings.

Every Day

- Light the candle and take a few moments to quiet yourselves. Pray the Sign of the Cross and *Jesus, be with us all the days of our lives.*

Day One **The Ordinary Time.**

- Explain that Ordinary Time is something more than its name implies. It is a special season during which we focus on the life of Jesus and practice his teaching in order to grow as his followers.
- Proclaim together the words on the banner under the photo.

Day Two **Ordinary Time is a special season.**

- Discuss the *We Gather* questions. Read aloud the statement and the text that follows.
- Discuss the following question: *If Ordinary Time is special, why is it called Ordinary?*

Day Three **During the Ordinary Time we learn about the life of Christ.**

- *Why might Ordinary Time be known as a learning season?* (Because we learn from the gospel readings about the entire life and teachings of Jesus.)
- Read about the witness of the saints, and discuss the meanings of *memorials, feasts,* and *solemnities.*

Day Four **During the Ordinary Time we grow as his followers.**

- Point out that when we celebrate All Saints' Day, we are honoring the saints who are known to us as well as those known only to God. Stress that Catholics celebrate All Souls' Day by remembering, praying for, and visiting the graves of family members and friends who have died.

We Respond in Faith

Day Five

- Invite your child to think about new traditions your family might introduce at home.

Day Six

- In your family, think of ways you are going to remember those who have died, especially family members.

El papa Francisco saludando a los fieles reunidos para orar.

Sacramentos al servicio de la Comunión

Oración

Todos rezan la señal de la cruz.

Líder: El papa Francisco dijo: "La vida de Jesús es vida para otros. Es una vida de servicio[...] *Vayan no tengan miedo y sirvan*". (Homilía durante la Jornada Mundial de la Juventud, 28 de Julio, 2013)

Padre de amor, nos diste los sacramentos del Orden y del Matrimonio para que sirvamos a otros y construyamos tu Iglesia. Das a los obispos, a los sacerdotes, a los diáconos y a los matrimonios el valor de vivir lo que han celebrado en esos sacramentos.

Oremos.

Lector 1: Señor, sabemos que nos amas y que tienes un plan para cada uno de nosotros. Sin embargo, a veces nos preocupamos por el futuro. Muéstranos cómo caminar un día a la vez.

Todos: Señor, escucha nuestra oración.

Lector 2: Señor, mientras exploramos las varias opciones que se nos presentan, ayúdanos a escuchar a otros y a poner atención a lo que sucede en lo profundo de nuestros corazones.

Todos: Señor, escucha nuestra oración.

Lector 3: Señor, que podamos escuchar tu llamado a una forma de vida que nos permita amar y servir a los demás usando los dones especiales que nos has dado.

Todos: Señor, escucha nuestra oración.

(Adaptado de la oración de discernimiento de las hermanas salesianas.)

Lector 4: Por las familias reunidas hoy aquí, para que puedan reconocer tu llamado a ser la iglesia doméstica.

Todos: Señor, escucha nuestra oración.

Lector 5: Por los ordenados, para que puedan responder con amor a su compromiso.

Todos: Señor, escucha nuestra oración.

Lector 6: Por los matrimonios, para que puedan ayudar a la construcción de la Iglesia con su amor y fidelidad.

Todos: Señor, escucha nuestra oración.

Lector 7: Por los jóvenes, para que puedan reconocer el llamado de Dios a servir.

Todos: Señor, escucha nuestra oración.

Líder: Para que usemos nuestros talentos para servir y enseñar a otros y así dar gloria a Dios.

Todos: Amén.

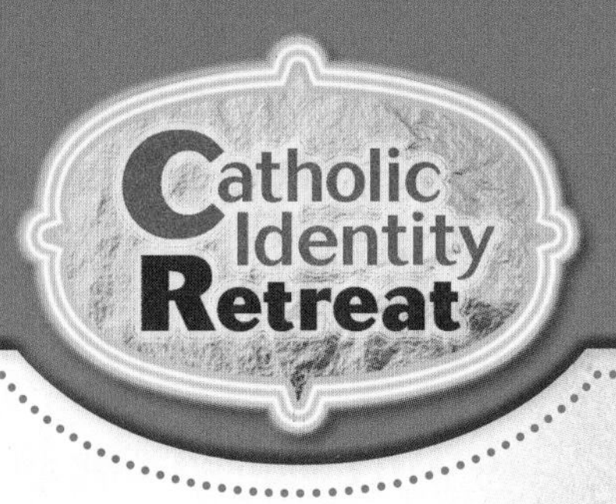

Sacraments at the Service of Communion

Prayer

All pray the Sign of the Cross.

Leader: Pope Francis said, "The life of Jesus is a life for others. It is a life of service. . . . *Go, do not be afraid, and serve.*" (Homily for World Youth Day Mass, July 28, 2013)

Loving Father, you give us the Sacraments of Holy Orders and Matrimony to enable us to serve others and build up your Church. You give bishops, priests, deacons, and married couples the courage to live what they have celebrated in these sacraments.

Let us pray.

Reader 1: Lord, we know that you love us and that you have great plans for all of us. But sometimes we are overwhelmed by the thoughts of the future. Show us how to walk forward one day at a time.

All: Lord, hear our prayer.

Reader 2: Lord, as we explore the various options that lie before us, help us to listen openly to others and to pay attention to what is in the depth of our own hearts.

All: Lord, hear our prayer.

Reader 3: Lord, in this way, may we hear your call to a way of life that will allow us to love and serve others with the special gifts you have given us.

All: Lord, hear our prayer.

(Adapted from "Prayer for Discernment: Walking One Day at a Time," by the Salesian Sisters of St. John Bosco)

Reader 4: For the families joined together here today, that they may recognize their call in the domestic church.

All: Lord, hear our prayer.

Reader 5: For the ordained, that they may build up the People of God with their love and commitment.

All: Lord, hear our prayer.

Reader 5: For married couples, that they may build up the Church with their love and faithfulness.

All: Lord, hear our prayer.

Reader 7: For all young people, that they may recognize the way that God is calling them to serve him.

All: Lord, hear our prayer.

Leader: May we use our gifts today to serve and teach others. In doing so, we will bring glory to God!

All: Amen.

Sacramentos al servicio de la Comunión

Compartiendo la Palabra de Dios

Reflexión sobre la lectura de la Escritura.

> "Pasando Jesús junto al lago de Galilea, vio a Simón y a su hermano Andrés que estaban echando las redes en el lago, pues eran pescadores. Jesús les dijo: 'Vengan conmigo y los haré pescadores de hombres´. Ellos dejaron inmediatamente las redes y lo siguieron". (Marcos 1:16–18)

LEA despacio y con atención el pasaje del Evangelio de Marcos.

REFLEXIONE sobre la lectura.

Piense en las siguientes preguntas:

- Imagine que es Simón. Jesús lo está llamando: "Sígueme". ¿Cómo reaccionaría?
- Los pescadores dejaron sus redes y siguieron a Jesús. ¿Ha oído a Jesús llamarlo? ¿Cuál es su respuesta?
- Lea de nuevo las palabras de Jesús. ¿Qué sacrificios tiene que hacer en su vida para seguirlo?
- ¿Cómo va a responder cada día al llamado de Jesús a seguirlo?

COMPARTA sus pensamientos en grupo.

Conversen sobre el llamado a una vocación particular y sobre los compromisos de los llamados al matrimonio.

MEDITE y comparta sus pensamientos y sentimientos con Jesús en oración.

Comparta sus ideas de cómo responder al llamado de Jesús a seguirlo.

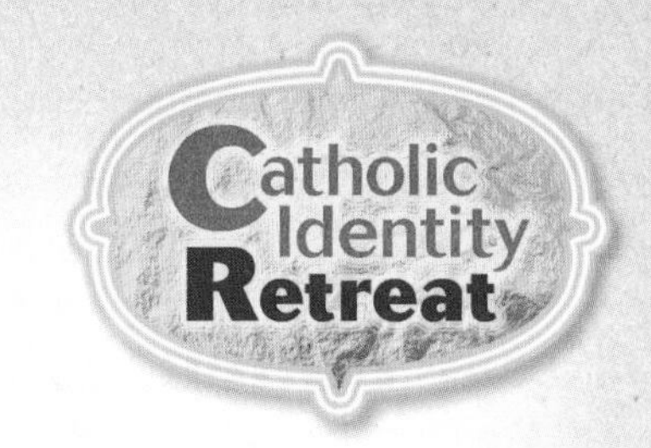

Sacraments at the Service of Communion

Sharing God's Word

Reflect on the Bible reading.

> "As he passed by the Sea of Galilee, he saw Simon and his brother Andrew casting their nets into the sea; they were fishermen. Jesus said to them, 'Come after me, and I will make you fishers of men.' Then they abandoned their nets and followed him." (Mark 1:16–18)

READ the passage from the Gospel of Mark. Read slowly and carefully.

REFLECT on what you read.

Think about the following questions:

- Imagine you are Simon. Jesus calls to you, "Come after me." How would you react?
- The fishermen left their nets to follow Jesus. Have you heard Jesus calling you? What is your answer?
- Read the words of Jesus again. What sacrifices might you have to make in your life to follow Jesus?
- What can you do each day to help you respond to Jesus' call to follow him?

SHARE your thoughts.

Talk about being called to a particular vocation in life. Discuss the commitments that one is called to make in marriage.

CONTEMPLATE and share your thoughts and feelings with Jesus in prayer.

Share ideas on how to respond to Jesus' call to follow him.

Sacramentos al servicio de la Comunión

Valoramos nuestra fe católica

El tema de nuestro retiro es *Sacramentos al servicio de la Comunión.*

- Por medio del sacramento del Matrimonio, un hombre y una mujer se comprometen a ser fieles uno al otro durante toda la vida. Ellos prometen vivir al servicio de cada uno y de sus hijos. Conversen sobre un matrimonio que conozcan que sea modelo de servicio.
- En el sacramento del Orden, hombres bautizados son ordenados obispos, sacerdotes o diáconos. Conversen sobre algunas de las diferentes tareas que tienen ellos para servir a la Iglesia.
- Los sacramentos del Orden y del Matrimonio tienen mucho en común. Ambos requieren fidelidad, compromiso, amor y sacrificio.

Celebramos y honramos nuestra identidad católica

En todos los momentos de nuestras vidas estamos llamados a servirnos unos a otros. Una manera es rezar por los que se están preparando para celebrar los sacramentos al servicio de la Comunión. En el espacio de abajo escriba el nombre de un seminarista o de una pareja comprometida en su familia, parroquia o diócesis. Con un compañero(a), escriban una oración por el seminarista o la pareja que puedan rezar a diario.

Comenten cómo los sacramentos al servicio de la Comunión han sido importantes en su fe. Escriba por lo menos una manera para cada sacramento.

____

____

____

____

____

Con un compañero(a) escriban una oración para orar por los que sirven a la Iglesia y al mundo por medio de los sacramentos al servicio de la Comunión.

____

____

____

____

____

____

____

____

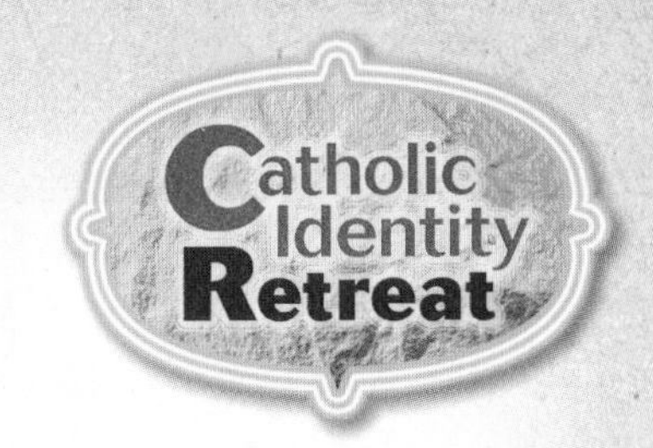

Sacraments at the Service of Communion

We Value Our Catholic Faith

The theme of our retreat is the Sacraments at the Service of Communion.

Think about how, through the Sacrament of Matrimony, a man and a woman make a lifelong commitment to live as faithful and loving partners. They promise to live lives of service to each other and to their children. Talk about a married couple you know who is a model of this service.

In Holy Orders, baptized men are ordained as bishops, priests, or deacons. Talk about some of the different roles and duties they have in serving the Church.

The Sacraments of Holy Orders and Matrimony have much in common. Both require total faithfulness, commitment, love, and sacrifice.

We Celebrate and Honor Our Catholic Identity

In every stage of life, we are called to serve one another. One form of service is praying for others who are preparing to receive one of the Sacraments at the Service of Communion. In the space below, write the name of a seminarian or an engaged couple in your family, parish, or diocese.

With a partner, write a prayer for this seminarian or couple to pray every day.

Talk about ways the Sacraments at the Service of Communion have been important in your life. List at least one way for each sacrament.

____

____

____

____

____

With a partner, write a prayer that your can pray for all those who serve the Church and the world through the Sacraments of Service of Communion.

____

____

____

____

____

____

____

____

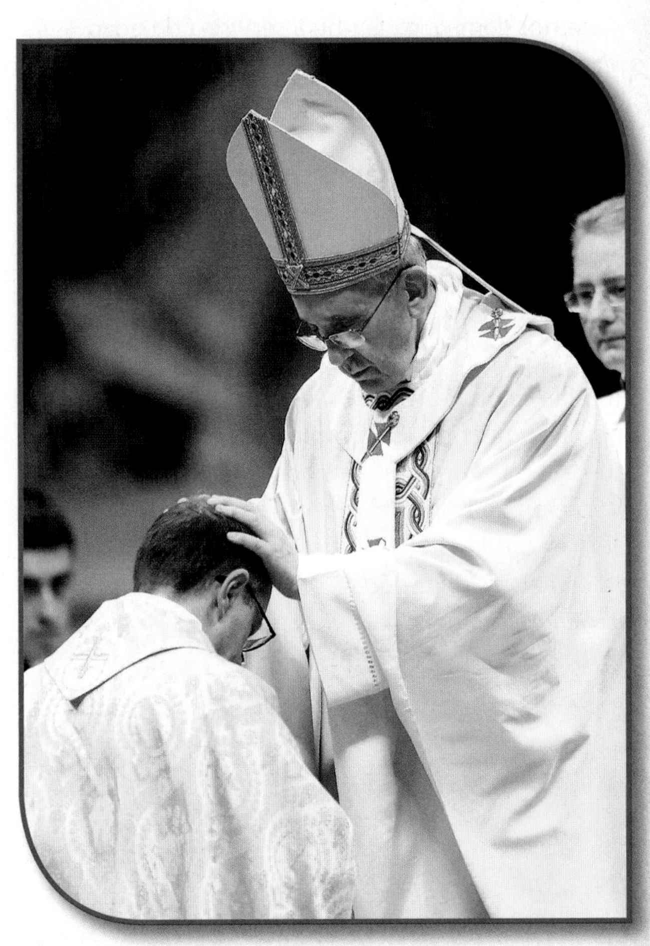

Pope Francis presiding at an ordination in St. Peter's Basilica, Vatican City, Vatican.

Llevando el retiro a casa

Sacramentos al servicio de la Comunión

Repaso del retiro

Repase con su familia el retiro *Celebrando la Identidad católica: la Liturgia y Sacramentos.* Enfatice:

- Los obispos, los sacerdotes y los diáconos tienen funciones y responsabilidades diferentes al servicio de la Iglesia.
- Una pareja de casados se compromete a vivir como compañeros fieles y prometen amar y servirse el uno al otro y a sus hijos.
- Dios nos llama a cada uno a servirle con gozo en nuestra comunidad.

Cartas de apoyo

En familia escríbanse cartas o notas cortas expresando el amor que se tienen y cómo van a demostrar ese amor y apoyo. Como una sorpresa, pueden dejar sus notas en un lugar de fácil acceso para la otra persona como la lonchera, o el maletín de trabajo o de los libros. Ofrecer amor y apoyo en la familia es una forma de vivir el llamado a ser "iglesia doméstica". Es también, en el futuro, la base para un llamado a la vocación de su hijo(a). Puede leer más acerca de la iglesia doméstica en *Identidad Católica Amigo del Hogar* al final del libro de su hijo(a).

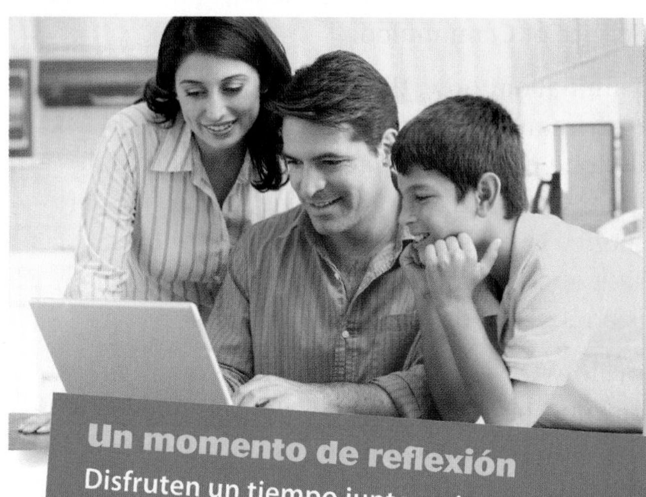

Un momento de reflexión

Disfruten un tiempo juntos mirando fotos de eventos importantes en la familia, tales como celebraciones de matrimonios, bautismos, primeras comuniones, días festivos o vacaciones. Digan una oración sencilla de acción de gracias a Dios por todos los miembros de la familia.

Oración en familia

Juntos recen esta oración durante las comidas o en otro momento conveniente para la familia.

Te pedimos Señor,
protejas y veles esta familia, para que
por la fuerza de tu gracia sus miembros puedan
disfrutar prosperidad, obtener el don preciado
de tu paz y como Iglesia viva en el hogar,
seamos testigos de tu gloria en este mundo.
Te lo pedimos por nuestro Señor Jesucristo. Amén.

(Tomado de "Prayer for Families," Catholic Household Blessings and Prayers)

Para más recursos vea *Identidad católica Amigo del hogar* al final del libro.

Catholic Identity Retreat

Bringing the Retreat Home

Sacraments at the Service of Communion

Retreat Recap

Review with your family the *Celebrating Catholic Identity: Liturgy & Sacraments* retreat. Emphasize:

- Bishops, priests, and deacons have different roles and duties in serving the Church.
- A married couple makes a commitment to live as faithful and loving partners and promise to love and serve each other and their children.
- God calls each of us to serve him and our community with joy.

Letters of Love and Support

As a family, write short letters or notes to one another. Say how much you love one another and how you will show your love and support. Perhaps leave your letter in the other person's lunch box, workbag, or backpack as a nice surprise. Loving and supporting one another are ways to live out your call to be a domestic Church, or a "Church in the home." Family love and support are also your child's foundation for a future call to a vocation. You can read more about the domestic Church in the *Catholic Identity Home Companion* at the end of your child's book.

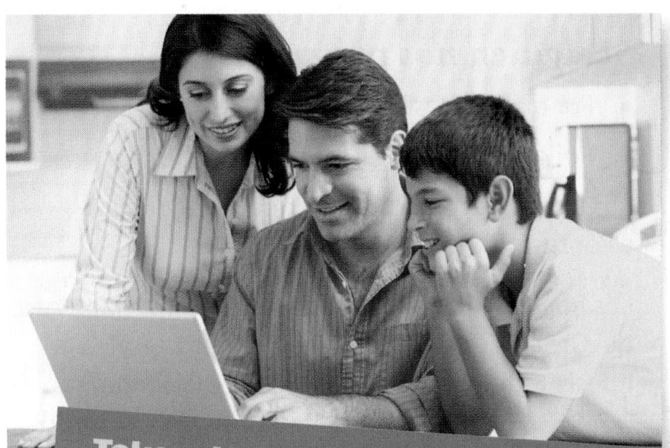

Take a Moment

Spend time together viewing photos of important family events or milestones, such as marriages, baptisms, First Communion celebrations, holiday gatherings, or vacations. Spend time appreciating these moments in your family. Say a simple prayer of thanksgiving to God for all the people in your family.

Family Prayer

Review this prayer as a family. Pray it together at mealtime or another convenient time for your family.

We ask you, Lord,
to protect and watch over this family,
so that in the strength of your grace
its members may enjoy prosperity,
possess the priceless gift of your peace,
and, as the Church alive in the home,
bear witness in this world to your glory.
We ask this through Christ our Lord. Amen.

For more resources, see the *Catholic Identity Home Companion* at the end of this book.

Qué creemos
como familia católica

Si alguien nos pregunta:

- ¿Por qué la Iglesia Católica está dirigida por el papa?
- ¿Por qué seguimos a los obispos?

Los siguientes recursos nos pueden ayudar a contestar:

Los hombres bautizados que reciben el sacramento del Orden tienen la misión de dirigir y servir a la Iglesia Católica. En el sacramento del Orden, hombres pueden ser ordenados obispos, sacerdotes o diáconos. Todos tienen diferentes papeles y responsabilidades en el servicio de la Iglesia. El papa es el obispo de Roma y dirige a toda la Iglesia Católica. Los obispos, con el papa como líder, trabajan con él para dirigir y guiar a la Iglesia.

¿Qué dice la Escritura?

Jesús dijo: Simón, "tú eres Pedro, y sobre esta piedra edificaré mi iglesia, y el poder de la muerte no podrá con ella". (Mateo 16:18)

"Vayan y hagan discípulos a todos los pueblos y bautícenlos para consagrarlos al Padre, al Hijo y al Espíritu Santo, enseñándoles a poner por obra todo lo que les he mandado. Y sepan que yo estoy con ustedes todos los días hasta el final de los tiempos". (Mateo 28:19–20)

Jesús dijo a sus apóstoles: "'La paz esté con ustedes'. Y añadió: 'Como el Padre me ha enviado, yo también los envío a ustedes'". (Juan 20:21)

Jesús escogió al apóstol Pedro para dirigir a la Iglesia. El papa es el sucesor del apóstol Pedro quien dirigió por primera vez a la Iglesia en Roma. Como obispo de Roma, el papa tiene la responsabilidad especial de dirigir y cuidar a la Iglesia.

Después de su Resurrección, Jesús dio una misión especial a los apóstoles cuando dijo: "Vayan y hagan discípulos a todos los pueblos" (Mateo 28:19). Los apóstoles nombraron a los obispos como sus sucesores para continuar con la misión de enseñar y guiar al Pueblo de Dios. (Podemos leer sobre esto en los Hechos de los apóstoles). Los obispos son los sucesores de los apóstoles. Son los líderes y maestros oficiales de la Iglesia. Están llamados a ayudar a los seguidores de Jesús a crecer en santidad. El papa y los obispos forman el Magisterio, la autoridad de enseñanza en la Iglesia.

¿Qué dice la Iglesia?

"El Señor hizo de San Pedro el fundamento visible de su Iglesia. Le dio las llaves de ella. El obispo de la Iglesia de Roma, sucesor de San Pedro, es la "Cabeza del Colegio de los Obispos, Vicario de Cristo y Pastor de la Iglesia universal en la tierra". *(CIC, 936)*

La Iglesia fundada por Cristo "constituida y organizada en el mundo como una sociedad, subsiste en la Iglesia Católica, gobernada por el sucesor de Pedro y los obispos en comunión con él". *(Papa Pablo VI, Lumen Gentium, 8 de noviembre de 1964)*

"Es posible[...] contemplar la tradición de los apóstoles que se ha dado a conocer a todo el mundo. Y estamos en disposición de enumerar a los que fueron nombrados obispos por los apóstoles y sus sucesores hasta nuestros tiempos". *(Irineo, uno de los padres de la iglesia, a.d. 189)*

Notas:

Why We Believe
As a Catholic Family

What if someone asks us:

- Why is the Catholic Church led by the pope?
- Why do we follow bishops?

The following resources can help us to respond:

The baptized men who receive the Sacrament of Holy Orders take on a mission to lead and serve the Catholic Church. In Holy Orders, men are ordained as bishops, priests, or deacons. They all have different roles and duties in serving the Church. The pope is the Bishop of Rome, the leader of the Catholic Church. The bishops, with the pope as their head, work with the pope to lead and guide the Church.

What does Scripture say?

Jesus said, "You are Peter, and upon this rock I will build my church, and the gates of the netherworld shall not prevail against it" (Matthew 16:18).

"Go, therefore, and make disciples of all nations," said Jesus, "baptizing them in the name of the Father, and of the Son, and of the holy Spirit, teaching them to observe all that I have commanded you. And behold, I am with you always, until the end of the age." (Matthew 28:19–20)

Jesus said to his Apostles, "Peace be with you. As the Father has sent me, so I send you" (John 20:21).

Jesus appointed his Apostle Peter to lead his Church. The pope is the successor of the Apostle Peter, who was the first leader of the Church of Rome. As the Bishop of Rome, the pope has a special responsibility to care for and lead the Church.

After his Resurrection, Jesus gave his Apostles a special mission when he said, "Go therefore, and make disciples of all nations" (Matthew 28:19). The Apostles appointed bishops as their successors to continue this mission of teaching and guiding God's People. (We can read about this in the Acts of the Apostles.) The bishops are the successors of the Apostles. They are the leaders and official teachers of the Church. The bishops are called to help the followers of Jesus grow in holiness. The pope and the bishops form the Magisterium, the teaching authority of the Church.

What does the Church say?

"The Lord made St. Peter the visible foundation of his Church. He entrusted the keys of the Church to him. The bishop of the Church of Rome, successor to St. Peter, is 'head of the college of bishops, the Vicar of Christ and Pastor of the universal Church on earth.'" (*CCC*, 936)

The Church founded by Christ, "constituted and organized in the world as a society, subsists in the Catholic Church, which is governed by the successor of Peter and by the Bishops in communion with him" (Pope Paul VI, *Lumen Gentium*, 8, November 21, 1964).

"It is possible . . . to contemplate the tradition of the apostles which has been made known to us throughout the whole world. And we are in a position to enumerate those who were instituted bishops by the apostles and their successors down to our own times." (Irenaeus, one of the Church Fathers, a.d. 189)

Notes:

Apreciada familia

En la unidad 2 los niños aprenderán a crecer como discípulos de Jesús:

- comprendiendo la historia de Pentecostés y el signo de la imposición de manos como el origen del sacramento de la Confirmación
- tomando conciencia del rito o la celebración del sacramento de la Confirmación
- reconociendo que en el sacramento de la Eucaristía, Jesús está realmente presente bajo las apariencias de pan y vino
- valorando que por medio de la celebración de la Eucaristía, la Misa, somos fortalecidos para responder a nuestro llamado al discipulado
- descubriendo la importancia de la oración.

Escritura

En el capítulo 10, los niños escuchan la historia de la aparición de Jesús en el camino a Emaús (Lucas 24:13–35). Lean la historia en la página 114. Finalmente los discípulos reconocieron al Jesús resucitado. También nosotros, reconocemos a Jesús resucitado en la fracción del pan en la celebración de la Eucaristía. ¿Lo reconocen en los sucesos de la vida diaria?

Reza

En su próxima cena familiar recen juntos:

Querido Jesús, te pedimos que nunca nos dejes,
que siempre seas nuestro amigo,
presente en nuestra familia,
ahora y siempre.
Amén.

Realidad

"La familia cristiana es una comunión de personas, reflejo e imagen de la comunión del Padre y del Hijo en el Espíritu Santo".

(*Catecismo de la Iglesia Católica*, 2205)

Consulta

Indiquen la definición de oración que más significado tiene en sus vidas hoy:

- ❑ La oración es pedir ayuda a Dios.
- ❑ La oración es ofrecerle mis pensamientos y sentimientos a Dios.
- ❑ La oración es una conversación con Dios.

Mostrando amor

Celebren juntos como familia la Eucaristía. Anoten una cosa que van a hacer como familia para vivir el sentido de la Eucaristía.

____

Tarea

Las tareas para esta unidad son:

Capítulo 8: Acercándose a Cristo

Capítulo 9: Llenando el hogar con los frutos del Espíritu Santo

Capítulo 10: Agradeciendo y alabando a Dios

Capítulo 11: Participando en la Misa

Capítulo 12: Haciendo un "camino sacramental"

Dear Family

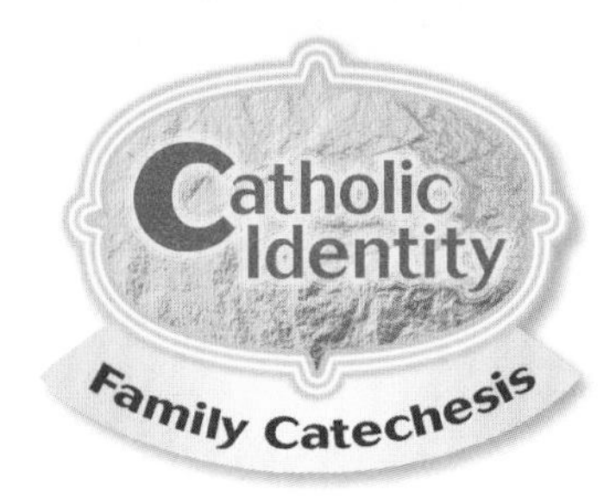

In Unit 2 your child will grow as a disciple of Jesus by:

- understanding the story of Pentecost and the sign of the laying on of hands as the origin of the Sacrament of Confirmation
- becoming aware of the rite, or celebration, of the Sacrament of Confirmation
- recognizing that in the Sacrament of the Eucharist Jesus is truly present under the appearances of bread and wine
- appreciating that through the celebration of the Eucharist, the Mass, we are strengthened to answer our call to discipleship
- exploring the importance of prayer

What's the Word?

In Chapter 10, the children hear the story of Jesus' appearance on the road to Emmaus (Luke 24:13–35). Read the story on page 115. The disciples finally recognized this was the risen Jesus! We, too, recognize the risen Jesus in the breaking of the bread at Eucharist. Do you and your family recognize him as you walk through the events of your day?

Pray Today

At your next family meal, pray together:

Jesus, never be a stranger,
always be a friend,
present with our family,
now and forever.
Amen.

Reality Check

"The Christian family is a communion of persons, a sign and image of the communion of the Father and the Son in the Holy Spirit." (*CIC*, 2205)

Question Corner

Check the definition of prayer that means the most in your life today:

- ❑ Prayer is asking God for help.
- ❑ Prayer is offering my thoughts and feelings to God.
- ❑ Prayer is having a conversation with God.

Show That You Care

As a family celebrate the Eucharist. Write one thing your family can do to live out the meaning of the Eucharist.

____

Take Home

Be ready for this unit's Take Home:

Chapter 8: Growing closer to Christ

Chapter 9: Filling your home with the fruits of the Holy Spirit

Chapter 10: Offering God thanks and praise

Chapter 11: Taking part in the Mass

Chapter 12: Taking a "sacramental journey"

La venida del Espíritu Santo

NOS CONGREGAMOS

✝ **Líder:** Oremos como una familia llena del Espíritu Santo.

Lector: Lectura del libro de Ezequiel.

"Infundiré en ustedes mi espíritu, y vivirán; los estableceré en su tierra, y reconocerán que yo, el Señor, lo digo y lo hago. Oráculo del Señor". (Ezequiel 37:14)

Palabra de Dios.

Todos: Te alabamos, Señor.

♫ **Ven, Espíritu Santo**

Ven, Espíritu Santo, luz divina del cielo.
Entra al fondo del alma y ofrécenos tu consuelo.
Eres nuestro descanso cuando es tanto
el trabajo; eres gozo eterno, lleno de amor
y bondad.

Piensa en una vez en que alguien te ayudó a cambiar algo en ti. ¿Quién te ayudó y cómo cambiaste?

CREEMOS

En Pentecostés el Espíritu Santo vino a los primeros discípulos.

Después de su Resurrección, Jesús envió a los apóstoles a predicar en su nombre y a bautizar a los que creyeran en él. Él prometió enviar al Espíritu Santo para que los guiara y los ayudara.

El Espíritu Santo cambiaría sus vidas. Jesús prometió: "Ustedes recibirán la fuerza del Espíritu Santo; el vendrá sobre ustedes para que sean mis testigos en Jerusalén, en toda Judea, en Samaría y hasta los extremos de la tierra" (Hechos de los apóstoles 1:8).

ESPÍRITU

The Coming of the Holy Spirit

WE GATHER

 **Leader:** Let us pray as one family filled with the Holy Spirit.

Reader: A reading from the Book of Ezekiel

"I will put my spirit in you that you may live, and I will settle you upon your land; thus you shall know that I am the LORD. I have promised, and I will do it, says the LORD." (Ezekiel 37:14)

The word of the Lord.

All: Thanks be to God.

♫ **We Belong to God's Family**

Refrain:

We belong to God's family.
Brothers and sisters are we,
singing together in unity about
one Lord and one faith, one family.

We are one in the Spirit,
the gift from God above.
We are sent to proclaim God's word
and live together in love. (Refrain)

 Think of a time someone helped you to change something about yourself. Who helped you and how did you change?

WE BELIEVE

On Pentecost the Holy Spirit came upon the first disciples.

After his Resurrection, Jesus sent his Apostles to preach in his name and to baptize those who believed in him. He promised to send the Holy Spirit to guide and help them.

The Holy Spirit would change their lives. Jesus promised, "you will receive power when the holy Spirit comes upon you, and you will be my witnesses in Jerusalem, throughout Judea and Samaria, and to the ends of the earth" (Acts of the Apostles 1:8).

Después que Cristo ascendió a su Padre, los apóstoles regresaron a Jerusalén. María, la madre de Jesús y algunos de sus discípulos estaban ahí también. Fue durante ese tiempo que el Espíritu Santo vino como Jesús lo había prometido.

Hechos de los apóstoles 2:1–47

"Al llegar el día de Pentecostés, estaban todos juntos en el mismo lugar. De repente vino del cielo un ruido, semejante a una ráfaga de viento impetuoso, y llenó toda la casa donde se encontraban. Entonces aparecieron lenguas como de fuego, que se repartían y se posaban sobre cada uno de ellos. Todos quedaron llenos del Espíritu Santo y comenzarona a hablar en lenguas extrañas, según el Espíritu los movía a expresarse". (Hechos de los apóstoles 2:1–4)

Los apóstoles salieron del cuarto. Pedro dijo a la gente que Dios Padre había resucitado a Jesús. Él les dijo que lo que habían escuchado había sido la venida del Espíritu Santo.

Cada persona escuchó la buena nueva en su propio idioma y todos estaban sorprendidos. Pedro les dijo que tenían que arrepentirse de sus pecados. También les dijo que debían bautizarse y recibir el don del Espíritu Santo. Ese día, alrededor de tres mil personas se bautizaron y se hicieron discípulos.

Cada año en Pentecostés celebramos de manera especial la venida del Espíritu Santo. Fortalecidos por el Espíritu Santo, todos trabajamos para Dios en el mundo.

En grupos escenifiquen la historia de Pentecostés como si estuviera pasando hoy.

La imposición de las manos y la unción son signos de la presencia del Espíritu Santo.

Después de Pentecostés el Espíritu Santo fortaleció y guió a los apóstoles. Ellos dieron testimonios de Cristo y bautizaron a muchos creyentes. Los nuevos bautizados recibían la fortaleza y el poder del Espíritu Santo cuando los apóstoles les imponían las manos. La imposición de las manos era una señal de la bendición de Dios. Con esta acción, la autoridad y la gracia les eran dadas en el nombre de Dios.

After Christ ascended to his Father, the Apostles returned to Jerusalem. Mary, the mother of Jesus, and some other disciples were there, too. It was during this time that the Holy Spirit came as Jesus had promised.

Acts of the Apostles 2:1–47

"They were all in one place together. And suddenly there came from the sky a noise like a strong driving wind, and it filled the entire house in which they were. Then there appeared to them tongues as of fire, which parted and came to rest on each one of them. And they were all filled with the holy Spirit and began to speak in different tongues, as the Spirit enabled them to proclaim." (Acts of the Apostles 2:1–4)

The Apostles went outside. Peter told the people that God the Father had indeed raised Jesus. He said that what they had just heard had been the coming of the Holy Spirit.

Each person heard this Good News in his or her own language, and they were amazed. Peter told them to be sorry for their sins and to repent. He told them to be baptized and receive the Gift of the Holy Spirit. About three thousand people believed and became disciples that day.

Each year on Pentecost we celebrate in a special way the coming of the Holy Spirit. Strengthened by the Holy Spirit, we are all God's workers in the world.

In groups role-play the story of Pentecost as if it were happening today.

Laying on of hands and anointing are signs of the Holy Spirit's presence.

After Pentecost the Holy Spirit strengthened and guided the Apostles. They gave witness to Christ and baptized many believers. The newly baptized received the strengthening power of the Holy Spirit when the Apostles placed their hands on them. The laying on of hands was a sign of God's blessing. By this action, authority and grace were given in God's name.

La imposición de las manos por los apóstoles fue el inicio del sacramento de la Confirmación. Al crecer la Iglesia, la unción se agregó a la imposición de las manos. La palabra *unción* significa aplicar aceite a alguien como señal de que Dios lo ha escogido para una misión especial. La unción era parte importante de la vida judía durante el tiempo de Jesús.

La unción que tenía lugar con la imposición de las manos era un signo de que el Espíritu Santo estaba presente y de la recepción del Espíritu Santo. Con el tiempo, la unción se convirtió en una importante señal del don del Espíritu Santo. Hoy en el sacramento de la Confirmación, la unción con santo crisma tiene lugar cuando el celebrante unge la frente del confirmando.

Con un compañero habla sobre las acciones que forman parte de nuestra adoración.

En la Confirmación nos acercamos más a Cristo y somos fortalecidos para ser sus testigos.

Dios, Espíritu Santo, está siempre con la Iglesia. Podemos pedir al Espíritu Santo consuelo, guía y fortaleza. En el sacramento de la **Confirmación** recibimos el don del Espíritu Santo de manera especial. Nos acercamos más a Cristo y somos fortalecidos para ser sus testigos.

La Confirmación es un sacramento de iniciación cristiana. El primer sacramento de iniciación cristiana es el Bautismo. Todo bautizado miembro de la Iglesia es llamado a recibir el sacramento de la Confirmación. La Confirmación completa el Bautismo y, al igual que el Bautismo, imprime una marca en nuestra alma, un sello espiritual indeleble. Por eso es que recibimos la Confirmación solo una vez. La Eucaristía nos inicia totalmente en la Iglesia.

Vocabulario
Confirmación (pp 331)

El sacramento de la Confirmación profundiza la gracia que recibimos en el Bautismo. En la Confirmación:

- somos sellados con el don de Dios Espíritu Santo
- nos hacemos más como Jesús el Hijo de Dios y somos fortalecidos para dar testimonio de Jesús activamente
- nuestra relación con Dios el Padre se profundiza
- nuestra relación con la Iglesia se fortalece
- somos enviados a vivir nuestra fe en el mundo.

The laying on of hands by the Apostles was the beginning of the Sacrament of Confirmation. As the Church grew, an anointing was joined to the laying on of hands. The word *anoint* means to apply oil to someone as a sign that God has chosen that person for a special mission. Like the laying on of hands, anointing is an ancient practice. Anointing was an important part of Jewish life during Jesus' time.

The anointing that took place with the laying on of hands was a sign of the Holy Spirit's presence and of the receiving of the Holy Spirit. In time the anointing became the essential sign of the Gift of the Holy Spirit. Today in the Sacrament of Confirmation, the anointing with Sacred Chrism is done as the celebrant anoints the forehead of the one being confirmed.

With a partner talk about the actions that are part of our worship.

In Confirmation we become more like Christ and are strengthened to be his witnesses.

God the Holy Spirit is always with the Church. We can turn to the Holy Spirit for comfort, guidance, and strength. In the Sacrament of **Confirmation** we receive the Gift of the Holy Spirit in a special way. We become more like Christ and are strengthened to be his witnesses.

Confirmation is a Sacrament of Christian Initiation. The first Sacrament of Christian Initiation is Baptism. All baptized members of the Church are called to receive the Sacrament of Confirmation. Confirmation completes Baptism and, like Baptism, imprints on our souls a character, an indelible spiritual seal. Thus, we only receive Confirmation once. The Eucharist fully initiates us into the Church.

The Sacrament of Confirmation deepens the grace we first received at Baptism. In Confirmation:

- we are sealed with the Gift of God the Holy Spirit
- we become more like Jesus the Son of God and are strengthened to be active witnesses of Jesus
- our friendship with God the Father is deepened
- our relationship with the Church is strengthened
- we are sent forth to live our faith in the world.

Key Word

Confirmation (p. 334)

La Confirmación tiene lugar en la comunidad parroquial. El obispo visita las parroquias durante el año y confirma a todos los que han sido preparados para recibir el sacramento. Adultos y niños catecúmenos reciben el Bautismo, la Confirmación y la Eucaristía en una misma celebración.

Conversen de la forma como la parroquia celebra el sacramento de la Confirmación.

La preparación es parte importante de la Confirmación.

Los que se están preparando para la Confirmación son llamados *candidatos*. Los candidatos que han alcanzado el uso de la razón deben profesar la fe y estar en estado de gracia. Deben además tener la intención de recibir la Confirmación y asumir el papel de discípulos y testigos en la Iglesia y el mundo. Con la ayuda de la comunidad parroquial, ellos rezan y reflexionan en la vida de Jesucristo y en la misión de la Iglesia.

Durante esta preparación los candidatos se acercan a Cristo. Empiezan a tener un mayor sentido de pertenencia a la Iglesia. Aprenden a compartir plenamente en la misión de la Iglesia. Toda la parroquia puede participar rezando con y por los candidatos, hablando con ellos sobre la fe y ayudándolos a encontrar formas de servir en la parroquia.

Si fuimos bautizados cuando bebés, nuestros padres seleccionaron nuestro nombre. Nuestro nombre generalmente es el de un santo o alguien admirado por nuestros padres. En la Confirmación escogemos un nombre, generalmente el de un santo cuyo ejemplo vamos a seguir. Se nos anima a escoger nuestro nombre de bautismo para mostrar la relación entre el Bautismo y la Confirmación.

Como católicos...

Podemos encontrar dos símbolos del Espíritu Santo en la historia de Pentecostés: el viento y el fuego. La palabra *espíritu* viene del hebreo y significa "viento" "aire" y "aliento". El viento viaja a todas partes. Nos envuelve. El Espíritu Santo hace lo mismo.

El símbolo del fuego sugiere calor, energía, poder y cambio. El fuego cambia todo lo que toca. Eso hace el Espíritu Santo. Somos cambiados por el poder el Espíritu Santo. Habla sobre los símbolos o imágenes del Espíritu Santo.

Si fuimos bautizados cuando bebés nuestros padre también escogieron nuestros padrinos. Cuando nos preparamos para la Confirmación escogemos nuestro padrino para que nos ayude a crecer en la fe. Un padrino tiene que ser un católico que haya recibido los sacramentos de iniciación cristiana, alguien a quien respetemos y en quien confiemos. Un padrino debe ser un ejemplo de vida cristiana para que pueda animarnos a seguir a Jesús. Nuestro padrino puede ser uno de nuestros padrinos de Bautismo, un familiar, un amigo o alguien de la parroquia.

Los padrinos pueden ayudarnos a prepararnos para la Confirmación compartiendo sus experiencias y contestando nuestras preguntas. En la celebración de la Confirmación, los padrinos nos presentan al obispo para la unción.

RESPONDEMOS

Piensa en personas que son ejemplos de vida cristiana. ¿De qué forma animan a otros a seguir a Jesús?

Confirmation takes place in the parish community. The bishop usually visits parishes throughout the year and confirms all those who have prepared to receive the sacrament. Adults and older children who are catechumens receive Baptism, Confirmation, and Eucharist at one celebration.

Discuss the way your parish celebrates the Sacrament of Confirmation.

Preparation is an important part of Confirmation.

Those preparing for Confirmation are called *candidates*. Candidates who have reached the age of reason must profess the faith and be in the state of grace. They must want to receive Confirmation and to take on the role of disciple and witness within the Church and the world. With the help of their parish communities, they pray and reflect on the life of Jesus Christ and on the mission of the Church.

During this preparation candidates grow closer to Christ. They begin to feel a greater sense of belonging to the Church. They learn to share more completely in the mission of the Church. A whole parish can participate by praying with and for the candidates, talking with them about their faith, and helping them find ways to serve the parish.

If we were baptized as infants, our parents selected a name for us. Our name is often that of a saint or someone whom our parents admire. At Confirmation we choose a name, usually that of a saint whose example we can follow. We are encouraged to take our baptismal name to show the connection between Baptism and Confirmation.

If we were baptized as infants, our parents also chose godparents for us. When we are preparing for Confirmation, we choose a sponsor to help us grow in our faith. A sponsor needs to be a Catholic who has received the Sacraments of Christian Initiation and is someone we respect and trust. Our sponsor should be an example of Christian living so that he or she can encourage us to follow Jesus. Our sponsor can be one of our godparents, a family member, a friend, or someone from our parish.

Sponsors can help us prepare for Confirmation by sharing their experiences and answering our questions. At the celebration of Confirmation, sponsors present us to the bishop for anointing.

WE RESPOND

Think of people who are examples of Christian living. In what ways do they encourage others to follow Jesus?

As Catholics...

We can find two symbols of the Holy Spirit in the Pentecost story: wind and fire. The word *spirit* comes from a Hebrew word that means "wind," "air," and "breath." Wind travels everywhere. It surrounds us. The Holy Spirit does the same.

The symbol of fire suggests warmth, energy, power, and change. Fire changes whatever it touches. So does the Holy Spirit. We are changed by the power of the Holy Spirit. Talk about other symbols or images of the Holy Spirit.

HACIENDO DISCÍPULOS

Muestra lo que sabes

Completa la red de palabras escribiendo palabras o frases relacionadas con el sacramento de la Confirmación.

CONFIRMACIÓN

- Bautizo
- Orde sared dotal
- Reconsilairion
- matrimonio
- Primera comunian

Datos

Rojo, el color del fuego, simboliza al Espíritu Santo y es el color litúrgico usado en Pentecostés y en el sacramento de la Confirmación.

Reza

Jesús pidió a los primeros discípulos compartir la buena nueva con otros. Escribe una corta oración al Espíritu Santo para que te anime a hacerlo.

____

____

____

____

Consulta

¿Cuál es la edad promedio de los candidatos a la Confirmación en tu parroquia?

❑ 10 ❑ 12 ❑ 14 ❑ otra ______

PROJECT DISCIPLE

Show What you Know

Complete the word web by writing words or phrases that relate to the Sacrament of Confirmation.

CONFIRMATION

Fast Facts

Red, as the color of fire, symbolizes the Holy Spirit and is the liturgical color used on Pentecost and for the Sacrament of Confirmation.

Pray Today

Jesus had asked the first disciples to share his Good News with others. Write a short prayer to the Holy Spirit for the courage to do this.

____

____

____

____

Question Corner

What is the average age of the candidates in the Sacrament of Confirmation in your parish?

❑ 10 ❑ 12 ❑ 14 ❑ other _____

HACIENDO DISCÍPULOS

Escribe la letra del sacramento (B = Bautismo; C = Confirmación) en la raya al lado de la afirmación que corresponda.

1. ______ Somos sellados con el don del Espíritu Santo.

2. ______ Somos librados del pecado, nos hacemos hijos de Dios y somos acogidos en la Iglesia.

3. ______ Escogemos un padrino para que nos ayude a crecer en la fe.

4. ______ Escogemos un nombre generalmente de un santo, cuyo ejemplo podemos seguir para acercarnos más a Jesús.

5. ______ Imposición de las manos y unción son signos de la presencia del Espíritu Santo.

Vidas de santos

Juan Bosco nació en una familia pobre en un pueblo cerca de Turín, Italia. Su madre le enseñó sobre Jesús y el Evangelio. Le gustaba compartir esas enseñanzas con otros niños. Cuando adolescente también fue testigo de Cristo. Aprendió ventriloquia y puso un show de títeres. Aprendió malabarismo y caminaba en una cuerda. Antes de presentar su programa dirigía a la audiencia en oración y cantos.

Más tarde se hizo sacerdote y dedicó su vida a ayudar a los niños pobres. Fundó la orden Salesiana, orden que ayuda a niños. También fue el primero en publicar material religioso educativo para niños.

Visita *Vidas de Santos* en **religion.sadlierconnect.com** para más información sobre san Juan Bosco.

Haz *lo*

Aprendiste sobre como los candidatos se preparan para el sacramento de la Confirmación. Toda la parroquia puede participar en la preparación. ¿Cuáles son algunas cosas que puedes hacer?

____

Tarea

Conversa con tu familia sobre acciones que pueden hacer para animarse a acercarse más a Cristo. Escribe tus ideas en pedazos de papel y ponlos en un tazón. Durante las comidas en familia tomen tiempo para compartir las ideas de cada uno.

PROJECT DISCIPLE

Write the letter of the sacrament (B = Baptism; C = Confirmation) that corresponds to each statement.

1. ______ We are sealed with the Gift of the Holy Spirit.

2. ______ We are freed from sin, become children of God, and are welcomed into the Church.

3. ______ We choose a sponsor to help us to grow in faith.

4. ______ We choose a name usually that of a saint whose example we can follow in becoming closer to Jesus.

5. ______ Laying on of hands and anointing are signs of the Holy Spirit's presence.

Saint Stories

John Bosco was born into a poor family near Turin, Italy. He learned about Jesus and the Gospel from his mother. He loved to share these teachings with other children. Even as a young boy, he witnessed to Christ. He learned ventriloquism and put on puppet shows. He learned to juggle and walk a tightrope. Before he performed, he led his audience in prayers and hymns.

Later, he became a priest and dedicated himself to helping poor children. He founded the Salesians, a religious order to help children. He was also the first to publish religious education materials for children.

Visit the *Lives of the Saints* on **religion.sadlierconnect.com** to find out more about Saint John Bosco.

Make it Happen

You learned about the way candidates prepare for the Sacrament of Confirmation. The whole parish can participate in this preparation. What are some things that you can do?

____

Take Home

With your family, discuss actions you will all take to encourage each other to grow closer to Christ. Write your ideas on slips of paper and place them in a bowl. At family meals or gatherings, make time to share each other's ideas.

Catequesis en el hogar

Capítulo 8 (páginas 86–97)

La venida del Espíritu Santo

En este capítulo su hijo(a) aprenderá sobre el sacramento de la Confirmación.

8

La venida del Espíritu Santo

NOS CONGREGAMOS

Líder: Oremos como una familia llena del Espíritu Santo.

Lector: Lectura del libro de Ezequiel.

"Infundiré en ustedes mi espíritu, y vivirán; los estableceré en su tierra, y reconocerán que yo, el Señor, lo digo y lo hago. Oráculo del Señor". (Ezequiel 37:14)

Palabra de Dios.

Todos: Te alabamos, Señor.

Ven, Espíritu Santo

Ven, Espíritu Santo, luz divina del cielo.
Entra al fondo del alma y ofrécenos tu consuelo.
Eres nuestro descanso cuando es tanto
el trabajo; eres gozo eterno, lleno de amor
y bondad.

Piensa en una vez en que alguien te ayudó a cambiar algo en ti. ¿Quién te ayudó y cómo cambiaste?

CREEMOS

En Pentecostés el Espíritu Santo vino a los primeros discípulos.

Después de su Resurrección, Jesús envió a los apóstoles a predicar en su nombre y a bautizar a los que creyeran en él. Él prometió enviar al Espíritu Santo para que los guiara y los ayudara.

El Espíritu Santo cambiaría sus vidas. Jesús prometió: "Ustedes recibirán la fuerza del Espíritu Santo; el vendrá sobre ustedes para que sean mis testigos en Jerusalén, en toda Judea, en Samaría y hasta los extremos de la tierra" (Hechos de los apóstoles 1:8).

ESPÍRITU

86

Para los padres

Los israelitas, nuestros antepasados en la fe, esperaban al Mesías, el Ungido, en quien descansaría el espíritu del Señor. Cuando Jesús fue bautizado por Juan el Bautista, el Espíritu Santo descendió sobre él, dando a entender que él era el Mesías esperado. Jesús prometió enviar al Espíritu Santo a los apóstoles. El Espíritu Santo bajó sobre los primeros discípulos en Pentecostés.

Todos los días

- Encienda una vela y tomen un momento para aquietarse. Hagan una corta oración.

Primer día **En Pentecostés el Espíritu Santo vino a los primeros discípulos.**

- Pida a su hijo(a) que piense en un momento en que alguien le pidió cambiar algo sobre él. *¿Quién lo ayudó y cómo cambió?*
- Pida a su hijo(a) que lea el título de la sección y los tres párrafos siguientes. Señale que Jesús prometió enviar al Espíritu Santo para ayudar a guiar a los apóstoles y discípulos.

Segundo día **La imposición de las manos y la unción son signos de la presencia del Espíritu Santo.**

- Lea el título de la sección y el texto. Explique que la unción ocurre en el sacramento del Bautismo, el Orden, la Unción de los Enfermos y la Confirmación.
- Pregunte: *¿Cuáles son los signos esenciales del Don del Espíritu Santo?* (unción e imposición de las manos)

Tercer día **En la Confirmación nos acercamos más a Cristo y somos fortalecidos para ser sus testigos.**

- Túrnense para leer en voz alta el título y el texto que sigue. Explique que recibimos el Don del Espíritu Santo durante la celebración de la Confirmación.
- Rete a su hijo(a) a recordar las cinco formas en que la Confirmación fortalece la gracia del Bautismo.

Cuarto día **La preparación es parte importante de la Confirmación.**

- Túrnense para leer el título de la sección y el texto que sigue. Explique que en la Confirmación, podemos escoger un nombre y a un padrino. Escoger nuestro nombre y padrino de bautismo conecta el Bautismo con la Confirmación.
- Los padrinos nos ayudan a prepararnos para la Confirmación. Ellos nos presentan al obispo para la unción. El buen ejemplo de los padrinos continúa más allá de la celebración de los sacramentos.

Respondemos en fe

Quinto día

- Ayude a su hijo(a) a recordar algunos de los puntos importantes de la lección.

Sexto día

- Conversen sobre las cosas que pueden hacer para parecerse más a Cristo.

Catechesis at Home

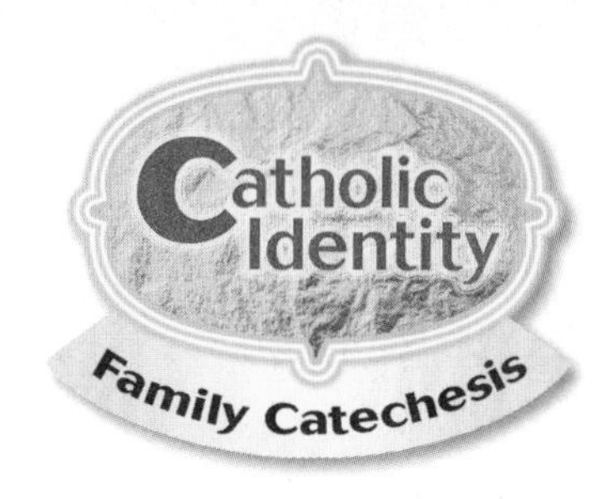

Chapter 8 (pages 86–97)

The Coming of the Holy Spirit

In this chapter your child will learn about the sacrament of Confirmation.

For the Parents

The Israelites, our ancestors in faith, were waiting for the Messiah, the Anointed One, upon whom the Spirit of the Lord would rest. When Jesus was baptized by John the Baptist, the Holy Spirit descended upon him, signifying that he was the hoped-for Messiah. Jesus promised to send the Holy Spirit to empower the apostles in their mission. The Holy Spirit came upon the first disciples at Pentecost.

Every Day

- Light a candle and take a few moments to quiet yourselves. Offer a short prayer.

Day One **On Pentecost the Holy Spirit came upon the first disciples.**

- Ask your child to think of a time when someone asked you to change something about yourself. *Who helped you and how did you change?*
- Ask your child to read the *We Believe* statement and the following three paragraphs. Point out that Jesus promised to send the Holy Spirit to help guide the apostles and disciples.

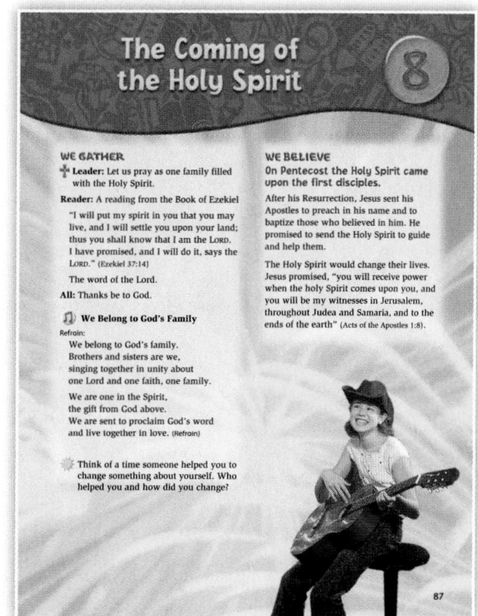

The Coming of the Holy Spirit

8

WE GATHER

Leader: Let us pray as one family filled with the Holy Spirit.

Reader: A reading from the Book of Ezekiel

"I will put my spirit in you that you may live, and I will settle you upon your land; thus you shall know that I am the LORD. I have promised, and I will do it, says the LORD." (Ezekiel 37:14)

The word of the Lord.

All: Thanks be to God.

We Belong to God's Family

Refrain:

We belong to God's family.
Brothers and sisters are we,
singing together in unity about
one Lord and one faith, one family.

We are one in the Spirit,
the gift from God above.
We are sent to proclaim God's word
and live together in love. (Refrain)

Think of a time someone helped you to change something about yourself. Who helped you and how did you change?

WE BELIEVE

On Pentecost the Holy Spirit came upon the first disciples.

After his Resurrection, Jesus sent his Apostles to preach in his name and to baptize those who believed in him. He promised to send the Holy Spirit to guide and help them.

The Holy Spirit would change their lives. Jesus promised, "you will receive power when the holy Spirit comes upon you, and you will be my witnesses in Jerusalem, throughout Judea and Samaria, and to the ends of the earth" (Acts of the Apostles 1:8).

87

Day Two **Laying on of hands and anointing are signs of the Holy Spirit's presence.**

- Read the statement and the text that follows. Explain that anointing occurs within the sacraments of Baptism, Holy Orders, the Anointing of the Sick, and Confirmation.
- Ask: *What are the essential signs of the Gift of the Holy Spirit?* (anointing and laying on of hands)

Day Three **In Confirmation we become more like Christ and are strengthened to be his witnesses.**

- Take turns reading aloud the statement and the text that follows. Explain that we receive the Gift of the Holy Spirit during the celebration of Confirmation.
- Challenge your child to remember the five ways Confirmation deepens the grace of Baptism.

Day Four **Preparation is an important part of Confirmation.**

- Take turns reading the statement and the text that follows. Explain that in Confirmation, we can choose a name and a sponsor. Using our baptismal name and asking one of our godparents to be our sponsor link our Confirmation with Baptism.
- Sponsors help prepare us for Confirmation. They present us to the bishop for anointing. The good example set by godparents continues after the celebrations of the sacraments.

We Respond in Faith

Day Five

- Help your child recall some of the important points of the lesson.

Day Six

- Talk about things you can do to be more Christ-like.

La Celebración de la Confirmación

NOS CONGREGAMOS

✝ **Líder:** Ven, Espíritu Santo, llena los corazones de tus fieles.

Todos: Y enciende en ellos el fuego de tu amor.

Líder: Envía tu Espíritu y serán creados.

Todos: Y renovarás la faz de la tierra.

Líder: Oremos: Oh Dios, que has iluminado los corazones de tus fieles, con la ciencia del Espíritu Santo, haz que guiados por ese mismo Espíritu saboreemos las dulzuras del bien y gocemos de tu divino consuelo. Por Jesucristo nuestro Señor.

Todos: Amén.

Si pudieras cambiar algo en tu ciudad o pueblo, ¿qué sería? ¿Por qué?

CREEMOS

La Confirmación nos lleva del Bautismo a la Eucaristía.

En la celebración de la Confirmación, nos reunimos en nuestra parroquia y expresamos nuestra creencia en Jesucristo. Porque la Confirmación nos dirige hacia la Eucaristía y a la completa iniciación en la Iglesia, generalmente celebramos la Confirmación dentro de la Misa.

Como los demás sacramentos, se proclama la Palabra de Dios. La primera lectura es tomada del Antiguo Testamento y la segunda del Nuevo Testamento. La tercera lectura es siempre de uno de los Evangelios.

The Celebration of Confirmation

WE GATHER

✝ **Leader:** Come, Holy Spirit, fill the hearts of your faithful.

All: And kindle in them the fire of your love.

Leader: Send forth your Spirit and they shall be created.

All: And you will renew the face of the earth.

Leader: Let us pray.
Lord,
by the light of the Holy Spirit
you have taught the hearts of your faithful.
In the same Spirit
help us to relish what is right
and always rejoice in your consolation.

We ask this through Christ our Lord.

All: Amen.

If you could change something in your city or town, what would it be? Why?

WE BELIEVE

Confirmation leads us from Baptism to the Eucharist.

In the celebration of Confirmation, we gather with our parish community and express our belief in Jesus Christ. Because Confirmation leads us to the Eucharist and full initiation into the Church, we usually celebrate Confirmation within Mass.

As in all the other sacraments, the Word of God is proclaimed. The first reading is usually from the Old Testament, and the second is usually from the New Testament. The third reading is always from one of the Gospels.

Después de las lecturas el párroco o un líder parroquial presenta a los candidatos. Estos pueden ser llamados por sus nombres mientras se ponen de pie con sus padrinos. Después de la presentación, el obispo da una breve homilía para ayudar a todos a entender las lecturas. Él nos recuerda nuestro don de la fe y el poder del Espíritu Santo en nuestras vidas. El obispo puede preguntar al candidato algo sobre la fe.

Los candidatos se ponen de pie y renuevan sus promesas bautismales. Ellos contestan a cada pregunta sobre su fe en la Santísima Trinidad y la Iglesia con las palabras, "Sí, creo".

La renovación de las promesas bautismales en la Confirmación es muy importante. Este es un buen momento para que todos los bautizados también puedan profesar su fe.

Como católicos compartimos la misma fe. ¿En qué crees como católico? En grupos hagan una lista de las creencias.

____

____

____

____

____

____

____

____

____

____

En el sacramento de la Confirmación somos sellados con el don del Espíritu Santo.

El obispo les recuerda su bautismo a todos los reunidos. Él invita a todos a rezar para que el Espíritu Santo se derrame en los confirmandos. En la liturgia de la Confirmación, toda la Iglesia reza por los candidatos.

El obispo y los sacerdotes que celebran con él extienden sus manos sobre todo el grupo de candidatos. El obispo reza para que el Espíritu Santo venga y los candidatos reciban sus dones.

Después, el padrino se pone de pie junto al candidato y le pone una mano en el hombro. Esto muestra la guía y el apoyo del padrino y el cuidado de toda la parroquia por los que van a ser confirmados.

El obispo confirma a cada candidato ungiéndolo con santo crisma en la frente. El obispo impone una de sus manos diciendo: "N., recibe por esta señal el don del Espíritu Santo". El confirmando responde: "Amén".

After the readings the pastor or a parish leader presents those to be confirmed. These candidates may be called by name as they stand with their sponsors. After the presentation, the bishop gives a brief homily to help everyone understand the readings. He reminds us of our gift of faith, and of the power of the Holy Spirit in our lives. The bishop may ask the candidates about their faith.

The candidates then stand and renew their baptismal promises. They answer each of the questions about their belief in the Blessed Trinity and the Church with the words "I do."

The renewal of the baptismal promises at Confirmation is very important. This is a good time for those who were baptized as infants to profess their faith for themselves.

As Catholics we share the same beliefs. What do you believe as a Catholic? Work in groups and list some of these beliefs.

In the Sacrament of Confirmation, we are sealed with the Gift of the Holy Spirit.

The bishop reminds all assembled of their Baptism. He invites everyone to pray for the outpouring of the Holy Spirit on those to be confirmed. In the liturgy of Confirmation, the whole Church prays for all these candidates.

The bishop and priests celebrating with him extend their hands over the whole group of candidates. The bishop prays that the Holy Spirit will come and that the candidates will receive the gifts of the Holy Spirit.

Next, the sponsor stands near the candidate and places a hand on the candidate's shoulder. This shows the support and guidance of the sponsor and the ongoing care of the whole parish for those who are being confirmed.

The bishop confirms each candidate by the anointing with Sacred Chrism on the forehead, and through the words, "N., be sealed with the Gift of the Holy Spirit." The one confirmed responds, "Amen."

El candidato es marcado como alguien que comparte totalmente la misión de Jesús. Esta unción confirma y completa su unción bautismal. Es el sello del Espíritu Santo que identifica que pertenecemos a Jesucristo. Igual que el sello del Bautismo, está siempre con nosotros. Es por eso que somos confirmados sólo una vez.

Después el obispo comparte el saludo de la paz con los nuevos confirmados. Esta acción nos recuerda la unión de toda la Iglesia con el obispo. En la oración de los fieles recordamos a los nuevos confirmados, sus familias, sus padrinos y a toda la Iglesia. Después de cada petición los presentes ofrecen sus respuestas.

Los nuevos confirmados ahora, unidos a la asamblea, siguen adorando a Dios, compartiendo el regalo de Jesús en la Eucaristía.

¿Qué rezarías por los candidatos a la Confirmación?

Los dones del Espíritu Santo ayudan a los confirmados.

Los diferentes títulos del Espíritu Santo describen quien es el Espíritu Santo, su papel y su poder en nuestras vidas. Jesús dijo una vez a los apóstoles: "El Consolador, el Espíritu Santo, a quien el Padre enviará en mi nombre, hará que recuerden lo que yo les he enseñado y les explicará todo" (Juan 14:26). Un defensor es alguien que intercede en nuestro favor, habla por nosotros, nos defiende. Un defensor consuela y enseña.

Jesús también llamó al Espíritu Santo "el Espíritu de la verdad" (Juan 16:13). El Espíritu Santo nos guía mientras aprendemos las verdades de nuestra fe, las verdades que Jesús y la Iglesia nos enseñan.

El Espíritu Santo está con nosotros para fortalecernos para compartir la misión de Jesucristo y ser testigos para otros. Cuando recibimos el sacramento de la Confirmación, el Espíritu Santo nos fortalece con dones especiales. Los **dones del Espíritu Santo** son sabiduría, inteligencia, consejo, fortaleza, ciencia, piedad y temor de Dios. Estos siete dones nos ayudan a vivir como fieles seguidores de Cristo.

Como nos ayudan los dones del Espíritu Santo

Sabiduría
Nos ayuda a ver y a seguir la voluntad de Dios en nuestras vidas.

Inteligencia
Nos ayuda a amar a los demás como Jesús nos pide.

Consejo
Nos ayuda a tomar buenas decisiones.

Fortaleza
Nos fortalece para ser testigos de nuestra fe en Cristo.

Ciencia
Nos lleva a aprender más sobre Dios y su plan y nos dirige a la sabiduría y al entendimiento.

Piedad
Hace posible que amemos y respetemos todo lo que Dios ha creado.

Temor de Dios
Nos ayuda a ver la presencia y el amor de Dios que llena a toda la creación.

¿Cómo pueden estos dones del Espíritu Santo ayudarte a ser discípulo de Jesús?

The candidates are marked as people who share fully in Jesus' mission. This anointing confirms and completes the baptismal anointing. It is the seal of the Holy Spirit which identifies us as belonging to Jesus Christ. Like the seal of Baptism, it is with us always. Because of this we receive Confirmation only once.

The bishop then shares a sign of peace with the newly confirmed. This action reminds us of the union of the whole Church with the bishop. In the Prayer of the Faithful we remember the newly confirmed, their families and sponsors, and the whole Church. After each prayer those gathered offer their responses.

The newly confirmed now join with all assembled to continue to worship God by sharing in the gift of Jesus in the Eucharist.

For what would you pray for the Confirmation candidates? Why?

The gifts of the Holy Spirit help those who are confirmed.

The different titles for the Holy Spirit describe who the Holy Spirit is and the Holy Spirit's role and power in our lives. Jesus once told his Apostles, "The Advocate, the holy Spirit that the Father will send in my name—he will teach you everything and remind you of all that [I] told you" (John 14:26). An advocate is someone who intercedes on our behalf, speaks for us, or even defends us. An advocate comforts and teaches.

Jesus also called the Holy Spirit "the Spirit of truth." (John 16:13). The Holy Spirit guides us as we learn the truths of our faith, the truths that Jesus and the Church teach us.

The Holy Spirit is with us to strengthen us to share in the mission of Jesus Christ and to be his witnesses to others. When we receive the Sacrament of Confirmation, the Holy Spirit strengthens us with special gifts. The **gifts of the Holy Spirit** are wisdom, understanding, counsel, fortitude, knowledge, piety, and fear of the Lord. These seven gifts help us to live as faithful followers of Jesus Christ.

How the Gifts of the Holy Spirit Help Us

Wisdom
helps us to see and follow God's will in our lives.

Understanding
helps us to love others as Jesus calls us to do.

Counsel
aids us in making good choices.

Fortitude
strengthens us to give witness to our faith in Jesus Christ.

Knowledge
brings us to learn more about God and his plan, and leads us to wisdom and understanding.

Piety
makes it possible for us to love and respect all that God has created.

Fear of the Lord
help us to see God's presence and love filling all creation.

How can these gifts of the Holy Spirit help you as a disciple of Jesus?

La Confirmación llama a los ungidos a vivir su bautismo como testigos de Cristo.

Cuando respondemos a los dones del Espíritu Santo nuestras vidas se llenan de los frutos del Espíritu Santo. “En cambio, los frutos del Espíritu son: amor, alegría, paz, tolerancia, amabilidad, bondad, fe, mansedumbre y dominio de sí mismo”. (Gálatas 5:22–23). Cada día al crecer en la fe, somos fortalecidos por el Espíritu Santo a oír el llamado de Dios a la santidad.

Como Iglesia nos reunimos cada semana con nuestra parroquia a celebrar que Dios está con nosotros y a recibir el gran regalo de Jesucristo mismo en la Eucaristía. Con la ayuda y la guía del Espíritu Santo, nos comprometemos a trabajar por Jesús. Continuamos la misión de Jesús predicando el Reino de Dios, un reino de justicia y paz. Nos convertimos en testigos de Cristo. Podemos hacerlo siendo gente que:

- muestra amabilidad a los pobres
- ayuda a otros a sentirse bien
- comparte con otros el gozo de nuestra fe católica
- está en contra de la injusticia y el odio
- trabaja por un mundo y una comunidad mejor.

Como católicos...

Las iglesias católicas orientales celebran el sacramento de la crismación. Este es otro nombre para la Confirmación. Crismación y la primera celebración de la Eucaristía tienen lugar después del Bautismo. Los tres sacramentos de iniciación cristiana son celebrados en una ceremonia.

Averigua si hay una iglesia católica oriental en tu ciudad o pueblo.

Añade algunas formas en que podemos ser testigos de Cristo.

- ______________________
- ______________________

RESPONDEMOS

¿Qué frutos del Espíritu Santo ves en las personas a tu alrededor? ¿Qué frutos pueden otros ver en la forma en que vives como discípulo?

dones del Espíritu Santo (pp 331)

Confirmation calls those anointed to live out their Baptism as witnesses of Jesus Christ.

When we respond to the gifts of the Holy Spirit, our lives are filled with the fruits of the Holy Spirit. "The fruit of the Spirit is love, joy, peace, patience, kindness, generosity, faithfulness, gentleness, self-control." (Galatians 5:22–23) Each day as we grow in faith, we are strengthened by the Holy Spirit to follow God's call to holiness.

As a Church we gather each week with our parish to celebrate that God is with us and to receive the great gift of Jesus Christ himself in the Eucharist. With the help and guidance of the Holy Spirit, we commit ourselves to the work of Jesus. We continue Jesus' work of spreading the message of the Reign of God, a kingdom of justice and peace. We become witnesses of Jesus Christ. We can do this by becoming people who:

- show kindness to those who are poor
- help a new person in our class feel welcome
- share with others the joy of our Catholic faith
- stand up against injustice and hatred
- work for a better community and world.

Add some other ways that we can be witnesses of Jesus Christ.

- ______________________________
- ______________________________

gifts of the Holy Spirit (p. 335)

WE RESPOND

Which fruits of the Holy Spirit do you see in the people around you? What fruits can others see in the way you live as a disciple?

As Catholics...

The Eastern Catholic Churches celebrate the Sacrament of Chrismation. *Chrismation* is another name for Confirmation. Chrismation and the first celebration of the Eucharist take place right after Baptism. So all three Sacraments of Christian Initiation are celebrated in one ceremony.

Find out if there is an Eastern Catholic Church in your city or town.

HACIENDO DISCÍPULOS

Muestra lo que sabes

Organiza las letras de estas palabras. Después usa las letras de los cuadros numerados para contestar la pregunta.

BIDASURIA

GNETILICENAI

JONSECO

CIECANI

DAPEID

MEROT ED OSDI

¿Qué nos ayuda a vivir como fieles seguidores y testigos de Jesucristo?

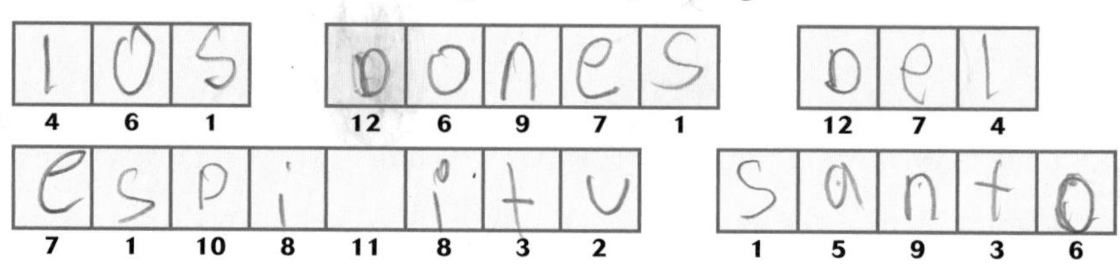

Escritura

"Pero el Consolador, el Espíritu Santo, a quien el Padre enviará en mi nombre, hará que recuerden lo que yo les he enseñado y les explicará todo". (Juan 14:26)

¿Quién está hablando? ____________________

Encierra en un círculo otro nombre para el Espíritu Santo.

Datos

Crisma santo, el aceite usado para ungir a los candidatos en el sacramento de la Confirmación es una mezcla de aceite de oliva y bálsamo. Es generalmente consagrado por el obispo en la Misa del Crisma el Jueves Santo en la mañana.

Grade 5 • Chapter 9

PROJECT DISCIPLE

Show What *you* Know

Unscramble the letters of these words. Then, use the letters in the numbered boxes to answer the question below.

SIMWDO (boxes 2 and 5 numbered 1, 2)

RANDNNUIGSDET (box 7 numbered 3)

SUENOLC (boxes 5 and 7 numbered 4, 5)

KEODLNEGW (boxes 6 and 8 numbered 6, 7)

TEYPI (boxes 1 and 5 numbered 8, 9)

RAFE FO HET DORL (boxes numbered 10, 11, 12)

What helps us to live as faithful followers and witnesses of Jesus Christ?

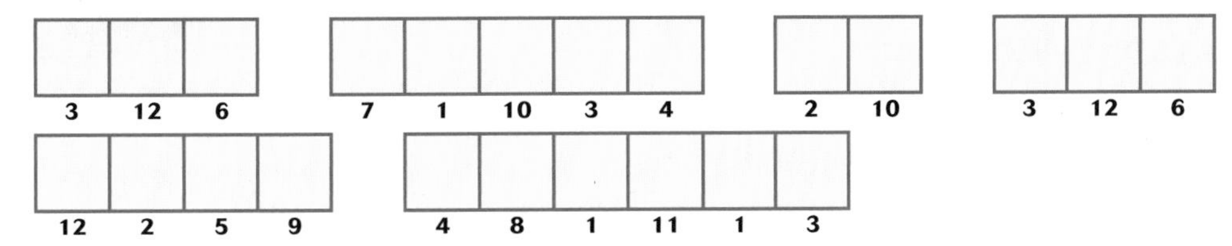

What's *the* Word?

"The Advocate, the holy Spirit that the Father will send in my name—he will teach you everything and remind you of all that [I] told you." (John 14:26)

Who is speaking? ______________________

Circle another name for the Holy Spirit.

Fast Facts

Sacred Chrism, the oil used to anoint candidates in the Sacrament of Confirmation, is a mixture of olive oil and balm. It is usually consecrated by the bishop at the Chrism Mass on Holy Thursday morning.

HACIENDO DISCIPULOS

Realidad

Haz una lista de las formas en que el Espíritu Santo te fortalece para vivir como discípulo de Jesús.

____

____

Investiga

La Iglesia Católica celebra la Jornada Mundial de la Juventud cada dos años. Los jóvenes católicos de todo el mundo se reúnen con el Santo Padre, el papa. Este evento renueva la fe, fortalece a los jóvenes como parte del cuerpo de Cristo y da testimonio de la buena nueva de Cristo. San Juan Pablo II, como papa, celebró la Primera Jornada en Roma en 1985. El papa Benedicto XVI viajó a Alemania y a Australia para las celebraciones de las Jornadas Mundiales y en el 2013, el papa Francisco celebró la Misa de clausura en el Brasil ante 3 millones de personas.

RETO PARA EL DISCIPULO

- Subraya la oración que describe lo que pasa en la Jornada Mundial de la Juventud.
- Encierra en un círculo el lugar donde se celebró la Jornada Mundial de la Juventud por primera vez.
- Investiga donde se celebrará la próxima Jornada Mundial de la Juventud.

Hazlo

Como estudiante de quinto curso, ¿cuáles son algunas formas en que puedes vivir tus promesas de bautismo como testigo de Jesucristo?

____

____

______________________________ **Compártelo.**

Tarea

"Los frutos del Espíritu son: amor, alegría, paz, tolerancia, amabilidad, bondad, fe, mansedumbre y dominio de sí mismo". (Gálatas 5:22–23)

En familia escojan uno de los frutos del Espíritu Santo. Enciérrenlo en un círculo. Después escriban acciones específicas que harán para llenar el hogar de ese fruto del Espíritu Santo.

____

____

____

PROJECT DISCIPLE

Reality Check

Make a list of ways the Holy Spirit strengthens you to live as a disciple of Jesus Christ.

____

____

More to Explore

The Catholic Church celebrates World Youth Day every two years. Catholic youth from all over the world meet with one another and with our Holy Father, the pope. This event renews faith, strengthens young people as part of the Body of Christ, and gives witness to the Good News of Christ. Saint John Paul II, as pope, held the first World Youth Day in Rome in 1985. Pope Benedict XVI traveled to Germany and Australia for World Youth Day celebrations. Pope Francis' 2013 World Youth Day closing Mass in Brazil drew 3 million people.

DISCIPLE CHALLENGE

- Underline the sentences that describe what happens at World Youth Day.
- Circle the name of the place where the first World Youth Day was held.
- Find out when and where the next World Youth Day will be held.

Make it Happen

As a fifth-grader, what are some ways that you can live out your baptismal promises as a witness of Jesus Christ?

____

____

______________________________ **Now, pass it on!**

Take Home

"The fruit of the Spirit is love, joy, peace, patience, kindness, generosity, faithfulness, gentleness, self-control." (Galatians 5:22–23)

With your family, choose one of the fruits of the Holy Spirit. Circle it. Then, write specific actions you will all take to fill your home with this fruit of the Holy Spirit.

____

____

Catequesis en el hogar

Capítulo 9 (páginas 98–109)

La Celebración de la Confirmación

En este capítulo su hijo(a) aprenderá sobre la celebración del sacramento de la Confirmación.

Para los padres

El sacramento de la Confirmación generalmente se celebra durante una Misa. Después de la Liturgia de la Palabra, toda la asamblea, incluyendo los candidatos y sus padrinos, renuevan sus promesas de bautismo. Esto muestra la relación entre la Confirmación y el Bautismo. Después que el sacramento de la Confirmación es conferido, se celebra la Liturgia de la Eucaristía. Esto muestra la relación entre la Confirmación y la Eucaristía.

Todos los días

- Encienda una vela y hagan una corta oración agradeciendo a Dios este tiempo que van a pasar juntos.

Primer día **La Confirmación nos lleva del Bautismo a la Eucaristía.**

- Señale los símbolos asociados con la presencia y poder del Espíritu Santo. Conversen sobre el símbolo del fuego como una fuerza creadora. Este puede destruir pero también puede ser una fuente de luz y calor.
- Túrnense para leer en voz alta el título de la sección y el texto. Hagan una lista de creencias católicas. Conversen sobre cómo estas pueden hacer una diferencia en el mundo.

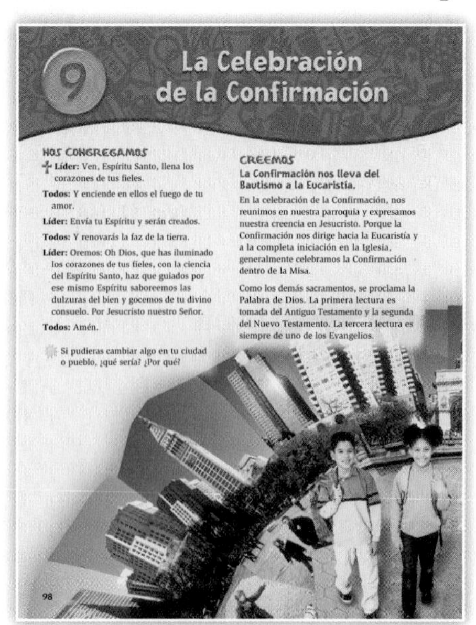

9 La Celebración de la Confirmación

NOS CONGREGAMOS

Líder: Ven, Espíritu Santo, llena los corazones de tus fieles.

Todos: Y enciende en ellos el fuego de tu amor.

Líder: Envía tu Espíritu y serán creados.

Todos: Y renovarás la faz de la tierra.

Líder: Oremos: Oh Dios, que has iluminado los corazones de tus fieles, con la ciencia del Espíritu Santo, haz que guiados por ese mismo Espíritu saboreemos las dulzuras del bien y gocemos de tu divino consuelo. Por Jesucristo nuestro Señor.

Todos: Amén.

Si pudieras cambiar algo en tu ciudad o pueblo, ¿qué sería? ¿Por qué?

CREEMOS

La Confirmación nos lleva del Bautismo a la Eucaristía.

En la celebración de la Confirmación, nos reunimos en nuestra parroquia y expresamos nuestra creencia en Jesucristo. Porque la Confirmación nos dirige hacia la Eucaristía y a la completa iniciación en la Iglesia, generalmente celebramos la Confirmación dentro de la Misa.

Como los demás sacramentos, se proclama la Palabra de Dios. La primera lectura es tomada del Antiguo Testamento y la segunda del Nuevo Testamento. La tercera lectura es siempre de uno de los Evangelios.

98

Segundo día **En el sacramento de la Confirmación somos sellados con el don del Espíritu Santo.**

- Pida a su hijo(a) que lea el título en voz baja. Después lean el texto. Ayude a su hijo(a) a recordar que los apóstoles imponían las manos sobre otros para que el Espíritu Santo viniera a ellos.
- Pregunte a su hijo(a) lo que los candidatos a la Confirmación pueden necesitar y juntos hagan una oración por ellos.

Tercer día **Los dones del Espíritu Santo ayudan a los confirmados.**

- Túrnense para leer el título y el texto que sigue. Conversen sobre el significado de los títulos *Abogado* y *Espíritu de Verdad*.
- Pida a su hijo(a) que identifique formas en las que el Espíritu Santo actúa como Abogado y como Espíritu de Verdad en su vida.

Cuarto día **La confirmación llama a los ungidos a vivir su bautismo como testigos de Cristo.**

- Túrnense para leer en voz alta el título y el texto.
- Ayude a su hijo(a) a pensar en cómo dar testimonio de Jesucristo y responder a los dones del Espíritu.

Respondemos en fe

Quinto día

- Pregunte a su hijo(a) cómo los dones del Espíritu Santo le ayudan a ser discípulo de Jesús todos los días.

Sexto día

- En familia piensen cómo pueden ser testigos de Jesucristo y responder a los dones del Espíritu.

Catechesis at Home

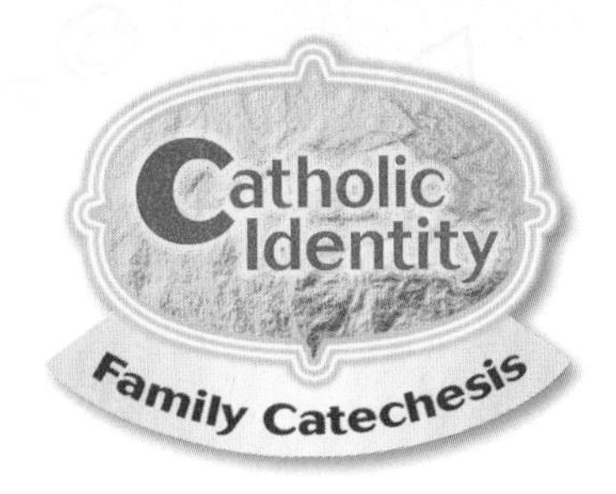

Chapter 9 (pages 98–109)

The Celebration of Confirmation

In this chapter your child will learn about the celebration of the sacrament of Confirmation.

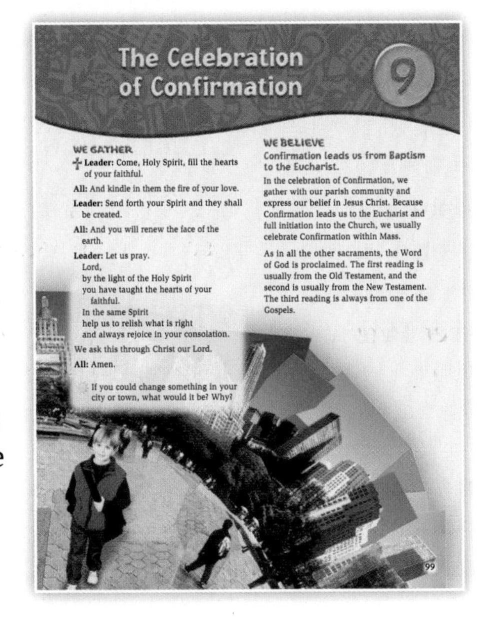

The Celebration of Confirmation

9

WE GATHER

✝ **Leader:** Come, Holy Spirit, fill the hearts of your faithful.

All: And kindle in them the fire of your love.

Leader: Send forth your Spirit and they shall be created.

All: And you will renew the face of the earth.

Leader: Let us pray.
Lord,
by the light of the Holy Spirit
you have taught the hearts of your faithful.
In the same Spirit
help us to relish what is right
and always rejoice in your consolation.
We ask this through Christ our Lord.

All: Amen.

If you could change something in your city or town, what would it be? Why?

WE BELIEVE

Confirmation leads us from Baptism to the Eucharist.

In the celebration of Confirmation, we gather with our parish community and express our belief in Jesus Christ. Because Confirmation leads us to the Eucharist and full initiation into the Church, we usually celebrate Confirmation within Mass.

As in all the other sacraments, the Word of God is proclaimed. The first reading is usually from the Old Testament, and the second is usually from the New Testament. The third reading is always from one of the Gospels.

99

For the Parents

The sacrament of Confirmation is usually celebrated during the Mass. After the Liturgy of the Word, the entire assembly, including the candidates and their sponsors, renews its baptismal vows. This shows the connection of Confirmation to Baptism. After the sacrament of Confirmation is conferred, the Liturgy of the Eucharist is celebrated. This shows Confirmation's connection to the Eucharist.

Every Day

- Light a candle and offer a short prayer asking God to bless your time together.

Day One **Confirmation leads us from Baptism to the Eucharist.**

- Point out the symbols associated with the presence and power of the Holy Spirit. Discuss the symbol of fire as a creative force. It can be destructive but it is also a source of light and warmth.
- Take turns reading aloud the *We Believe* statement and the text that follows. With your child compose a list of Catholic beliefs. Then discuss how these beliefs can make a difference in our world.

Day Two **In the sacrament of Confirmation, we are sealed with the Gift of the Holy Spirit.**

- Have your child read the statement silently. Then read the text that follows aloud. Help your child recall that the apostles laid their hands on others to fill them with the Holy Spirit.
- Ask your child what Confirmation candidates might need, and pray a prayer for them together.

Day Three **The gifts of the Holy Spirit help those who are confirmed.**

- Take turns reading the statement and the text that follows. Discuss the meaning of the titles of *Advocate* and the *Spirit of Truth.*
- Ask your child to identify ways the Holy Spirit acts as the Advocate and the Spirit of Truth in his or her life.

Day Four **Confirmation calls those anointed to live out their Baptism as witnesses of Jesus Christ.**

- Take turns reading aloud the statement and the text that follows.
- Help your child think of a way to witness to Jesus Christ and respond to the gifts of the Spirit.

We Respond in Faith

Day Five

- Ask your child how the gifts of the Holy Spirit can help him or her as a disciple of Jesus in everyday life.

Day Six

- In your family think of ways to witness to Jesus Christ and respond to the gifts of the Spirit.

Jesucristo, el Pan de Vida

NOS CONGREGAMOS

Líder: Jesús dijo: "Esfuércense por conseguir no el alimento transitorio, sino el permanente, el que da la vida eterna. Éste es el alimento que les dará el Hijo del hombre" (Juan 6:27).

Todos: Danos vida hoy y siempre.

Líder: Jesús dijo: "Yo soy el pan de vida. El que viene a mí, no volverá a tener hambre; el que cree en mí nunca tendrá sed". (Juan 6:35)

Todos: Danos vida hoy y siempre. Amén.

Nombra algunas formas en que nuestros seres queridos están cerca de nosotros aun cuando no están con nosotros.

CREEMOS

En la Eucaristía celebramos y recibimos a Jesucristo.

Todos los años el pueblo judío se reúne para celebrar la fiesta llamada **Pascua**. Ellos recuerdan la forma milagrosa en que Dios los salvó de la muerte y esclavitud de Egipto. Dios "pasó sobre" las casas de la gente de su pueblo, protegiéndolos del sufrimiento que él mandó a los egipcios.

La noche antes de morir, Jesús y los apóstoles celebraron la Pascua en Jerusalén. Durante esa comida, que llamamos la Última Cena, Jesús dio a sus discípulos una forma especial para estar con él y recordarlo.

Jesús se sentó con los apóstoles. "Después tomó pan, dio gracias, lo partió y lo dio a sus discípulos diciendo: 'Esto es mi cuerpo, que se entrega por ustedes; hagan esto en memoria mía'. Y después de la cena, hizo lo mismo con el cáliz diciendo: 'Éste es el cáliz de la nueva alianza sellada con mi sangre, que se derrama por ustedes". (Lucas 22:19–20)

Jesus Christ, the Bread of Life

10

WE GATHER

✝ **Leader:** Jesus said, "Do not work for food that perishes but for the food that endures for eternal life, which the Son of Man will give you" (John 6:27).

All: Give us life today and forever.

Leader: Jesus said, "I am the bread of life; whoever comes to me will never hunger, and whoever believes in me will never thirst" (John 6:35).

All: Give us life today and forever. Amen.

Name some ways that people we love remain close to us even when they are not with us.

WE BELIEVE

In the Eucharist we celebrate and receive Jesus Christ.

Every year the Jewish People gather to celebrate a feast called **Passover**. They remember the miraculous way that God saved them from death and slavery in ancient Egypt. God "passed over" the houses of his people, protecting them from the suffering that came to the Egyptians.

On the night before he was to die, Jesus and the Apostles celebrated Passover in Jerusalem. During this meal, which we call the Last Supper, Jesus gave his disciples a special way to remember him and to be with him.

Jesus took his place among the Apostles. "Then he took the bread, said the blessing, broke it, and gave it to them, saying, 'This is my body, which will be given for you; do this in memory of me.' And likewise the cup after they had eaten, saying, 'This cup is the new covenant in my blood, which will be shed for you." (Luke 22:19–20)

En la Última Cena Jesús nos dio el regalo de sí mismo e instituyó la Eucaristía. Por medio de la Eucaristía Jesús está siempre con nosotros. La **Eucaristía** es el sacramento del Cuerpo y la Sangre de Cristo. Jesús está verdaderamente presente bajo las apariencias de pan y vino. En el Sacramento de la Eucaristía:

- somos alimentados con la Palabra de Dios y recibimos a Jesucristo en la Comunión
- nos acercamos más a Jesús y a los demás
- la gracia recibida en el Bautismo crece en nosotros
- somos fortalecidos para amar y servir a los demás.

¿Por qué la Eucaristía es importante para los católicos?

La Eucaristía es un memorial, una comida y un sacrificio.

La Eucaristía es el único sacramento de iniciación cristiana que podemos recibir más de una vez. En la Eucaristía, honramos a Jesús recordando lo que él hizo por nosotros, compartimos una comida y participamos en un sacrificio.

Jesús dijo a sus apóstoles: "Hagan esto en memoria mía" (Lucas 22:19). Al reunirnos a partir el pan, recordamos la nueva vida que tenemos por la muerte y resurrección de Jesús. De esa forma la Eucaristía es un memorial, pero es más que recordar eventos pasados. En la Eucaristía, Cristo está verdaderamente presente. Por el poder del Espíritu Santo, el Misterio pascual del sufrimiento, muerte, resurrección y ascensión de Cristo se hace presente.

Cuando Jesús nos dio la Eucaristía, él y sus amigos estaban comiendo y celebrando. En la Eucaristía compartimos una comida. Nos nutrimos con el Cuerpo y la Sangre de Cristo. Cuando recibimos la Comunión, Jesús vive en nosotros y nosotros en él.

Durante la celebración de la Eucaristía, Jesús actúa como sacerdote. Un **sacrificio** es una ofrenda a Dios por un sacerdote en nombre de todo el pueblo. En cada celebración de la Eucaristía, el sacrificio de Jesús en la cruz, su Resurrección y su Ascensión al cielo, se hacen presentes de nuevo.

En la Eucaristía Jesús también ofrece a su Padre los dones de alabanza y acción de gracias. Toda la Iglesia también ofrece gracias y alabanzas. Nos unimos a Jesús ofreciéndonos a Dios el Padre. Ofrecemos nuestro gozo, preocupaciones y voluntad de vivir como discípulos de Jesús.

Con un compañero diseña un folleto para mostrar que la Eucaristía es una comida, un sacrificio y un memorial.

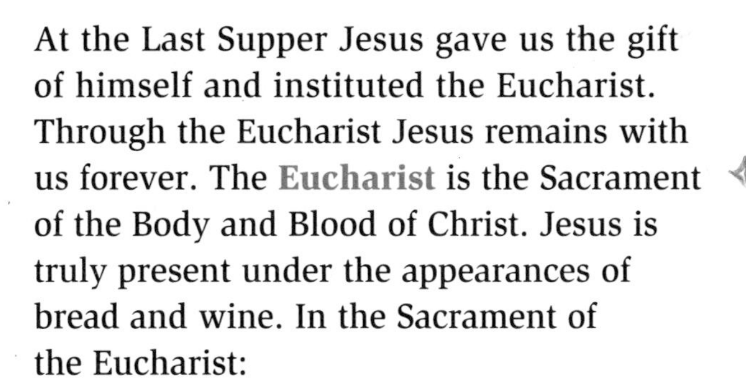

At the Last Supper Jesus gave us the gift of himself and instituted the Eucharist. Through the Eucharist Jesus remains with us forever. The **Eucharist** is the Sacrament of the Body and Blood of Christ. Jesus is truly present under the appearances of bread and wine. In the Sacrament of the Eucharist:

- we are nourished by the Word of God and receive Jesus Christ in Holy Communion
- we are joined more closely to Christ and one another
- the grace received in Baptism grows in us
- we are strengthened to love and serve others.

Why is the Eucharist important to Catholics?

The Eucharist is a memorial, a meal, and a sacrifice.

The Eucharist is the only Sacrament of Christian Initiation that we receive again and again. In the Eucharist, we honor Jesus by remembering what he did for us, share in a meal, and participate in a sacrifice.

Jesus told his Apostles to "do this in memory of me" (Luke 22:19). By gathering and breaking bread, we are remembering the new life we have because of Jesus' Death and Resurrection. In this way the Eucharist is a memorial, but is much more than just remembering past events. In the Eucharist, Christ is really present. By the power of the Holy Spirit, the Paschal Mystery of Christ's suffering, Death, Resurrection, and Ascension is made present to us.

When Jesus gave us the Eucharist, he and his friends were eating and celebrating. In the Eucharist we share in a meal. We are nourished by the Body and Blood of Christ. When we receive Holy Communion, Jesus lives in us and we live in him.

During the celebration of the Eucharist, Jesus acts through the priest. A **sacrifice** is a gift offered to God by a priest in the name of all the people. At each celebration of the Eucharist, Jesus' sacrifice on the Cross, his Resurrection, and his Ascension into heaven are made present again.

In the Eucharist Jesus also offers his Father the gifts of praise and thanksgiving. The whole Church also offers thanks and praise. We join Jesus in offering ourselves to God the Father. We offer our joys, concerns, and willingness to live as Jesus' disciples.

With a partner design a flyer to show that the Eucharist is a meal, sacrifice, and a memorial.

Reconocemos a Jesús en la fracción del pan.

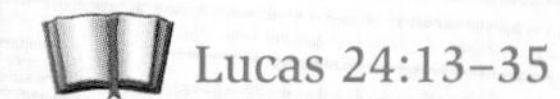 Lucas 24:13–35

El día en que Jesús resucitó, dos de sus discípulos caminaban por la villa de Emaús. Ellos estaban muy tristes por la muerte de Jesús. Habían escuchado acerca de la tumba vacía y les preocupaba. En el camino, un hombre se les unió. Era Jesús resucitado, pero ellos no lo reconocieron.

Jesús les preguntó que hablaban. Los discípulos le contestaron que hablaban sobre la muerte de Jesús y la tumba vacía, estaban sorprendidos que no hubiera oído hablar de lo que había pasado.

Mientras caminaban Jesús les enseñaba sobre lo que decía la Escritura. Cuando llegaron a Emaús, los discípulos lo invitaron a comer. En la comida Jesús tomó el pan y lo bendijo, lo partió y se lo dio. De repente, los discípulos reconocieron a Jesús resucitado. Pero en ese instante Jesús se esfumó.

Los dos discípulos regresaron a Jerusalén. Ellos les contaron a los demás lo que había sucedido y "cómo lo habían reconocido al partir el pan" (Lucas 24:35).

Los primeros cristianos "se dedicaban con perseverancia a escuchar la enseñanza de los apóstoles, vivían unidos y participaban en la fracción del pan" (Hechos de los apóstoles 2:42). Ellos usaban las palabras "partir el pan" para describir sus celebraciones de la Eucaristía.

Igual que los primeros cristianos, nos reunimos para partir el pan. El Cuerpo y la Sangre de Cristo se hacen presentes bajo las apariencias de pan y vino en la Eucaristía. Jesús está verdaderamente presente en la Eucaristía. Esto es llamado **presencia real**.

Imagina que eres uno de los discípulos de Emaús. Escribe palabras para describir tus sentimientos cuando reconociste a Jesús.

____

____

____

We recognize Jesus in the breaking of the bread.

Luke 24:13–35

On the day of Jesus' Resurrection, two disciples were walking to the village of Emmaus. They were very sad about Jesus' Death. They had heard about the empty tomb and were concerned. As the disciples were talking, a man joined them. It was the Risen Jesus, but the disciples did not recognize him.

Jesus asked them what they had been discussing. The disciples told him about the Death of Jesus and the empty tomb, and they were amazed that this stranger had not heard about this.

As they walked Jesus taught them about Scripture. When they got to Emmaus, the disciples invited Jesus to have dinner. At this meal Jesus took bread and blessed it. He then broke the bread and gave it to them. Suddenly, the disciples recognized the Risen Jesus. Then instantly, Jesus was gone.

The two disciples returned to Jerusalem. They told the others what had happened and how Jesus ". . . was made known to them in the breaking of the bread" (Luke 24:35).

The first Christians "devoted themselves to the teaching of the apostles and to the communal life, to the breaking of the bread and to the prayers" (Acts of the Apostles 2:42). They used the words "breaking of the bread" to describe their celebrations of the Eucharist.

Like the early Christians, we gather for the breaking of the bread. In the Eucharist, the Body and Blood of Christ are actually present under the appearances of bread and wine. Jesus is really and truly present in the Eucharist. This is called the **Real Presence**.

Imagine that you are one of the disciples from Emmaus. Write words that describe your feelings when you recognize Jesus.

____

____

____

Jesús es el Pan de Vida.

Antes de Jesús morir hizo el milagro de alimentar a los que tenían hambre. Él dio de comer a más de cinco mil personas con cinco panes y dos peces. Al día siguiente la gente le preguntó sobre lo que había hecho. Él les dijo: "Yo soy el pan que da vida. El que viene a mí no volverá a tener hambre; el que cree en mí nunca tendrá sed" (Juan 6:35).

Lo seguidores de Jesús sabían que necesitaban el pan para vivir. Pero Jesús quería que ellos supieran que necesitan creer en él para tener vida en Dios. Jesús continuó: "Yo soy ese pan vivo bajado del cielo" (Juan 6:51).

Al llamarse Pan de Vida y Pan Vivo, Jesús ayudó a sus discípulos a entender que él era el Hijo de Dios enviado a traerles la vida de Dios. Jesús trae la vida de Dios para siempre. Cualquiera que cree verdaderamente que Jesús es el Hijo de Dios y vive como su discípulo tendrá vida eterna.

Jesús quiere que nos alimentemos con su vida para que podamos ayudar a los demás en su nombre. Él quiere que tengamos la vida de Dios eternamente. Así que se dio a sí mismo en la Eucaristía. Él es nuestro Pan de Vida. Cuando recibimos la Eucaristía, participamos en la vida de Dios.

Cuando recibimos el Cuerpo y la Sangre de Cristo en la Comunión, nuestra relación con Dios y con los demás se fortalece. Nos convertimos en el Cuerpo de Cristo, la Iglesia. Estamos mejor preparados para vivir nuestra fe en el mundo como hijos de Dios. Podemos hacer esto protegiendo la vida, aceptando los derechos de los demás y ayudando a los necesitados.

RESPONDEMOS

Pan de Vida

Pan de Vida, cuerpo del Señor,
santa copa, Cristo Redentor.
Su justicia nos convertirá.
Poder es servir porque Dios es amor.
Poder es servir porque Dios es amor.

Como católicos...

Una alianza es un acuerdo hecho entre Dios y su pueblo. Dios hizo una alianza con Moisés y su pueblo después de escapar de Egipto. Dios prometió ser su Dios, protegerlos y cubrir sus necesidades. El pueblo prometió ser su pueblo. Ellos adorarían el único verdadero Dios y cumplirían sus leyes.

Los cristianos creen que una nueva alianza fue hecha con la muerte y resurrección de Jesús. Por medio de esta nueva alianza hemos sido salvados y se hace posible que participemos de nuevo en la vida de Dios. Al celebrar la Eucaristía esta semana recuerda que estamos celebrando la nueva alianza.

Vocabulario

Pascua (pp 332)
Eucaristía (pp 331)
sacrificio (pp 333)
presencia real (pp 333)

Jesus is the Bread of Life.

Before Jesus died he performed a miracle to feed his hungry disciples. He fed about five thousand people with only five loaves of bread and two fish. The next day people asked Jesus about what he had done. He told them, "I am the bread of life; whoever comes to me will never hunger, and whoever believes in me will never thirst" (John 6:35).

Jesus' followers knew that they needed bread to live. But he wanted them to know that belief in him is needed to have life with God. Jesus continued, "I am the living bread that came down from heaven" (John 6:51).

By calling himself the Bread of Life and the Living Bread, Jesus helped his disciples to understand that he was the Son of God sent to bring God's life to them. Jesus brings life with God forever. Whoever truly believes that Jesus is the Son of God and lives as his disciple will have eternal life.

Jesus wants us to be nourished by his life so that we can help others in his name. He wants us to have life with God forever. So he gives himself to us in the Eucharist. He is our Bread of Life. When we receive the Eucharist, we share in God's own life.

When we receive the Body and Blood of Christ in Holy Communion, our relationship with Christ and one another is strengthened. We become the Body of Christ, the Church. We are better able to live our faith in the world as children of God. We can do this by protecting life, respecting the rights of others, and helping people to meet their needs.

WE RESPOND

I Am the Bread of Life

I am the Bread of life.
You who come to me shall not hunger;
and who believe in me shall not thirst.
No one can come to me unless the
Father beckons.

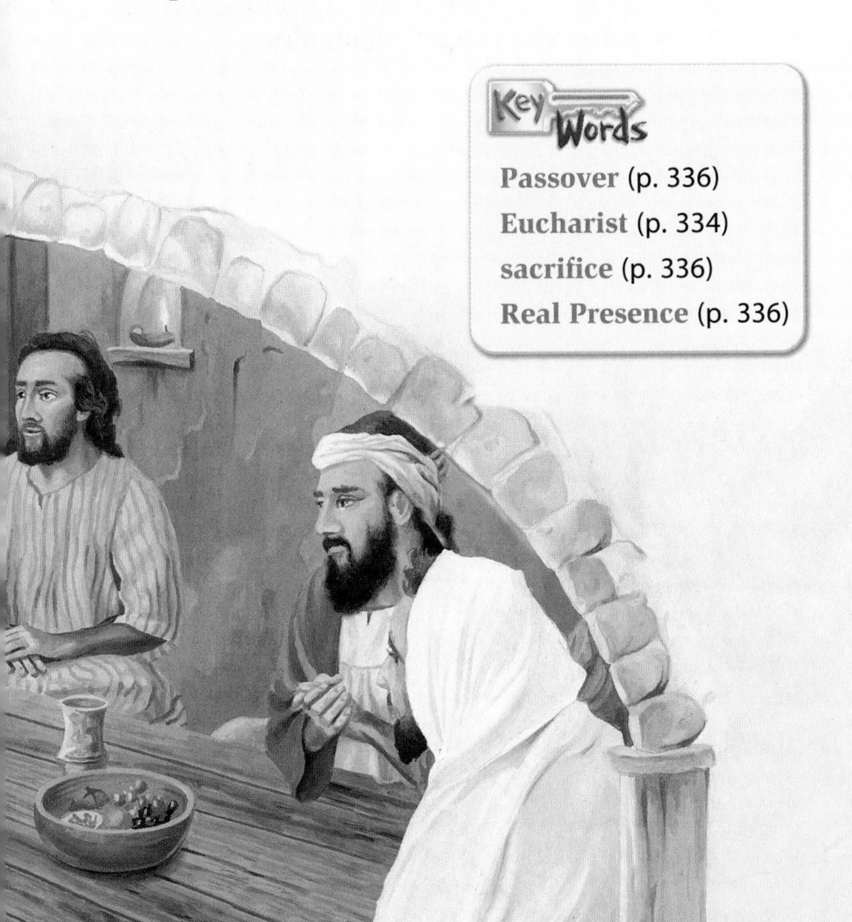

Key Words

Passover (p. 336)
Eucharist (p. 334)
sacrifice (p. 336)
Real Presence (p. 336)

As Catholics...

A covenant is an agreement made between God and his people. God made a covenant with Moses and his people after their escape from Egypt. God promised to be their God and to protect and provide for them. The people promised to be his people. They would worship the one true God and live by his laws.

Christians believe that a new covenant was made by Jesus' Death and Resurrection. Through this new covenant we are saved, and it is possible for us to share in God's life again. As we celebrate the Eucharist this week remember that we are celebrating the new covenant.

Muestra lo que sabes

Completa lo siguiente usando las palabras y definiciones del Vocabulario.

1. La fiesta que los judíos llaman ______________ recuerda la forma milagrosa en que ______________ los salvó de la muerte y la esclavitud de ______________.

2. La ______________ es el sacramento del ______________ y la Sangre de ______________. Jesús está verdaderamente ______________ bajo las apariencias de ______________ y ______________.

3. Un ______________ es una ofrenda a Dios hecha por un ______________ en nombre de todo el ______________.

4. Jesús está verdaderamente ______________ en la Eucaristía. Esto es llamado ______________ Real.

Datos

La imagen más conocida de la Última Cena es la pintura de Leonardo Da Vinci. La enorme pintura (15 pies por 29 pies) cubre una pared entera en el comedor de un convento en Italia. Los historiadores consideran que este es uno de los ejemplos más finos en el mundo de la perspectiva desde un punto. La atención de los espectadores se dirige hacia el centro y al sujeto del trabajo—Jesucristo. Da Vinci completó el trabajo en 1498. Una reparación mayor fue terminada en 1999.

Show What you Know

Complete the following using the Key Words and definitions.

1. On a feast called ________________, Jewish People remember the miraculous way that ________________ saved them from death and slavery in ancient ________________.

2. The ________________ is the Sacrament of the ________________ and Blood of ________________. Jesus is truly ________________ under the appearances of ________________ and ________________.

3. A ________________ is a gift offered to God by a ________________ in the name of all the ________________.

4. Jesus is really and truly ________________ in the Eucharist. This is called the Real ________________.

The most well known image of the Last Supper is Leonardo da Vinci's painting. The huge painting (15 feet by 29 feet) covers an entire wall in the dining room of a convent in Italy. Art historians consider it one of the world's finest examples of one-point perspective. The attention of viewers is drawn to the center and subject of the work—Jesus Christ. Da Vinci completed the work in 1498. A major restoration was completed in 1999. See a copy of the painting on page 118.

HACIENDO DISCIPULOS

Investiga

Todos los años celebramos la fiesta de Corpus Christi, dos domingos después de Pentecostés. *Corpus Christi* significa Cuerpo de Cristo en latín. Celebramos la presencia de Jesucristo y la vida que Jesús nos trae en la Eucaristía. Muchas parroquias celebran con una Misa y una procesión en honor al Santísimo Sacramento, la Eucaristía. El sacerdote lleva la Eucaristía en una custodia. La gente lleva estandartes y flores.

RETO PARA EL DISCIPULO

- Subraya la frase en latín que significa Cuerpo de Cristo.
- Encierra en un círculo el objeto especial donde el sacerdote lleva la Eucaristía.

Visita **religion.sadlierconnect.com** y busca en *Liturgia para la semana* "La fiesta de Corpus Christi" para aprender más sobre esta fiesta.

Haz *lo*

Esta semana invitaré a

____
(nombre)

a participar en la celebración de la Eucaristía.

Tarea

En cada celebración de la Eucaristía toda la Iglesia da gracias y rinde culto. Cuando nos reunimos como una familia, también podemos dar gracias a Dios y alabarlo. Esta semana, alaba y da gracias a Dios por

____

____

____

____

Recuerda dar gracias a Dios y alabarlo por esos dones en cada comida.

PROJECT DISCIPLE

More to Explore

Each year we celebrate the Feast of the Body and Blood of Christ on the second Sunday after Pentecost. It is sometimes called "Corpus Christi Sunday" because the term *Body of Christ* comes from the Latin words *Corpus Christi*. We celebrate the presence of Jesus Christ and the life that Jesus brings us in the Eucharist. Many parishes celebrate with a Mass and procession in honor of the Blessed Sacrament, the Eucharist. The priest carries the Eucharist in a special holder called the *monstrance*. People carry banners and flowers.

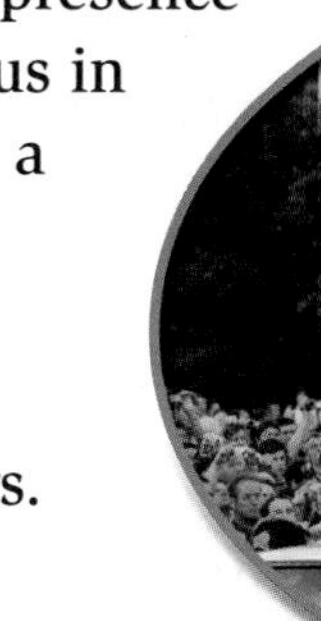

DISCIPLE CHALLENGE

- Underline the Latin phrase that means "Body of Christ."
- Circle the name of the special holder carried by the priest that contains the Eucharist.

Search *This Week's Liturgy* on **religion.sadlierconnect.com** to learn more about the Feast of the Body and Blood of Christ.

Make it Happen

This week, I will invite

____
(name)

to participate in the celebration of the Eucharist with me.

Take Home

In every celebration of the Eucharist, the whole Church offers thanks and praise. When we gather as a family, we too can offer God thanks and praise. This week, we thank and praise God for

____

____

____

____

Remember to offer God thanks and praise for these gifts at each family meal.

Catequesis en el hogar

Capítulo 10 (páginas 110–121)

Jesucristo, el Pan de Vida

En este capítulo su hijo(a) aprenderá sobre la importancia de la Eucaristía y que Jesús es el Pan de Vida.

Para los padres

Ya fuera reunido con sus discípulos o ayudando a otros, la mayor parte del ministerio de Jesús en la tierra giraba acerca de comidas. En la última cena, Jesús partió el pan y pasó el cáliz diciendo que eran su Cuerpo y Sangre. Jesús añadió: "Hagan esto en memoria mía (Lucas 22:19). Obedecemos este mandato de Jesús cuando celebramos la Eucaristía. La Eucaristía es el memorial de la pasión, muerte, resurrección y ascensión de Cristo—misterio pascual. Es una comida y un sacrificio que hace presente el sacrificio de Cristo en la cruz.

Todos los días

- Encienda una vela y tomen un momento para aquietarse.
- Juntos hagan la señal de la cruz. Hagan una corta oración agradeciendo a Dios por este tiempo que van a pasar juntos.

Primer día **En la Eucaristía celebramos y recibimos a Jesucristo.**

- Túrnense para leer en voz alta el título y el texto que sigue.
- Explique que la fiesta de Pascua conmemora que Dios salvó al pueblo judío de la esclavitud de Egipto bajo el liderazgo de Moisés. Enfatice que Jesús y sus apóstoles celebraron la Pascua la noche antes de la muerte de Jesús.

Segundo día **La Eucaristía es un memorial, una comida y un sacrificio.**

- Lea en voz alta el título y el texto que sigue.
- Pida a su hijo(a) que explique el significado de las palabras *Pascua*, *Eucaristía* y *sacrificio*.

Tercer día **Reconocemos a Jesús en la fracción del pan.**

- Túrnense para leer en voz alta el título y el texto que sigue. Ponga énfasis en que la frase *partir el pan* se refiere a la celebración de la Eucaristía.
- Pida a su hijo(a) que se imagine que es uno de los discípulos de Emaús y luego escriba palabras para describir los sentimientos al reconocer a Jesús.

Cuarto día **Jesús es el Pan de Vida.**

- Pida a su hijo(a) que lea en voz baja el título y el texto que sigue. Enfatice que la gente estaba admirada de lo que hacía Jesús.
- Señale que las palabras de Jesús también están dirigidas a nosotros hoy. Necesitamos recibir el Pan de Vida para fortalecer nuestra fe.

Respondemos en fe

Quinto día

- Pida a su hijo(a) que explique por qué la Eucaristía es importante para los católicos.

Sexto día

- Planifique celebrar una comida especial en familia cada mes. Marque la fecha en el calendario de la familia y asigne los trabajos para la preparación.

Catechesis at Home

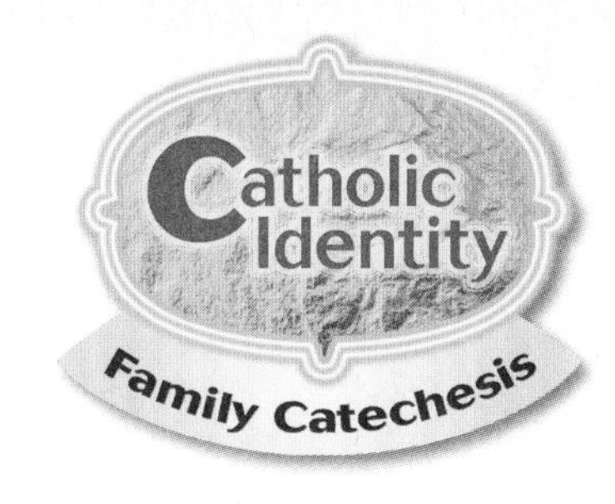

Chapter 10 (pages 110–121)

Jesus Christ, the Bread of Life

In this chapter your child will learn about the importance of Eucharist and that Jesus is the Bread of Life.

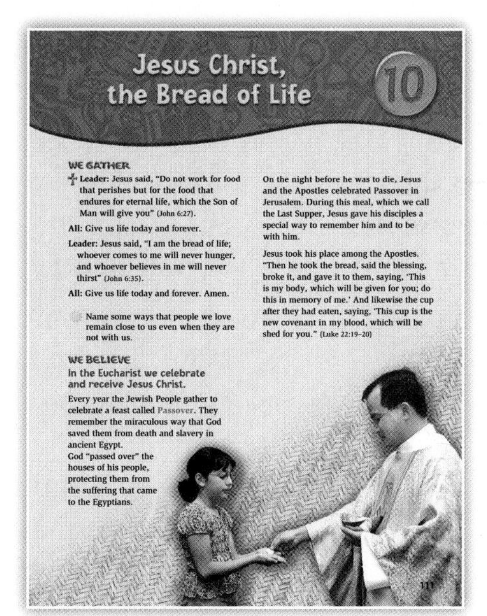

Jesus Christ, the Bread of Life

10

WE GATHER

Leader: Jesus said, "Do not work for food that perishes but for the food that endures for eternal life, which the Son of Man will give you" (John 6:27).

All: Give us life today and forever.

Leader: Jesus said, "I am the bread of life; whoever comes to me will never hunger, and whoever believes in me will never thirst" (John 6:35).

All: Give us life today and forever. Amen.

Name some ways that people we love remain close to us even when they are not with us.

WE BELIEVE

In the Eucharist we celebrate and receive Jesus Christ.

Every year the Jewish People gather to celebrate a feast called Passover. They remember the miraculous way that God saved them from death and slavery in ancient Egypt. God "passed over" the houses of his people, protecting them from the suffering that came to the Egyptians.

On the night before he was to die, Jesus and the Apostles celebrated Passover in Jerusalem. During this meal, which we call the Last Supper, Jesus gave his disciples a special way to remember him and to be with him.

Jesus took his place among the Apostles. "Then he took the bread, said the blessing, broke it, and gave it to them, saying, 'This is my body, which will be given for you; do this in memory of me.' And likewise the cup after they had eaten, saying, 'This cup is the new covenant in my blood, which will be shed for you." (Luke 22:19–20)

111

For the Parents

Whether gathered with his disciples or reaching out to others, much of Jesus' earthly ministry revolved around meals. At the Last Supper, Jesus broke the bread and passed the cup, saying that they were now his Body and Blood. Then Jesus added the command to "do this in memory of me" (Luke 22:19). We obey Jesus' command whenever we gather to celebrate the Eucharist. The Eucharist is the memorial of Christ's passion, death, Resurrection, and Ascension—the Paschal Mystery. It is a meal. Likewise, the Eucharist is a sacrifice, making present the sacrifice of Christ on the cross.

Every Day

- Light a candle and take a few moments to quiet yourselves.
- Pray the Sign of the Cross together, and offer a short prayer asking God to bless your time together.

Day One **In the Eucharist we celebrate and receive Jesus Christ.**

- Take turns reading aloud the *We Believe* statement and the text that follows.
- Explain that the feast of Passover commemorates God's saving the Jewish people from death and, under Moses' leadership, delivering them from suffering and slavery. Stress that Jesus and his apostles celebrated the Passover the night before he died.

Day Two **The Eucharist is a memorial, a meal, and a sacrifice.**

- Read aloud the statement and the text that follows.
- Have your child explain the meanings of *Passover*, *Eucharist*, and *sacrifice*.

Day Three **We recognize Jesus in the breaking of the bread.**

- Take turns reading aloud the statement and the text that follows. Emphasize that the phrase *breaking of the bread* refers to the celebration of the Eucharist.
- Ask your child to imagine being one of the disciples from Emmaus, and then describe his or her feelings at recognizing Jesus.

Day Four **Jesus is the Bread of Life.**

- Have your child read the statement and the text that follows silently. Stress that the people were amazed at Jesus' words.
- Point out that Jesus' words are meant for us today. We need to receive the Bread of Life to be nourished and strengthened in our faith.

We Respond in Faith

Day Five

- Have your child explain why the Eucharist is important to Catholics.

Day Six

- Each month, plan to celebrate a special family meal together. Mark the date on your family calendar and assign roles for the preparation.

La celebración de la Eucaristía

NOS CONGREGAMOS

Líder: Vamos a escuchar la historia de Jesús y sus apóstoles cuando estaban reunidos para la Última Cena.

Lector 1: Jesús dijo a sus apóstoles.

"'¡Cómo he deseado celebrar esta pascua con ustedes antes de morir! Porque les digo que no la volveré a celebrar hasta que tenga su cumplimiento en el reino de Dios'. Tomó entonces un cáliz, dio gracias y dijo: 'Tomen esto y repártanlo entre ustedes; pues les digo que ya no beberé del fruto de la vid hasta que llegue el reino de Dios'". (Lucas 22:15–18)

Todos: Jesús, diste tu vida por nosotros.

Somos todos el pueblo de Dios/ We Are All the People of God.

Todos unidos en un solo amor,
somos todos el pueblo de Dios.
Y alabamos tu nombre, Señor.
Somos todos el pueblo de Dios.

Alaben con cantos a nuestro Dios.
Te alabe toda tu creación.

Nombra un momento en que todos en la escuela se reúnen en comunidad. ¿Por qué es un momento importante?

CREEMOS

Los Ritos iniciales nos unen como comunidad.

Misa es otro nombre para la celebración de la Eucaristía. En la Misa la Iglesia se reúne como Cuerpo de Cristo. La asamblea, o comunidad de personas reunidas para rendir culto en nombre de Jesús, participa de muchas formas durante la Misa. Algunas de las cosas que hacemos es cantar, escuchar y responder a las lecturas, rezar por el pueblo y recibir la Comunión.

Muchas personas ayudan durante la celebración de la Misa. Las diferentes formas en que la gente sirve en la Iglesia son llamadas ministerios litúrgicos.

The Celebration of the Eucharist

WE GATHER

Leader: Let us listen to the story of Jesus and his Apostles as they gathered for the Last Supper.

Reader: Jesus said to the Apostles,

"'I have eagerly desired to eat this Passover with you before I suffer, for, I tell you, I shall not eat it [again] until there is fulfillment in the kingdom of God.' Then he took a cup, gave thanks, and said, 'Take this and share it among yourselves; for I tell you [that] from this time on I shall not drink of the fruit of the vine until the kingdom of God comes.'"
(Luke 22:15–18)

All: Jesus, you have given your life for us.

We Belong to God's Family

Refrain:

We belong to God's family.
Brothers and sisters are we,
singing together in unity
about one Lord and one faith,
one family.

We are one in the body of
Jesus Christ the Lord.
We are one in the blood of him
whom earth and heaven adore.
(Refrain)

Name a time when everyone in your school gathers together as one community. Why is this an important time?

WE BELIEVE

The Introductory Rites bring us together as a community.

The Mass is another name for the celebration of the Eucharist. In the Mass the Church gathers as the Body of Christ. The assembly, or community of people gathered to worship in the name of Jesus, participates in many ways throughout the Mass. Some of the things we do are sing, listen and respond to the readings, pray for all people, and receive Holy Communion.

There are many people who help us during the celebration of the Mass. The different ways that people serve the Church in worship are called liturgical ministries.

Es el sacerdote quien preside y celebra la Eucaristía para y con el Pueblo de Dios. Él hace y dice lo que Jesús hizo en la Última Cena. El diácono tiene el papel especial de proclamar el Evangelio y predicar. Él ayuda en el altar y dirige a la asamblea en algunas oraciones.

Los acólitos sirven ayudando en varias formas antes, durante y después de la Misa. Los lectores proclaman la Palabra de Dios y los ministros extraordinarios de la Sagrada Comunión ayudan a distribuir la Comunión. Los ujieres nos saludan antes de empezar la Misa. Los músicos dirigen a la asamblea a participar cantando.

Habla sobre como puedes ayudar a otros a participar en la celebración de la Misa dominical de tu parroquia.

La Misa tiene cuatro partes: los Ritos Iniciales, la Liturgia de la Palabra, la Liturgia Eucarística y el Rito de Conclusión. (Ver pp 310–311). Los **Ritos Iniciales** es la parte de la Misa que nos une como comunidad. Nos prepara para escuchar la Palabra de Dios y para celebrar la Eucaristía. Durante este tiempo pedimos perdón a Dios en el Rito Penitencial. Los domingos podemos cantar o rezar el *Gloria*.

Durante la Liturgia de la Palabra, escuchamos y respondemos a la Palabra de Dios.

Después de los Ritos Iniciales, escuchamos la Palabra de Dios proclamada de la Escritura. La **Liturgia de la Palabra** es la parte de la Misa en la que escuchamos y respondemos a la Palabra de Dios.

Escuchamos sobre el gran amor de Dios por su pueblo. Escuchamos sobre la vida y las enseñanzas de Cristo. Profesamos nuestra fe y rezamos por todos los necesitados.

Proclamar es anunciar claramente y desde el corazón. Proclamar durante la liturgia es anunciar con fe. Nuestra respuesta a las lecturas proclama nuestra fe en la Palabra de Dios. Después de las dos primeras lecturas respondemos: "Te alabamos, Señor". Después del Evangelio respondemos: "Gloria a ti, Señor Jesús". La homilía es también una proclamación. Las palabras del diácono, o el sacerdote, son una llamada a vivir la buena nueva y a ser testigos de Cristo.

Después, la asamblea hace la oración universal u oración de los fieles. Un miembro de la asamblea hace las peticiones y respondemos: "Señor, escucha nuestra oración", u otra respuesta apropiada.

Como Cuerpo de Cristo unidos en la adoración, rezamos por las necesidades de toda la Iglesia, todos sus líderes y por el papa. Rezamos por la comunidad local, por los líderes mundiales y por los que tienen posiciones públicas. Pedimos a Dios por los que sufren, por los enfermos y por los necesitados. También rezamos para que los que han muerto experimenten el amor de Dios.

Con un compañero menciona formas en que pueden escuchar mejor la Palabra de Dios.

The celebrant is the priest who celebrates the Eucharist for and with the People of God. He does and says the things Jesus did at the Last Supper. The deacon has a special role in proclaiming the Gospel and in the preaching. He assists at the altar and leads the assembly in certain prayers.

Altar servers assist in many ways before, during, and after Mass. Readers proclaim the Word of God and extraordinary ministers of Holy Communion help to distribute Holy Communion. Greeters or ushers often welcome us before Mass begins. Musicians help the whole assembly participate through song.

Talk about one way you can help others to participate in your parish's Sunday celebration of the Mass.

There are four parts to the Mass: the Introductory Rites, the Liturgy of the Word, the Liturgy of the Eucharist, and the Concluding Rites. (See charts on pages 322–333.) The **Introductory Rites** is the part of the Mass that unites us as a community. It prepares us to hear God's Word and to celebrate the Eucharist. During this time we ask God for mercy in the Penitential Rite. On Sundays we may sing or say the *Gloria*.

During the Liturgy of the Word, we listen and respond to the Word of God.

After the Introductory Rites, we listen to the living Word of God proclaimed from Scripture. The **Liturgy of the Word** is the part of the Mass in which we listen and respond to God's Word. We hear about God's great love for his people. We hear about the life and teaching of Christ. We profess our faith and pray for all people in need.

To proclaim something is to announce it clearly and from the heart. To proclaim during the liturgy is to announce with faith. Our response to the readings proclaims our belief in God's Word. After the first and second reading we respond, "Thanks be to God." After the Gospel we respond, "Praise to you, Lord Jesus Christ." The homily is a proclamation, too. The words of the deacon or priest are a call to live the Good News and to be witnesses to Christ.

Next, the assembly prays the Prayer of the Faithful. Members of the assembly read the prayers, and we all respond, "Lord, hear our prayer" or another suitable response.

As the Body of Christ united for worship, we pray for the needs of the whole Church, for the pope, and all Church leaders. We pray for our local community. We ask God to guide world leaders and those in public positions. We call on God to be with those who suffer from sickness and to help us care for those who are in need. We also pray that those who have died may experience God's love.

With a partner name ways we can better listen to God's Word.

Durante la Liturgia eucarística, rezamos la oración de acción de gracias y recibimos el Cuerpo y la Sangre de Cristo.

La **Liturgia eucarística** es la parte de la Misa en la que la muerte y resurrección de Cristo se hacen presentes de nuevo. En esta parte nuestras ofrendas de pan y vino se convierten en el Cuerpo y la Sangre de Cristo, que recibimos en la Comunión. La **Liturgia eucarística** tiene tres partes: la preparación de las ofrendas, la Plegaria eucarística y el rito de la Comunión.

Durante la preparación de las ofrendas, se prepara el altar y llevamos las ofrendas. Estas ofrendas incluyen el pan y el vino y la colecta para la Iglesia y los necesitados.

La Plegaria eucarística es la oración más importante de la Iglesia. Es nuestra gran oración de alabanza y acción de gracias.

En esta oración damos gracias a Dios, alabamos y cantamos el "Santo". El sacerdote llama al Espíritu Santo para que bendiga las ofrendas de pan y vino y recuerda las palabras y acciones de Jesús en la Última Cena. Esta parte de la oración se llama **consagración**. Por el poder del Espíritu Santo y por las palabras y acciones del sacerdote, el pan y el vino se convierten en el Cuerpo y la Sangre de Cristo. Esto se llama transubstanciación.

Después rezamos por las necesidades de la Iglesia. Rezamos para que todos los que reciben el Cuerpo y la Sangre de Cristo sean uno. Cantamos o decimos el gran "Amén", y nos unimos en esta gran oración de gracias rezada por el sacerdote en nuestro nombre y en nombre de Cristo.

El rito de la Comunión es la tercera parte de la Liturgia eucarística. Rezamos en voz alta o cantamos el padrenuestro y nos damos el saludo de la paz. Rezamos en voz alta o cantamos el Cordero de Dios, pidiendo a Jesús misericordia, perdón y paz. El sacerdote parte la Hostia y somos invitados a compartir la Eucaristía. Se nos muestra la Hostia y escuchamos: "El Cuerpo de Cristo". Se nos muestra la copa y escuchamos: "La Sangre de Cristo". Cada persona responde "Amén" y recibe la Comunión.

Todos los días se nos llama a dar gracias y alabanzas a Dios. ¿Por qué darás gracias y alabarás hoy?

Como católicos...

El leccionario es una colección de lecturas bíblicas que han sido asignadas a diferentes días del año litúrgico. Tratamos el leccionario con respeto porque contiene la Palabra de Dios. Tratamos el libro de los Evangelios con reverencia porque contiene la buena nueva de Jesucristo.

¿Cómo muestran el diácono y el sacerdote la importancia del libro de los evangelios?

During the Liturgy of the Eucharist, we pray the great prayer of thanksgiving and receive the Body and Blood of Christ.

The **Liturgy of the Eucharist** is the part of the Mass in which the Death and Resurrection of Christ are made present again. In this part of the Mass our gifts of bread and wine become the Body and Blood of Christ, which we receive in Holy Communion. The Liturgy of the Eucharist has three parts: the Preparation of the Gifts, the Eucharistic Prayer, and the Communion Rite.

During the Preparation of the Gifts, the altar is prepared, and we offer gifts. These gifts include the bread and wine and the collection for the Church and for those in need.

The Eucharistic Prayer is truly the most important prayer of the Church. It is our greatest prayer of praise and thanksgiving. In this prayer we offer God thanks and praise and sing "Holy, Holy, Holy." The priest calls on the Holy Spirit to bless the gifts of bread and wine, and he recalls Jesus' words and actions at the Last Supper. This part of the prayer is called the **Consecration**. By the power of the Holy Spirit and through the words and actions of the priest, the bread and wine become the Body and Blood of Christ. This is called transubstantiation.

We then pray for the needs of the Church. We pray that all who receive the Body and Blood of Christ will be joined. We sing or say the great "Amen," and unite ourselves to this great prayer of thanksgiving which is prayed by the priest in our name and in the name of Christ.

The Communion Rite is the third part of the Liturgy of the Eucharist. We pray aloud or sing the Lord's Prayer, and we offer one another a sign of peace. We say aloud or sing the Lamb of God, asking Jesus for his mercy, forgiveness, and peace. The priest breaks apart the Host, and we are invited to share in the Eucharist. We are shown the Host and hear "The Body of Christ." We are shown the cup and hear "The Blood of Christ." Each person responds "Amen" and receives Holy Communion.

Everyday we are called to give God thanks and praise. For what will you give thanks and praise today?

As Catholics...

The Lectionary is a collection of Scripture readings that have been assigned to the various days of the Church year. We treat the Lectionary with respect because it contains the Word of God. We treat the Book of the Gospels with special reverence because it contains the Good News of Jesus Christ.

How do the deacon and the priest show the importance of the Book of the Gospels?

El Rito de conclusión nos envía a ser cuerpo de Cristo para los demás.

La Eucaristía es alimento. Somos debilitados por el pecado o podemos estar alejados de Dios. La Eucaristía renueva nuestro bautismo y repara nuestras fuerzas.

La Eucaristía nos envía a cuidar de las necesidades de los demás. Jesús se da libremente a sí mismo en la Comunión. Él nos pide hacer lo mismo. Al terminar la Misa él nos envía a darnos libremente para ayudar a los demás.

Cuando trabajamos para cambiar las cosas que impiden que la gente tenga lo que necesita, mostramos el poder de la vida de Dios en nuestras vidas y en la Iglesia.

La última parte de la Misa es el **Rito de conclusión**. En este rito somos bendecidos y enviados a servir a Cristo en el mundo y a amar a los demás como él nos ama.

Después de la bendición, el diácono, o el sacerdote, dice: "Podéis ir en paz". Se nos envía a hacer del mundo un lugar mejor para vivir. Decimos: "Demos gracias a Dios". Decimos estas palabras para mostrar que estamos agradecidos y dispuestos a hacer lo que podamos para vivir como Pueblo de Dios.

RESPONDEMOS

En grupo hagan una lista de las formas en que podemos vivir como Pueblo de Dios con nuestros amigos y nuestros vecinos.

____

____

____

____

____

Vocabulario

Ritos iniciales (pp 333)

Liturgia eucarística (pp 332)

consagración (pp 331)

Rito de conclusión (pp 333)

Liturgia de la Palabra (pp 332)

The Concluding Rites sends us out to be the Body of Christ to others.

The Eucharist is nourishment. We can be weakened by sin or can find ourselves turning from God. The Eucharist renews our Baptism and restores our strength.

The Eucharist commits us to caring for the needs of others. Jesus gives himself freely to us in Holy Communion. He asks us to do the same. He sends us out from Mass to give ourselves freely to help others. When we work to change the things that keep people from having what they need, we show the power of God's life in our lives and in the Church.

The last part of the Mass is called the **Concluding Rites**. In this rite we are blessed and sent forth to be Christ's servants in the world and to love others as he has loved us.

After the blessing, the deacon or priest says these or other words: "Go and announce the Gospel of the Lord." We are sent out to make the world a better place to live. So we say, "Thanks be to God." We say these words to show that we are thankful and willing to do all that we can to live as the People of God.

WE RESPOND

In a group list some ways we can live as the People of God with our friends and in our neighborhoods.

____

____

____

____

____

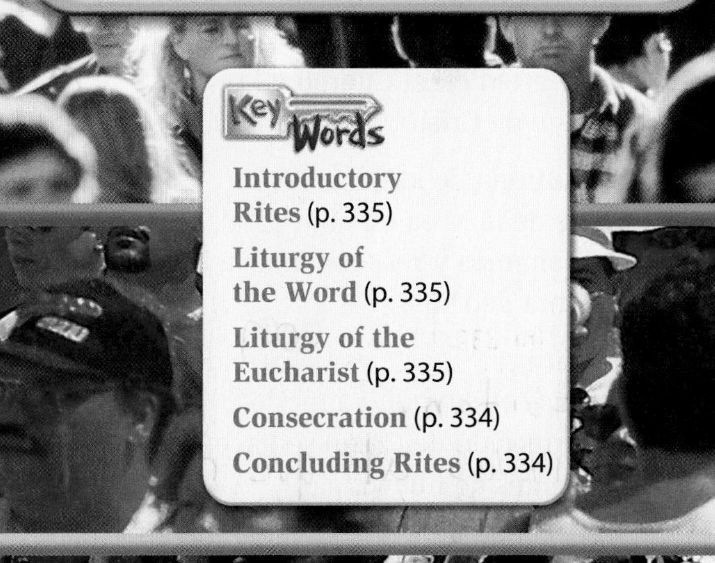

Key Words

Introductory Rites (p. 335)
Liturgy of the Word (p. 335)
Liturgy of the Eucharist (p. 335)
Consecration (p. 334)
Concluding Rites (p. 334)

HACIENDO DISCÍPULOS

Emily Martinez

Muestra lo que sabes

Completa el crucigrama usando las palabras del .

Horizontales

2. En los Ritos ______ nos preparamos para escuchar la Palabra de Dios y celebrar la Eucaristía.
5. En el Rito de ______ somos bendecidos y enviados a servir a Cristo en el mundo y a amar a los demás.

Verticales

1. La ______ es la parte de la Plegaria eucarística cuando, por el poder del Espíritu Santo y por las palabras y acciones del sacerdote, el pan y el vino se convierten en el Cuerpo y la Sangre de Cristo.
3. La Liturgia de la ______ es la parte de la Misa en la que escuchamos y respondemos a la Palabra de Dios.
4. La Liturgia ______ es la parte de la Misa en la que la muerte y resurrección de Cristo se hacen presentes de nuevo.

PROJECT DISCIPLE

Show What you Know

Complete the crossword puzzle using Key Words.

Across

5. In the ______ Rites we prepare to hear God's Word and celebrate the Eucharist.

Down

1. The ______ is the part of the Eucharistic Prayer when, by the power of the Holy Spirit and through the words and actions of the priest, the bread and wine become the Body and Blood of Christ.
2. The Liturgy of the ______ is the part of the Mass in which we listen and respond to God's Word.
3. The Liturgy of the ______ is the part of the Mass in which the Death and Resurrection of Christ are made present again.
4. In the ______ Rites we are blessed and sent forth to be Christ's servants in the world and to love others as he has loved us.

HACIENDO DISCIPULOS

Vidas de santos

Santa Kateri Tekakwitha, indígena de los Estados Unidos, nació en 1656, en lo que hoy es Nueva York. Ella tomó la llamada a la santidad de Jesús muy seriamente. Enseñó a los niños y cuidó de los ancianos y de los enfermos. Vivió una vida de oración, fue devota de Jesús y comulgaba con frecuencia. Murió a la edad de veinticuatro años. Su fiesta se celebra en los Estados Unidos el 14 de julio.

RETO PARA EL DISCIPULO

- Encierra en un círculo el lugar en donde vivió santa Kateri.
- Subraya las oraciones que describen como ella trató de vivir una vida santa.

Visita *Vidas de Santos* en **religion.sadlierconnect.com** para aprender más sobre los santos.

Haz *lo*

La Eucaristía nos encomienda cuidar de las necesidades de los demás. ¿Cuáles son algunas formas en que podemos hacerlo? Haz una lista.

Ayudandolos con lo que necesitan.
Dandoles al que no tiene comida.

RETO PARA EL DISCIPULO Repasa tus ideas. Encierra en un círculo una que puedes hacer esta semana en la escuela, la casa y la comunidad.

Tarea

Conversa con tu familia sobre formas en que cada uno puede participar en las celebraciones de la Misa en tu parroquia. Escribe tus ideas aquí:

1. Asistindo a Misa
2. Comulgando

Compártelo.

PROJECT DISCIPLE

Saint Kateri Tekakwitha was a Native American who was born in 1656, in what is now the state of New York. She was a woman who took Jesus' call to holiness very seriously. She taught children, and cared for people who were ill or elderly. She lived a life of prayer. Kateri was devoted to Jesus and received Holy Communion frequently. She died at the age of twenty-four. Her feast day is celebrated in the United States on July 14.

DISCIPLE CHALLENGE

- Circle the name of the place where Saint Kateri lived.
- Underline the sentences that describe how she tried to live a holy life.

Visit the *Lives of the Saints* on **religion.sadlierconnect.com** to learn about more saints and holy people.

Make *it* Happen

The Eucharist commits us to caring for the needs of others. What are some ways we can do this? Make a list here:

____

____

____

____

____

____

DISCIPLE CHALLENGE Look over your ideas. Circle one that you can live out this week at school, at home, and in the community.

Take Home

With your family, talk about ways you can each take part in your parish's celebration of the Mass. Write your ideas here:

____

____

____

____

____

Now, pass it on!

Catequesis en el hogar

Capítulo 11 (páginas 122–133)

La celebración de la Eucaristía

En este capítulo su hijo(a) aprenderá que la celebración de la Eucaristía une a los creyentes en el cuerpo de Cristo.

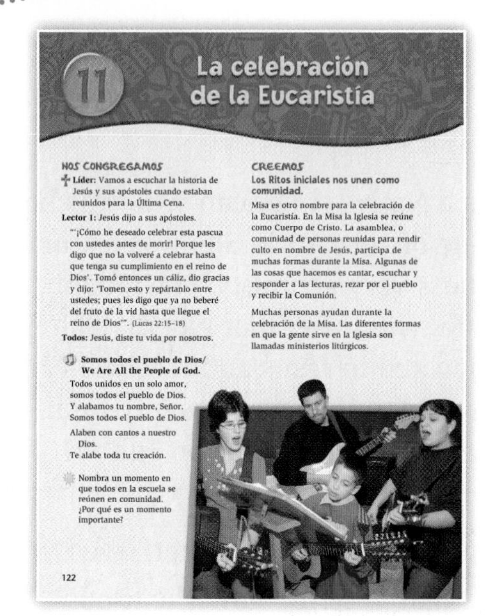

11 La celebración de la Eucaristía

NOS CONGREGAMOS

Líder: Vamos a escuchar la historia de Jesús y sus apóstoles cuando estaban reunidos para la Última Cena.

Lector 1: Jesús dijo a sus apóstoles.

"'¡Cómo he deseado celebrar esta pascua con ustedes antes de morir! Porque les digo que no la volveré a celebrar hasta que tenga su cumplimiento en el reino de Dios'. Tomó entonces un cáliz, dio gracias y dijo: 'Tomen esto y repártanlo entre ustedes; pues les digo que ya no beberé del fruto de la vid hasta que llegue el reino de Dios'". (Lucas 22:15–18)

Todos: Jesús, diste tu vida por nosotros.

Somos todos el pueblo de Dios/ We Are All the People of God.

Todos unidos en un solo amor,
somos todos el pueblo de Dios.
Y alabamos tu nombre, Señor.
Somos todos el pueblo de Dios.

Alaben con cantos a nuestro Dios.
Te alabe toda tu creación.

Nombra un momento en que todos en la escuela se reúnen en comunidad. ¿Por qué es un momento importante?

CREEMOS

Los Ritos iniciales nos unen como comunidad.

Misa es otro nombre para la celebración de la Eucaristía. En la Misa la Iglesia se reúne como Cuerpo de Cristo. La asamblea, o comunidad de personas reunidas para rendir culto en nombre de Jesús, participa de muchas formas durante la Misa. Algunas de las cosas que hacemos es cantar, escuchar y responder a las lecturas, rezar por el pueblo y recibir la Comunión.

Muchas personas ayudan durante la celebración de la Misa. Las diferentes formas en que la gente sirve en la Iglesia son llamadas ministerios litúrgicos.

122

Para los padres

La Misa es como una hermosa sinfonía en cuatro movimientos. Los ritos iniciales nos unen. En la siguiente parte escuchamos y respondemos a nuestra historia de salvación. Las lecturas son proclamadas, no solo leídas. Aplicamos el mensaje de la homilía a nuestra situación. Entonces nos centramos en la oración eucarística que incluye la consagración del pan y el vino. Estos se convierten en nuestro pan de vida y copa de salvación. Afirmamos nuestra fe en la presencia de Cristo con nuestro gran *Amén*. Al final de nuestra celebración somos bendecidos y enviados a hacer lo que Cristo hizo, servir a otros.

Todos los días

- Encienda una vela y tomen un momento para aquietarse. Hagan la señal de la cruz y una corta oración agradeciendo a Dios este momento que van a pasar juntos.

Primer día **Los ritos iniciales nos unen como comunidad.**

- Túrnense para leer en voz alta el título y el texto que sigue.
- Dirija la atención de su hijo(a) a la foto en la página 124. Explíquele que los ritos iniciales de la misa empiezan con una procesión. Ayude a su hijo(a) a relacionar la procesión con la liturgia de su parroquia.

Segundo día **Durante la Liturgia de la Palabra, escuchamos y respondemos a la palabra de Dios.**

- Invite a su hijo(a) a leer en voz baja el título y el texto que sigue. Ponga énfasis en que en la Liturgia de la Palabra escuchamos sobre el amor de Dios por su pueblo y las enseñanzas de Cristo.
- Ayude a su hijo(a) a nombrar formas de escuchar mejor la palabra de Dios.

Tercer día **Durante la Liturgia de la Eucaristía rezamos la oración de acción de gracias y recibimos el Cuerpo y la Sangre de Cristo.**

- Túrnense para leer en voz alta el enunciado y el texto. Ponga énfasis en que durante la consagración, el pan y el vino se convierten en el Cuerpo y la Sangre de Cristo.
- Pregunte: *¿Cuál es nuestra mayor oración de alabanza y acción de gracias?* (la oración eucarística)

Cuarto día **El Rito de Conclusión nos envía a ser cuerpo de Cristo para los demás.**

- Invite a su hijo(a) a leer en voz alta el título y el texto. Ponga énfasis en que en el Rito de Conclusión somos enviados a servir a Cristo y a amar a los demás como él nos amó.

Respondemos en fe

Quinto día

- Pregunte: *¿Por qué podemos dar gracias y alabanza a Dios hoy?*

Sexto día

- Busque formas de mostrar bondad y justicia en su familia.

Catechesis at Home

Chapter 11 (pages 122–133)

The Celebration of the Eucharist

In this chapter your child will learn that the celebration of the Eucharist unites believers in the Body of Christ.

For the Parents

The Mass is like a beautiful symphony in four movements. The opening rites gather us in unity. In the next part, we move to listen and respond to our story of salvation. The readings are proclaimed, not just read. When the homilist "breaks open the word" we apply the message to our life situation. The focus of our worship shifts to the Eucharistic prayer, which includes the consecration of the bread and wine. They become our Bread of Life and Cup of Salvation. We affirm our faith in Christ's presence by expressing a resounding *Amen*. The final moment in our celebration we are blessed and sent to do what Christ did to serve others.

Every Day

- Light a candle and take a few moments to quiet yourselves. Pray the Sign of the Cross together, and offer a short prayer asking God to bless your time together.

Day One **The Introductory Rites bring us together as a community.**

- Take turns reading aloud the *We Believe* statement and the text that follows.
- Draw your child's attention to the photo. Explain that this procession begins the Introductory Rites. Help your child relate to the entrance procession experienced at your parish's liturgy.

The Celebration of the Eucharist 11

WE GATHER

Leader: Let us listen to the story of Jesus and his Apostles as they gathered for the Last Supper.

Reader: Jesus said to the Apostles,

"'I have eagerly desired to eat this Passover with you before I suffer, for, I tell you, I shall not eat it [again] until there is fulfillment in the kingdom of God.' Then he took a cup, gave thanks, and said, 'Take this and share it among yourselves; for I tell you [that] from this time on I shall not drink of the fruit of the vine until the kingdom of God comes.'" (Luke 22:15–18)

All: Jesus, you have given your life for us.

We Belong to God's Family

Refrain:
We belong to God's family.
Brothers and sisters are we,
singing together in unity
about one Lord and one faith,
one family.

We are one in the body of
Jesus Christ the Lord.
We are one in the blood of him
whom earth and heaven adore.
(Refrain)

Name a time when everyone in your school gathers together as one community. Why is this an important time?

WE BELIEVE

The Introductory Rites bring us together as a community.

The Mass is another name for the celebration of the Eucharist. In the Mass the Church gathers as the Body of Christ. The assembly, or community of people gathered to worship in the name of Jesus, participates in many ways throughout the Mass. Some of the things we do are sing, listen and respond to the readings, pray for all people, and receive Holy Communion.

There are many people who help us during the celebration of the Mass. The different ways that people serve the Church in worship are called liturgical ministries.

123

Day Two **During the Liturgy of the Word, we listen and respond to the word of God.**

- Invite your child to read the statement and the text. Emphasize that during the Liturgy of the Word we hear about God's love for his people and the teachings of Christ.
- Help your child name ways we can better listen to God's word.

Day Three **During the Liturgy of the Eucharist, we pray the great prayer of thanksgiving and receive the Body and Blood of Christ.**

- Take turns reading aloud the statement and the text that follows. Emphasize that during the consecration the bread and wine become the Body and Blood of Christ.
- Ask: *What is our greatest prayer of praise and thanksgiving?* (the eucharistic prayer)

Day Four **The Concluding Rites send us out to be the Body of Christ to others.**

- Invite your child to read the statement and the text aloud. Emphasize that in the Concluding Rites we are sent forth to be Christ's servants and to love others as he has loved us.

We Respond in Faith

Day Five

- Ask: *For what can we give thanks and praise to God today?*

Day Six

- Find ways to show fairness and kindness to your family.

12 Somos un Pueblo que ora

NOS CONGREGAMOS

Líder: Dios mío, ven en mi ayuda.

Todos: Señor, date prisa en socorrerme.

Lado 1: Gloria al Padre, y al Hijo, y al Espíritu Santo.

Lado 2: Como era en el principio, ahora y siempre, por los siglos de los siglos, Amén.

Líder: "Mi auxilio viene del Señor,

Todos: que hizo el cielo y la tierra".

(Salmo 121:2)

¿Cómo te ayuda la conversación a relacionarte con tu familia y amigos?

CREEMOS

Jesús nos enseña a orar.

La oración es como una conversación. Dios nos llama en la oración y nosotros respondemos. Nuestra oración es una respuesta del constante amor de Dios por nosotros.

En la oración abrimos nuestros corazones y mentes a Dios. Podemos rezar solos o con otros, en silencio o en voz alta. Algunas veces no usamos palabras para rezar, sino que nos quedamos quietos y tratamos de pensar sólo en Dios.

Jesús nos enseñó a orar con paciencia y completa confianza en Dios. Jesús rezó de muchas formas. Él dio gracias a Dios el Padre por sus bendiciones y pidió a Dios que estuviera con él. Él pidió por las necesidades de los demás y perdonó a los pecadores en nombre de su Padre.

Aprendemos a rezar con el ejemplo de Jesús, especialmente con el padrenuestro.

Living As Prayerful People

WE GATHER

Leader: O God, come to my assistance.

All: Lord, make haste to help me.

Side 1: Glory to the Father, and to the Son, and to the Holy Spirit:

Side 2: as it was in the beginning, is now, and will be for ever. Amen.

Leader: "My help comes from the LORD,

All: the maker of heaven and earth."
(Psalm 121:2)

How does conversation help your relationships with family and friends?

WE BELIEVE

Jesus teaches us to pray.

Prayer is like a conversation. God calls to us in prayer, and we respond. Our prayer is a response to God's constant love for us.

In prayer we open our hearts and minds to God. We can pray alone or with others, in silence or aloud. Sometimes we do not use words to pray, but sit quietly trying to focus only on God.

Jesus taught us to pray with patience and complete trust in God. Jesus prayed in many ways. He thanked God the Father for his blessings and asked God to be with him. He prayed for the needs of others and forgave sinners in the name of his Father. From the example of Jesus, most especially the Lord's Prayer, we learn to pray.

El Espíritu Santo guía a la Iglesia en la oración. Urgidos por el Espíritu Santo rezamos en estas formas básicas: bendición, petición, intercesión, acción de gracias y alabanza.

Bendecir es dedicar algo o alguien a Dios o hacer algo santo en su nombre. Dios nos bendice con muchos dones. Porque Dios nos bendice primero, podemos rezar para que bendiga cosas o personas.

La oración de petición es aquella en la que pedimos algo a Dios. Pedir perdón es la oración más importante de este tipo.

Interceder es un tipo de petición. Cuando intercedemos pedimos algo para otra persona o grupo.

La oración de acción de gracias muestra nuestro agradecimiento a Dios por todo lo que nos ha dado. Mostramos nuestra gratitud especialmente por la vida, muerte y resurrección de Jesús.

La oración de alabanza es dar gloria a Dios por ser Dios. No involucra nuestras necesidades o gracias. Es pura alabanza.

Piensa en lo que está pasando en tu vida y en el mundo a tu alrededor. Escribe tu oración.

____

____

Somos llamados a rezar todos los días.

Al rezar durante el día, respondemos al deseo de Dios de conocernos. La oración personal y la comunitaria—oraciones que hacemos en comunidad—nos ayudan a sentir y a recordar la presencia de Dios.

El hábito de la oración diaria crece tomando tiempo para rezar. Podemos rezar en la mañana y ofrecer todo nuestro día a Dios. Antes y después de las comidas podemos dar gracias a Dios por sus muchos regalos. En la noche podemos pensar en las formas en que hemos, o no hemos, mostrado amor a Dios y a los demás. Podemos ver las formas en que Dios ha actuado en nuestras vidas.

El hábito de la oración diaria también crece cuando rezamos con otros miembros de la Iglesia. La **Liturgia de las Horas** es la oración pública de la Iglesia. Está compuesta de salmos, lecturas bíblicas y enseñanzas de la Iglesia, oraciones y cantos, y se reza varias veces al día. Estas oraciones, especialmente en la mañana y en la tarde, nos ayudan a alabar a Dios durante todo el día. Rezar no siempre es fácil; hay cosas que nos distraen. Entonces debemos enfocar nuestro corazón y pedir a Dios que nos ayude.

The Holy Spirit guides the Church to pray. Urged by the Holy Spirit, we pray these basic forms of prayer: blessing, petition, intercession, thanksgiving, and praise.

To bless is to dedicate someone or something to God or to make something holy in God's name. God blesses us with many gifts. Because God first blessed us, we can pray for his blessings on people and things.

Prayers of petition are prayers in which we ask something of God. Asking for forgiveness is the most important type of petition.

An intercession is a type of petition. When we pray a prayer of intercession, we are asking for something on behalf of another person or a group of people.

Prayers of thanksgiving show our gratitude to God for all he has given us. We show our gratitude most especially for the life, Death, and Resurrection of Jesus.

Prayers of praise give glory to God for being God. They do not involve our needs or thanks. They are pure praise.

Think about what is happening in your life and in the world around you. Write your own prayer.

____

____

We are called to pray daily.

By praying throughout the day, we respond to God's desire to know us. Both personal prayer and communal prayer—prayer we pray as a community—help us to feel and remember God's presence.

The habit of daily prayer grows by making special times for prayer. We can pray in the morning and offer our entire day to God. Before and after meals we can give thanks to God for his many gifts. At night we can think about the ways we have or have not shown love for God and for others. We can see the ways God has been acting in our lives.

The habit of daily prayer also grows by joining in prayer with other members of the Church. The **Liturgy of the Hours** is a public prayer of the Church. It is made up of psalms, readings from Scripture and Church teaching, prayers, and hymns, and is celebrated at various times during the day. These prayers, especially morning prayer and evening prayer, help us to praise God throughout the entire day. Sometimes it is difficult to pray. We get distracted. We need to focus our hearts and turn to God for help.

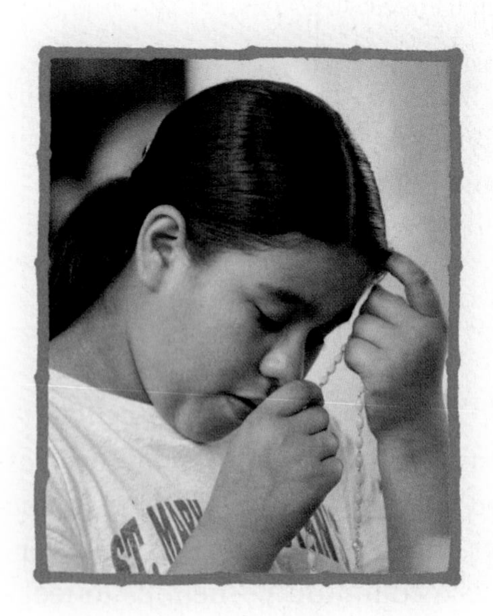

De todos los días, el domingo, el día del Señor, es el más santo. Celebramos la muerte y resurrección de Cristo en forma especial en ese día. En todo el mundo los católicos se reúnen con su comunidad parroquial para celebrar la Eucaristía. Esta celebración dominical es el centro de nuestra vida en la Iglesia.

Tenemos la obligación de ir a Misa el domingo. La Misa también puede celebrarse desde el sábado en la tarde hasta el domingo en la tarde.

Además del domingo, estamos obligados a ir a Misa durante los días de precepto. **Día de precepto** es un día separado para celebrar un evento especial en la vida de Jesús, María o los santos.

Imagina que estás en un lugar tranquilo. Abre tu corazón a Dios. Escucha lo que te dice.

Los sacramentales son parte de la vida de oración de la Iglesia.

Nuestra oración no sólo involucra nuestros pensamientos y palabras. También involucra gestos y objetos. **Sacramentales** son bendiciones, acciones y objetos que nos ayudan a responder a la gracia de Dios recibida en los sacramentos. Las bendiciones son los sacramentales más importantes. La bendición no sólo es un sacramental sino que lo bendito puede convertirse en un sacramental.

Los sacramentales se usan en la liturgia y en la oración personal. He aquí algunos ejemplos de sacramentales:

- bendición de personas, lugares, comidas y objetos
- objetos tales como rosarios, medallas, crucifijos, cenizas y palmas benditas
- acciones tales como hacer la señal de la cruz y rociar agua bendita.

Muchos sacramentales nos recuerdan los sacramentos y lo que Dios hace por nosotros por medio de los sacramentos. Los sacramentales también nos hacen más conscientes de la presencia de Dios en nuestras vidas y nos mantienen centrados en Dios. Bendecir la comida que comemos, hacer la señal de la cruz al entrar o salir de una iglesia y ver un crucifijo en nuestras casas, son todos recordatorios de nuestra fe y confianza en Dios.

Nombra los sacramentales con los que puedes rezar en tu casa y la iglesia.

Los católicos tienen una rica tradición de devociones y prácticas populares especiales.

La adoración de la Eucaristía, que se realiza fuera de la celebración de la Misa, es también parte de la liturgia de la Iglesia. La presencia de Jesús en la Eucaristía se honra de varias formas. Después de la Comunión, las Hostias que quedan se colocan en el tabernáculo. Esta Eucaristía es llamada Santísimo Sacramento. El Santísimo Sacramento puede llevarse a los enfermos y a los que no pueden asistir a Misa. También se reserva para adoración.

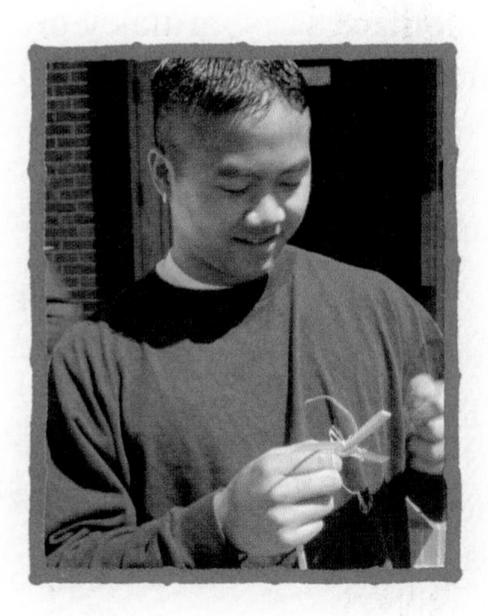

Sacramentals are used in the liturgy and in personal prayer. Here are some examples of sacramentals:

- blessings of people, places, foods, and objects
- objects such as rosaries, medals, crucifixes, blessed ashes, and blessed palms
- actions such as making the Sign of the Cross and sprinkling blessed water.

Many sacramentals remind us of the sacraments and of what God does for us through the sacraments. Sacramentals also make us more aware of God's presence in our lives and keep us focused on God. Blessing the food we eat, making the Sign of the Cross as we enter or leave a church, and seeing a crucifix in our home are all reminders of our faith and trust in God.

Name the sacramentals that can help you to pray at home and in Church.

Of all days Sunday, the Lord's Day, is the most holy. We celebrate Christ's Death and Resurrection in a special way on this day. All around the world Catholics gather with their parishes to celebrate the Eucharist. This Sunday celebration is at the very heart of our life in the Church. We are obliged, or required, to participate in Sunday Mass, which may be celebrated Saturday evening.

In addition to Sunday, we are also obliged to participate in the Mass on holy days of obligation. A **holy day of obligation** is a day set apart to celebrate a special event in the life of Jesus, Mary, or the saints.

Imagine that you are in a peaceful place. Open your heart to God. Listen to what he is saying to you.

Sacramentals are a part of the Church's prayer life.

Our prayer not only involves our thoughts and words. It involves gestures and objects, too. Blessings, actions, and objects that help us respond to God's grace received in the sacraments are **sacramentals**. Blessings are the most important sacramentals. Not only is the blessing itself a sacramental, but what is blessed can also become a sacramental.

Catholics have a rich tradition of special practices and popular devotions.

Eucharistic adoration, which takes place outside the celebration of the Mass, is also part of the liturgy of the Church. Jesus' presence in the Eucharist is honored in various ways. After Holy Communion, the remaining consecrated Bread, or Hosts, are put aside in the tabernacle. This reserved Eucharist is called the Blessed Sacrament. The Blessed Sacrament can be brought to those who are sick and unable to participate in the Mass. It is also reserved for worship.

Muchas parroquias tienen exposición del Santísimo Sacramento. En esta ceremonia el Santísimo Sacramento se coloca en una *custodia*, que se presenta para que todos lo vean. En una ceremonia llamada bendición, la comunidad se reúne a rezar y a adorar a Jesús en el Santísimo Sacramento.

La bendición del Santísimo Sacramento es algunas veces parte de la devoción popular. Devociones populares son oraciones y prácticas que no son parte de la oración pública oficial o liturgia de la Iglesia. Las devociones populares se desarrollan de las prácticas de diferentes grupos de personas. Los católicos tienen prácticas de oración ricas y diversas que han venido de diferentes culturas a través de la historia de la Iglesia. Algunas de esas devociones populares incluyen novenas, vía crucis, y peregrinaciones.

Las novenas incluyen oraciones especiales y con frecuencia seguidas de bendiciones. La palabra *novena* viene del latín y significa "nueve". Novenas son oraciones especiales que se hacen nueve veces. Con frecuencia se hacen nueve días seguidos o el mismo día de la semana durante nueve semanas seguidas.

Otra devoción popular es el vía crucis. Esta devoción centra nuestra atención en la pasión de Jesús. Pasamos de una estación a otra haciendo oraciones apropiadas. Los reunidos para esta devoción se unen a Jesús en su camino a la muerte en la cruz. El vía crucis se encuentra en la página 306.

Las peregrinaciones a los lugares santos o grutas y procesiones en honor a María y alos santos, son también una forma de devoción.

RESPONDEMOS

En grupo hablen sobre algunas devociones populares en su comunidad.

Como católicos...

Algunas devociones a María, la Santísima Madre, se iniciaron después de su aparición a algunas personas en diferentes países. Ella apareció en Lourdes, Francia, en 1858 y en Fátima, Portugal, en 1917.

Las apariciones de María en las afueras de la ciudad de México en el año 1531 son muy importantes para los católicos de América. En 1531 la Santísima Madre se apareció a un azteca llamado Juan Diego. Ella le habló en su idioma nativo y una imagen de ella como una nativa, milagrosamente apareció en su capa. Esta imagen fue tan poderosa que el pueblo, incluyendo los líderes de la Iglesia, creyeron que María verdaderamente había estado allí. Por esa imagen ella se conoce como Nuestra Señora de Guadalupe.

Celebramos la fiesta de san Juan Diego el 9 de diciembre y la de la Virgen de Guadalupe el 12 de diciembre. ¿Cómo celebra tu parroquia estas fiestas?

Liturgia de las Horas (pp 332)

días de precepto (pp 331)

sacramentales (pp 333)

Procesión durante al fiesta de la Asunción.

Procesión en honor a la Virgen de Guadalupe.

Many parishes have an Exposition of the Blessed Sacrament. In this ceremony the Blessed Sacrament, placed in a special holder called a *monstrance*, is presented for all to see. In a ceremony called Benediction, the community gathers to pray and to worship Jesus in the Blessed Sacrament.

Benediction of the Blessed Sacrament is sometimes a part of popular devotions. Popular devotions are prayer practices that are not part of the Church's official public prayer, or liturgy. Popular devotions have grown from the practices of different groups of people. Catholics have rich and diverse prayer practices that have come from many cultures throughout the Church's history. Some of the popular devotions include novenas, the Stations of the Cross, and pilgrimages.

Novenas include special prayers and are often followed by Benediction. The word *novena* comes from the Latin word meaning "nine." Novenas are special prayers or prayer services that occur nine times. Often they occur nine days in a row or on the same day of the week for nine weeks in a row.

Another popular devotion is the Stations of the Cross. The Stations of the Cross focus our attention on the suffering and Death of Jesus. By moving from one station to the next and praying the appropriate prayers, those gathered for this devotion join Jesus as he makes his way to his Death on the Cross. The Stations of the Cross can be found on page 306.

Pilgrimages, or prayer journeys, to holy places or shrines, and processions to honor Mary and the saints are also forms of devotion.

WE RESPOND

In a group discuss some popular devotions in your community.

As Catholics...

Some devotions to Mary, the Blessed Mother, came about after her appearances to people in various countries. She appeared at Lourdes, France, in 1858 and Fatima, Portugal, in 1917.

Mary's appearances outside Mexico City in the year 1531 are very important to Catholics living in the Americas. In 1531 the Blessed Mother came to an Aztec man named Juan Diego. She spoke to him in his native language, and an image of her as a Native American miraculously appeared on his cloak. This image proved so powerful that the people, including church leaders, believed that Mary had truly been there. She became known by this image as Our Lady of Guadalupe.

Every year we celebrate the Feast of Saint Juan Diego on December 9 and of Our Lady of Guadalupe on December 12. How does your parish celebrate these special feasts?

Simon helps Jesus carry his Cross. (The fifth Station of the Cross)

Liturgy of the Hours (p. 335)

holy day of obligation (p. 335)

sacramentals (p. 336)

HACIENDO DISCÍPULOS

Emily Martinez

Muestra lo que sabes

Usa la clave para encontrar la palabra del Vocabulario. Escribe una oración con la palabra.

A	B	C	D	E	F	G	H	I	J	K	L	M	N	O	P	Q	R	S	T	U	V	W	X	Y	Z
26	25	24	23	22	21	20	19	18	17	16	15	14	13	12	11	10	9	8	7	6	5	4	3	2	1

1. S A C R A M E N T A L E S
8 26 24 9 26 14 22 13 7 26 15 22 8

los crucifícos son sacramentales

2. D I A D E P R E C E P T O
23 18 26 23 22 11 9 22 24 22 11 7 12

el 12 de Diciembre es un dia de precepto

3. L I T U R G I A D E L A S
15 18 7 6 9 20 18 26 23 22 15 26 8

H O R A S
19 12 9 26 8

la liturgia de las horas es una oracion publica de la iglesia

Consulta

¿Con qué frecuencia rezas?

- ❏ Cuando pienso en rezar
- ☑ Todos los días
- ❏ Sólo en la iglesia
- ❏ Otras ________________

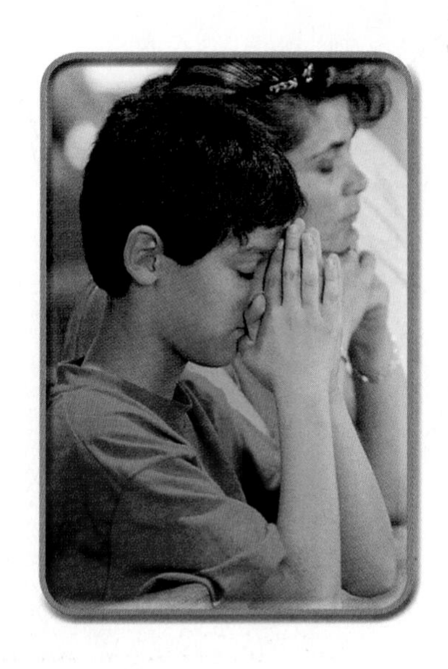

Reza

Santa Teresa de Ávila llama a la oración en silencio "encuentro entre amigos". Ella escribe: "quiero decir con frecuencia para estar a solas con él, quien nos ama". Toma tiempo ahora para rezar en silencio.

PROJECT DISCIPLE

Show What you Know

Use the code to find each Key Word. Then, write a sentence using the word.

A	B	C	D	E	F	G	H	I	J	K	L	M	N	O	P	Q	R	S	T	U	V	W	X	Y	Z
26	25	24	23	22	21	20	19	18	17	16	15	14	13	12	11	10	9	8	7	6	5	4	3	2	1

1. ___ ___ ___ ___ ___ ___ ___ ___ ___ ___ ___ ___
8 26 24 9 26 14 22 13 7 26 15 8

____

2. ___ ___ ___ ___ ___ ___ ___ ___ ___
19 12 15 2 23 26 2 12 21

___ ___ ___ ___ ___ ___ ___ ___ ___ ___
12 25 15 18 20 26 7 18 12 13

____

3. ___ ___ ___ ___ ___ ___ ___
15 18 7 6 9 20 2

___ ___ ___ ___ ___ ___ ___ ___ ___ ___
12 21 7 19 22 19 12 6 9 8

____

Question Corner

How often do you pray?

❑ Whenever I think about it

❑ Daily

❑ Only at church

❑ Other ______________

Pray Today

Saint Teresa of Ávila calls silent prayer "a close sharing between friends." She writes, "it means taking time frequently to be alone with him who we know loves us." Take a moment now to pray silently to God.

HACIENDO DISCIPULOS

Investiga

Las posadas es una novena de Navidad. Los católicos en México y algunas partes de los Estados Unidos celebran las posadas durante nueve días antes de Navidad. Cada tarde, la historia de María y José viajando de Belén es escenificada. Niños y adultos van de casa en casa cantando villancicos tradicionales pidiendo albergue. Se les niega el albergue hasta llegar a la casa de las personas que patrocinan la noche. El anfitrión da la bienvenida y les invita a pasar. Rezan y tienen una fiesta. La fiesta más grande es el día de Nochebuena, la última noche de las posadas. Las posadas nos recuerdan que siempre debemos estar listos para dar la bienvenida a Jesús en nuestras vidas y nuestros hogares. Busca más información sobre las posadas.

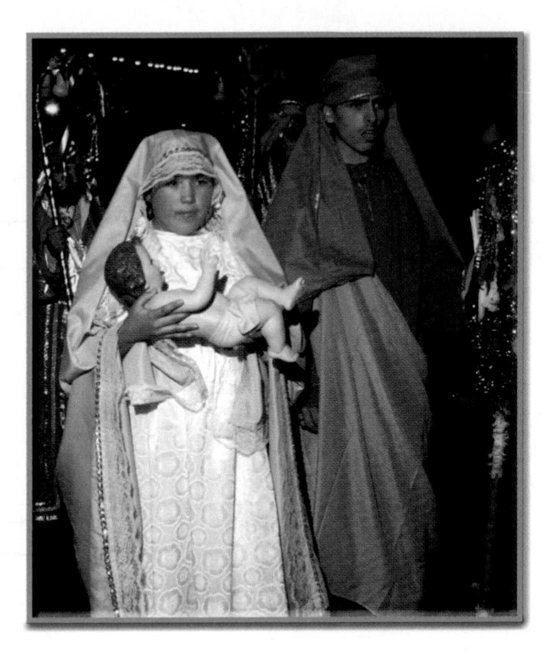

Haz *lo*

¿Cómo puedes ser una persona que reza? Haz una lista.

RETO PARA EL DISCIPULO Encierra en un círculo como puedes vivir una de la lista esta semana en la escuela, en tu casa y la comunidad.

Tarea

Toma un "paseo sacramental" en tu casa. ¿Puedes encontrar algunos sacramentales? Haz una lista.

____

____

____

____

____

____

____

____

PROJECT DISCIPLE

More to Explore

Las Posadas is a Christmas novena. It means "The Inns." Catholics in Mexico and parts of the United States celebrate Las Posadas during the nine days before Christmas. Every evening, people act out the story of Mary and Joseph as they traveled to Bethlehem. Children and adults go from house to house and sing a traditional song asking for shelter. They are refused until they get to the home of the people who are hosts that night. The host there welcomes everyone inside. They pray before having a party. The most festive party is on Christmas Eve, the last night of Las Posadas. Las Posadas reminds us to always be ready to welcome Jesus into our lives and into our homes. Find out more about Las Posadas.

Children asking for 'posada' (La procesion)/© 2009 Banco de Mexico, Diego Rivera Frida Kahlo Museums Trust, Mexico, D.F./Artists Rights Society (ARS)

Make it Happen

How can you be a prayerful person? Make a list here:

DISCIPLE CHALLENGE Look over your ideas. Circle one that you can live out this week at school, at home, and in the community.

Take Home

Take a "sacramental journey" through your home. Can you find any sacramentals? Make a list here.

____

____

____

____

____

____

____

Catequesis en el hogar

Capítulo 12 (páginas 134–145)

Somos un Pueblo que ora

En este capítulo su hijo(a) aprenderá que hay muchas formas en que los miembros de la Iglesia Católica rezan.

Para los padres

Dios nos ama y quiere que lo conozcamos y lo amemos. Como sus hijos podemos conocerlo íntimamente por medio de la oración. Al ver la oración como hablar y escuchar a Dios podemos profundizar nuestra relación con él. Una rica tradición de oración en la iglesia universal nos ayuda conocer a Dios por medio de nuestros sentimientos, pensamientos, palabras y sentidos. Casi todas las culturas tienen devociones populares que nos ayudan a acercarnos Dios.

Todos los días

- Encienda una vela, hagan la señal de la cruz y ofrezcan una corta oración pidiendo a Dios que bendiga este tiempo que van a pasar juntos.

Primer día **Jesús nos enseña a orar.**

- Túrnense para leer en voz alta el título y el texto que sigue. Enfatice la importancia de escuchar durante la oración y estar abiertos a la presencia de Dios en nuestras vidas.
- Dé suficiente tiempo a su hijo(a) para escribir su oración.

Segundo día **Somos llamados a rezar todos los días.**

- Invite a su hijo(a) a leer el título y el texto que sigue. Señale que estamos obligados a alabar a Dios los domingos y los días de precepto. Esta obligación debe cumplirse con gozo.
- La imaginación es un don de Dios que nos puede ayudar en la oración. Imagine un hermoso lugar lleno de paz. Pase tiempo en paz en la presencia de Dios.

Tercer día **Los sacramentales son parte de la vida de oración de la Iglesia.**

- Túrnense para leer en voz alta el título y el texto. Señale que un sacramental puede tomar muchas formas tales como bendiciones, acciones y objetos.

Cuarto día **Los católicos tienen una rica tradición de devociones y prácticas populares especiales.**

- Lea en voz alta el título y el texto que sigue. Ponga énfasis en que la bendición con el Santísimo es una devoción popular en la que una hostia consagrada se pone en una custodia para que las personas puedan verla mientras se reúnen para rezar. Novenas son oraciones que se hacen nueve veces. El vía crucis nos recuerda el paso de Jesús hacia la muerte en la cruz.

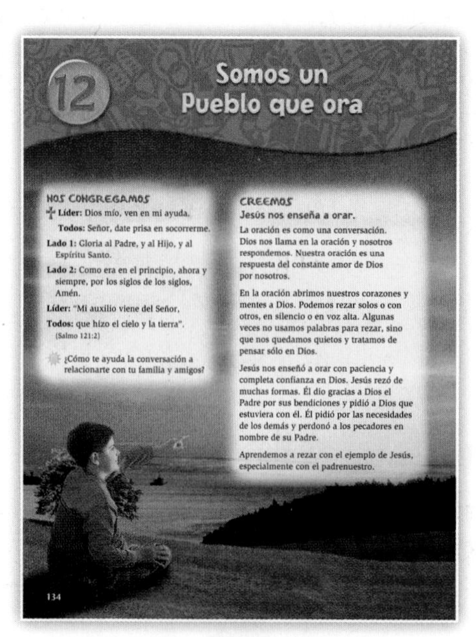

12

Somos un Pueblo que ora

NOS CONGREGAMOS

Líder: Dios mío, ven en mi ayuda.

Todos: Señor, date prisa en socorrerme.

Lado 1: Gloria al Padre, y al Hijo, y al Espíritu Santo.

Lado 2: Como era en el principio, ahora y siempre, por los siglos de los siglos, Amén.

Líder: "Mi auxilio viene del Señor,

Todos: que hizo el cielo y la tierra".
(Salmo 121:2)

¿Cómo te ayuda la conversación a relacionarte con tu familia y amigos?

CREEMOS

Jesús nos enseña a orar.

La oración es como una conversación. Dios nos llama en la oración y nosotros respondemos. Nuestra oración es una respuesta del constante amor de Dios por nosotros.

En la oración abrimos nuestros corazones y mentes a Dios. Podemos rezar solos o con otros, en silencio o en voz alta. Algunas veces no usamos palabras para rezar, sino que nos quedamos quietos y tratamos de pensar sólo en Dios.

Jesús nos enseñó a orar con paciencia y completa confianza en Dios. Jesús rezó de muchas formas. Él dio gracias a Dios el Padre por sus bendiciones y pidió a Dios que estuviera con él. Él pidió por las necesidades de los demás y perdonó a los pecadores en nombre de su Padre.

Aprendemos a rezar con el ejemplo de Jesús, especialmente con el padrenuestro.

134

Respondemos en fe

Quinto día

- Converse con su hijo(a) sobre Nuestra Señora de Guadalupe y las devociones que su familia conoce.

Sexto día

- Piense en personas y grupos en su comunidad que sirven a otros. Planifique algo especial cada día de esta semana para rezar por ellos.

Catechesis at Home

Chapter 12 (pages 134–145)

Living As Prayerful People

In this chapter your child will learn that there are many ways members of the Catholic Church pray.

Living As Prayerful People 12

WE GATHER

Leader: O God, come to my assistance.

All: Lord, make haste to help me.

Side 1: Glory to the Father, and to the Son, and to the Holy Spirit:

Side 2: as it was in the beginning, is now, and will be for ever. Amen.

Leader: "My help comes from the LORD,

All: the maker of heaven and earth."
(Psalm 121:2)

How does conversation help your relationships with family and friends?

WE BELIEVE

Jesus teaches us to pray.

Prayer is like a conversation. God calls to us in prayer, and we respond. Our prayer is a response to God's constant love for us.

In prayer we open our hearts and minds to God. We can pray alone or with others, in silence or aloud. Sometimes we do not use words to pray, but sit quietly trying to focus only on God.

Jesus taught us to pray with patience and complete trust in God. Jesus prayed in many ways. He thanked God the Father for his blessings and asked God to be with him. He prayed for the needs of others and forgave sinners in the name of his Father. From the example of Jesus, most especially the Lord's Prayer, we learn to pray.

135

For the Parents

God loves us and wants us to know and love him. As his children, we can come to know him intimately through prayer. By seeing prayer as listening and talking to God, we can deepen our friendship with him. A rich tradition of prayer in the universal Church helps us come to know God through our feelings, thoughts, words, and senses. Almost every culture has popular devotions that help us to draw closer to God.

Every Day

- Light a candle and take a few moments to quiet yourselves. Pray the Sign of the Cross together, and offer a short prayer asking God to bless your time together.

Day One **Jesus teaches us to pray.**

- Take turns reading aloud the *We Believe* statement and the text that follows. Stress the importance of listening during prayer and being open to God's presence in our lives.
- Give your child sufficient time to write his or her prayer.

Day Two **We are called to pray daily.**

- Invite your child to read the statement and the text. Point out that we are obligated to worship God on Sundays and holy days. This duty should be fulfilled with a joy.
- Imagination is a gift of God that can help us in prayer, a beautiful, peaceful place. Then spend time quietly in God's presence.

Day Three **Sacramentals are a part of the Church's prayer life.**

- Take turns reading aloud the statement and the text that follows. Point out to your child that sacramentals can come in many forms, such as blessings, actions, and objects.
- Help your child list some sacramentals that can help us to pray at home. Do this by pointing out some of the sacramentals in your home.

Day Four **Catholics have a rich tradition of special practices and popular devotions.**

- Read aloud the statement and the text that follows. Emphasize that Benediction of the Blessed Sacrament is a popular devotion in which the Host is placed in a monstrance for people to see as they gather to pray. Novenas are prayers or prayer services occurring nine times. The stations of the cross remind us of Christ's journey to his death on the cross.

We Respond in Faith

Day Five

- Talk with your child about Our Lady of Guadalupe and Saint Juan Diego. Also discuss some devotions your family knows.

Day Six

- Think about people and groups in your community who serve others. Plan a special day each week to pray for their safety.

Adviento

Adviento | Navidad | Tiempo Ordinario | Cuaresma | Triduo | Tiempo de Pascua | Tiempo Ordinario

Adviento es un tiempo de espera gozosa y preparación para la venida del Hijo de Dios.

NOS CONGREGAMOS

✝ *Luz radiante, Jesús, ven a brillar en nosotros.*

¿Cómo te sientes al ver la palabra "próximamente" después de los avances de una película?

CREEMOS

La palabra *adviento* significa "venida". Jesucristo, el Hijo de Dios quien se hizo uno de nosotros, viene a nuestras vidas. Durante las cuatro semanas de Adviento nos preparamos para celebrar la venida de Cristo.

- Esperamos la venida de Cristo en el futuro y nos preparamos para ser sus seguidores fieles.
- Celebramos la presencia de Cristo en el mundo hoy. Él viene a nosotros todos los días en la celebración de la Eucaristía, en todos los sacramentos y en el amor que nos tenemos.
- Esperamos con gozo para celebrar la primera venida de Jesús hace dos mil años en Belén. Nos preparamos para celebrar la venida del Salvador, el Hijo de Dios.

Durante el Adviento se usa el color morado como señal de espera. Este color es también señal de penitencia. Así que en Adviento celebramos el sacramento de la Reconciliación como parte importante de la preparación para la celebración de la venida de Cristo.

Oh luz radiante, esplendor de luz eterna, sol de justicia.

Advent

Advent is a season of joyful expectation and preparation for the coming of the Son of God.

WE GATHER

✝ *O Radiant Dawn, Jesus, come and shine on us!*

Have you ever seen an exciting movie clip that ended with the words "Coming soon"? How did these words make you feel?

WE BELIEVE

The word *Advent* means "coming." Jesus Christ, the Son of God who became one of us, is coming into our lives. During the four weeks of Advent, we prepare to celebrate Christ's coming.

- We hope for Christ's coming in the future, and we prepare by being his faithful followers today.
- We celebrate Christ's presence in the world today. He comes to us every day in the celebration of the Eucharist, in all the sacraments, and in the love we have for one another.
- We wait with joyful expectation to celebrate that Jesus first came to us over two thousand years ago in Bethlehem. We prepare to celebrate that coming of the Savior, the Son of God.

We use the color violet during Advent as a sign of waiting and joyful expectation. This color is also a sign of penance. So in Advent celebrating the Sacrament of Penance is an important way to prepare for the celebration of the coming of Christ.

O Radiant Dawn, splendor of eternal light, sun of justice.

Durante las semanas de Adviento, esperamos como lo hizo el pueblo antes de que naciera Jesús. Por muchos años ellos esperaron la venida del Salvador. Durante ese tiempo, Dios habló a su pueblo por medio de los profetas.

Los profetas animaron al pueblo a vivir la alianza. Ellos les dijeron que su Dios era bueno y misericordioso, que él no los olvidaba. Los profetas hablaron del Mesías que sería ungido como rey, justo y salvador. Él traería un reino de paz y justicia.

Creemos que Jesús es el Mesías que ellos esperaban, pero él es mucho más. Jesucristo es el Hijo de Dios que se hizo uno de nosotros.

Nuestras expectativas crecen entre el 17 y el 23 de diciembre. Estamos ansiosos por celebrar la venida del Mesías al mundo. Durante este tiempo la Iglesia reza las "antífonas Oh". Una antífona es una oración corta. Se llama antífona Oh porque empieza con Oh.

En cada una de las siete antífonas aclamamos a Jesús con diferentes títulos que vienen de los profetas del Antiguo Testamento. En cada una de estas cortas oraciones alabamos a Cristo por lo que ha hecho por nosotros y le pedimos que venga a todo el Pueblo de Dios.

Desde el 17 hasta el 23 de diciembre las antífonas Oh son recitadas o cantadas durante la oración de la tarde y cantadas en la Misa antes de la lectura del Evangelio.

Mira la lista de los signos de cada antífona en el cuadro. Por siglos estos signos han sido mostrados en piezas de arte. Averigua si el boletín o la página web de tu parroquia da ejemplos de algunos de ellos.

Antiguo Testamento		Significado	Signo de los títulos
17 de dic.	Oh Sabiduría	Jesús es nuestro sabio maestro.	aceite de lámpara, libro abierto
18 de dic.	Oh Señor de Israel	Jesús en nuestro líder.	zarza ardiendo, tabla de piedra
19 de dic.	Oh flor de la rama de Jesé	Jesé fue el padre del rey David, antepasado de Jesús. Jesús es la "flor" del árbol genealógico.	enredadera con flores
20 de dic.	Oh llave de David	Jesús nos abre las puertas del Reino de Dios.	llave, cadena rota
21 de dic.	Oh radiante amanecer	Jesús es nuestra luz.	sol naciente
22 de dic.	Oh rey de las naciones	Jesús es el rey que nos une.	corona, cetro
23 de dic.	Oh Enmanuel	Enmanuel significa "Dios con nosotros". Jesús está siempre con nosotros.	cáliz y hostia

During the weeks of Advent, we wait as the people did before Jesus' birth. They had waited many, many years for the Savior to come. During those years of waiting, God spoke to his people through the prophets. The prophets encouraged the people to live by the covenant. They told them that their God was loving and merciful, that he had not forgotten them. The prophets spoke of a Messiah who would be an anointed king, a just ruler, and a Savior. He would bring about a kingdom of peace and justice.

We believe that Jesus is the Messiah for whom they waited, but he is more. Jesus Christ is the Son of God who became one of us.

From December 17 through December 23, our hope and expectation grow. We are eager to celebrate the coming of the Messiah into the world. So during this time the Church prays the "O Antiphons." An antiphon is a short prayer. They are called the "O Antiphons" because they all begin with the one-letter word "O."

In each of the seven antiphons, we call on Jesus by different titles that come from the Old Testament prophets. In each of these short prayers we praise Christ for what he has done for us and call on him to come to all of God's People.

From December 17 to December 23 the O Antiphons are recited or sung during Evening Prayer and sung at Mass before the Gospel reading.

Look at the list of signs for each O Antiphon in this chart. For centuries these signs have been pictured in artwork. Check to see if your parish newsletter or Web site gives examples of these signs.

Old Testament Title		What it means to us	Sign of title
Dec. 17	O Wisdom!	Jesus is our wise teacher.	oil lamp, open book
Dec. 18	O Lord of Israel!	Jesus is our leader.	burning bush, stone tablet
Dec. 19	O Flower of Jesse's Stem!	Jesse was the father of King David and the ancestor of Jesus. Jesus is the "flower" on the family tree.	vine or plant with flower
Dec. 20	O Key of David!	Jesus opens the gates of God's Kingdom to us.	key, broken chains
Dec. 21	O Radiant Dawn!	Jesus is our light.	rising sun
Dec. 22	O King of All Nations!	Jesus is the king who unites us all.	crown, scepter
Dec. 23	O Emmanuel!	Emmanuel means "God with us." Jesus is with us always.	chalice and host

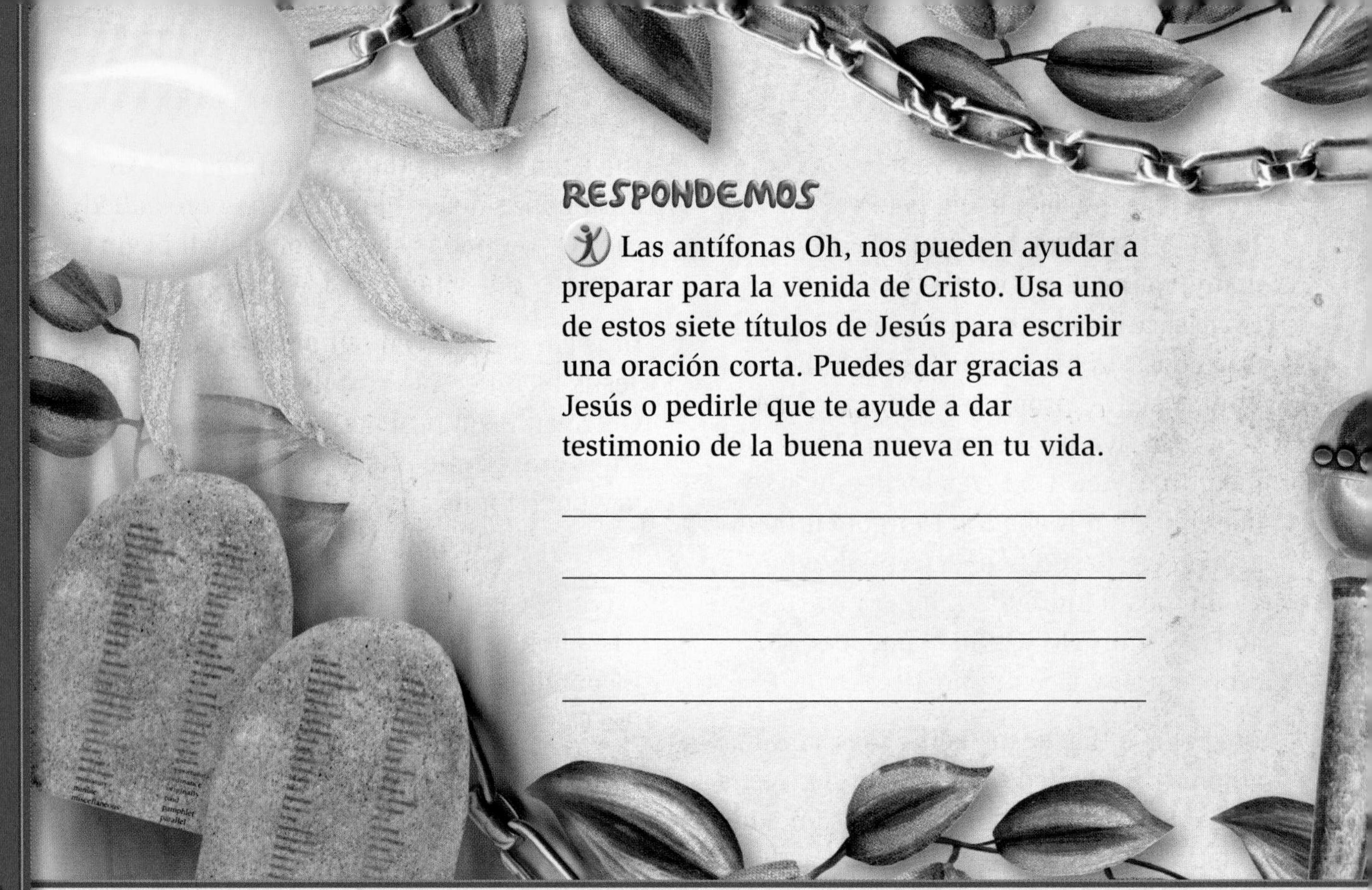

RESPONDEMOS

Las antífonas Oh, nos pueden ayudar a preparar para la venida de Cristo. Usa uno de estos siete títulos de Jesús para escribir una oración corta. Puedes dar gracias a Jesús o pedirle que te ayude a dar testimonio de la buena nueva en tu vida.

____

____

____

____

✝ Respondemos en oración

Líder: Nuestra ayuda viene del Señor.

Todos: Que hizo el cielo y la tierra.

Lector: Una mujer dijo a Jesús: “Yo sé que el Mesías, es decir, el Cristo, está a punto de llegar; cuando él venga nos lo explicará todo”. Jesús le dijo: “Soy yo, el que está hablando contigo”. (Juan 4:25, 26)

Todos: Jesús, eres el Mesías.

Líder: Oh Sabiduría, tú guías a la creación con tu fuerte pero noble cuidado.

Todos: Ven, muestra a tu pueblo el camino a la salvación.

Líder: Oh Señor de Israel, diste a Moisés las leyes en el Monte Sinaí.

Todos: Ven, extiende tu mano para liberarnos.

Líder: Oh flor de la rama de Jesé, has sido elevado como una señal para el pueblo.

Todos: Ven, que nada impida que vengas en nuestra ayuda.

Líder: Oh llave de David, tú controlas las puertas del Cielo.

Todos: Ven, libera a tu pueblo cautivo.

Líder: Oh radiante amanecer, eres el esplendor de la luz eterna y el sol de justicia.

Todos: Ven, brilla sobre los que están en las tinieblas.

Líder: Oh rey de las naciones, eres el gozo de los corazones.

Todos: Ven, salva la criatura que creaste del polvo.

Líder: Oh Enmanuel, eres el deseo de todas las naciones y el Salvador de todos.

Todos: Ven, libéranos, Señor, nuestro Dios.

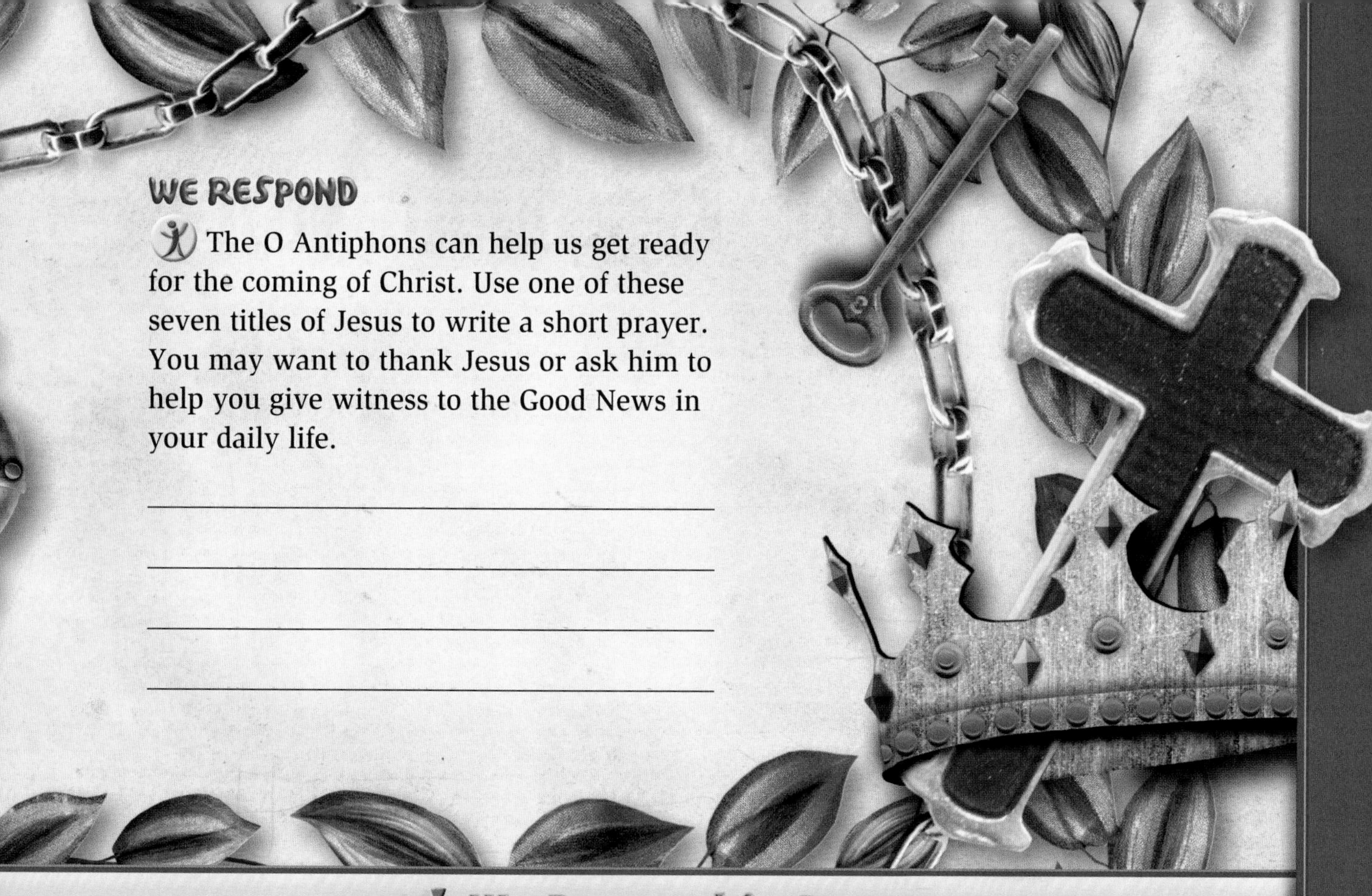

WE RESPOND

The O Antiphons can help us get ready for the coming of Christ. Use one of these seven titles of Jesus to write a short prayer. You may want to thank Jesus or ask him to help you give witness to the Good News in your daily life.

____

____

____

____

We Respond in Prayer

Leader: Our help is in the name of the Lord.

All: Who made heaven and earth.

Reader: Once a woman said to Jesus, "I know that the Messiah is coming, the one called the Anointed; when he comes, he will tell us everything." Jesus told her in reply, "I am he" (John 4:25, 26).

All: Jesus, you are the Messiah.

Leader: O Wisdom! You guide creation with your strong yet tender care.

All: Come, show your people the way to salvation.

Leader: O Lord of Israel! You gave Moses the Law on Mount Sinai.

All: Come, stretch out your mighty hand to set us free.

Leader: O Flower of Jesse's Stem! You have been raised up as a sign for all people.

All: Come, let nothing keep you from coming to our aid.

Leader: O Key of David! You control the gates of heaven.

All: Come, lead your captive people to freedom.

Leader: O Radiant Dawn! You are the splendor of eternal light and the sun of justice.

All: Come, shine on those who dwell in darkness.

Leader: O King of All Nations! You are the only joy of every heart.

All: Come, save the creature you fashioned from the dust.

Leader: O Emmanuel! You are the desire of all nations and the Savior of all people!

All: Come, set us free, Lord our God.

HACIENDO DISCÍPULOS

Muestra lo que sabes

Encuentra las palabras del Tiempo de Adviento en la sopa de letras.

- Adviento
- esperanza
- antífona
- gozo
- nacimiento
- Mesías
- Cristo
- preparación
- Enmanuel
- profeta
- espera
- morado

A	B	E	S	P	E	R	A	N	Z	A	J	T	P
D	K	C	A	I	F	L	S	Q	C	Y	Q	Z	R
V	B	X	E	S	P	E	R	A	R	R	F	E	O
I	Z	C	I	I	M	B	N	Y	I	O	V	N	F
E	M	O	R	A	D	O	Q	C	S	G	L	M	E
N	S	J	A	I	F	F	L	A	T	Z	W	A	T
T	B	C	X	I	I	F	T	Q	O	Y	Q	N	A
O	L	H	T	R	H	E	L	C	D	J	E	U	M
A	K	N	A	C	L	U	L	S	A	I	S	E	M
G	A	C	G	O	Z	O	Q	C	Y	R	P	L	T
N	A	C	I	M	I	E	N	T	O	Y	Q	Z	N
M	B	V	P	R	E	P	A	R	A	C	I	O	N

Datos

El Tercer Domingo de Adviento es llamado Domingo Gaudete. *Gaudete* significa "regocijo". En este domingo se enciende una vela rosada en la corona de Adviento. El sacerdote que celebra la Misa en este domingo también usa vestimentas rosadas.

Investiga

Esta es una lista de los nombres de algunos santos cuya fiesta se celebra durante el Adviento: María (como la Inmaculada Concepción y Nuestra Señora de Guadalupe), san Nicolás, san Juan Diego, santa Lucia y san Juan de la Cruz.

...*das de santos* en **religion.sadlierconnect.com** ...s de santos para más informaciones sobre ...as.

Tarea

Junto con tu familia escriban una antífona alabando a Jesús por lo que ha hecho por nosotros.

____

____

Preparen una corona de Adviento para usar en la casa. Durante la comida después de bendecir los alimentos túrnense para encender la vela de la semana de Adviento. Recen la antífona que escribieron al encender la vela.

PROJECT DISCIPLE

Show What you Know

Find these words of the season in the puzzle below.

Advent
hope
antiphon
joyful
birth
Messiah
Christ
preparation
Emmanuel
prophet
expectation
violet

L	E	Y	C	Y	T	M	N	W	D	Y	P	R
U	R	M	R	J	E	S	L	H	F	E	E	A
F	U	L	M	S	O	H	I	T	O	N	N	S
Y	W	J	S	A	T	X	J	R	O	C	O	P
O	D	I	I	E	N	A	M	I	H	E	I	R
J	A	V	L	U	K	U	T	Y	K	C	T	O
H	X	O	C	D	C	A	E	C	A	B	A	P
N	I	B	I	R	T	H	Q	L	H	V	R	H
V	L	F	N	C	H	I	S	M	T	Y	A	E
I	K	S	E	X	Y	O	H	M	U	H	P	T
S	B	P	A	N	T	I	P	H	O	N	E	S
Y	X	T	N	E	V	D	A	E	J	X	R	M
E	V	I	J	E	X	B	Q	G	F	R	P	K

Fast Facts

The Third Sunday of Advent is called Gaudete Sunday. *Gaudete* means "rejoice." The rose-colored candle of the Advent wreath is lit on Gaudete Sunday. Rose-colored vestments may be worn by the priest to celebrate the Mass on Gaudete Sunday.

More to Explore

The following are some of the saints whose feasts are celebrated during Advent: Mary (as the Immaculate Conception and Our Lady of Guadalupe), Saint Nicholas, Saint Juan Diego, Saint Lucy, and Saint John of the Cross.

Search the Internet, *Lives of the Saints* on **religion.sadlierconnect.com**, or books about the saints to find out more about these holy people.

Take Home

With your family write your own O Antiphon praising Jesus for what he has done for us. Ask him to come to all of God's People.

____

____

Then prepare an Advent wreath to use at home. At dinner after the blessing of the food, take turns lighting the candle for the week of Advent. Say your family O Antiphon prayer as the candle is lit.

Catequesis en el hogar

Capítulo 13 (páginas 146–153)

Adviento

En este capítulo su hijo(a) aprenderá que el Adviento es un tiempo de gozosa espera y preparación para la venida del Hijo de Dios.

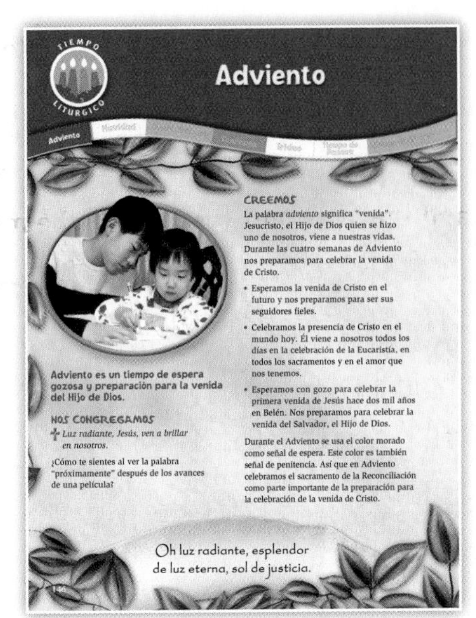

TIEMPO LITÚRGICO

Adviento

Adviento

Adviento es un tiempo de espera gozosa y preparación para la venida del Hijo de Dios.

NOS CONGREGAMOS

✠ *Luz radiante, Jesús, ven a brillar en nosotros.*

¿Cómo te sientes al ver la palabra "próximamente" después de los avances de una película?

CREEMOS

La palabra *adviento* significa "venida". Jesucristo, el Hijo de Dios quien se hizo uno de nosotros, viene a nuestras vidas. Durante las cuatro semanas de Adviento nos preparamos para celebrar la venida de Cristo.

- Esperamos la venida de Cristo en el futuro y nos preparamos para ser sus seguidores fieles.
- Celebramos la presencia de Cristo en el mundo hoy. Él viene a nosotros todos los días en la celebración de la Eucaristía, en todos los sacramentos y en el amor que nos tenemos.
- Esperamos con gozo para celebrar la primera venida de Jesús hace dos mil años en Belén. Nos preparamos para celebrar la venida del Salvador, el Hijo de Dios.

Durante el Adviento se usa el color morado como señal de espera. Este color es también señal de penitencia. Así que en Adviento celebramos el sacramento de la Reconciliación como parte importante de la preparación para la celebración de la venida de Cristo.

Oh luz radiante, esplendor de luz eterna, sol de justicia.

146

Para los padres

Durante el tiempo de Adviento la Iglesia revive, por medio de la liturgia, la espera del Mesías. Este deseo por la venida del Hijo de Dios es expresado hermosamente en las antiguas antífonas O. Conectando el Antiguo y el Nuevo Testamento, esas siete antífonas dan voz al anhelo de la Iglesia por el reino de Dios hecho presente en la persona de Jesucristo.

Todos los días

- Encienda una vela y tomen un momento para aquietarse. Hagan la señal de la Cruz y recen la siguiente antífona: *Oh luz radiante, esplendor de la luz eterna, sol de justicia.*

Primer día **El Tiempo de Adviento.**

- Explique a su hijo(a) que el Adviento es el primer tiempo del año de la Iglesia. Es un tiempo de espera con gozo y preparación para la venida del Hijo de Dios.
- Proclamen juntos la antífona *Oh luz radiante, esplendor de la luz eterna, sol de justicia.*

Segundo día **Adviento es un tiempo de gozosa espera.**

- Túrnense para leer en voz alta el título y el texto que sigue. Pida a su hijo(a) que identifique las cuatro acciones de Adviento (esperanza, preparación, celebración y espera) en las que participamos durante el tiempo.
- Conversen sobre el significado del color morado.

Tercer día **Preparándose para la venida del Hijo de Dios.**

- Pida a su hijo(a) que diga el significado del término *profeta*. Conversen sobre profetas en nuestros tiempos.
- Lea los párrafos sobre las antífonas. Estudien el cuadro. Puede encontrar más información sobre las antífonas en el Internet o en la biblioteca. Su hijo(a) puede hacer ornamentos en cartulina para cada una de las antífonas y colocarlos en el árbol de navidad.

Cuarto día **Durante el Adviento nos preparamos para dar la bienvenida a Jesús.**

- Explique a su hijo(a) que nos preparamos para la venida de Jesús siendo sus fieles seguidores.

Respondemos en fe

Quinto día

- Ayude a su hijo(a) a hacer una lista de las cosas que le gustaría hacer para prepararse para la venida de Jesús.

Sexto día

- Conversen en familia sobre lo que significa espera y prepararse. Relacione esto con la espera y la preparación para el nacimiento de un bebé.

Catechesis at Home

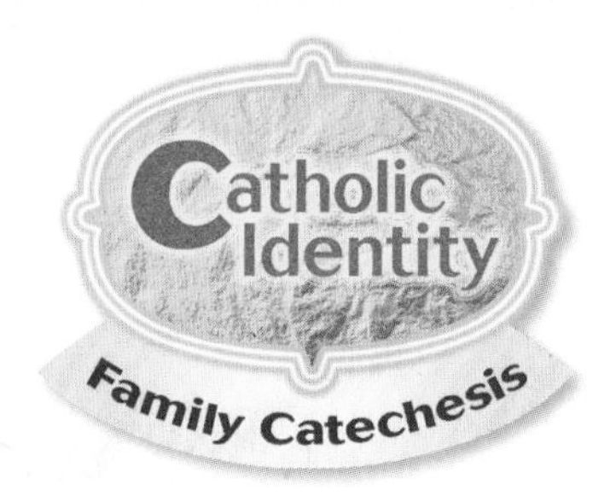

Chapter 13 (pages 146–153)

Advent

In this chapter your child will learn that Advent is a season of joyful expectation and preparation for the coming of the Son of God.

For the Parents

During the season of Advent, the Church revives through wits liturgy the longing for the coming of the Messiah. This desire for the coming of the Son of God is beautifully expressed in the ancient Advent O Antiphons. Connecting the Old and New Testaments, these seven antiphons give voice to the Church's longing for God's Kingdom made present in the person of Jesus Christ.

Every Day

- Light a candle and take a few moments to quiet yourselves.
- Pray the Sign of the Cross and the prayer *O Radiant Dawn, Jesus, come and shine on us!*

Day One **The Season of Advent.**

- Explain to your child that Advent is the first season of the Church year. It is a time of joyful expectation and preparation for the coming of the Son of God.
- Proclaim together the O Antiphon on the banner at the bottom of the page.

Day Two **Advent is a season of joyful expectation.**

- Take turns reading aloud the *We Believe* statement and the text that follows. Ask your child to identify the four Advent actions (hope, prepare, celebrate, wait) in which we all participate during this season.
- Discuss the meaning of the color violet.

Day Three **Preparation for the coming of the Son of God.**

- Have your child tell you the meaning of the term *prophet*. Then talk with your child about modern-day prophets.
- Read the paragraphs about the O Antiphons. Study the chart. You may want to find more information about these antiphons on the Internet or at the library. Your child may want to make a cardboard ornament of each antiphon to hang on your Christmas tree.

Day Four **During Advent we get ready to welcome Jesus.**

- Explain to your child that we prepare for the coming of Jesus by being his faithful follower.

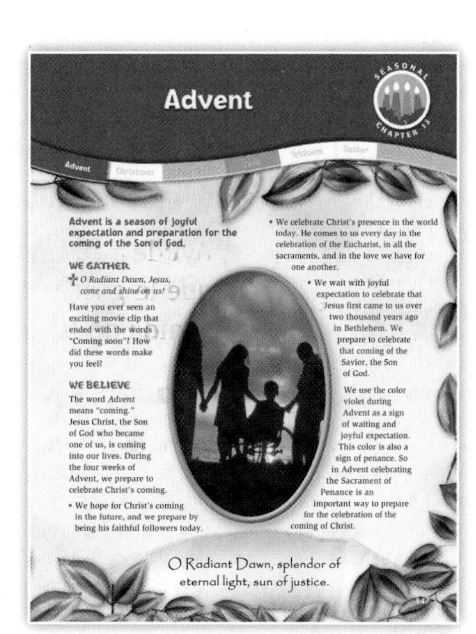

Advent

SEASONAL CHAPTER 13

Advent

Advent is a season of joyful expectation and preparation for the coming of the Son of God.

WE GATHER

✝ *O Radiant Dawn, Jesus, come and shine on us!*

Have you ever seen an exciting movie clip that ended with the words "Coming soon"? How did these words make you feel?

WE BELIEVE

The word *Advent* means "coming." Jesus Christ, the Son of God who became one of us, is coming into our lives. During the four weeks of Advent, we prepare to celebrate Christ's coming.

- We hope for Christ's coming in the future, and we prepare by being his faithful followers today.
- We celebrate Christ's presence in the world today. He comes to us every day in the celebration of the Eucharist, in all the sacraments, and in the love we have for one another.
- We wait with joyful expectation to celebrate that Jesus first came to us over two thousand years ago in Bethlehem. We prepare to celebrate that coming of the Savior, the Son of God.

We use the color violet during Advent as a sign of waiting and joyful expectation. This color is also a sign of penance. So in Advent celebrating the Sacrament of Penance is an important way to prepare for the celebration of the coming of Christ.

O Radiant Dawn, splendor of eternal light, sun of justice.

We Respond in Faith

Day Five

- Help your child to write a list of the things he or she will do to prepare for the coming of Jesus.

Day Six

- Have a family discussion about what it means to wait and prepare. Relate this to the waiting and preparation for the birth of any new child in a family.

Navidad

Adviento | Navidad | Tiempo Ordinario | Cuaresma | Triduo | Tiempo de Pascua | Tiempo Ordinario

Navidad es un tiempo de regocijo en la Encarnación.

✠ *Jesús, llénanos de tu luz.*

NOS CONGREGAMOS

Algunas veces la gente demora más tiempo celebrando algunos eventos: por ejemplo, una reunión familiar puede durar toda una semana. ¿Cómo celebra tu familia diferentes eventos?

CREEMOS

Lo que celebramos el día de Navidad y durante todo el Tiempo de Navidad, es el maravilloso regalo de Dios con nosotros. Durante el Adviento y la Navidad escuchamos a Jesús ser llamado Enmanuel. *Enmanuel* quiere decir "Dios con nosotros". Durante la Navidad celebramos que Dios está con nosotros hoy, ahora, y siempre.

El Tiempo de Navidad es tiempo de gozo en la Encarnación, la verdad de que el Hijo de Dios se hizo hombre. Celebramos la presencia de Cristo entre nosotros ahora y cuando vino al mundo hace dos mil años. Recordamos que Dios amó tanto al mundo que envió a su único Hijo para salvarnos.

Muchas personas no saben que celebramos el día de Navidad con tres Misas: la Misa de media noche, la Misa de la aurora y la Misa durante el día. Cada una nos ayuda a celebrar la luz de Cristo en el mundo hoy.

Misa de medianoche (también llamada misa del gallo). Para la celebración de esta Misa, todo está oscuro y en paz y quizás frío. La iglesia está preparada con velas. El sacerdote la inicia con las palabras: "Hiciste resplandecer esta noche santísima con el nacimiento de Cristo, verdadera luz del mundo". La historia del nacimiento de Jesús se lee en el Evangelio.

José y María viajaron a Belén, la ciudad de David, a inscribirse en un censo. "Mientras estaban en Belén le llegó a María el tiempo del parto, y dio a luz a su hijo primogénito, lo envolvió en pañales y lo acostó en un pesebre, porque no había sitio para ellos en la posada". (Lucas 2:6–7)

"Hoy brillará una luz sobre nosotros, porque nos ha nacido el Señor".

Ritos Iniciales de la misa de la aurora

Christmas

Advent | Christmas | Ordinary Time | Lent | Triduum | Easter | Ordinary Time

The season of Christmas is a time to rejoice in the Incarnation.

✝ *Jesus, fill us with your light.*

WE GATHER

Sometimes people may celebrate different events for different periods of time: for example, a family reunion for a whole week. How does your family celebrate different events?

WE BELIEVE

What we celebrate on Christmas Day, and during the whole Christmas season, is the wonderful gift of God with us. During Advent and Christmas we hear Jesus called by the name *Emmanuel.* The name Emmanuel means "God with us." During Christmas we celebrate in a special way that God is with us today, now, and forever.

The season of Christmas is a time to rejoice in the Incarnation, the truth that the Son of God became man. We celebrate Christ's presence among us now as well as his first coming into the world over two thousand years ago. We recall that God so loved the world that he sent his only Son to be our Savior.

Many people do not know that we celebrate Christmas Day with three Masses: the Mass at Midnight, the Mass at Dawn, and the Mass during the Day. Each Mass helps us to celebrate the light of Christ in the world today.

Mass at Midnight For the celebration of this Christmas Mass, all is dark and peaceful, and maybe even cold. The church is lit with candles. The priest opens with the words, "Father, you make this holy night radiant with the splendor of Jesus Christ our light." The Gospel reading is the story of the birth of Jesus.

Joseph and Mary had traveled to Bethlehem, the city of David, to be enrolled and counted in a census. "While they were there, the time came for her to have her child, and she gave birth to her firstborn son. She wrapped him in swaddling clothes and laid him in a manger, because there was no room for them in the inn." (Luke 2:6–7)

"A light will shine on us this day, the Lord is born for us."

Mass at Dawn, Introductory Rites

Había pastores en el campo cercano. El ángel del Señor les dijo:

"No teman, pues les anuncio una gran alegría, que lo será para ustedes y para todo el pueblo: Les ha nacido hoy, en la ciudad de David, un Salvador, que es el Mesías, el Señor. Esto les servirá de señal: encontrarán un niño envuelto en pañales y acostado en un pesebre".

De repente muchas voces cantaron con el ángel. "¡Gloria a Dios en las alturas y en la tierra paz a los hombres que gozan de su amor!". (Lucas 2:10–12, 14).

Un himno de gloria o Gloria a Dios, está basado en este himno de los ángeles. Rezamos o cantamos el *Gloria* durante las Misas los domingos, excepto los domingos de Adviento y Cuaresma. En las Misas de Navidad cantamos este himno con gran gozo. La luz de Cristo ha venido al mundo y se queda con nosotros.

Misa de la aurora Para la celebración de esta Misa, el sol está naciendo. Igual que los pastores corrieron al establo, los fieles corren a sus parroquias. El sacerdote la inicia con las palabras: "Señor, Dios todopoderoso, que has querido iluminarnos con la luz nueva de tu Verbo hecho carne".

Habrás escuchado muchos títulos para Jesús: Mesías, Cristo, Ungido, Salvador, Señor, para nombrar algunos. Estos se refieren al Hijo de Dios, la segunda Persona de la Santísima Trinidad, quien se hizo hombre. "La Palabra entre nosotros" y "la Palabra hecha carne", son también títulos para Cristo y que explican la Encarnación. De hecho, la palabra *encarnación* significa "hecho carne". Durante la Navidad nos regocijamos de que la Palabra está entre nosotros hoy y siempre.

Misa durante el día El sacerdote la inicia la celebración de esta misa diciendo: "Dios nuestro, que de modo admirable creaste al hombre. . . . y de modo más admirable lo elevaste con el nacimiento de tu Hijo".

La lectura del evangelio es del inicio del Evangelio de Juan: "Y la Palabra se hizo carne y habitó entre nosotros; y hemos visto su gloria, la gloria propia del Hijo único del Padre, lleno de gracia y de verdad". (Juan 1:14)

El Tiempo de Navidad termina con la fiesta del Bautismo del Señor.

There were shepherds in the fields nearby. The angel of the Lord came to them and said:

"Do not be afraid; for behold, I proclaim to you good news of great joy that will be for all the people. For today in the city of David a savior has been born for you who is Messiah and Lord. And this will be a sign for you: you will find an infant wrapped in swaddling clothes and lying in a manger."

Suddenly there were many voices singing with the angel:

"Glory to God in the highest
and on earth peace to those
on whom his favor rests"
(Luke 2:10–12, 14).

Our great hymn the *Gloria*, or the Glory to God, is based on this song of the angels. We say or sing the Glory to God in Mass on Sundays all during the year, except during Advent and Lent. In the Masses of Christmas we sing this hymn with great joy. The light of Christ has come into the world and remained with us!

Mass at Dawn For the celebration of this Christmas Mass, the sun is rising in the east. Just as the shepherds hurried to the stable, the faithful hurry to their parish churches. The priest opens with the words, "Father, we are filled with the new light by the coming of your Word among us."

You have heard many titles of Jesus. Messiah, Christ, Anointed One, Savior, and Lord are just a few. These titles are all ways to speak about the Son of God, the Second Person of the Blessed Trinity who became one of us. "The Word among us" and "the Word made flesh" are also titles for Christ, but there are more. They are actually ways of explaining the Incarnation. In fact, the word *Incarnation* means "becoming flesh."

During the Christmas season we rejoice that the Word is among us, today and always.

Mass During the Day For the celebration of this Christmas Mass, people greet each other with joy. The priest begins, "God of love, Father of all, the darkness that covered the earth has given way to the bright dawn of your Word made flesh."

The Gospel reading for this Mass is the beginning of the Gospel of John. Here is part of that reading.

"And the Word became flesh
and made his dwelling among us,
and we saw his glory,
the glory as of the Father's only Son,
full of grace and truth." (John 1:14)

Christmas does not end once these three Masses have been celebrated. The season of Christmas lasts until the Feast of the Baptism of the Lord, which is usually in the second week in January.

Los días después de Navidad son llamados "los doce días de Navidad" porque la fiesta de la Epifanía era celebrada originalmente el 6 de enero. En los Estados Unidos se celebra el segundo domingo después de Navidad.

La gente de todas partes del mundo celebra la Navidad y sus fiestas. Celebran con costumbres y tradiciones locales. No importa cuan diferentes sean sus celebraciones, nos ayudan a recordar que Cristo es nuestra Luz hoy, él es Dios con nosotros hoy, y la Palabra entre nosotros hoy y siempre.

RESPONDEMOS

En grupo hagan un cuadro de las muchas formas en que la gente celebra el día de Navidad y el Tiempo de Navidad. Hablen si esas cosas nos ayudan a recordar el verdadero significado de la Navidad.

Respondemos en oración

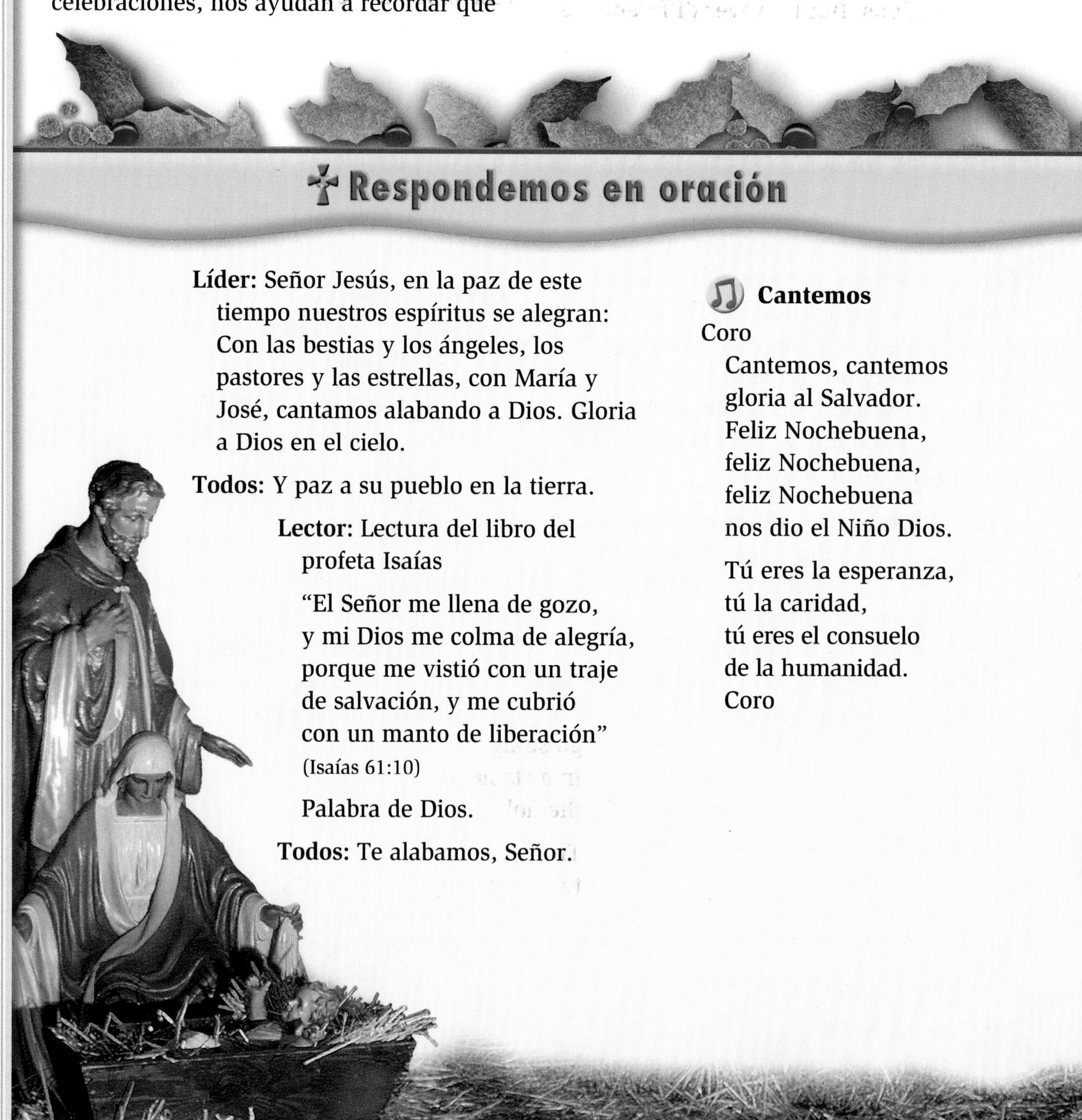

Líder: Señor Jesús, en la paz de este tiempo nuestros espíritus se alegran: Con las bestias y los ángeles, los pastores y las estrellas, con María y José, cantamos alabando a Dios. Gloria a Dios en el cielo.

Todos: Y paz a su pueblo en la tierra.

Lector: Lectura del libro del profeta Isaías

"El Señor me llena de gozo,
y mi Dios me colma de alegría,
porque me vistió con un traje
de salvación, y me cubrió
con un manto de liberación"
(Isaías 61:10)

Palabra de Dios.

Todos: Te alabamos, Señor.

Cantemos

Coro

Cantemos, cantemos
gloria al Salvador.
Feliz Nochebuena,
feliz Nochebuena,
feliz Nochebuena
nos dio el Niño Dios.

Tú eres la esperanza,
tú la caridad,
tú eres el consuelo
de la humanidad.
Coro

The days after Christmas are often called "The Twelve Days of Christmas" because the Feast of Epiphany was originally celebrated on this twelfth day, January 6. Today in the United States Epiphany is celebrated on the second Sunday after Christmas.

People in all parts of the world celebrate Christmas and the feasts of the Christmas season. They celebrate using local customs and traditions. But however different the celebrations may be, they all help us to remember that Christ is our Light today, he is God-with-us today, the Word among us today and always.

WE RESPOND

Work in groups to make a chart of the many ways people celebrate Christmas Day and the whole season of Christmas. Talk about whether or not these ways help us to remember the real meaning of Christmas.

We Respond in Prayer

Leader: Lord Jesus,
in the peace of this season
our spirits rejoice:
With the beasts and angels,
the shepherds and stars,
with Mary and Joseph
we sing God's praise.

Glory to God in the highest.

All: And on earth peace to people of good will.

Reader: A reading from the Book of the Prophet Isaiah

"I rejoice heartily in the LORD,
in my God is the joy
of my soul;
For he has clothed me with a
robe of salvation,
and wrapped me in a
mantle of justice."
(Isaiah 61:10)

The word of the Lord.

All: Thanks be to God.

Calling the Children

Refrain

Gloria, Gloria! Gloria, Gloria!
Sing of the Savior's birth.
Sing of the Savior's birth.
Loud and clear, loud and clear.
Calling the children, calling the children,
calling the children of God.

Now hear the angels' song:
"Your Savior Christ is born.
In a manger lies the baby,
the Savior of the world." (Refrain)

The shepherds hearing them
go straight to Bethlehem.
In a stable they find Jesus,
the holy Lamb of God. (Refrain)

The star is shining bright,
to lead us through the night.
Here is comfort for our sorrow,
the Light to save the world. (Refrain)

HACIENDO DISCÍPULOS

Muestra *lo* que sabes

Escribe un párrafo sobre la Navidad incluyendo las siguientes palabras:

pastores
Enmanuel
Encarnación
epifanía
Belén
ángeles

los angeles estan en
Belen parded pastores
y Enmanuel neno ???
Encarnacion The end ???

Datos

El primer pesebre "vivo" tuvo lugar en Greccio, Italia en 1223, y se atribuye a san Francisco de Asís. San Francisco quería que la gente recordara las humildes condiciones del nacimiento de Jesús.

Celebra

En el Credo de Nicea afirmamos nuestra creencia en que Jesús es verdadero Dios y verdadero hombre. Rezamos: "Por nosotros, los hombres, y por nuestra salvación bajo del cielo, y por obra del Espíritu Santo se encarnó de María la Virgen y se hizo hombre".

Tarea

La Iglesia celebra las vidas de muchos santos durante el tiempo de Navidad. Busquen nombres de santos cuyas fiestas caen en los días entre Navidad y la fiesta de Epifanía.

Junto con tu familia visita *Vidas de Santos* en **religion.sadlierconnect.com** para ver más sobre los santos.

PROJECT DISCIPLE

Show What you Know

Write a paragraph about Christmas. Include the following words:

shepherds
Emmanuel
Incarnation
Epiphany
Bethlehem
angels

____

____

____

____

____

____

____

____

____

Fast Facts

The first "live" Nativity scene which took place in Greccio, Italy, in 1223, is attributed to Saint Francis of Assisi. Saint Francis wanted to remind people of the humble conditions of Jesus' birth.

Celebrate!

In the Nicene Creed we state our belief that Jesus is true God and true man. We pray, "For us men and for our salvation he came down from heaven, and by the Holy Spirit was incarnate of the Virgin Mary, and became man."

Take Home

The Church celebrates the lives of many saints during the Christmas season. Find out about the saints whose feast days fall between Christmas Day and the Baptism of the Lord.

With your family, visit *Lives of the Saints* on **religion.sadlierconnect.com** to find out more about these and other saints and holy people.

Catequesis en el hogar

Capítulo 14 (páginas 154–161)

Navidad

En este capítulo su hijo(a) aprenderá que el tiempo de Navidad es tiempo de regocijo en la encarnación.

Para los padres

La Iglesia celebra el Tiempo de Navidad como un tiempo de regocijo en la encarnación del Hijo de Dios. Como proclamamos en el credo de Nicea: Cristo "bajó del cielo y por obra del Espíritu Santo se encarnó de María, la virgen, y se hizo hombre". La Palabra se hizo carne para que pudiéramos ser salvos y reconciliarnos con Dios. Durante el Tiempo de Navidad celebramos el misterio de Dios con nosotros. Los tiempos litúrgicos celebran la maravilla de que el Hijo de Dios se hizo hombre. La Palabra se hizo carne. Nuestra creencia en esta verdad central de nuestra fe es un signo distintivo de nuestra fe cristiana.

Todos los días

- Encienda una vela y tomen un momento para aquietarse.
- Juntos hagan la señal de la cruz y la siguiente oración: *Gloria a Dios en el cielo.*

Primer día **Tiempo de Navidad.**

- Pida a su hijo(a) que comparta lo que sabe sobre el significado de la Navidad.
- Proclamen juntos las palabras al final de la página 154.

Segundo día **El Tiempo de Navidad es un tiempo de gozo.**

- Túrnense para leer en voz alta el título y el texto que sigue.
- Pregunte: *¿Cuáles son las tres Misas que se celebran en Navidad?* (Misa de media noche, Misa de la aurora y la Misa durante el día).

Tercer día **Durante el Tiempo de Navidad nos regocijamos en la encarnación.**

- Lea el pasaje bíblico del Evangelio de Lucas.
- Lea de nuevo sobre la Misa de la aurora y pregunte: *¿Por qué la aurora es un tiempo apropiado para una misa de Navidad?* (Las respuestas pueden incluir: Porque la aurora es el inicio del día y en Navidad empieza la vida de Jesús en la tierra; la Navidad es el inicio de nuestra salvación; con la aurora se inicia la luz del día y Jesús es nuestra luz).

Cuarto día **Durante el Tiempo de Navidad nos regocijamos en la encarnación. (Continuación)**

- Continúe leyendo sobre la Misa durante el día. Ponga énfasis en que el Tiempo de Navidad continúa por dos semanas y termina con la fiesta del Bautismo del Señor. Celebramos la Epifanía el Segundo Domingo de Navidad. Pregunte: *¿Cómo continúa celebrando nuestra familia la Navidad durante las dos semanas después del 25 de diciembre?*

Respondemos en fe

Quinto día

- Converse con su hijo(a) sobre cómo recordamos el verdadero significado de la Navidad.

Sexto día

- ¿Cuáles son las actividades tradicionales de Navidad de su familia? ¿Cómo esas actividades ayudan a su familia a recordar el verdadero significado del Tiempo de Navidad?

Catechesis at Home

Chapter 14 (pages 154–161)

Christmas

In this chapter your child will learn that the season of Christmas is a time to rejoice in the Incarnation.

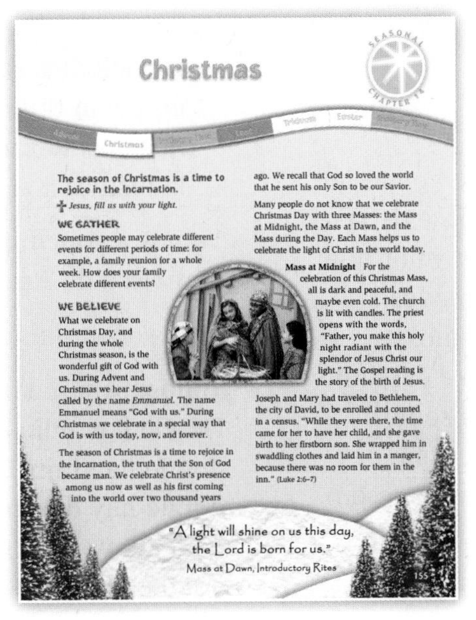

Christmas

The season of Christmas is a time to rejoice in the Incarnation.

✝ *Jesus, fill us with your light.*

WE GATHER

Sometimes people may celebrate different events for different periods of time: for example, a family reunion for a whole week. How does your family celebrate different events?

WE BELIEVE

What we celebrate on Christmas Day, and during the whole Christmas season, is the wonderful gift of God with us. During Advent and Christmas we hear Jesus called by the name *Emmanuel*. The name Emmanuel means "God with us." During Christmas we celebrate in a special way that God is with us today, now, and forever.

The season of Christmas is a time to rejoice in the Incarnation, the truth that the Son of God became man. We celebrate Christ's presence among us now as well as his first coming into the world over two thousand years ago. We recall that God so loved the world that he sent his only Son to be our Savior.

Many people do not know that we celebrate Christmas Day with three Masses: the Mass at Midnight, the Mass at Dawn, and the Mass during the Day. Each Mass helps us to celebrate the light of Christ in the world today.

Mass at Midnight For the celebration of this Christmas Mass, all is dark and peaceful, and maybe even cold. The church is lit with candles. The priest opens with the words, "Father, you make this holy night radiant with the splendor of Jesus Christ our light." The Gospel reading is the story of the birth of Jesus.

Joseph and Mary had traveled to Bethlehem, the city of David, to be enrolled and counted in a census. "While they were there, the time came for her to have her child, and she gave birth to her firstborn son. She wrapped him in swaddling clothes and laid him in a manger, because there was no room for them in the inn." (Luke 2:6–7)

"A light will shine on us this day, the Lord is born for us."
Mass at Dawn, Introductory Rites

155

For the Parents

The Church celebrates Christmas as a season of rejoicing in the Incarnation of the Son of God. As we proclaim in the Nicene Creed, Christ "came down from heaven, and by the Holy Spirit was incarnate of the Virgin Mary, and became man." The Word became flesh so that we might be saved and reconciled with God. The Christmas season celebrates the mystery of God-with-us. The seasonal liturgies celebrate the wonder of the Son of God's becoming man. The Word became flesh. Our belief in this central truth is a distinctive sign of our Christian faith.

Every Day

- Light a candle and take a few moments to quiet yourselves.
- Pray the Sign of the Cross and the prayer *Glory to God in the highest!*

Day One **Christmas Time.**

- Have your child share what he or she knows about the meaning of Christmas.
- Proclaim together the words on the banner on the bottom of the page 155.

Day Two **The season of Christmas is a season of Joy.**

- Take turns reading aloud the *We Believe* statement and the text that follows.
- Ask: *What are the three Masses of Christmas?* (Mass at Midnight, Mass at Dawn, Mass During the Day).

Day Three **During Christmas we rejoice in the Incantation.**

- Read the Scripture passage from the Gospel of Luke.
- Read again about the Mass at Dawn, ask: *Why would dawn be a good time for a Christmas Mass?* (Answers include: because dawn is the beginning of the day and Christmas is the beginning of Jesus' life on earth; Christmas is the beginning of our salvation; at dawn, light comes into the world and Jesus is our Light.)

Day Four **During Christmas we rejoice in the Incarnation. (Continued)**

- Continue reading about the Mass During the Day. Emphasize that the Christmas season continues for about two weeks and ends with the Feast of the Baptism of the Lord. We celebrate Epiphany on the second Sunday after Christmas. Ask: *How can our family continue to celebrate Christmas for two weeks after December 25?*

We Respond in Faith

Day Five

- Discuss with your child ways to remember the real meaning of Christmas.

Day Six

- What are some of your family's traditional Christmas activities? How do these activities help your family remember the real meaning of the Christmas season?

Dignidad humana

Oración

Todos rezan la señal de la cruz.

Líder: La Iglesia Católica enseña que honrar la dignidad de toda persona es la base de la moral. La dignidad humana es el valor que todos tenemos por haber sido creados a imagen y semejanza de Dios. Vamos a empezar pensando en este mensaje del santo padre, el papa Francisco: "Todos somos vasijas de barro, frágiles y pobres, sin embargo llevamos dentro un inmenso tesoro". (Papa Francisco, Twitter, 9 de agosto, 2013)

Oremos para que Dios, quien creó a todos los humanos a su imagen, nos ayude a honrar la dignidad humana en los demás y en nosotros mismos. (*Pausa para reflexionar*)

Lector 1: "Él da a todos la vida, la respiración y todo lo demás. Él creó de un solo hombre toda la humanidad para que habitara en toda la tierra, fijando a cada pueblo dónde y cuándo tenían que habitar". (Hechos de los apóstoles 17:25–26)

Lector 2: Dios, nos llamas a reconocer la dignidad humana en cada uno. Sin embargo, con frecuencia, la dignidad es dejada de lado y algunas personas sufren necesidades. Como seguidores de tu Hijo, tratamos de trabajar para poner fin a esas injusticias sociales. Te pedimos por el fin de todos los pecados sociales, incluyendo: (*los participantes pueden turnarse para mencionar en voz alta ejemplos de pecado social, por ejemplo, prejuicio, pobreza y violencia*).

Líder: Espíritu Santo, ayúdanos a honrar la enseñanza de que todos somos creados a imagen de Dios. Guíanos para estar conscientes de esta enseñanza que nos guía en cómo tratamos a los demás y a nosotros mismos. Rezamos para que todos promovamos la justicia y el respeto por la dignidad humana.

Vamos a concluir rezando la oración de san Francisco de Asís.

Todos rezan la oración de san Francisco.

Todos: Señor, hazme un instrumento de tu paz:
Donde hay odio que yo siembre amor;
donde hay injuria, perdón;
donde hay discordia, unión;
donde hay duda, fe;
donde hay error, verdad;
donde hay desaliento, esperanza;
donde hay tristeza, alegría;
donde hay sombras, luz.

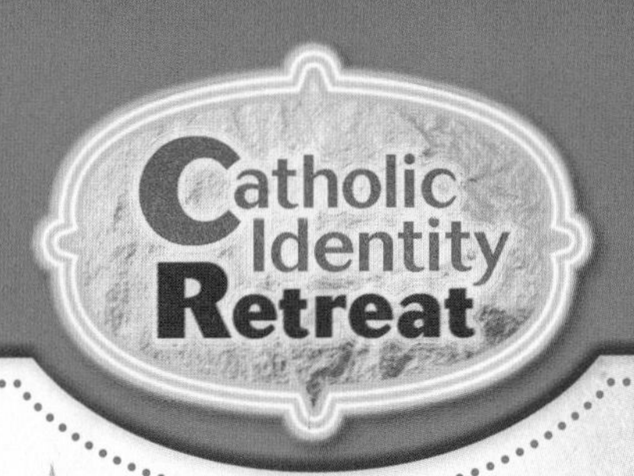

Human Dignity

Prayer

All pray the Sign of the Cross.

Leader: The Catholic Church teaches that honoring the dignity of every person is a basis of morality. Human dignity is the value and worth that come from being created in God's image and likeness. Let us begin by thinking of this message from our Holy Father, Pope Francis: "We are all jars of clay, fragile and poor, yet we carry within us an immense treasure." (Pope Francis, Twitter, August 9, 2013)

Let us pray to God, who created all human beings in his image, help us to honor the human dignity in others and ourselves. (*Pause for silent reflection.*)

Reader 1: "It is [God] who gives to everyone life and breath and everything. He made from one the whole human race to dwell on the entire surface of the earth." (Acts of the Apostles 17:25–26)

Reader 2: God, you call us to recognize one another's dignity. Often, however, human dignity is cast aside and people are left in need. As followers of your Son, we try to work to end these social injustices. We pray for an end to all social sin, including: (*the participants take turns naming examples of social sin aloud, such as prejudice, poverty, and violence*).

Leader: Holy Spirit, help us to honor the teaching that everyone is created in the image of God. Guide us to be aware of this teaching and let it direct the way we treat everyone, including ourselves. We pray that all people will promote justice and respect human dignity.

Let us conclude by praying the Prayer of Saint Francis.

All: Lord, make me an instrument of your peace:
Where there is hatred, let me sow love;
Where there is injury, pardon;
Where there is doubt, faith;
Where there is despair hope;
Where her is darkness, light;
Where there is sadness, joy.
All pray the Prayer of Saint Francis.

Dignidad humana

Compartiendo la Palabra de Dios

Reflexión sobre la lectura de la Escritura.

> "Entonces dijo Dios: 'Hagamos a los seres humanos a nuestra imagen, según nuestra semejanza, para que dominen sobre los peces del mar, las aves del cielo, los ganados, las bestias salvajes y los reptiles de la tierra'. Y creó Dios a los seres humanos a su imagen; a imagen de Dios los creó; varón y mujer los creó". (Génesis 1:26–27)

LEA despacio y con atención el pasaje del libro del Génesis.

REFLEXIONE sobre la lectura.

Piense en la siguientes preguntas:

- ¿Cómo el estar consciente de ser creado a imagen de Dios cambia la forma en la que me siento acerca de mí mismo(a)? ¿Cómo cambia la forma en que pienso sobre los demás y sobre la vida?
- ¿En qué formas el ser creado a semejanza de Dios es un don especial?
- ¿Sería el mundo diferente si todos verdaderamente viviéramos como la imagen de Dios? ¿Qué puede hacer su familia para vivir de esa manera?
- ¿Qué experiencias ha tenido en grupos o comunidades que viven verdaderamente a imagen de Dios?

COMPARTA sus pensamientos en grupo.

Conversen sobre lo que significa ser tratados con dignidad como imagen de Dios y sobre lo que significa tratar a otros de esa forma.

MEDITE y comparta sus pensamientos y sentimientos con Dios, el Creador, en oración. Dé ejemplos de formas en las que la sociedad no trata con dignidad a individuos o a grupos. Escriba algunas formas de promover el respeto hacia todas las personas.

____

____

____

____

____

Escriba una oración para pedir a Dios que lo ayude a tratar a todos como creación suya.

____

____

____

____

____

Identifique formas en las que pueda involucrarse en grupos o actividades para promover la dignidad humana en el hogar, en la escuela o en la comunidad.

Catholic Identity Retreat

Human Dignity

Sharing God's Word

Reflect on the Bible reading.

> "Then God said: 'Let us make man in our image, after our likeness. Let them have dominion over the fish of the sea, the birds of the air, and the cattle, and over all the wild animals and all the creatures that crawl on the ground.' God created man in his image; in the divine image he created him; male and female he created them." (Genesis 1:26–27)

READ the passage from the Book of Genesis. Read slowly and carefully.

REFLECT on what you read.

Think about the following questions:

- How does being aware that everyone is created in God's image change the way I feel about myself? about others? about life?
- In what ways is being created in God's image a special gift?
- How would the world be different if everyone truly lived as the image of God? What can our family do to live this way?
- What experiences have you had of a group or community that truly lived as the image of God?

SHARE your thoughts with your group.

Talk about what it means to be treated with dignity as the image of God. Talk about what it means to treat others this way.

CONTEMPLATE and share your thoughts and feelings with God the Creator in prayer.

Give examples of ways society sometimes does not treat individuals or groups with dignity. Write ways you can promote respect for all people.

____

____

____

____

____

Write a prayer asking God to help your treat all people as God's creation.

____

____

____

____

____

Identify ways you can become involved in groups or activities that promote human dignity at home, in school, or in the community.

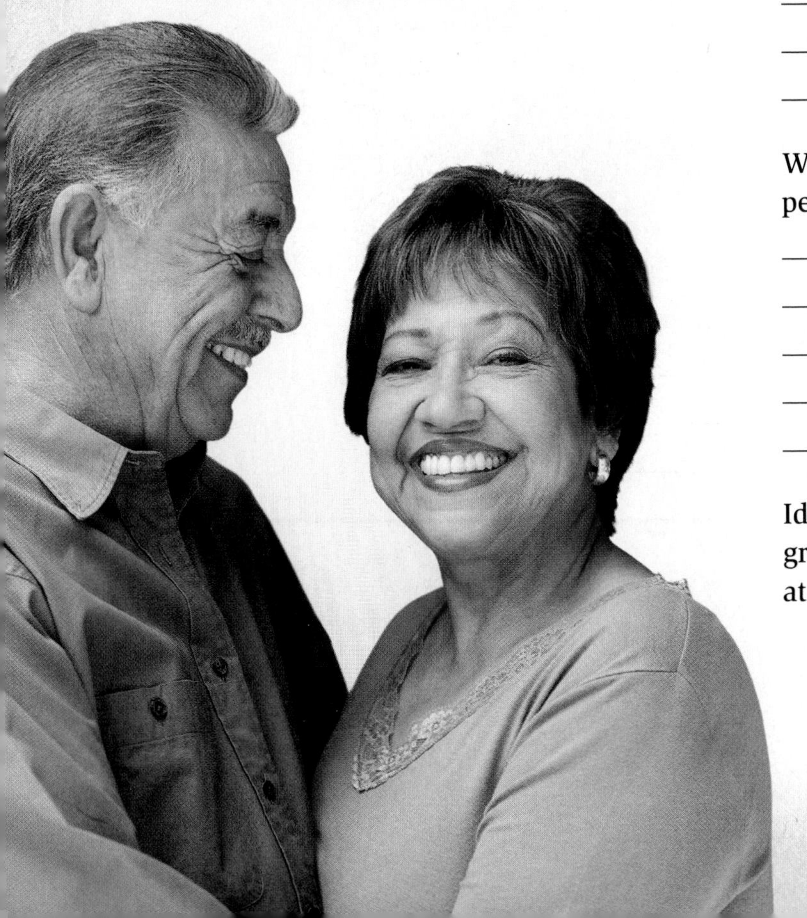

Dignidad humana

Valoramos nuestra fe católica

El tema de nuestro retiro es *Dignidad humana.*

Piense en las siguientes preguntas:

- ¿Qué significa ser creado a imagen y semejanza de Dios?
- ¿Qué responsabilidades y retos acompañan a este don y bendición?
- Imagine que tiene la oportunidad de cambiar una injusticia común en la sociedad, ¿cómo la cambiaría?

Celebramos y honramos nuestra identidad católica

Como discípulos de Jesús somos llamados a honrar la dignidad de toda persona y trabajar por la justica y la paz.

En grupo, escriban lo que pueden hacer para trabajar por la justica y la paz en la próxima semana, en el próximo mes y en el próximo año.

La próxima semana:

____

____

____

____

____

El próximo mes:

____

____

____

____

____

El próximo año:

____

____

____

____

____

Juntos, escriban una oración en la que pidan a Dios bendiciones para el mundo y para toda Su creación, y para que los ayude a trabajar por la justicia y la paz en Su mundo.

____

____

____

____

____

Catholic Identity Retreat

Human Dignity

We Value Our Catholic Faith

The theme of our retreat is *Human Dignity*.

Think about the following questions:

- What does it mean to be created in the image and likeness of God?
- What responsibilities and challenges accompany this great gift and blessing?
- Imagine that you have the chance to change one common injustice in society, how would you do so?

We Celebrate and Honor Our Catholic Identity

As disciples of Jesus, we are called to honor the human dignity of all people and to work for peace and justice.

Saint Francis of Assisi

As a group, write goals for ways you can work for peace and justice in the coming week, in the coming month, and in the coming year.

In the coming week:

____

____

____

____

____

In the coming month:

____

____

____

____

____

In the coming year:

____

____

____

____

____

Together, write a prayer asking God to bless the world and all his creation, and asking him to help to work for peace and justice in His world.

____

____

____

____

____

Identidad católica Retiro

Llevando el retiro a casa

Dignidad humana

Repaso del retiro

Repase con su familia el retiro sobre *Moral*. Conversen sobre la dignidad humana. Enfatice:

- Dios nos creó a su imagen y semejanza.
- Dignidad humana es el valor que nos viene de ser creados a imagen y semejanza de Dios.
- Honrar la presencia de Dios en todo ser humano es la base para vivir una vida moral.
- Somos llamados a trabajar por la paz y la justicia para toda la gente.

Contrato sobre la dignidad humana

En familia revisen sus objetivos para trabajar por la paz y la justicia en la página R42. Hagan un contrato familiar que los comprometa a cumplir con esos objetivos para honrar la dignidad humana de todas las personas. Coloque el contrato en un lugar donde puedan verlo y recordar el compromiso de la familia.

Contrato de la familia para promover la justicia y el respecto por la dignidad humana

____

____

____

____

____

____

____

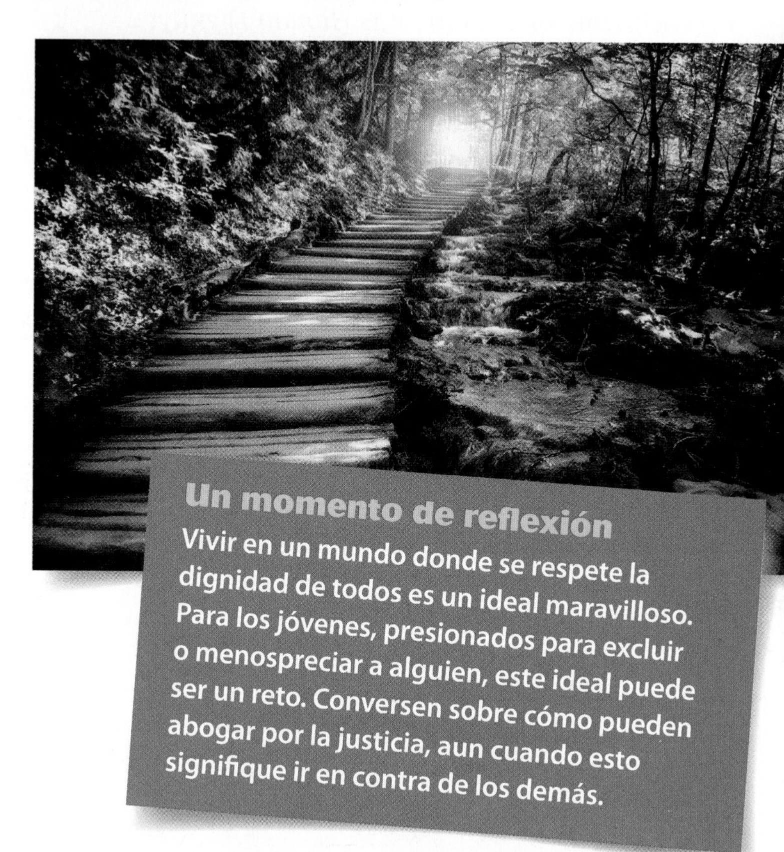

Un momento de reflexión

Vivir en un mundo donde se respete la dignidad de todos es un ideal maravilloso. Para los jóvenes, presionados para excluir o menospreciar a alguien, este ideal puede ser un reto. Conversen sobre cómo pueden abogar por la justicia, aun cuando esto signifique ir en contra de los demás.

Oración en familia

Haga esta oración durante las comidas. Juntos recen la oración final.

Dios todopoderoso, nos creaste a tu imagen. Tenemos dignidad. Somos criaturas de Dios valiosas y maravillosas. Que siempre tratemos a otros con el respeto que merecen. Que siempre apreciemos la dignidad de todo ser humano y compartamos con ellos el amor de Cristo. Danos la fuerza para ayudar a proteger a aquellos cuya dignidad no es honrada en el mundo, incluyendo a:

____

____

Para más recursos vea *Identidad católica Amigo del hogar* al final del libro.

Bringing the Retreat Home

Human Dignity

Retreat Recap

Review with your family the *Celebrating Catholic Identity: Morality* retreat. Talk about what you heard about human dignity. Emphasize:

- God created us in his image.
- Human dignity is the value and worth that come from being created in God's image.
- Honoring the presence of God in every human being is a basis for living a moral life.
- We are all called to work for peace and justice for all people.

Human Dignity Contract

As a family, look back at your goals for working for peace and justice from page R43. Develop a family contract that commits you to fulfilling these goals and that commits your family to honoring the human dignity of all people. Post the contract where it can serve as a reminder to your family of your commitment.

Family Contract to Promote Justice and Respect Human Dignity

____

____

____

____

____

____

____

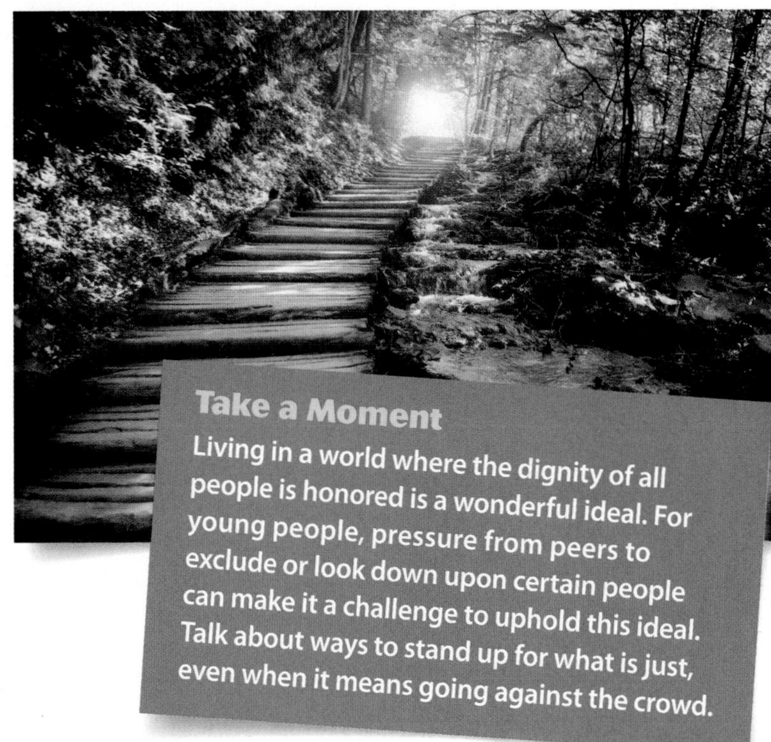

Take a Moment

Living in a world where the dignity of all people is honored is a wonderful ideal. For young people, pressure from peers to exclude or look down upon certain people can make it a challenge to uphold this ideal. Talk about ways to stand up for what is just, even when it means going against the crowd.

Family Prayer

Pray this at mealtime or when your family is together. Finish the last line of the prayer together.

Almighty God,you created us in your image.
We have dignity.
We are valuable and wondrous creations of God.
May we always treat one another
with the respect we deserve.
May we always remain aware
of the dignity of all human beings
and share with them the love of Christ.
Give us the strength to help and protect
all those whose human dignity is not honored
in our world, including:

____

____

For more resources, see the *Catholic Identity Home Companion* at the end of this book.

Qué creemos
como familia católica

Si alguien nos pregunta:

- ¿Por qué debemos proteger la vida en todas sus etapas?
- ¿Qué dice la Iglesia sobre la guerra y la violencia?
- ¿Por qué los católicos deben trabajar para poner fin a la pobreza?

Los siguientes recursos nos pueden ayudar a contestar:

Como católicos creemos en la santidad de la vida.

¿Qué dice la Escritura?

"Entonces el Señor Dios formó al hombre del polvo de la tierra, sopló en su nariz un aliento de vida, y el hombre fue un ser viviente". (Génesis 2:7)

"Entonces dijo Dios: 'Hagamos a los seres humanos a nuestra imagen, según nuestra semejanza, para que dominen sobre los peces del mar, las aves del cielo, los ganados, las bestias salvajes y los reptiles de la tierra'". (Génesis 1:26)

"¿O es que no saben que su cuerpo es templo del Espíritu Santo que han recibido de Dios y que habita en ustedes? Ya no se pertenecen a ustedes mismos". (1 Corintios 6:19)

Dios nos creó a su imagen. Tenemos el "aliento de vida" de Dios. Cada uno de nosotros tiene un alma, una conciencia y libre albedrío. Como leemos en el *Catecismo de la Iglesia Católica,* esto es "signo eminente de la imagen divina". (*CIC*, 1705).

El Hijo de Dios, Jesucristo, la segunda Persona Divina de la Trinidad, tomó la naturaleza humana. Y el hecho de que tomara nuestra humanidad es el mayor testimonio de que tenemos una vida sagrada y digna. Dios nos dio la responsabilidad de amar, cuidar y proteger el don de la vida.

Dios nos dio el quinto mandamiento: "No matarás" (Éxodo 20:13). Ese mandamiento está basado en la verdad de que toda vida es sagrada, creada por Dios. Nos pide respetar y proteger la vida humana en muchas formas diferentes.

¿Qué dice la Iglesia?

El derecho a la vida: "La vida humana debe ser respetada y protegida de manera absoluta desde el momento de la concepción". (*CIC*, 2270)

Guerra y violencia: "La Iglesia insta constantemente a todos a orar y actuar para que la Bondad divina nos libre de la antigua servidumbre de la guerra". (*CIC*, 2307)

Pobreza: "No hacer participar a los pobres de los propios bienes es robarles y quitarles la vida. Lo que poseemos no son bienes nuestros, sino los suyos". (San Juan Crisóstomo, uno de los padres de la Iglesia, d. C. 347–407, citado en el *CIC*, 2446)

Consideración por la familia humana

Las rebajas en las tiendas tienen al parecer un gran poder sobre nosotros. Salimos corriendo a aprovecharlas antes de que se las lleven otros. A veces no las necesitamos. Miremos como familia los comerciales y los anuncios que nos llegan y conversemos sobre lo que de verdad necesitamos y lo que no. Pensemos en algún lugar cerca de nosotros en donde haya gente que pueda realmente necesitar ropa, alimentos o materiales para la escuela. Donemos algo de lo que tenemos pero que no utilizamos.

Why We Believe
As a Catholic Family

What if someone asks us:

- Why should we protect human life in all its stages?
- What does the Church say about war and violence?
- Why should Catholics work to end poverty?

The following resources can help us to respond:

As Catholics, we believe that all human life is sacred.

What does Scripture say?

"The Lord God formed man out of the clay of the ground and blew into his nostrils the breath of life, and so man became a living being." (Genesis 2:7)

"Then God said: 'Let us make man in our image, after our likeness. Let them have dominion over the fish of the sea, the birds of the air, and the cattle, and over all the wild animals and all the creatures that crawl on the ground.'" (Genesis 1:26)

"Do you not know that your body is a temple of the holy Spirit within you, whom you have from God, and that you are not your own?" (1 Corinthians 6:19)

God created us to reflect who he is. We have God's "breath of life." We each have a soul, a conscience, and a free will. As the *Catechism of the Catholic Church* says, this is part of the "outstanding manifestation of the divine image" (*CCC*, 1705).

The Son of God, Jesus Christ, the Second Divine Person of the Trinity, took on a human nature. And the fact that he took on our human life is the greatest testimony we have to the dignity and sacredness of human life. God gives us the responsibility of loving, caring for, and protecting his gift of life.

God gave us the Fifth Commandment: "You shall not kill" (Exodus 20:13). This commandment is based on the truth that all life is sacred, created by God. It demands that we respect and protect human life in many different ways.

What does the Church say?

Right to life "Human life must be respected and protected absolutely from the moment of conception." (*CCC*, 2270)

War and violence "The Church insistently urges everyone to prayer and to action so that the divine Goodness may free us from the ancient bondage of war." (*CCC*, 2307)

Poverty "Not to enable the poor to share in our goods is to steal from them and deprive them of life. The goods we possess are not ours but theirs." (Saint John Chrysostom, one of the Church Fathers, A.D. 347–407, as quoted in *CCC*, 2446)

Consideration for the Human Family

Buying things on sale seems to hold a great power over us. We rush to take advantage of the deal before someone else gets it. Sometimes the product is not really needed. Let us think about the commercials and ads that reach us and talk about what we really need. Take the time to think of places close to us where people might really need clothing, food, or school materials. Let us donate what we have but do not use.

Apreciada familia

En la unidad 3 los niños aprenderán a crecer como discípulos de Jesús:

- escuchando el llamado de Jesús a la conversión y la reconciliación con Dios y la Iglesia por medio del sacramento de la Penitencia y la Reconciliación
- aprendiendo cómo la Iglesia celebra el sacramento de la Reconciliación
- reconociendo que Jesús sanó a las personas y que la Iglesia continúa el ministerio de sanación de Jesús
- valorando que el sacramento de la Unción de los Enfermos ofrece consuelo y fortaleza a los ancianos o las personas gravemente enfermas
- honrando a María por su papel en el plan de salvación de Dios y su lugar como la más importante entre los santos.

Realidad

"La familia debe vivir de tal forma que sus miembros aprendan el cuidado y la responsabilidad respecto de los pequeños y mayores, de los enfermos o disminuidos, y de los pobres".

(Catecismo de la Iglesia Católica, 2208)

Celebra

Una de las maneras en las que los miembros de la familia expresan su amor es pidiéndose perdón uno al otro. Celebren el perdón mutuo con una comida especial.

Hazlo

Cuando el pecado produce situaciones injustas o condiciones negativas en la sociedad, se llama pecado social. Conversen sobre ejemplos de injusticia que conocen en su vecindario, ciudad o el mundo en general. Identifiquen una cosa que puedan hacer en familia para trabajar por la paz y la justicia como lo hizo Jesús. Luego, háganlo.

Dios nuestro, lleno de compasión, tú mismo cuidas a cada una de nuestras familias y conoces nuestras necesidades físicas y espirituales.

Transforma nuestra debilidad en la fuerza de tu gracia y haz cada vez más firme nuestra alianza contigo, para que podamos crecer en la fe y en el amor.

Te lo pedimos por nuestro Señor Jesucristo, tu Hijo, que vive y reina contigo en la unidad del Espíritu Santo y es Dios, por los siglos de los siglos. Amén.

El Cuidado pastoral de los enfermos (Unción dentro de la Misa)

Tarea

Las tareas para esta unidad son:

Capítulo 15: Fomentando el perdón y la reconciliación en la familia

Capítulo 16: Planeando recibir el sacramento de la Penitencia

Capítulo 17: Ayudando a las personas enfermas

Capítulo 18: Aprendiendo sobre la Unción de los Enfermos en su parroquia

Capítulo 19: Compartiendo las diversas formas de honrar a María

Dear Family

In Unit 3 your child will grow as a disciple of Jesus by:

- hearing Jesus' call to conversion and being reconciled to God and the Church through the Sacrament of Penance and Reconciliation
- learning the ways the Church celebrates the Sacrament of Penance
- recognizing that Jesus healed people and the Church continues Jesus' healing ministry
- appreciating that the Sacrament of the Anointing of the Sick offers comfort and strength to those who are elderly or seriously ill
- honoring Mary for her role in God's plan of salvation and her place as the greatest of all the saints.

Reality Check

"The family should live in such a way that its members learn to care and take responsibility for the young, the old, the sick, the handicapped, and the poor."

(*Catechism of the Catholic Church*, 2208)

Celebrate!

One of the ways family members express their love is by asking forgiveness of one another. Celebrate your forgiveness of one another with a special meal.

Make it Happen

When sin leads to unjust situations or conditions in society, it is called social sin. Discuss together any examples of injustice you know of in your neighborhood, or city, or in the world. Identify one thing you can do as a family to work for peace and justice as Jesus did. Then do it!

Pray Today

God of compassion,
you take every family under your care
and know our physical and spiritual needs.

Transform our weakness by the strength
of your grace
and confirm us in your covenant
so that we may grow in faith and love.

We ask this through our Lord Jesus Christ, your Son,
who lives and reigns with you and the Holy Spirit,
one God, for ever and ever.
Amen.

Pastorial Care of the Sick (Anointing Within Mass)

Take Home

Be ready for this unit's Take Home:

Chapter 15: Fostering forgiveness and reconciliation in the family

Chapter 16: Planning to receive the Sacrament of Penance

Chapter 17: Helping people who are ill

Chapter 18: Learning about the Anointing of the Sick in your parish

Chapter 19: Sharing ways to honor Mary

Confiamos en Dios

NOS CONGREGAMOS

Líder: Dios nos llama a ir a él todos los días. Vamos a escuchar este llamado en la Palabra de Dios.

Lector: Lectura de la carta de san Pablo a los colosenses.

"Como elegidos de Dios, pueblo suyo y amados por él, revístanse de sentimientos de compasión, de bondad, de humildad, de mansedumbre y de paciencia". (Colosenses 3:12)

Palabra de Dios.

Todos: Te alabamos, Señor.

¿Por qué crees que el perdón es importante? ¿Cuáles son algunos ejemplos de formas en que perdonamos y somos perdonados?

CREEMOS

Jesús nos llama a la conversión.

Jesús ayudó a sus seguidores a arrepentirse del pecado y volverse a Dios, su Padre. Jesús con frecuencia les enseñó a mostrar su amor a Dios amando y perdonando a los demás.

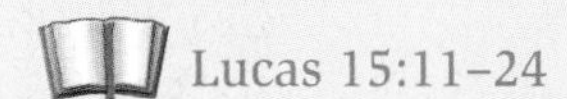

Una vez un hombre tenía dos hijos. El menor le pidió su herencia y el padre se la dio. El hijo se fue a otro país.

El joven desperdició todo su dinero, así que tuvo que trabajar en una granja. Tenía tanta hambre que quería comer la comida de los animales, pero nadie se la ofrecía. El joven pensó en los trabajadores de su padre, quienes tenían comida, y él estaba pasando hambre. Entonces decidió ir a donde su padre, admitir sus pecados y pedirle que lo tratara como a uno de sus trabajadores.

Cuando el joven estaba cerca de su casa, el padre lo vio. El padre corrió a encontrarlo y lo abrazó y lo besó. El hijo le dijo: "Padre, pequé contra el cielo y contra ti; ya no merezco llamarme hijo tuyo" (Lucas 15:21).

We Turn to God

15

WE GATHER

✝ **Leader:** God calls us to turn to him each day. Let us listen to this call in the Word of God.

Reader: A reading from the Letter of Saint Paul to the Colossians

"Put on then, as God's chosen ones, holy and beloved, heartfelt compassion, kindness, humility, gentleness, and patience." (Colossians 3:12–13)

The word of the Lord.

All: Thanks be to God.

Why do you think forgiveness is important? What are some examples of ways we forgive and are forgiven?

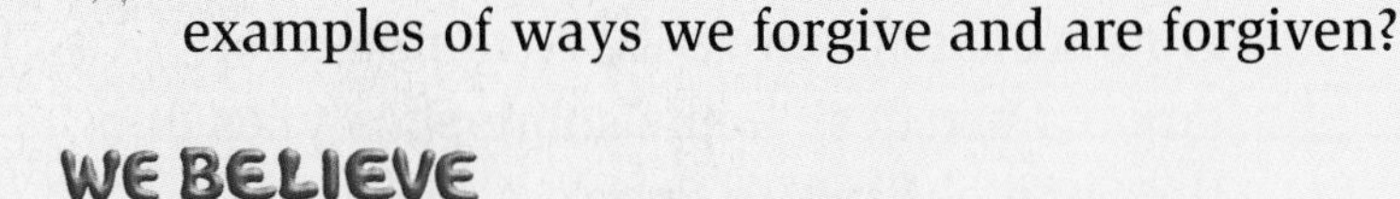

WE BELIEVE

Jesus calls us to conversion.

Jesus helped his followers turn away from sin and toward God his Father. Jesus often taught them to show their love for God by loving and forgiving others.

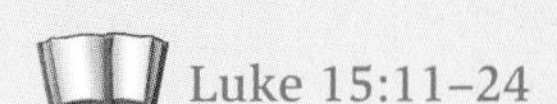

Luke 15:11–24

Once a man had two sons. The younger son asked his father for his inheritance. The father gave it to his son, who then left for another country.

The young man wasted all of his money, so he had to work on a farm. He was so hungry that he wanted to eat the animals' food, but no one offered him any of it. The young man thought about his father's workers who had food, yet here he was suffering from hunger. He decided to go to his father, admit his sins, and ask to be treated like one of his father's workers.

When the young man was still a distance from home, his father saw him. His father ran to him and hugged and kissed him. The son said, "Father, I have sinned against heaven and against you; I no longer deserve to be called your son" (Luke 15:21).

"Pero el padre dijo a sus criados: 'Traigan en seguida el mejor vestido y pónganselo... y celebremos un banquete de fiesta, porque este hijo mío estaba muerto y ha vuelto a la vida, estaba perdido y lo hemos encontrado'". Entonces hubo una gran celebración. (Lucas 15:22–24)

Jesús contó esta parábola para ayudarnos a entender lo que significa estar arrepentido de nuestras acciones y volver a Dios. Dios es como el padre misericordioso de esta historia. Él nos acoge cuando nos separamos y se regocija cuando decidimos volver a él.

Dios nos llama constantemente a la **conversión**. Conversión es volver a Dios con todo el corazón. Si confiamos en Dios, él nos mostrará como cambiar y convertirnos en la persona que él quiere que seamos. La conversión sucede una y otra vez. Esta nos lleva a vivir nuestras vidas de acuerdo al gran amor de Dios por nosotros. Dios el Espíritu Santo nos da este deseo de cambiar y crecer. Con el apoyo de la Iglesia, respondemos al llamado de Dios todos los días.

Trabaja con un grupo para escribir una historia moderna acerca de estar arrepentido y volver a Dios y a los demás.

Jesús perdona como sólo Dios puede hacerlo.

Algunas personas no entendieron el ministerio de Jesús de perdón y reconciliación. Ellos se enojaron cuando vieron a Jesús con los pecadores perdonándoles sus pecados.

Marcos 2:1–12

Después de viajar por algún tiempo, Jesús regresó a casa. Se reunieron tantas personas para escucharle predicar, que no cabían en la casa. Cuatro hombres cargaron un paralítico para ver a Jesús. Abrieron un hoyo en el techo y bajaron al paralítico en una camilla. Cuando Jesús vio su fe, él dijo al paralítico: "Hijo, tus pecados te son perdonados".

Algunas personas pensaron que Jesús no debía hablar de esa forma porque sólo Dios puede perdonar los pecados. Jesús sabía lo que estaban pensando. Para que vieran que él tenía autoridad de perdonar los pecados Jesús dijo: "Levántate, toma tu camilla y vete a tu casa". El hombre se levantó y salió caminando. Todos se quedaron sorprendidos porque nunca habían visto algo así. (Marcos 2:5, 11)

Las palabras y las obras de Jesús llevaron a muchas personas a creer en él y a tener fe.

Jesús quería que todo el mundo escuchara su llamado a la conversión y recibiera su perdón. Así que compartió su autoridad de perdonar los pecados con los apóstoles. Les dijo: "'La paz esté con ustedes'. Y añadió: 'Como el Padre me ha enviado, yo también los envío a ustedes'. Sopló sobre ellos y les dijo: 'Reciban el Espíritu Santo. A quienes le perdonen los pecados, Dios se los perdonará; y a quienes se los retengan, Dios se los retendrá'". (Juan 20:21–23) Este perdón de los pecados tuvo lugar cuando los apóstoles bautizaron a los creyentes.

¿Qué puedes hacer cada día para aceptar y perdonar a otros?

But his father said to the servants, "Quickly bring the finest robe and put it on him. . . . Then let us celebrate with a feast, because this son of mine was dead, and has come to life again; he was lost, and has been found." Then there was a great celebration. (Luke 15:22–24)

Jesus told this parable to help us understand what it means to be sorry for our actions and to turn back to God. God is like the forgiving father in this story. He welcomes us back when we have gone away and rejoices when we decide to turn back to him.

God constantly calls us to conversion. **Conversion** is a turning to God with all one's heart. If we trust God, he will show us how to change and grow into the people he wants us to be. Conversion happens again and again. It leads us to live our lives according to God's great love for us. God the Holy Spirit gives us this desire to change and grow. With the support of the Church, we respond to God's call every day.

Work in a group to write a modern-day story about being sorry and turning back to God and others.

Jesus forgives as only God can do.

Some people did not understand Jesus' ministry of forgiveness and reconciliation. They were upset when Jesus spent time with sinners and forgave their sins.

Mark 2:1–12

After traveling for some time, Jesus returned home. So many people gathered to hear him preach that there was no more room in the house. Four men carrying a paralyzed man came to see Jesus. Through an opening in the roof they let down the mat on which the paralyzed man was lying. When Jesus saw their faith, he said to the paralyzed man, "Child, your sins are forgiven."

Some of the people thought that Jesus should not be speaking this way because only God can forgive sins. Jesus knew what they were thinking. And so that they would know that he had authority to forgive sins Jesus said, "I say to you, rise, pick up your mat, and go home." The man rose, and walked away. They were all amazed because they had never seen anything like it. (Mark 2:5, 11)

Jesus' words and actions brought many people to believe in him and have faith.

Jesus wanted all people to hear his call to conversion and receive his forgiveness. So Jesus shared his authority to forgive sins with his Apostles. He said to them, "'Peace be with you. As the Father has sent me, so I send you.' And when he had said this, he breathed on them and said to them, 'Receive the Holy Spirit. Whose sins you forgive are forgiven them, and whose sins you retain are retained'" (John 20:21–23). This forgiveness of sins took place when the Apostles baptized those who believed.

What can you do each day to be more accepting and forgiving of others?

Jesús sigue perdonándonos por medio de la Iglesia.

En el Bautismo recibimos primero el perdón de Dios. Empezamos nuestra nueva vida en Cristo. Pero algunas veces nos alejamos de Dios y necesitamos su perdón. Algunas veces las decisiones que tomamos debilitan la vida de Dios en nosotros. Cuando pensamos o hacemos cosas que nos separan de Dios, pecamos. **Pecado** es un pensamiento, palabra, obra u omisión contra la ley de Dios. Cada pecado debilita nuestra amistad con Dios y los demás.

Algunas veces la gente se aleja completamente del amor de Dios. Cometen pecados muy serios que rompen su amistad con Dios. Este pecado es llamado *pecado mortal*. Los que cometen pecado mortal libremente escogen hacer lo que saben es seriamente malo. Sin embargo, Dios nunca deja de amar a los que pecan seriamente. El Espíritu Santo los llama a la conversión.

Como católicos...

Parte de ser reconciliado con la Iglesia es admitir que no hemos vivido como Dios quiere que vivamos. Durante la Misa toda la asamblea confiesa que ha pecado. Una oración que con frecuencia rezamos empieza: "Yo confieso ante Dios todopoderoso y ante ustedes hermanos".

En esta oración, que se encuentra en la página 312, pedimos a todos los miembros de la Iglesia rezar por nosotros y que nos perdonen. Durante la próxima semana reza para que todo el mundo viva el amor y la misericordia de Dios.

Pecados menos serios y que debilitan nuestra relación con Dios son llamados *veniales*. Aun cuando los pecados veniales no nos alejan completamente de Dios, ellos ofenden a otros, a nosotros mismos y a la Iglesia. Si seguimos cometiéndolos pueden alejarnos más y más de Dios y de la Iglesia. Sin embargo, Dios nos ofrece el perdón cuando pensamos o hacemos cosas que lastiman nuestra relación con él y los demás.

La Iglesia celebra el perdón de Dios en uno de los dos sacramentos de sanación. En el sacramento de la Penitencia y Reconciliación, que podemos llamar el sacramento de la **Reconciliación**, nuestra relación con Dios y la Iglesia es fortalecida o reparada y nuestros pecados son perdonados.

- Recibimos el perdón de Dios. Nuestros pecados son perdonados por un sacerdote en el nombre de Cristo y la Iglesia.
- Somos reconciliados con Dios. La vida de la gracia en nosotros es fortalecida o renovada. Nuestra amistad con Dios se fortalece.
- Somos reconciliados con la Iglesia. Nuestra relación con el cuerpo de Cristo es fortalecida.
- Somos fortalecidos para vivir de acuerdo a los Diez Mandamientos y a las enseñanzas de Jesús de amarnos unos a otros como él nos ha amado.

Con un compañero nombra algunas formas en que la Iglesia puede ayudarnos a ser personas reconciliadoras.

Por medio de la

Reconciliacion

Jesus continues to forgive us through the Church.

In Baptism we first receive God's forgiveness. We begin our new life in Christ. Yet we sometimes turn from God and are in need of his forgiveness. Sometimes the choices we make weaken God's life in us. When we think or do things that lead us away from God, we sin. **Sin** is a thought, word, deed or omission against God's law. Every sin weakens our friendship with God and others.

Sometimes people turn completely away from God's love. They commit very serious sin that breaks their friendship with God. This sin is called *mortal sin*. Those who commit mortal sin must freely choose to do something that they know is seriously wrong. However, God never stops loving people who sin seriously. The Holy Spirit calls them to conversion.

Less serious sin that weakens our friendship with God is called *venial sin*. Even though venial sins do not turn us completely away from God, they still hurt others, ourselves, and the Church. If we keep repeating them, they can lead us further away from God and the Church. However, God offers us forgiveness when we think or do things that harm our friendship with him or with others.

The Church celebrates God's forgiveness in one of the two sacraments of healing. In the Sacrament of **Penance and Reconciliation**, which we can call the Sacrament of Penance, our relationship with God and the Church is strengthened or restored and our sins are forgiven.

- We receive God's forgiveness. Our sins are forgiven by a priest in the name of Christ and the Church.
- We are reconciled with God. The life of grace in us is strengthened or made new. Our friendship with God becomes stronger.
- We are reconciled with the Church. Our relationship with the Body of Christ is made stronger.
- We are strengthened to live by the Ten Commandments and Jesus' teaching to love one another as he has loved us.

With a partner name some ways the Church can help us to be reconciling people.

____

____

As Catholics...

Part of being reconciled with the Church is admitting that we have not lived as God calls us to live. During Mass the whole assembly confesses that we have sinned. A prayer we often pray begins: "I confess to almighty God, and to you, my brothers and sisters."

In this prayer, which can be found on page 324, we ask all the members of the Church to pray for us and our forgiveness. During the next week pray that all people will experience God's love and mercy.

Somos reconciliados con Dios y con la Iglesia.

Como un solo cuerpo, toda la Iglesia se beneficia de nuestras acciones justas y amorosas. Toda la Iglesia también sufre cuando una persona se aleja de Dios. La reconciliación de un miembro de la Iglesia con Dios nos fortalece a todos. En el sacramento de la Reconciliación, somos perdonados. También somos llamados a perdonar a otros.

Cuando perdonamos a otros crecemos como comunidad de reconciliación y de amor. La reconciliación con Dios y con la Iglesia contribuye a la paz y a la reconciliación en el mundo. Somos más capaces de hablar en favor de lo que es correcto y a actuar con justicia.

La justicia está basada en creer que todo el mundo es igual. Actuar con justicia respeta los derechos de los demás y les da lo que justamente les pertenece. Todo el mundo ha sido creado a imagen de Dios y comparte la misma dignidad humana. Esto nos hace una comunidad humana y el pecado afecta la comunidad.

El pecado puede llevarnos a situaciones y condiciones injustas en la sociedad. Esto es pecado social. Algunos resultados del pecado en la sociedad son el prejuicio, la pobreza, el desamparo, el crimen y la violencia. La Iglesia habla en contra del pecado social y trabajamos para detener las cosas en la sociedad que permiten comportamientos y condiciones injustas. La Iglesia nos anima a todos a volvernos a Dios y a vivir vidas de amor y respeto.

RESPONDEMOS

Escribe un poema o una canción sobre el significado de ser reconciliado y la importancia de celebrar el sacramento de la Reconciliación.

____

____

____

____

Vocabulario

conversión (pp 331)
pecado (pp 333)
Reconciliación (pp 333)

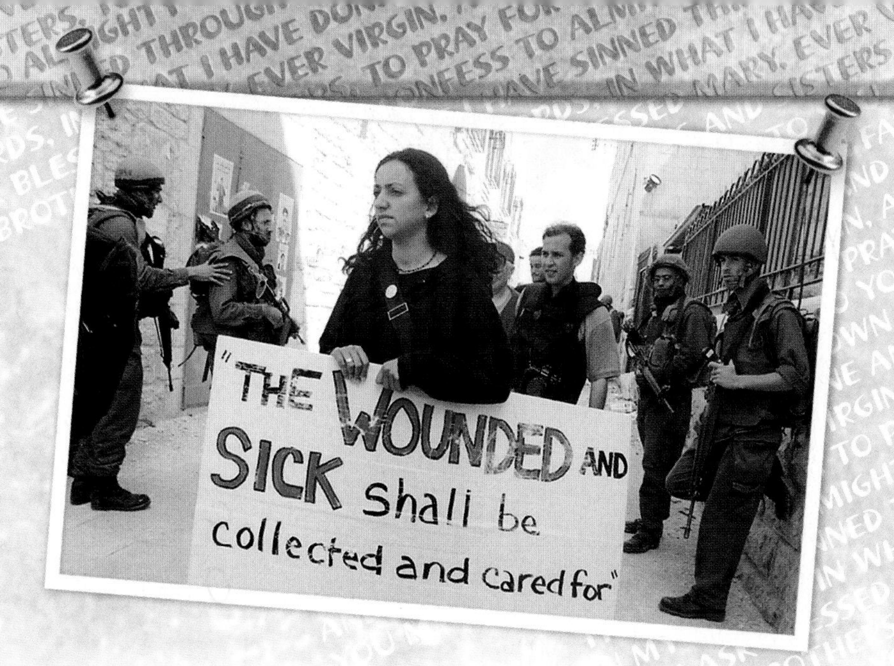

We are reconciled with God and the Church.

As one body the whole Church benefits from our just and loving actions. The whole Church also suffers when one person turns from God. So the reconciliation of one member of the Church with God strengthens all of us. In the Sacrament of Penance and Reconciliation, we are forgiven. We are also called to forgive others always.

When we forgive others we grow as a loving and reconciling community. Reconciliation with God and the Church contributes to peace and reconciliation in the world. We are better able to stand up for what is right and to act with justice.

Justice is based on the belief that all people are equal. Acting with justice respects the rights of others and gives them what is rightfully theirs. All people are created in God's image and share the same human dignity. This makes us one human community, and sin affects that community.

Sin can lead to unjust situations and conditions in society. This is social sin. Some results of sin in society are prejudice, poverty, homelessness, crime, and violence. The Church speaks out against social sin, and we work to stop the things in society that allow unjust behaviors or conditions to exist. The Church encourages all people to turn to God and live lives of love and respect.

WE RESPOND

Write a poem about the meaning of being reconciled and the importance of celebrating the Sacrament of Penance.

____

____

____

____

Key Words

conversion (p. 334)

sin (p. 336)

Penance and Reconciliation (p. 336)

HACIENDO DISCIPULOS

Muestra lo que sabes

Completa el rompecabezas.

Horizontal

3. Pecado es todo pensamiento, palabra, obra u _______ contra la ley de Dios.

4. En el sacramento de la _______ y Reconciliación nuestra relación con Dios y la Iglesia es fortalecida y nuestros pecados son perdonados.

5. La _______ es la base de la creencia de que toda persona es igual.

6. _______ es un pecado no muy grave que debilita nuestra amistad con Dios.

Vertical

1. _______ es volver a Dios con todo el corazón.

2. _______ es un pecado grave que rompe nuestra amistad con Dios.

Escritura

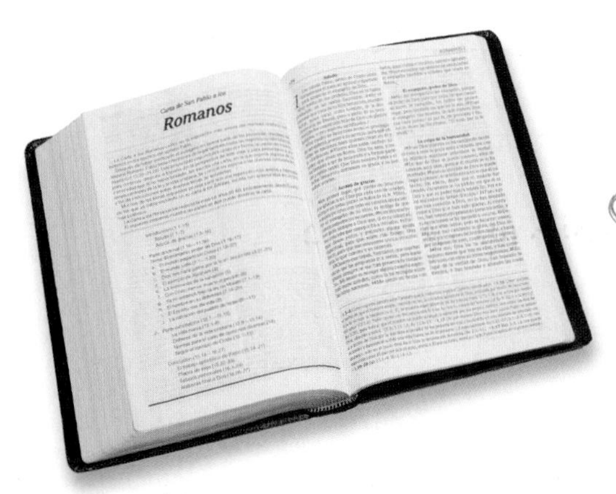

San Pablo escribió sobre como vivir en comunidad unos con otros.

"Como elegidos de Dios, pueblo suyo y amados por él, revístanse de sentimientos de compasión, de bondad, de humildad, de mansedumbre y de paciencia. Sopórtense mutuamente y perdónense cuando alguno tenga motivos de queja contra otro. Del mismo modo que el Señor les perdonó, perdónense también ustedes". (Colosenses 3:12–13)

RETO PARA EL DISCIPULO

- Encierra en un círculo las cualidades que son importantes para vivir en comunidad con los demás.
- Subraya la frase que dice por que debemos perdonarnos unos a otros.

PROJECT DISCIPLE

Show What you Know

Complete the crossword puzzle.

Across

4. Sin is a thought, word, deed or _______ against God's law.
5. In the Sacrament of _______ and Reconciliation our relationship with God and the Church is strengthened or restored and our sins are forgiven.
6. _______ is based on the belief that all people are equal.

Down

1. a turning to God with all one's heart
2. _______ sin is very serious sin that breaks our friendship with God.
3. _______ sin is less serious sin that weakens our friendship with God.

What's the Word?

Saint Paul wrote about ways to live in community with others.

"Put on then, as God's chosen ones, holy and beloved, heartfelt compassion, kindness, humility, gentleness, and patience, bearing with one another and forgiving one another, if one has a grievance against another; as the Lord has forgiven you, so must you also do." (Colossians 3:12–13)

DISCIPLE CHALLENGE

- Circle the qualities that are important in order to live in community with others.
- Underline the phrase that tells why we should forgive others.

HACIENDO DISCIPULOS

Discutiste con tu mejor amigo ayer. Ambos se alejaron con los sentimientos heridos. Al final de las clases tu mejor amigo camina solo hacia su casa. Tu decides . . .

____

Vidas de santos

SANTO DOMINGO

Santo Domingo nació en España en 1170 y pasó muchos años estudiando antes de ordenarse sacerdote. Al principio vivió una vida de oración tranquila, más tarde empezó a predicar un mensaje de fe y conversión. Vivió bajo el ejemplo de Cristo. Llevó a muchas personas hacia Dios y ayudó a muchos cristianos a regresar a las enseñanzas de Cristo y la Iglesia. Santo Domingo empezó la orden de los Predicadores, comunidad religiosa dedicada a predicar, conocida como Dominicos. Los Dominicos predican hoy en todo el mundo la buena nueva y llaman a la gente a la conversión. Su fiesta se celebra el 8 de agosto.

RETO PARA EL DISCIPULO

- Encierra en un círculo el nombre de la comunidad religiosa fundada por santo Domingo.
- ¿Cuál es otro nombre para la comunidad?

  Dominicos
- ¿Cuándo se celebra la fiesta de santo Domingo?

  8 de agosto

¿Qué harás esta semana para trabajar por la justicia y la paz?

predicar el respeto

Tarea

Habla con tu familia sobre formas de hacer del hogar un lugar más amoroso y misericordioso para todos. Escriban sus ideas aquí.

Respeto
amor
Paz

Traten de ponerlo en práctica esta semana.

PROJECT DISCIPLE

You and your best friend had an argument yesterday. You both left with hurt feelings. After school, you see your best friend walking home alone. You decide to . . .

____

Saint Stories

SAINT DOMINIC

Born in Spain in 1170, Saint Dominic spent many years studying before becoming a priest. At first he led a quiet life of prayer, but then he began preaching a message of faith and conversion. He lived by Christ's example. He called many people to God and helped Christians return to the teachings of Christ and the Church. Saint Dominic began the Order of Preachers, a religious community devoted to preaching, also known as the Dominicans. Today there are Dominicans in all parts of the world, preaching the Good News and calling people to conversion. Saint Dominic's feast day is August 8.

DISCIPLE CHALLENGE

- Circle the name of the religious community founded by Saint Dominic.
- What is another name for this community?

  ____
- When is Saint Dominic's feast day?

  ____

Make it Happen

What will you do this week to work for justice and peace?

____

Take Home

Talk with your family about ways to make your home a more loving and reconciling place for all. Write your ideas here.

____

____

____

Try to put them into action this week.

Catequesis en el hogar

Capítulo 15 (páginas 162–173)

Confiamos en Dios

En este capítulo su hijo(a) aprenderá sobre la oración como escuchar y hablar con Dios.

Para los padres

Algunas veces con nuestros pensamientos, palabras, obras y omisiones nos alejamos de la ley y el amor de Dios y su presencia. Pero Dios nunca nos abandona. Dios constantemente nos llama al arrepentimiento y a renovar nuestro corazón y mente. La buena nueva es que Dios está siempre dispuesto a recibirnos cuando con corazón contrito y arrepentido volvemos a él. Las parábolas y acciones de Jesús mostraron que Dios siempre perdona nuestros pecados. La Iglesia celebra la misericordia y el perdón de Dios en el sacramento de la Reconciliación.

Todos los días

- Encienda una vela, hagan la señal de la cruz y hagan una corta oración.

Primer día **Jesús nos llama a la conversión.**

- Pregunte a su hijo(a): *¿Por qué crees que el perdón es importante? ¿Cuáles son algunas formas en las que mostramos perdón a otros y que somos perdonados?*
- Lea en voz alta el título y el texto que sigue. Pregunte: *¿Qué nos enseña esta parábola?*

Segundo día **Jesús perdona como solo Dios puede hacerlo.**

- Pida a su hijo(a) que lea en voz baja el título y el texto. Pregúntele: *¿Qué dice esta historia sobre Jesús?*
- Lea en voz alta las preguntas en la página 162. Pida a su hijo(a) que identifique lo que puede hacer diariamente para perdonar a otros.

Tercer día **Jesús sigue perdonándonos por medio de la Iglesia.**

- Túrnense para leer en voz alta el título y el texto que sigue. Ayude a su hijo(a) a entender que algunas palabras, pensamientos y acciones pueden alejarnos de Dios y son consideradas un pecado. Algo bueno que dejamos de hacer es llamado omisión y también puede ser pecado.
- Pregunte: *¿Qué sacramento nos ayuda a restaurar nuestra relación con Dios y la Iglesia?*

Cuarto día **Somos reconciliados con Dios y con la Iglesia.**

- Pida a su hijo(a) que lea el título y el texto. Ponga énfasis en que la reconciliación con Dios de uno de los miembros de la Iglesia nos fortalece a todos y contribuye a la paz y la reconciliación en el mundo.
- Enfatice que la Iglesia habla en contra del pecado social porque este afecta la unidad de la comunidad humana.

15 Confiamos en Dios

NOS CONGREGAMOS

Líder: Dios nos llama a ir a él todos los días. Vamos a escuchar este llamado en la Palabra de Dios.

Lector: Lectura de la carta de san Pablo a los colosenses.

"Como elegidos de Dios, pueblo suyo y amados por él, revístanse de sentimientos de compasión, de bondad, de humildad, de mansedumbre y de paciencia". (Colosenses 3:12)

Palabra de Dios.

Todos: Te alabamos, Señor.

¿Por qué crees que el perdón es importante? ¿Cuáles son algunos ejemplos de formas en que perdonamos y somos perdonados?

CREEMOS

Jesús nos llama a la conversión.

Jesús ayudó a sus seguidores a arrepentirse del pecado y volverse a Dios, su Padre. Jesús con frecuencia les enseñó a mostrar su amor a Dios amando y perdonando a los demás.

Lucas 15:11–24

Una vez un hombre tenía dos hijos. El menor le pidió su herencia y el padre se la dio. El hijo se fue a otro país.

El joven desperdició todo su dinero, así que tuvo que trabajar en una granja. Tenía tanta hambre que quería comer la comida de los animales, pero nadie se la ofrecía. El joven pensó en los trabajadores de su padre, quienes tenían comida, y él estaba pasando hambre. Entonces decidió ir a donde su padre, admitir sus pecados y pedirle que lo tratara como a uno de sus trabajadores.

Cuando el joven estaba cerca de su casa, el padre lo vio. El padre corrió a encontrarlo y lo abrazó y lo besó. El hijo le dijo: "Padre, pequé contra el cielo y contra ti; ya no merezco llamarme hijo tuyo" (Lucas 15:21).

162

Respondemos en fe

Quinto día

- Pida a su hijo(a) que nombre algunas formas en las que la Iglesia puede ayudarnos a ser reconciliadores.

Sexto día

- Tome un tiempo especial con su familia para conversar sobre las formas de perdonarse.

Catechesis at Home

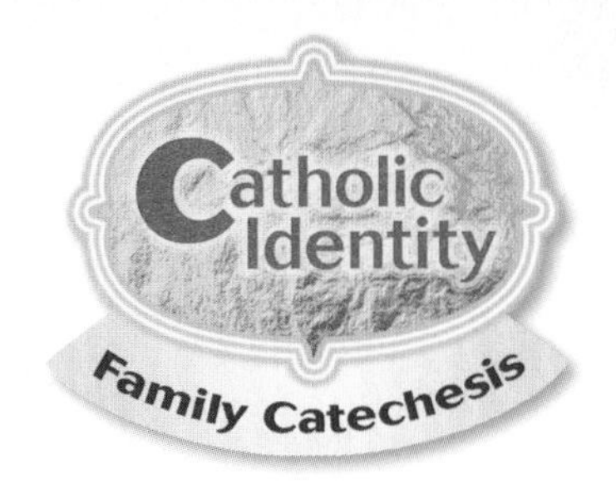

Chapter 15 (pages 162–173)

We Turn to God

In this chapter your child will continue to learn about prayer as listening to and talking to God.

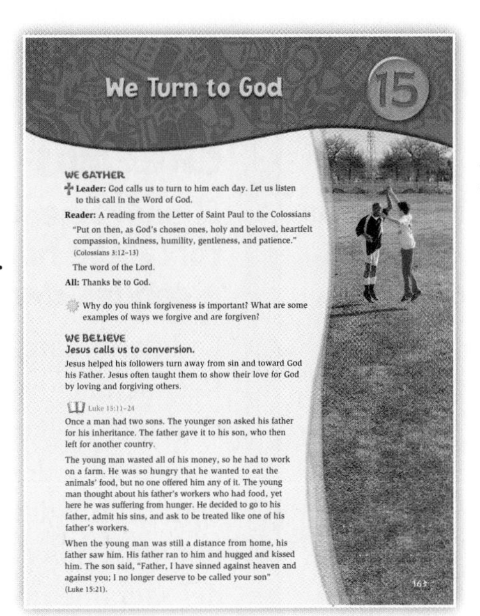
We Turn to God

15

WE GATHER

Leader: God calls us to turn to him each day. Let us listen to this call in the Word of God.

Reader: A reading from the Letter of Saint Paul to the Colossians

"Put on then, as God's chosen ones, holy and beloved, heartfelt compassion, kindness, humility, gentleness, and patience." (Colossians 3:12–13)

The word of the Lord.

All: Thanks be to God.

Why do you think forgiveness is important? What are some examples of ways we forgive and are forgiven?

WE BELIEVE

Jesus calls us to conversion.

Jesus helped his followers turn away from sin and toward God his Father. Jesus often taught them to show their love for God by loving and forgiving others.

Luke 15:11–24

Once a man had two sons. The younger son asked his father for his inheritance. The father gave it to his son, who then left for another country.

The young man wasted all of his money, so he had to work on a farm. He was so hungry that he wanted to eat the animals' food, but no one offered him any of it. The young man thought about his father's workers who had food, yet here he was suffering from hunger. He decided to go to his father, admit his sins, and ask to be treated like one of his father's workers.

When the young man was still a distance from home, his father saw him. His father ran to him and hugged and kissed him. The son said, "Father, I have sinned against heaven and against you; I no longer deserve to be called your son" (Luke 15:21).

161

For the Parents

Through our thoughts, words, deeds, or omissions we turn away from God's law and love and follow a path that leads us away from God's presence. But God never abandons us. God constantly calls us to repent, and to be renewed in heart and mind. The good news is that God is always ready to receive us when, with contrite heart and sorrow for sin, we turn to him. Jesus' parables and actions showed that God always welcomes us back and forgives our sins. The Church celebrates God's mercy and forgiveness in the sacrament of Penance.

Every Day

- Light a candle, pray the Sign of the Cross together, and offer a short prayer.

Day One **Jesus calls us to conversion.**

- Ask your child: *Why do you think forgiveness is important? What are some ways we show we forgive others and are forgiven?*
- Read aloud the *We Believe* statement and the text that follows. Ask: *What does this parable teach us.*

Day Two **Jesus forgives as only God can do.**

- Have your child read the statement and the text. Ask: *What does this story tell you about Jesus?*
- Read aloud the question at the bottom of the page. Have your child identify what he or she can do daily to be more accepting and forgiving of others.

Day Three **Jesus continues to forgive us through the Church.**

- Take turns reading aloud the statement and the text that follows. Help your child understand that any thoughts, words, or actions that lead away from God are considered sins. An action that we do not do, even though we should, is called an omission. *Omitting* to do something can also be sinful.
- Ask: *What sacrament helps us to restore our relationship with God and the Church?*

Day Four **We are reconciled with God and the Church.**

- Have your child read the statement and the text. Emphasize that the reconciliation of one member of the Church with God strengthens all of us and contributes to peace and reconciliation in the world.
- Stress that the Church speaks out against social sin because these indignities affect the unity of the human community.

We Respond in Faith

Day Five

- Ask your child to name some ways that the Church can help us to be reconciling people.

Day Six

- Set aside a special time with your family to discuss ways to ask forgiveness of each other.

16 La celebración de la Reconciliación

NOS CONGREGAMOS

Líder: Vamos a quedarnos quietos por un momento y a pensar en la necesidad del perdón de Dios en nuestras vidas.

Lector: Lectura del santo Evangelio según san Lucas.

Una vez recaudadores de impuestos y pecadores estaban escuchando a Jesús. "Los fariseos y los maestros de la ley murmuraban: 'Éste anda con pecadores y come con ellos'. Entonces Jesús les dijo ésta parábola:

"¿Quién de ustedes, si tiene cien ovejas y se le pierde una de ellas, no deja las noventa y nueve en el desierto y va a buscar a la descarriada hasta que la encuentra? Y cuando la encuentra, la carga sobre sus hombros lleno de alegría, y al llegar a casa, reune a los amigos y vecinos y les dice: '¡Alégrense conmigo, porque he encontrado la oveja que se me había perdido!'" (Lucas 15:2–6).

Palabra del Señor.

Todos Gloria a ti, Señor Jesús.

With Open Hands/ Abierto está mi corazón

Abierto está mi corazón ara encontrarte mi Dios de amor. Y en todas partes tu cariño está; eterno es tu amor.

¿Cuáles son algunas formas en que podemos mostrar que estamos arrepentidos?

CREEMOS

El sacramento de la Reconciliación fortalece nuestra relación con Dios y con los demás.

La Iglesia llama al sacramento de la Reconciliación de diferentes formas. Por ejemplo, es llamado sacramento de conversión, de la Penitencia, de la confesión y del perdón. Cada uno de esos nombres nos dice algo sobre el significado del sacramento. No importa como lo llamemos, este sacramento tiene cuatro partes principales:

Contrición es el dolor por nuestros pecados. Incluye el deseo de no pecar más. Estar verdaderamente arrepentido de nuestros pecados nos lleva a la conversión y nos vuelve a Dios el Padre.

The Celebration of Penance and Reconciliation

WE GATHER

✝ **Leader:** Let us be still a moment and think about the need for God's forgiveness in our lives.

Reader: A reading from the holy Gospel according to Luke

Once tax collectors and sinners were listening to Jesus teach. "But the Pharisees and scribes began to complain, saying, 'This man welcomes sinners and eats with them.' So to them he addressed this parable.

"What man among you having a hundred sheep and losing one of them would not leave the ninety-nine in the desert and go after the lost one until he finds it? And when he does find it, he sets it on his shoulders with great joy and, upon his arrival home, he calls together his friends and neighbors and says to them, 'Rejoice with me because I have found my lost sheep.'" (Luke 15:2–6)

The Gospel of the Lord.

All: Praise to you, Lord Jesus Christ.

♫ **With Open Hands/Abierto Está Mi Corazón**

Refrain:

With open hands and open hearts
we come before you, O God above.
Your loving kindness fills all the earth;
eternal is your love.

Have mercy on me, O God of goodness,
according to your abundant love.
Wash me clean from all my sins;
restore to me your joy! (Refrain)

What are ways that we can show that we are sorry?

WE BELIEVE

The Sacrament of Penance strengthens our relationship with God and others.

The Church calls the Sacrament of Penance by different names. For instance, it has been called the sacrament of conversion, of Reconciliation, of confession, and of forgiveness. Each of these names tells us something about the meaning of the sacrament. No matter how we name it, this sacrament includes four major parts: contrition, confession, penance, and absolution.

Contrition is heartfelt sorrow for our sins. It includes the desire to sin no more. Being truly sorry for our sins leads us to conversion, to turn back to God the Father.

Confesión es decir nuestros pecados al sacerdote. Un examen de conciencia nos ayuda a ver lo que necesitamos confesar. Nuestra **conciencia** es nuestra habilidad de ver la diferencia entre lo bueno y lo malo, lo correcto y lo incorrecto. Este don de Dios nos ayuda a tomar decisiones y a juzgar nuestras decisiones y acciones.

Cuando examinamos nuestra conciencia, determinamos si nuestras decisiones mostraron amor a Dios, a nosotros mismos y a los demás. Pedimos al Espíritu Santo que nos ayude a juzgar la bondad de nuestros pensamientos, palabras y acciones.

Pecados serios deben confesarse y ser perdonados para reparar la amistad con Dios y la gracia. El perdón de los pecados menos serios fortalece nuestra debilitada amistad con Dios.

Una **penitencia** es una acción que muestra que estamos arrepentidos de nuestros pecados. Algunas veces puede ser una oración o un servicio. La penitencia es una forma de reparar el mal que hemos causado. Aceptar la penitencia es una señal de que regresamos a Dios y que estamos dispuestos a cambiar nuestra vida.

En la **absolución** nuestros pecados son absueltos o perdonados. Por el poder del Espíritu Santo, en nombre de Jesucristo y la Iglesia, un sacerdote perdona nuestros pecados. Este perdón nos reconcilia con Dios y con la Iglesia.

Escribe preguntas que puedes usar cada día para reflexionar en las formas en que has mostrado amor a los demás.

____

____

____

____

____

En el sacramento de la Reconciliación la Iglesia celebra el perdón de Dios.

La Iglesia requiere que celebremos el sacramento de la Reconciliación por lo menos una vez al año si se han cometido pecados serios. Sin embargo, somos llamados a participar en el sacramento con frecuencia. La Iglesia tiene dos formas de celebrar el sacramento de la Reconciliación. Una forma, o rito, es usada cuando un individuo se encuentra con el sacerdote para la celebración. El otro rito es cuando un grupo se reúne para celebrar el sacramento con uno o más sacerdotes. (Ver pp 313).

Confession is naming and telling our sins to the priest. An examination of conscience helps us to know what we need to confess. Our **conscience** is our ability to know the difference between good and evil, right and wrong. This gift from God helps us to make decisions and to judge our decisions and actions.

When we examine our conscience, we determine whether the choices we have made showed love for God, ourselves, and others. We ask the Holy Spirit to help us judge the goodness of our thoughts, words, and actions.

Serious sins must be confessed and forgiven in order to share in God's friendship and grace again. The forgiveness of less serious sins strengthens our weakened friendship with God.

A **penance** is an action that shows we are sorry for our sins. It is sometimes a prayer or act of service. A penance is a way of making right the harm we may have caused. Accepting this penance is a sign we are turning back to God and are willing to change our lives.

In **absolution** our sins are absolved, or forgiven. In the name of Christ and the Church and through the power of the Holy Spirit, a priest grants the forgiveness of sins. This forgiveness brings reconciliation with God and the Church.

Write questions you could use each day to reflect on the ways you have shown love for others.

____

____

____

____

____

In the Sacrament of Penance, the Church celebrates God's forgiveness.

The Church requires us to celebrate the Sacrament of Penance at least once a year if we have committed serious sin. However, we are called to participate in the sacrament often. The Church has two usual ways to celebrate the Sacrament of Penance. One way, or rite, is used when an individual meets with a priest for the celebration. The other rite is used when a group gathers to celebrate the sacrament with one or more priests. (See page 325.)

Reunirse con un grupo para celebrar el sacramento claramente muestra que el sacramento es una celebración de toda la Iglesia. Ya sea que celebremos la Reconciliación individualmente o en grupo, estamos unidos a toda la Iglesia.

La mayoría de las parroquias tienen un horario regular para las celebraciones del sacramento de la Reconciliación. Normalmente hay un lugar especial en la Iglesia donde un penitente, alguien que busca el perdón, puede encontrarse con el sacerdote para la confesión individual y la absolución. El penitente puede sentarse con el sacerdote y conversar con él directamente o puede arrodillarse y hablar con él a través de la rejilla.

El sacerdote nunca, por ninguna razón, dice a nadie lo que escuchó en la confesión. Él está obligado a no decir nada por el *secreto de la confesión.*

Nombra algunas veces en que tu parroquia celebra el sacramento de la Reconciliación.

En el sacramento de la Reconciliación confiamos en la misericordia de Dios.

Durante la celebración de la Reconciliación, las palabras del penitente y del sacerdote muestran nuestra confianza en Dios y nuestro agradecimiento. Un **acto de contrición** (pp 318) es una oración que nos permite expresar nuestro arrepentimiento. En esa oración prometemos tratar de no pecar más. Podemos decir que estamos arrepentidos de muchas formas. La Iglesia usa varias oraciones como actos de contrición.

Sólo un sacerdote puede oír nuestra confesión y perdonar nuestros pecados. Él ha recibido el sacramento del Orden y actúa en nombre de Cristo y de la Iglesia y por medio del poder del Espíritu Santo. Durante la absolución, el sacerdote, actuando con la autoridad de Cristo y en el nombre de la Iglesia, extiende su mano y reza:

Como católicos...

En todas las Misas tenemos la oportunidad, como comunidad, de pedir perdón de nuestros pecados. Cuando rezamos: "Señor, ten piedad. Cristo, ten piedad. Señor, ten piedad", estamos pidiendo perdón. Esta petición nos prepara para celebrar la Eucaristía como cuerpo de Cristo.

Gathering with a group to celebrate the sacrament clearly shows that the sacrament is a celebration of the whole Church. Yet whether we celebrate Penance individually or in a group, we are joined to the whole Church.

Most parishes have a regular schedule for celebrations of the Sacrament of Penance. Normally there is a special place in church where a penitent, someone seeking God's forgiveness, can meet with the priest for individual confession and absolution. The penitent can either sit with the priest and speak to him directly, or kneel and speak with him from behind a screen.

The priest can never, for any reason, tell anyone what we have confessed. He is bound to the secrecy of the sacrament. This secrecy is called the *seal of confession*.

Name some times your parish celebrates the Sacrament of Penance.

In the Sacrament of Penance we trust in God's mercy.

During the celebration of Penance, the words of the penitent and of the priest show our trust in God and our thankfulness. An **Act of Contrition** is a prayer that allows us to express our sorrow. In this prayer (See page 330.) we promise to try not to sin again. We can say we are sorry in many ways. The Church gives us several prayers to use as Acts of Contrition.

Only a priest can hear our confession and forgive our sins. He has received the Sacrament of Holy Orders and acts in the name of Christ and the Church and through the power of the Holy Spirit. During the absolution, the priest, acting with the authority of Christ and in the name of the Church, extends his hand and prays,

As Catholics...

At every Mass, we have the opportunity to ask forgiveness of our sins as a community. When we pray, "Lord, have mercy. Christ, have mercy. Lord, have mercy" we are seeking forgiveness. This asking of forgiveness together prepares us to celebrate the Eucharist as the one Body of Christ.

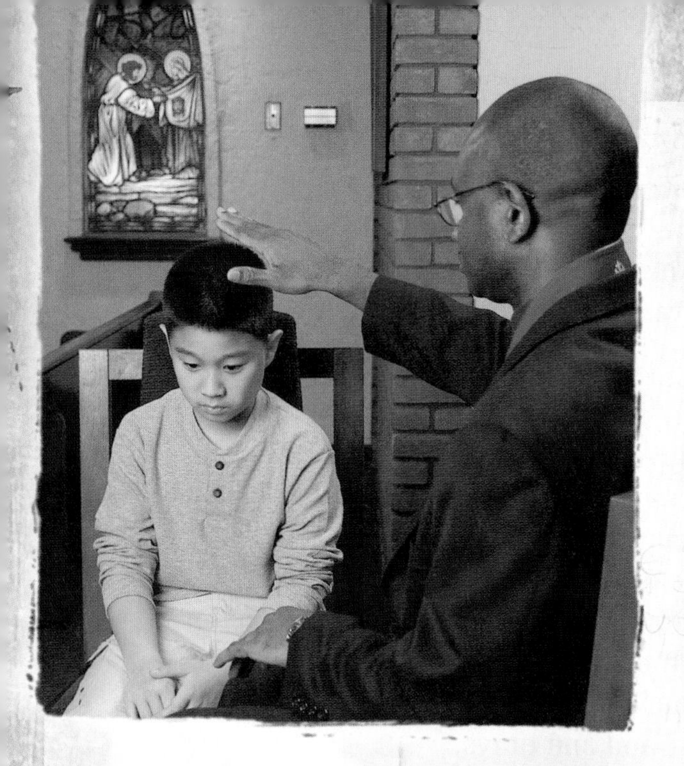

"Dios, Padre misericordioso, que, por la muerte y resurrección de su Hijo, reconcilió consigo el mundo y derramó el Espíritu Santo para el perdón de los pecados, te conceda el perdón y la paz, por el ministerio de la Iglesia.

Y yo te absuelvo de tus pecados en el nombre del Padre, y del Hijo, y del Espíritu Santo".
El penitente responde: "Amén".

La palabra absolución nos recuerda que nuestra reconciliación nos llega por la misericordia de Dios, la acción salvadora de Jesucristo y la presencia del Espíritu Santo.

Conversa con un compañero sobre cada una de las partes del sacramento de la Reconciliación.

conciencia (pp 331)

acto de contrición (pp 331)

Juntos volvemos nuestros corazones y mentes a Dios.

Dios constantemente nos llama. Por el don de la gracia de Dios, podemos volver a él y abrirle nuestros corazones. Para ello necesitamos pensar en las formas en que vivimos como miembros de la Iglesia. Necesitamos pensar en lo que podemos cambiar o fortalecer en nuestras vidas.

La comunidad de fe nos ayuda a volver nuestras vidas a Dios. No estamos solos al tratar de ser sus hijos. Juntos podemos dirigir nuestras mentes y corazones a Dios:

- siguiendo el ejemplo de Jesús y compartiendo su buena nueva
- confiando en Dios cuando tenemos dificultades en la escuela y en la casa
- cuidando de las necesidades de los demás
- rezando todos los días.

Somos la Iglesia. Cuando actuamos con misericordia, otros pueden buscar la misericordia de Dios. Si ayudamos a los demás en nuestra comunidad a entenderse unos a otros y a trabajar para resolver las diferencias en paz, ellos pueden experimentar reconciliación. Cada uno de nosotros puede ayudar a otros a confiar en Dios y a vivir como él nos pide.

RESPONDEMOS

Dios sigue llamándonos a ser una comunidad de fe centrada en él y su amor. Hablen sobre formas en que van a responder esta semana.

“God, the Father of mercies,
through the death and resurrection of
his Son
has reconciled the world to himself
and sent the Holy Spirit among us
for the forgiveness of sins;
through the ministry of the Church
may God give you pardon and peace,
and I absolve you from your sins
in the name of the Father, and of the Son,
and of the Holy Spirit.”

The penitent answers: “Amen.”

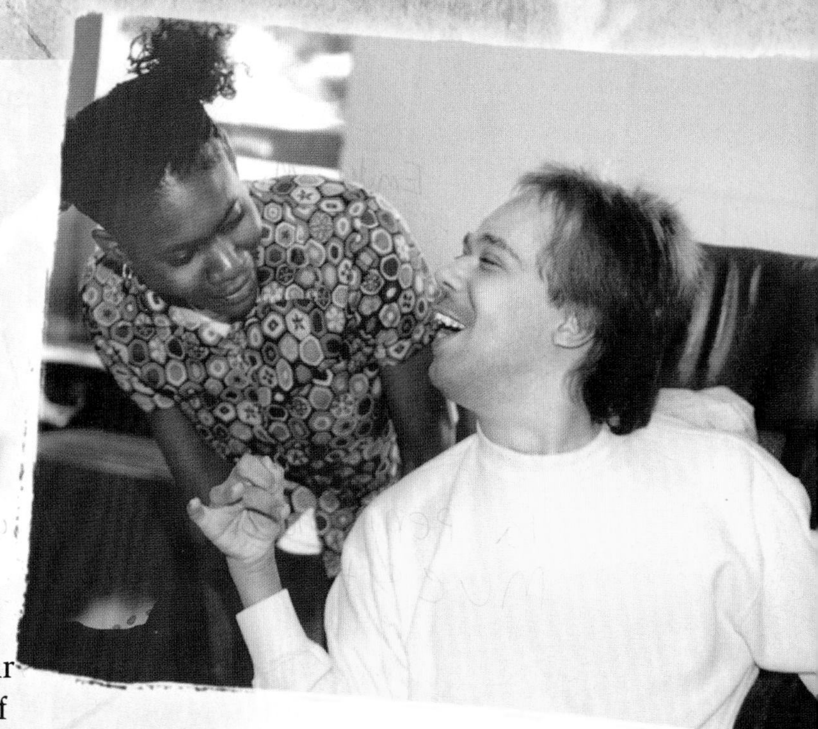

The words of absolution remind us that our reconciliation comes about by the mercy of the Father, the saving action of Jesus Christ, and the presence of the Holy Spirit.

With a partner talk about each of the four parts of the Sacrament of Penance.

Together we turn our hearts and minds to God.

God constantly calls us to him. By God’s gift of grace, we can turn to God and open our hearts to him. To do this we need to think about the ways we are living as members of the Church. We need to think about what we can change or strengthen in our lives.

The community of faith helps us to turn our lives to God. We are not alone as we try to grow as his children. Together we can turn our minds and hearts to God by

- following Jesus’ example and sharing his Good News
- trusting in God when we may be struggling in school or at home
- caring for the needs of others
- praying daily.

We are the Church. When we act with mercy, others may seek God’s mercy. If we help people in the community to understand one another and to work to settle differences peacefully, they may experience reconciliation with one another. Each of us can lead others to turn to God, to rely on him, and to live as he calls us to live.

WE RESPOND

God continually calls us to be a community of faith focused on him and his love. Discuss ways to respond this week.

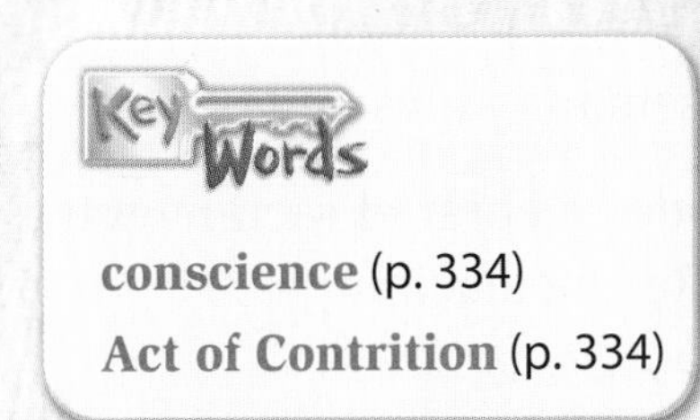

conscience (p. 334)
Act of Contrition (p. 334)

HACIENDO DISCÍPULOS

Emily M.

Muestra lo que sabes

Escribe lemas que hablen sobre el sacramento de la Penitencia y Reconciliación.

la penitencia es una accion que muestra que estamos arrepentidos

el sacramento de la Reconciliacion fortalece nuestra relacion con Dios y con los demas

Consulta

¿Cuándo es un buen momento para examinar tu conciencia?

- ☐ Todas las noches antes de dormir
- ☐ Cada semana antes de la Misa
- ☑ Antes de celebrar el sacramento de la Reconciliación
- ☐ Otro ______________________________

____

Reza

Jesús,
sabes que debo tomarte en cuenta en todas las decisiones que tome.
Algunas veces decido lo que es mejor para mí sin considerar como puede afectar a otros.

Ayúdame a recordar tu ejemplo cuando tenga que tomar una decisión.
Ayúdame a decidir hacer lo correcto y recordarte cuando tenga que decidir.
Guía mis acciones para que tengan un efecto positivo en otros. Amén.

PROJECT DISCIPLE

Show What you Know

Write slogans that tell about the Sacrament of Penance and Reconciliation.

Question Corner

When are good times to examine your conscience?

- ❑ Every night before going to sleep
- ❑ Every week before Mass
- ❑ Before receiving the Sacrament of Penance
- ❑ Other ______________________________

____

Jesus,
I know that I am supposed to consider you in every decision I make.
But I sometimes decide on what I think is best for me, without considering its effect on others.
Help me to remember your example when I have a decision to make.
Help me to decide to do the right thing and to remember you as I make my choice.
Guide my actions so they may have a positive effect on others.
Amen.

HACIENDO DISCIPULOS

Hazlo

Haz una lista de las formas específicas en que puedes dirigir tu mente y corazón hacia Dios.

- rezando
- la misa
- vivir como dios manda

Investiga

La palabra *retiro* viene del lenguaje militar. Cuando una armada se retira, no se rinde. Deja el campo de batalla para planificar mejor nuevas formas de pelear. Esto es lo que hacemos cuando junto con amigos y feligreses de nuestra parroquia vamos a un retiro. Por un corto tiempo dejamos nuestra forma de vivir cotidiana para rezar y pensar en nuestras vidas cristianas. Aprendemos y planificamos formas de seguir a Cristo. Algunos retiros duran un día. Otros duran una semana y hasta un mes. El sacramento de la Reconciliación es una parte importante de un retiro. Tenemos el tiempo necesario para pedir a Jesús que nos ayude y nos guíe. Recibimos el perdón de Dios y somos fortalecidos para seguir a Cristo en nuestras vidas diarias.

RETO PARA EL DISCIPULO

- Subraya las oraciones que dicen lo que hacemos en un retiro.
- ¿Por qué el sacramento de la Reconciliación es parte importante de un retiro?

  Porce tiempo necesario para pedir a Jesus que nos ayuda y nos guie.
- Investiga los retiros que ofrece tu parroquia.

Tarea

Conversa con tu familia sobre lo que aprendiste sobre el sacramento de la Penitencia y Reconciliación. Planifiquen celebrar el sacramento en familia.

PROJECT DISCIPLE

Make it Happen

Make a list of specific ways you can turn your mind and heart to God.

____

____

____

More to Explore

The word *retreat* comes from military language. When an army retreats, it does not run away. It leaves the battle to plan better and new ways of fighting. This is what we do when we join friends and parish members on a retreat. We leave our ordinary way of life for a short time so that we can pray and think about our lives as Christians. We learn and plan ways to follow Christ. Some retreats last for one day. Sometimes retreats last a week or even a month. The Sacrament of Penance and Reconciliation is an important part of a retreat. We have the time we need to ask Jesus for help and guidance. We receive God's forgiveness and are strengthened to follow Christ in our daily lives.

DISCIPLE CHALLENGE

- Underline the sentences that say what we do on a retreat.
- Why is the Sacrament of Penance an important part of a retreat?

____

____

- Find out what retreats are offered by your parish.

Take Home

Discuss with your family what you learned about the Sacrament of Penance and Reconciliation. Make a plan together for family members to receive the sacrament.

Catequesis en el hogar

Capítulo 16 (páginas 174–185)

La celebración de la Reconciliación

En esta lección su hijo(a) aprenderá más sobre la celebración de la Penitencia y Reconciliación.

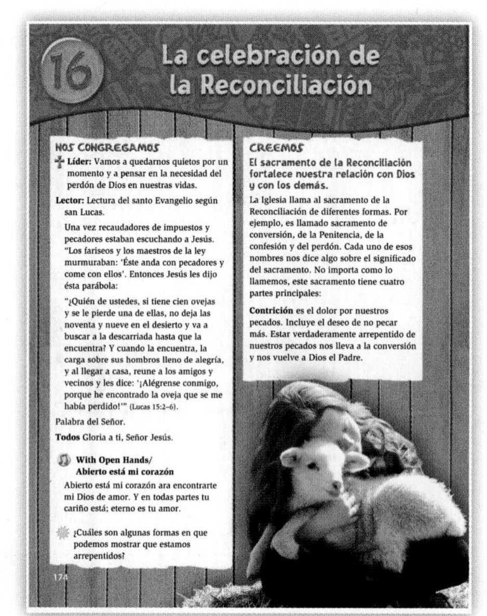

16 La celebración de la Reconciliación

NOS CONGREGAMOS

Líder: Vamos a quedarnos quietos por un momento y a pensar en la necesidad del perdón de Dios en nuestras vidas.

Lector: Lectura del santo Evangelio según san Lucas.

Una vez recaudadores de impuestos y pecadores estaban escuchando a Jesús. "Los fariseos y los maestros de la ley murmuraban: 'Éste anda con pecadores y come con ellos'. Entonces Jesús les dijo ésta parábola:

"¿Quién de ustedes, si tiene cien ovejas y se le pierde una de ellas, no deja las noventa y nueve en el desierto y va a buscar a la descarriada hasta que la encuentra? Y cuando la encuentra, la carga sobre sus hombros lleno de alegría, y al llegar a casa, reune a los amigos y vecinos y les dice: '¡Alégrense conmigo, porque he encontrado la oveja que se me había perdido!'" (Lucas 15:2–6).

Palabra del Señor.

Todos Gloria a ti, Señor Jesús.

With Open Hands/ Abierto está mi corazón

Abierto está mi corazón ara encontrarte mi Dios de amor. Y en todas partes tu cariño está; eterno es tu amor.

¿Cuáles son algunas formas en que podemos mostrar que estamos arrepentidos?

174

CREEMOS

El sacramento de la Reconciliación fortalece nuestra relación con Dios y con los demás.

La Iglesia llama al sacramento de la Reconciliación de diferentes formas. Por ejemplo, es llamado sacramento de conversión, de la Penitencia, de la confesión y del perdón. Cada uno de esos nombres nos dice algo sobre el significado del sacramento. No importa como lo llamemos, este sacramento tiene cuatro partes principales:

Contrición es el dolor por nuestros pecados. Incluye el deseo de no pecar más. Estar verdaderamente arrepentido de nuestros pecados nos lleva a la conversión y nos vuelve a Dios el Padre.

Para los padres

Cuando un atleta no está rindiendo, el entrenador le trata de señalar lo que está mal. Sucede lo mismo con nuestra vida espiritual. Necesitamos reflexionar en lo que estamos haciendo y buscar guía en personas de fe. Tradicionalmente examinar la conciencia ha sido un buen medio para un chequeo espiritual. Cuando reflexionamos en los Diez Mandamientos, las Bienaventuranzas y las leyes de la Iglesia, señalamos lo que hemos hecho y lo que hemos dejado de hacer para ver lo que Dios quiere de nosotros. Esta conciencia y reflexión pueden alimentar verdadero arrepentimiento de los pecados.

Todos los días

- Encienda una vela, hagan la señal de la cruz y hagan una corta oración.

Primer día **El sacramento de la Reconciliación fortalece nuestra relación con Dios y los demás.**

- Explique a su hijo(a) que Dios es como un pastor y que nosotros somos la oveja perdida cuando pecamos. La Iglesia nos da un sacramento especial para ayudarnos a encontrar formas de regresar al Buen Pastor.
- Lea en voz alta el título y el texto que sigue. Explique que nuestra conciencia nos llama a hacer el bien y evitar el mal. Esta nos ayuda a saber lo que es bueno y lo que es malo.

Segundo día **En el sacramento de la Reconciliación celebramos el perdón de Dios.**

- Túrnense para leer en voz alta el título y el texto. Ponga énfasis en que las parroquias tienen horarios regulares para la celebración del sacramento de la Reconciliación.
- Ayude a su hijo(a) a buscar el horario de la parroquia para la Reconciliación.

Tercer día **En el sacramento de la Reconciliación confiamos en la misericordia de Dios.**

- Túrnense para leer en voz alta el título y el texto. Ponga énfasis en que en la absolución el sacerdote llama a la Santísima Trinidad para que perdone nuestros pecados. Él actúa con la autoridad de Cristo en nombre de la Iglesia para perdonar los pecados.

Cuarto día **Juntos volvemos nuestros corazones y mentes a Dios.**

- Túrnense para leer en voz alta el título y el texto.
- Explique que Dios siempre está dispuesto a escuchar y a perdonarnos.

Respondemos en fe

Quinto día

- Ayude a su hijo(a) a identificar formas de mostrar arrepentimiento.

Sexto día

- Rete a su familia esta semana a encontrar tres ejemplos de cómo ver las buenas decisiones que otro ha tomado.

Catechesis at Home

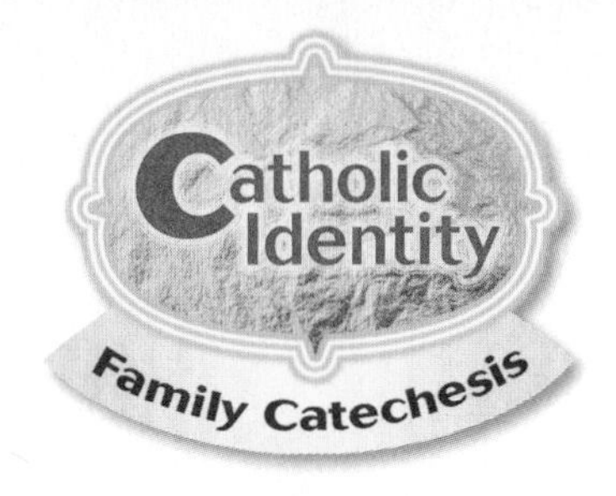

Chapter 16 (pages 174–185)

The Celebration of Penance and Reconciliation

In this lesson your child will learn more about the celebration of Penance and Reconciliation.

For the Parents

When an athlete is not performing well, a coach will try to point out what is going wrong. It is the same with us in the spiritual life. We need to reflect on what we do and to seek guidance from people of faith. Traditionally, an examination of conscience has been a good means for a spiritual checkup. Reflecting on the Ten Commandments and the Beatitudes, and the laws of the Church, we pinpoint what we have done and what we have failed to do to measure up to what God asks of us. This awareness and reflection can foster true sorrow for sins.

Every Day

- Light a candle, pray the Sign of the Cross together, and offer a short prayer.

Day One **The sacrament of Penance and Reconciliation strengthens our relationship with God and others.**

- Explain to your child that God is like a shepherd and we are like lost sheep when we sin. The Church gives us a special sacrament that helps us find our way back to the Good Shepherd.
- Read the *We Believe* statement aloud and the text that follows. Explain that our conscience calls us to do good and avoid wrongdoing. It helps us know right from wrong.

Day Two **In the sacrament of Penance, the Church celebrates God's forgiveness.**

- Take turns reading the statement and the text. Emphasize that parishes have regular schedules for celebrating the sacrament of Penance.
- Help your child find the times of parish Reconciliation.

Day Three **In the sacrament of Penance we trust in God's mercy.**

- Take turns reading aloud the statement and the text. Emphasize that the priest's words of absolution call upon the Blessed Trinity to forgive our sins. The priest acts with the authority of Christ and in the name of Church to offer God's forgiveness.

Day Four **Together we turn our hearts and minds to God.**

- Take turns reading aloud the statement and the text that follows.
- Explain that God is always ready to listen and respond to us.

The Celebration of Penance and Reconciliation 16

WE GATHER

Leader: Let us be still a moment and think about the need for God's forgiveness in our lives.

Reader: A reading from the holy Gospel according to Luke

Once tax collectors and sinners were listening to Jesus teach. "But the Pharisees and scribes began to complain, saying, 'This man welcomes sinners and eats with them.' So to them he addressed this parable.

"What man among you having a hundred sheep and losing one of them would not leave the ninety-nine in the desert and go after the lost one until he finds it? And when he does find it, he sets it on his shoulders with great joy and, upon his arrival home, he calls together his friends and neighbors and says to them, 'Rejoice with me because I have found my lost sheep.'" (Luke 15:2–6)

The Gospel of the Lord.

All: Praise to you, Lord Jesus Christ.

With Open Hands/Abierto Está Mi Corazón

Refrain:
With open hands and open hearts
we come before you, O God above.
Your loving kindness fills all the earth;
eternal is your love.

Have mercy on me, O God of goodness,
according to your abundant love.
Wash me clean from all my sins;
restore to me your joy! (Refrain)

What are ways that we can show that we are sorry?

WE BELIEVE
The Sacrament of Penance strengthens our relationship with God and others.

The Church calls the Sacrament of Penance by different names. For instance, it has been called the sacrament of conversion, of Reconciliation, of confession, and of forgiveness. Each of these names tells us something about the meaning of the sacrament. No matter how we name it, this sacrament includes four major parts: contrition, confession, penance, and absolution.

Contrition is heartfelt sorrow for our sins. It includes the desire to sin no more. Being truly sorry for our sins leads us to conversion, to turn back to God the Father.

175

We Respond in Faith

Day Five

- Help your child to identify ways to show we are sorry.

Day Six

- Challenge your family this week to find at least three examples of ways you see others making good decisions.

17 Jesús, el sanador

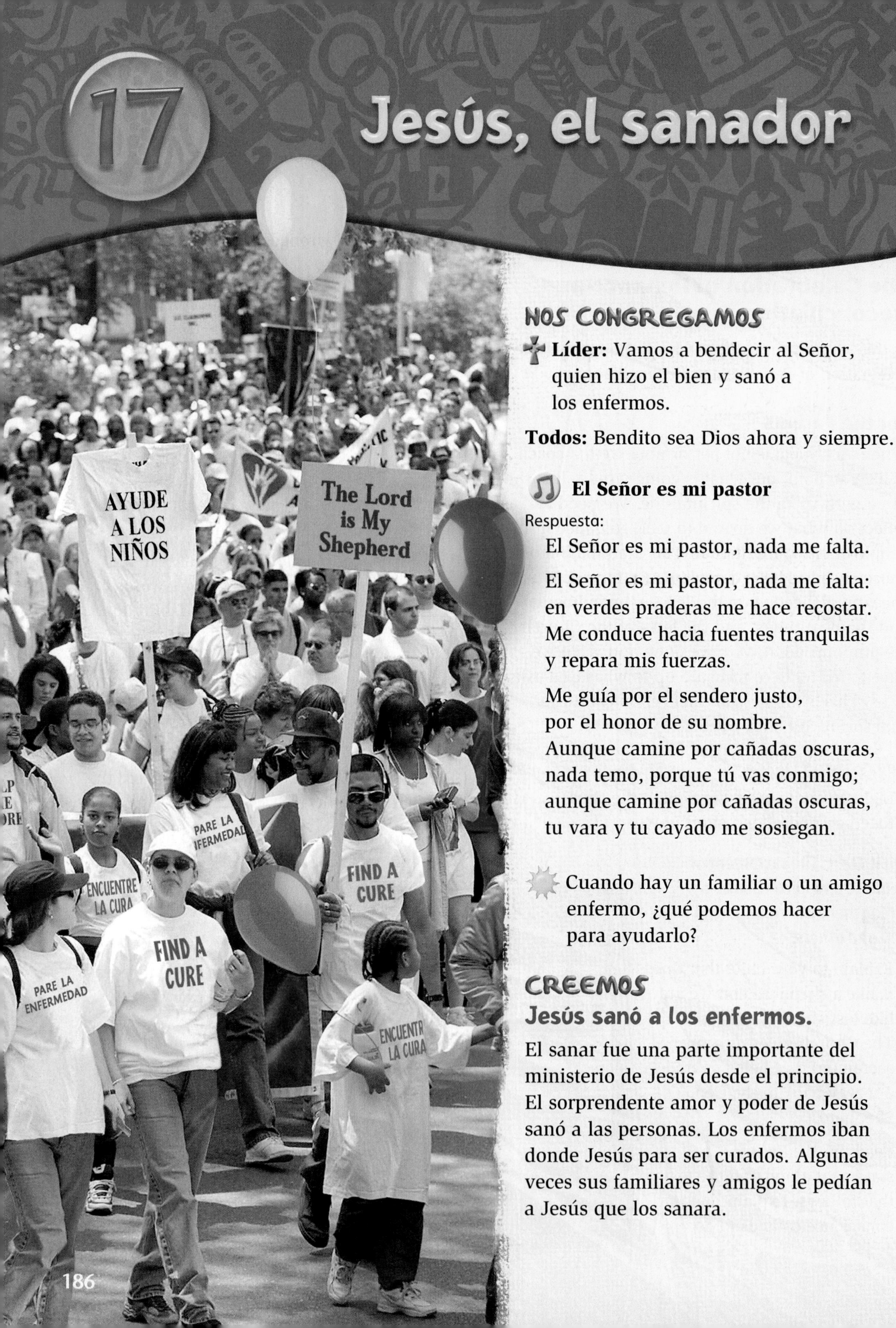

NOS CONGREGAMOS

✝ **Líder:** Vamos a bendecir al Señor, quien hizo el bien y sanó a los enfermos.

Todos: Bendito sea Dios ahora y siempre.

♫ **El Señor es mi pastor**

Respuesta:

El Señor es mi pastor, nada me falta.

El Señor es mi pastor, nada me falta:
en verdes praderas me hace recostar.
Me conduce hacia fuentes tranquilas
y repara mis fuerzas.

Me guía por el sendero justo,
por el honor de su nombre.
Aunque camine por cañadas oscuras,
nada temo, porque tú vas conmigo;
aunque camine por cañadas oscuras,
tu vara y tu cayado me sosiegan.

Cuando hay un familiar o un amigo enfermo, ¿qué podemos hacer para ayudarlo?

CREEMOS

Jesús sanó a los enfermos.

El sanar fue una parte importante del ministerio de Jesús desde el principio. El sorprendente amor y poder de Jesús sanó a las personas. Los enfermos iban donde Jesús para ser curados. Algunas veces sus familiares y amigos le pedían a Jesús que los sanara.

Jesus, the Healer

17

WE GATHER

Leader: Let us bless the Lord, who went about doing good and healing the sick. Blessed be God now and forever.

All: Blessed be God for ever.

The Lord Is My Shepherd

Refrain:

The Lord is my shepherd;
there is nothing I shall want.

The LORD is my shepherd;
I shall not want.
In verdant pastures he gives me repose;
beside restful waters he leads me;
he refreshes my soul. (Refrain)

He guides me in right paths
for his name's sake.
Even though I walk in the dark valley
I fear no evil;
for you are at my side with your
rod and staff that give me courage.

When family members or friends are ill, what can we do to help them?

WE BELIEVE

Jesus heals those who are sick.

Healing was an important part of Jesus' ministry from the very beginning. Jesus' amazing love and power healed people. Those who were sick would come to Jesus to be cured. Sometimes their families or friends would ask Jesus to heal them.

Escenifiquen esta historia.

Juan 4:46–53

Narrador: "Había allí un funcionario del rey, que tenía un hijo enfermo en Cafarnaún. Cuando se enteró de que Jesús venía de Judea a Galilea, salió a su encuentro para suplicarle que fuera a su casa y sanara a su hijo, que estaba a punto de morir, Jesús le contestó:

Jesús: 'Si no ven signos y prodigios son incapaces de creer'.

Narrador: Pero el funcionario insistía:

Oficial: 'Señor, ven pronto, antes de que muera mi hijo'.

Narrador. Jesús le dijo:

Jesús: 'Regresa a tu casa; tu hijo ya está bien'.

Narrador: El hombre creyó en lo que Jesús le había dicho y se fue. Cuando regresaba a su casa, le salieron al encuentro sus criados para darle la noticia de que su hijo estaba bien. Entonces él les preguntó a que hora había comenzado la mejoría. Los criados le dijeron:

Sirvientes: 'Ayer, a la una de la tarde, se le quitó la fiebre'.

Narrador: El padre comprobó que la mejoría de su hijo había comenzado en el mismo momento en que Jesús le había dicho: 'Tu hijo ya está bien'; y creyeron en Jesús él y todos los suyos".

Muchas personas creyeron en Jesús porque él sanaba. Jesús sintió un gran amor por los que sufrían y sanó a muchos de ellos. Jesús también quería sanar a todos del pecado. Con frecuencia cuando curaba al enfermo también le perdonaba sus pecados. Jesús perdonaba los pecados de la gente porque sabía que el pecado los mantenía alejados de Dios.

Las acciones de sanar y perdonar de Jesús fueron señales de su poder para salvarnos y darnos la vida de Dios. Ellas mostraron que él era el Hijo de Dios y que Dios tiene poder sobre la enfermedad y el pecado. Por su muerte, Resurrección y Ascensión, Jesús venció a la muerte. Por Jesús, el sufrimiento y la muerte no tienen poder sobre nosotros. Él es nuestro Salvador.

Los apóstoles predicaron y sanaron en nombre de Jesús.

La sanación por Jesús fue una señal de la presencia y la obra de Dios en la vida del pueblo. Jesús quería que todo el pueblo sintiera el poder y la presencia de Dios, así que compartió su ministerio con los apóstoles. Jesús los envió a diferentes pueblos y villas a compartir el mensaje del Reino de Dios. Él los envío a predicar el arrepentimiento y a curar a los enfermos.

Los apóstoles viajaron enseñando y sanando en nombre de Jesús. "Ungían con acite a muchos enfermos y los sanaban" (Marcos 6:13).

Este ministerio de sanación por parte de los apóstoles tuvo un mayor significado después de la muerte y resurrección de Jesús. Después de su Resurrección, Jesús les pidió predicar el evangelio a todo el mundo. Él les dijo que ellos: "impondrán las manos a los enfermos y éstos sanarán" (Marcos 16:18).

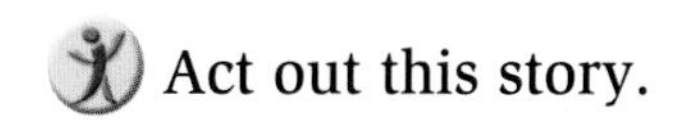

Act out this story.

John 4:46–53

Narrator: "Now there was a royal official whose son was ill in Capernaum. When he heard that Jesus had arrived in Galilee from Judea, he went to him and asked him to come down and heal his son, who was near death. Jesus said to him,

Jesus: 'Unless you people see signs and wonders, you will not believe.'

Narrator: The royal official said to him,

Royal Official: 'Sir, come down before my child dies.'

Narrator: Jesus said to him,

Jesus: 'You may go; your son will live.'

Narrator: The man believed what Jesus said to him and left. While he was on his way back, his slaves met him and told him that his boy would live. He asked them when he began to recover. They told him,

Servants: 'The fever left him yesterday, about one in the afternoon.'

Narrator: The father realized that just at that time Jesus had said to him, 'Your son will live,' and he and his whole household came to believe."

Many people grew to believe in Jesus because of his healing. Jesus felt great love for those who were suffering, and he healed many of them. Jesus desired to heal people from sin, too. Often when he cured the sick, he also forgave their sins. Jesus forgave the sins of people because he knew that sin kept them from loving God.

The healing and forgiving actions of Jesus were signs of his power to save us and bring us God's life. They showed that he was the Son of God and that God has power over sickness and sin. By his Death, Resurrection, and Ascension, Jesus has victory over death. Because of Jesus, suffering and death no longer have power over us. He is our Savior.

Jesus' Apostles preach and heal in his name.

Jesus' healing was a sign of God's presence and action in the lives of the people. Jesus wanted all people to feel God's power and presence, so he shared his ministry with the Apostles. Jesus sent them to different towns and villages to share the message of the Kingdom of God. He sent them out to preach repentance and to cure the sick.

The Apostles traveled, teaching and healing in Jesus' name. "They anointed with oil many who were sick and cured them." (Mark 6:13)

This healing ministry of the Apostles took on even greater meaning after Jesus' Death and Resurrection. After his Resurrection Jesus told them to preach the Gospel to the whole world. He told them that they would "lay hands on the sick, and they will recover" (Mark 16:18).

Después de que el Espíritu Santo vino en Pentecostés, los apóstoles fueron a predicar y a bautizar. Fortalecidos por el don del Espíritu Santo, los apóstoles sanaron a muchas personas y las convencieron de creer en el Cristo resucitado.

Los apóstoles siguieron predicando el Evangelio y sanando en nombre de Cristo. Muchos fueron bautizados y la Iglesia siguió creciendo.

Imagina que lees un artículo en una revista sobre Jesús, el Sanador. Habla sobre lo que dice el artículo.

La Iglesia continúa la misión sanadora de Jesús.

Desde el tiempo de los apóstoles, los fieles han ido a la Iglesia en busca de sanación y consuelo. Vemos en este recuento de la carta de Santiago, el inicio del sacramento de Unción de los Enfermos.

Santiago 5:13–15

Santiago escribió a las primeras comunidades cristianas sobre la necesidad de sanación. Él dijo que todo el que estaba sufriendo debía rezar. Todo el que estaba en buen espíritu debía alabar. Todo el que estaba enfermo debía llamar a los sacerdotes de la Iglesia "para que oren sobre él y lo unjan con óleo en el nombre del Señor. La oración hecha con fe salvará al enfermo; el Señor lo restablecerá" (Santiago 5:14–15).

Todos los sacramentos nos acercan a Dios y a los demás. Sin embargo, la Unción de los Enfermos celebra de manera especial el trabajo sanador de Jesús.

La sanación de Jesús nos llega a través de la Iglesia. En el sacramento de **Unción de los Enfermos**, la gracia y el consuelo de Dios son dados a los que están seriamente enfermos o sufriendo debido a su avanzada edad. Los miembros de la Iglesia que deben recibir este sacramento son aquellos que están próximos a morir.

Los que celebran este sacramento reciben la fuerza, la paz y el valor de enfrentar las dificultades que vienen con una enfermedad grave. La gracia de este sacramento:

- renueva la confianza y la fe en Dios
- los une a Cristo y a su sufrimiento
- los prepara, si es necesario, para la muerte y la esperanza en la vida eterna con Dios.

La gracia de este sacramento también puede restablecerles salud.

¿Cómo ofrece tu parroquia consuelo y apoyo a los enfermos?

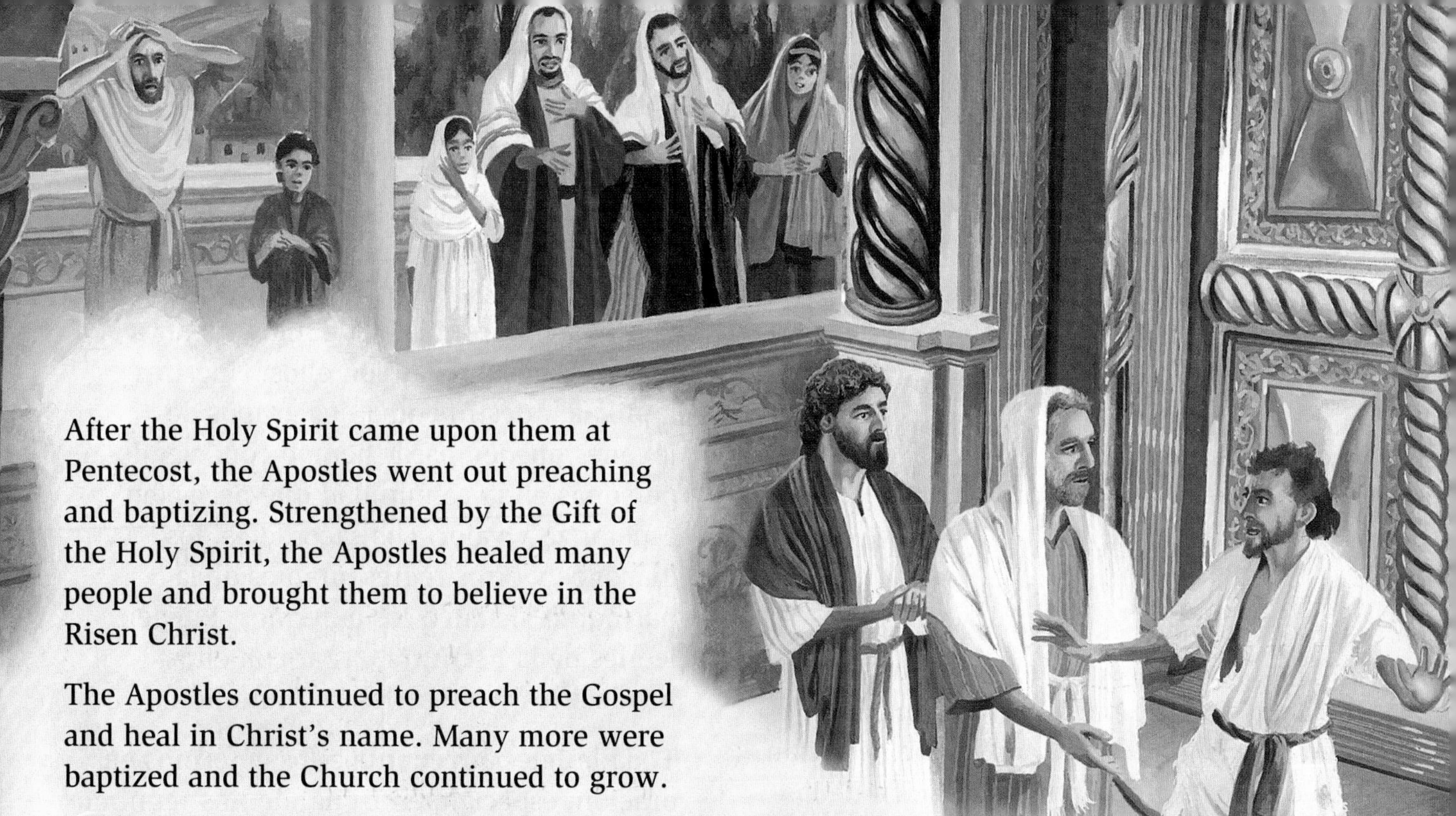

After the Holy Spirit came upon them at Pentecost, the Apostles went out preaching and baptizing. Strengthened by the Gift of the Holy Spirit, the Apostles healed many people and brought them to believe in the Risen Christ.

The Apostles continued to preach the Gospel and heal in Christ's name. Many more were baptized and the Church continued to grow.

Imagine reading a magazine article about Jesus, the Healer. Talk about what the article says.

The Church continues Jesus' healing ministry.

From the time of the Apostles, the faithful have turned to the Church for healing and comfort. We see in this account from the letter of Saint James, the beginning of the Sacrament of the Anointing of the Sick.

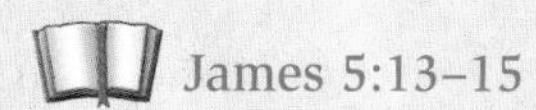

James wrote to one of the early Christian communities about the need for healing. He said that anyone who is suffering should pray. Anyone who is in good spirits should sing praise. Anyone who was sick should call on the priests of the Church, "and they should pray over him and anoint [him] with oil in the name of the Lord, and the prayer of faith will save the sick person, and the Lord will raise him up" (James 5:14–15).

All the sacraments bring us closer to God and one another. However, as a Sacrament of Healing, the Anointing of the Sick celebrates in a special way Jesus' healing work.

Jesus' healing comes to us through the Church. In the Sacrament of the **Anointing of the Sick**, God's grace and comfort are given to those who are seriously ill or suffering because of their old age. Members of the Church who should definitely receive this sacrament are those who are near death.

Those who celebrate this sacrament receive strength, peace, and courage to face the difficulties that come from serious illness. The grace of this sacrament

- renews their trust and faith in God
- unites them to Christ and to his suffering
- prepares them, when necessary, for death and the hope of life forever with God.

The grace of this sacrament may also restore them to health.

How does your parish offer comfort and support to those who are ill?

Unción de los Enfermos (pp 333)

Somos llamados a cuidar de los enfermos.

Todos los bautizados están unidos en el cuerpo de Cristo. Lo que sucede a un miembro afecta a todos. Cuando un miembro de la Iglesia sufre, no está solo. Toda la Iglesia sufre con la persona. Es por eso que ser amable y considerado con los enfermos es tan importante. Por amor a Cristo y los miembros de la Iglesia, ayudamos a los demás a sentirse mejor. Tratamos de ofrecerles todo lo que necesitan. Nos unimos a ellos en la celebración de los sacramentos. Estas acciones son una forma de compartir la labor sanadora de Jesús.

Familiares y amigos son llamados a ayudar a sus seres queridos consolándolos con palabras de fe y rezando por ellos. El enfermo debe ser animado a recibir, si es necesario, el sacramento de Unción de los Enfermos.

La Iglesia cuida de todos los enfermos, no sólo los que están gravemente enfermos. Apoyamos a los enfermos en nuestras familias y parroquias. Podemos visitar a los enfermos y rezar con ellos. Nuestras familias, nuestro curso, los grupos de jóvenes pueden pasar tiempo conociendo a personas en la comunidad que necesiten esperanza y valor. Los sacerdotes, los diáconos y otros representantes de la parroquia visitan a los enfermos. Pueden leerles de la Escritura, rezar con ellos, bendecirlos y ofrecerles la Comunión.

Toda la Iglesia recuerda a los enfermos en oración, especialmente cuando nos reunimos en la Misa los domingos. Rezamos por fortaleza y sanación de los que están enfermos en la oración de los fieles de la Misa. Ese es también un buen momento para recordar a los miembros de la familia y a los que cuidan de ellos.

Como católicos...

Jesús calmó la tormenta en el mar, hizo ver a los ciegos, caminó sobres las aguas, cambió el agua en vino y resucitó muertos. Estas sorprendentes señales estaban por encima del poder humano. Estos son milagros.

Los milagros de Jesús fueron señales de que él era el Hijo de Dios y de que él lo había enviado para salvar a su pueblo. Los milagros fueron señales especiales que fortalecieron la confianza de la gente y su fe en Dios. Esos milagros mostraron al pueblo que el Reino de Dios había empezado en Jesús mismo.

Esta semana lee los Evangelios con tu familia y busca dos historias de los milagros de Jesús.

RESPONDEMOS

Trabaja con un compañero para escenificar las formas en que la gente puede ayudar a los enfermos y a los ancianos.

We are all called to care for those who are sick.

All who are baptized are joined together in the Body of Christ. What happens to one member affects us all. When a member of the Church is suffering or in pain, he or she is not alone. The whole Church suffers with the person. This is why being kind and considerate to those who are ill is so important. Out of love for Christ and the members of the Church, we help others to feel better. We try to provide them with the things they need. We join them in the celebration of the sacraments. These actions are a way to share in Jesus' healing work.

Family and friends are called to support their loved ones by comforting them with words of faith and by praying for them. The sick should be encouraged to receive the Anointing of the Sick when it is necessary.

The Church cares for all those who are sick, not only those who are seriously ill. We support those who are sick in our families and parishes. We can visit those who are sick and pray with them. Our families, classes, or youth groups can spend time getting to know people in our community who need hope and encouragement. Priests, deacons, and other representatives of the parish visit the sick. They read with them from the Bible, pray with them, bless them, and offer them Holy Communion.

Anointing of the Sick (p. 334)

The whole Church remembers in prayer those who are sick, especially when we gather at Sunday Mass. We pray for the strength and healing of those who are sick in the Prayer of the Faithful of the Mass. This is also a good time to remember their family members and those who care for them.

WE RESPOND

Work with a partner to role-play ways people can reach out to those who are sick or elderly.

As Catholics...

Jesus calmed the stormy seas, made the blind to see, walked on water, changed water into wine, and even raised the dead to life. These amazing signs were beyond human power. They are called miracles.

Jesus' miracles were a sign to all people that he was the Son of God and that the Father had sent him to save his people. The miracles were special signs that strengthened people's trust and belief in God. These miracles showed people that God's Kingdom had begun in Jesus himself.

This week read through the Gospels with your family to find two stories of Jesus' miracles.

HACIENDO DISCÍPULOS

Emily M.

Muestra lo que sabes

Diseña un comercial sobre el sacramento de Unción de los Enfermos para el boletín semanal de tu parroquia.

El sacrameto de la uncion de los enfermos es un acto litugico comunitario realizado por parte de distintas Iglesias catolicas por el cual un Sacerdote signa con oleo sagrado a un fiel por estar enfermo en peligo de muerte o simplemente por su edad avanzada.

¿Qué harás?

Una de tus vecinas ancianas ha sido hospitalizada. Ella tiene un gato. La mayoría de su familia vive en otro pueblo. Como discípulo de Jesús tú. . .

yo le ayudaria a cuidar su gato :)

Hazlo

Haz una lista de cosas específicas que un estudiante de quinto curso puede hacer para cuidar de las necesidades de otros.

rezar por ellos

ayudaria con las cosas en su casa

Grade 5 • Chapter 17

Sacerdote

PROJECT DISCIPLE

Show What you Know

Design an advertisement for your parish's weekly bulletin that tells about the Sacrament of the Anointing of the Sick.

What Would you do?

An elderly neighbor who lives near you has been hospitalized. She has a pet cat. Most of her family lives out of town. As a disciple of Jesus, you

____

____

____

______________________.

Make it Happen

Make a list of specific ways fifth-graders can care for the needs of others.

pray

HACIENDO DISCIPULOS

Investiga

Un hospicio ofrece ayuda a los moribundos. Cuida de los enfermos terminales. Las Hermanas de la Caridad empezaron el hospicio de san Santiago en Londres, como un refugio para los moribundos, en 1905. El primer hospicio en los Estados Unidos abrió sus puertas en 1974 en New Haven, Connecticut. Algunos hospicios cuidan de los enfermos en sus casas. Otros ofrecen cuidado de internamiento para los gravemente enfermos y apoyo para sus familias.

RETO PARA EL DISCIPULO Busca más información sobre los hospicios. ¿Qué tipo de apoyo pueden tú y tus compañeros ofrecer al trabajo de los hospicios?

____

____

____

____

Reza

En los buenos tiempos y en los malos
en la enfermedad y en la salud;
nos debemos unos a otros como nos debemos a ti, Dios siempre fiel.
En la mañana y en la noche
tu nombre está en mis labios,
una bendición para todos nuestros días
que la bondad y la paciencia estén siempre con nosotros;
que el hambre por la justicia,
y cantos de agradecimiento en todo lo que hagamos.
Te lo pedimos por nuestro Señor Jesucristo.
Amén.

Tarea

Piensa en familiares o amigos enfermos. Escribe sus nombres.

____

____

____

____

____

En familia escojan una persona de la lista para hacer algo especial por ella esta semana. Si viven en otro pueblo, envíenle una tarjeta o un mensaje electrónico. Si están en el mismo pueblo visítenlos. Planifiquen rezar por amigos y familiares enfermos.

PROJECT DISCIPLE

More to Explore

Hospice care provides support for those who are dying. It gives loving care to those who are terminally ill. The Sisters of Charity began St. James Hospice in London as a shelter for the dying in 1905. The first hospice in North America opened in 1974 in New Haven, Connecticut. Some hospices offer home care for patients and their families. Other hospices provide residential care for the terminally ill and support for their loved ones.

DISCIPLE CHALLENGE Find out more about hospice care. What are some ways your class can support the work of hospice care?

____

____

____

____

Pray Today

In good times and in bad
in sickness and in health,
we belong to each other
as we belong to you, God ever faithful.
By morning and by night
may your name be on our lips,
a blessing to all our days:
so may kindness and patience be ever
among us,
a hunger for justice,
and songs of thankfulness in all we do.
We ask this through Christ our Lord. Amen.

Take Home

Think about relatives or family friends who are sick. Write down their names.

____

____

____

____

With your family, choose one person on the list to do something special for this week. If they are out of town, send them a card, call, or e-mail/message them. If they are in town, visit them. Make a plan to pray for relatives or family friends who are sick.

Catequesis en el hogar

Capítulo 17 (páginas 186–197)

Jesús, el sanador

En este capítulo su hijo(a) aprenderá que Jesús y los apóstoles cuidaban de los que sufrían y que la Iglesia continúa el trabajo sanador de Jesús.

Para los padres

Desde sus inicios, la Iglesia, dirigida por los apóstoles, sana en nombre de Jesús, práctica que continúa hoy. Los cristianos creemos que debemos ofrecer consuelo y esperanza a los que sufren y a los que están muriendo. Esto lo hacemos por medio del sacramento de la Unción de los Enfermos. En este sacramento, la gracia y el consuelo de Dios es dado a los que están gravemente enfermos, sufriendo los efectos de la edad o en peligro de muerte. Este sacramento renueva en la persona la confianza y la fe en Dios.

Todos los días

- Encienda una vela y tomen un momento para aquietarse.
- Juntos hagan la señal de la cruz y hagan una corta oración pidiendo a Dios que bendiga este tiempo que van a pasar juntos.

Primer día **Jesús sanó a los enfermos.**

- Pida a su hijo(a) que lea en voz alta el título y el texto. Señale que Jesús sanó y ayudó a la gente porque sentía un gran amor y compasión por ellos.
- Juntos lean la historia bíblica. Pida a su hijo(a) que haga el papel de Jesús y usted tome las otras partes.

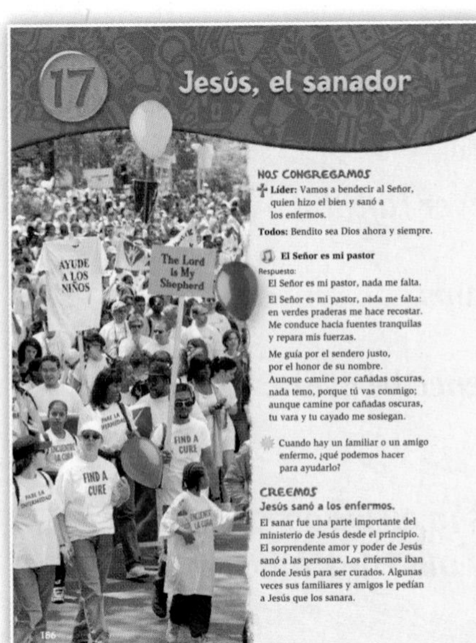
17 Jesús, el sanador

NOS CONGREGAMOS

Líder: Vamos a bendecir al Señor, quien hizo el bien y sanó a los enfermos.

Todos: Bendito sea Dios ahora y siempre.

El Señor es mi pastor

Respuesta:
El Señor es mi pastor, nada me falta.

El Señor es mi pastor, nada me falta:
en verdes praderas me hace recostar.
Me conduce hacia fuentes tranquilas
y repara mis fuerzas.

Me guía por el sendero justo,
por el honor de su nombre.
Aunque camine por cañadas oscuras,
nada temo, porque tú vas conmigo;
aunque camine por cañadas oscuras,
tu vara y tu cayado me sosiegan.

Cuando hay un familiar o un amigo enfermo, ¿qué podemos hacer para ayudarlo?

CREEMOS

Jesús sanó a los enfermos.

El sanar fue una parte importante del ministerio de Jesús desde el principio. El sorprendente amor y poder de Jesús sanó a las personas. Los enfermos iban donde Jesús para ser curados. Algunas veces sus familiares y amigos le pedían a Jesús que los sanara.

186

Segundo día **Los apóstoles predicaron y sanaron en nombre de Jesús.**

- Pida a su hijo(a) que lea en silencio el título y el texto que sigue.
- Señale que en Pentecostés los apóstoles fueron fortalecidos por el Espíritu Santo para continuar el ministerio de Jesús. Ellos viajaron, predicaron y sanaron en nombre de Jesús.

Tercer día **La Iglesia continúa la misión sanadora de Jesús.**

- Túrnense para leer en voz alta el título y el texto que sigue. Enfatice que el sacramento de la Unción de los Enfermos no es solo para personas que están muriendo. También puede ser celebrado para personas enfermas y en necesidad de la gracia sanadora de este sacramento.

Cuarto día **Somos llamados a cuidar de los enfermos.**

- Pida a su hijo(a) que lea en voz alta el título y el texto que sigue.
- Dirija la atención de su hijo(a) a los artículos usados en el sacramento de la Unción de los enfermos. Lean juntos la descripción.

Respondemos en fe

Quinto día

- Repase con su hijo(a) las respuestas en la página 194.

Sexto día

- En familia escriban una oración especial para recordar a los enfermos y los ancianos.

Catechesis at Home

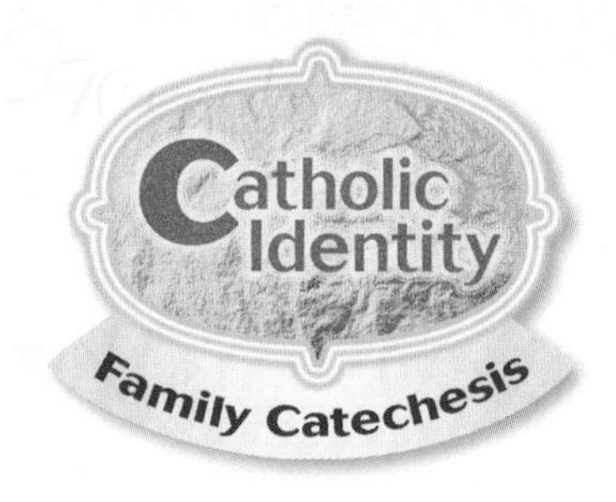

Chapter 17 (pages 186–197)

Jesus, the Healer

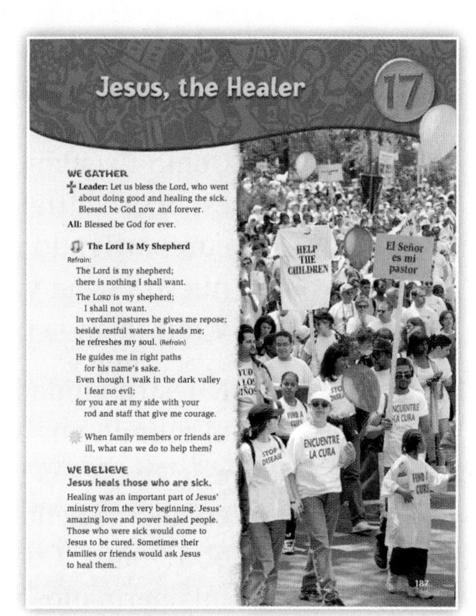
Jesus, the Healer

17

WE GATHER

Leader: Let us bless the Lord, who went about doing good and healing the sick. Blessed be God now and forever.

All: Blessed be God for ever.

The Lord Is My Shepherd

Refrain:
The Lord is my shepherd;
there is nothing I shall want.

The LORD is my shepherd;
I shall not want.
In verdant pastures he gives me repose;
beside restful waters he leads me;
he refreshes my soul. (Refrain)

He guides me in right paths
for his name's sake.
Even though I walk in the dark valley
I fear no evil;
for you are at my side with your
rod and staff that give me courage.

When family members or friends are ill, what can we do to help them?

WE BELIEVE

Jesus heals those who are sick.

Healing was an important part of Jesus' ministry from the very beginning. Jesus' amazing love and power healed people. Those who were sick would come to Jesus to be cured. Sometimes their families or friends would ask Jesus to heal them.

In this chapter your child will learn that Jesus and the apostles cared for the sick and suffering and that the Church continues the work of Jesus' healing ministry.

For the Parents

From its beginning, the Church, led by the apostles, healed in Jesus' name, a practice that continues to this day. Christians believe we must offer comfort and hope to those who are suffering and dying. We do this most readily through the sacrament of the Anointing of the Sick. In this sacrament, God's grace and comfort are given to those who are seriously ill, suffering the effects of old age, or are in danger of death. This sacrament renews the person's trust and faith in God.

Every Day

- Light a candle and take a few moments to quiet yourselves.
- Pray the Sign of the Cross together, and offer a short prayer asking God to bless your time together.

Day One **Jesus heals those who are sick.**

- Have your child read the *We Believe* statement and the text that follows. Point out that Jesus healed and helped people because of his great love and compassion for them.
- Read the Scripture story together. Ask your child to be Jesus, and you take the other parts.

Day Two **Jesus' apostles preach and heal in his name.**

- Have your child read the statement and the text that follows silently.
- Point out that on Pentecost the apostles were strengthened by the Holy Spirit to continue Jesus' ministry. They traveled, preached, and healed in Jesus' name.

Day Three **The Church continues Jesus' healing ministry.**

- Read aloud the statement and the text that follows. Stress that the sacrament of the Anointing of the Sick is not only for people who are dying. It can also be celebrated for people who are ill and need the healing grace given in this sacrament.

Day Four **We are all called to care for those who are sick.**

- Have your child read aloud the statement and the text that follows.
- Draw your child's attention to the items used in the sacrament of the Anointing of the Sick. Read the descriptions together.

We Respond in Faith

Day Five

- Review with your child his or her answers to *Make it Happen* on page 195.

Day Six

- As a family write a special prayer together to remember those who are sick or elderly.

La celebración de la Unción de los Enfermos

NOS CONGREGAMOS

Líder: Bendito sea el Dios de misericordia y amor.

Todos: Bendito seas por siempre, Señor.

Lector: Lectura del santo Evangelio según san Marcos.

"Trajeron unos niños a Jesús para que los tocara, pero los discípulos los reprendían. Jesús, al verlo, se indignó y les dijo: 'Dejen que los niños vengan a mí; no lo impidan, porque de los que son como ellos es el reino de Dios'.... Entonces Jesús los abrazaba y los bendecía imponiéndoles las manos" (Marcos 10:13–14, 16).

Palabra del Señor.

Todos: Gloria a ti, Señor Jesús.

¿Cuándo necesitas apoyo y consuelo? ¿Cómo pides ayuda? ¿Quién te la da?

CREEMOS

Jesús está con nosotros cuando sufrimos.

En un momento u otro de nuestras vidas, probablemente hemos estado enfermos. Durante ese tiempo de enfermedad puede que estuviéramos solos y preocupados. Incluso puede que hubiéramos pensado que Dios nos había olvidado. Dios siempre recuerda a los que están enfermos y sufriendo. Ellos son especiales para Dios.

Como Cristianos, creemos que cuando estamos sufriendo Jesús está con nosotros compartiendo nuestra pena. Él entiende nuestra pena y sufrimiento porque él sufrió y murió en la cruz.

Nuestro cuidado por los que sufren en el mundo nos ayuda a acercarnos más a Jesús. Jesús nos enseñó que cuando cuidamos de los enfermos, cuidamos de él. Él dijo: "Cuando lo hicieron con uno de mis hermanos más pequeños, conmigo lo hicieron". (Mateo 25:40)

The Celebration of the Anointing of the Sick

WE GATHER

Leader: Blessed be the God of mercy and love.

All: Blessed be God for ever.

Reader: A reading from the holy Gospel according to Mark

"And people were bringing children to him that he might touch them, but the disciples rebuked them. When Jesus saw this he became indignant and said to them, 'Let the children come to me; do not prevent them, for the kingdom of God belongs to such as these' . . . Then he embraced them and blessed them, placing his hands on them." (Mark 10:13–14, 16)

The Gospel of the Lord.

All: Praise to you, Lord Jesus Christ.

When are some times you need support and comfort? How do you ask for it? Who offers it to you?

WE BELIEVE

Jesus is with us when we are suffering.

At one time or another in our lives, we will probably get sick. During these times of sickness, we may become lonely or worried. We may even wonder if God remembers us. Yet God always remembers those who are sick and suffering. They are very special to God. As Christians, we believe that when we are suffering Jesus is with us sharing in our pain. He understands our pain and suffering because he suffered and died on the Cross.

Our care for those who are suffering around the world helps us to grow closer to Jesus. Jesus taught us that when we care for those who are ill, we care for him. He said, "whatever you did for one of these least brothers of mine, you did for me" (Matthew 25:40).

Confiar en Jesús, rezar y esperar puede ayudarnos en tiempos de dificultades. Aprendemos a confiar en Dios y en nuestra comunidad de fe. Nuestra familia, nuestros amigos y nuestra comunidad parroquial pueden ayudarnos a ver que la amistad de Jesús siempre nos fortalece. Podemos aprender de Jesús que podemos cuidar unos de otros.

En grupos hablen de formas en que podemos alentar a otros a confiar en Dios.

La Unción de los Enfermos continúa la obra sanadora de Jesús.

Cuando la gente está muy enferma puede ponerse ansiosa y perder el ánimo. Necesitan la ayuda especial de la gracia de Dios para ser fuertes y mantener la fe viva. En el sacramento de Unción de los Enfermos, Cristo los consuela y sufre con ellos.

Todos en la Iglesia tenemos una responsabilidad con los que están seriamente debilitados por la enfermedad y la edad. Necesitamos rezar por y con ellos. Necesitamos animar a los que necesitan celebrar el sacramento de Unción de los Enfermos. En este sacramento la comunidad de la Iglesia hace dos cosas muy importantes. Apoyamos a los que luchan contra la enfermedad y continuamos la obra salvadora de sanación de Jesús.

El sacramento es para todos los fieles que lo necesiten. Niños, adultos y ancianos son invitados a ser fortalecidos por la gracia de Dios en tiempo de enfermedad seria. El sacramento ayuda a la persona en su vida diaria de fe. La Iglesia anima a sus miembros a acoger la gracia de este sacramento.

El sacramento puede celebrarse más de una vez. Por ejemplo, si alguien que ha sido ungido se agrava, puede celebrar el sacramento de nuevo. O si una persona se alivia después de la unción, pero se agrava nuevamente, puede recibir el sacramento de nuevo. Cuando alguien se prepara para una cirugía seria, puede celebrar el sacramento con su familia, amigos y la parroquia. Los fieles que son muy ancianos y que se van debilitando también pueden ser ungidos.

Los sacerdotes tienen una responsabilidad de asegurarse de que los sacramentos de la Reconciliación y la Eucaristía sean celebrados para los enfermos.

Trust in God, prayer, and hope can help all of us through the difficult times. We learn to rely on God and our faith community. Our family, our friends, and our parish community can help us to realize that Jesus' friendship always strengthens us. We can learn from Jesus that we can care for one another.

In groups discuss ways we can encourage others to trust in God.

The Anointing of the Sick continues Jesus' saving work of healing.

When people are very sick, they may become anxious and discouraged. They need the special help of God's grace to stay strong and keep their faith alive. In the Sacrament of the Anointing of the Sick, Christ comforts them and suffers with them.

All of us in the Church have a responsibility to those who are seriously weakened by sickness or old age. We need to pray for and with them. We need to encourage those in need to celebrate the Sacrament of the Anointing of the Sick. In this sacrament the Church community does two very important things. We support those who fight against sickness, and we continue Jesus' saving work of healing.

The sacrament is meant for all the faithful who need it. Children, adults, and the elderly are all invited to be strengthened by God's grace in times of serious sickness. The sacrament is meant to help people in their daily living of the faith. So the Church encourages her members to welcome the grace of this sacrament.

The sacrament can be celebrated more than once. For instance, if someone who has been anointed grows more ill, the sacrament can be celebrated again. Or, if a person recovers after being anointed but becomes seriously ill at another time, he or she can receive the sacrament again. When someone is preparing to have serious surgery, he or she can celebrate the sacrament with family, friends, and parish. Those of the faithful who are elderly and growing weaker may also want to be anointed.

Priests have a responsibility to make sure that the Sacraments of Penance and the Eucharist are available to those who are sick.

Diáconos y ministros extraordinarios de la Sagrada Comunión pueden visitar a los enfermos y rezar con ellos o llevarles la Comunión. Estas visitas son señal de apoyo y preocupación de toda la comunidad.

En grupo hablen sobre lo que pueden hacer para animar a los enfermos a celebrar el sacramento de la Unción de los Enfermos.

La Iglesia celebra la Unción de los Enfermos.

Igual que todos los sacramentos, la Unción de los Enfermos es una celebración de toda la comunidad de los fieles. Sin embargo, la mayoría de las veces el sacramento se celebra fuera de la Misa, en un hospital, una casa, el lugar de un accidente o en cualquier sitio que sea necesario.

Las partes principales de la Unción de los Enfermos son la oración de fe, la imposición de las manos y la unción con aceite.

La *oración de fe* ha sido una parte importante de la celebración del sacramento desde el inicio de la Iglesia. Toda la Iglesia es representada por el sacerdote, la familia, amigos y miembros de la parroquia que se reúnen para rezar. Confiados en la misericordia de Dios ofrecen varias intenciones y piden ayuda para los enfermos.

Imposición de las manos. En silencio, el sacerdote impone sus manos en el enfermo. Muchas veces Jesús sanó enfermos imponiendo sus manos o simplemente tocándolos. La imposición de las manos por el sacerdote es señal de bendición y una llamada al Espíritu Santo a venir sobre la persona.

Porque el aceite es bendito, *la unción con aceite* es señal del poder y la presencia del Espíritu Santo. Es también señal de sanación y fortaleza.

La unción tiene lugar mientras el sacerdote reza la siguiente oración:

Primero el sacerdote unge la frente diciendo: "Por esta santa unción y por su bondadosa misericordia, te ayude el Señor con la gracia del Espíritu Santo".

Todos responden. "Amén".

Después unge las manos diciendo: "Para que te libre de tus pecados, te conceda la salvación y te conforte en tu enfermedad". Todos responden: "Amén".

La Unción de los Enfermos generalmente empieza con la Liturgia de la Palabra y es seguida de la Comunión. En esta forma los ungidos son fortalecidos y alimentados por la Palabra de Dios y el Cuerpo y la Sangre de Cristo. La Comunión también los une a la comunidad parroquial con quienes celebran la Eucaristía.

Deacons and extraordinary ministers of Holy Communion can visit the sick to pray with them and bring them Holy Communion. These visits are a sign of the support and concern of the whole community.

In a group, discuss what you can do to encourage sick people to receive the Anointing of the Sick.

The Church celebrates the Anointing of the Sick.

Like all sacraments the Anointing of the Sick is a celebration of the whole community of the faithful. However, most times the sacrament is celebrated outside of the Mass in hospitals, in homes, at the site of an accident, or wherever someone is in need of it.

The main parts of the Anointing of the Sick are the prayer of faith, the laying on of hands, and the anointing with oil.

The *prayer of faith* has been an important part of the Church's celebration of the sacrament from the beginning of the Church. The whole Church is represented by the priest, family, friends, and parish members gathered to pray. Trusting in God's mercy, they offer several intentions and ask for help for those who are sick.

Laying on of hands In silence, the priest lays his hands on the person who is sick. Many times Jesus healed the sick by the laying on of his hands or by simply touching them. The priest's laying on of hands is a sign of blessing and a calling of the Holy Spirit upon the person.

Because the oil has been blessed, the *anointing with oil* is a sign of the power and presence of the Holy Spirit. It is also a sign of healing and strengthening.

The anointing takes place while the priest prays the following prayer.

The priest anoints the forehead first saying, "Through this holy anointing may the Lord in his love and mercy help you with the grace of the Holy Spirit."
All respond, "Amen."

Then he anoints the hands saying, "May the Lord who frees you from sin save you and raise you up."
All respond, "Amen."

The Anointing of the Sick usually begins with a Liturgy of the Word and is followed by a Liturgy of Holy Communion. In this way those being anointed are further strengthened and nourished by the Word of God and by the Body and Blood of Christ. Holy Communion also joins them to their parish community with whom they are unable to celebrate the Eucharist.

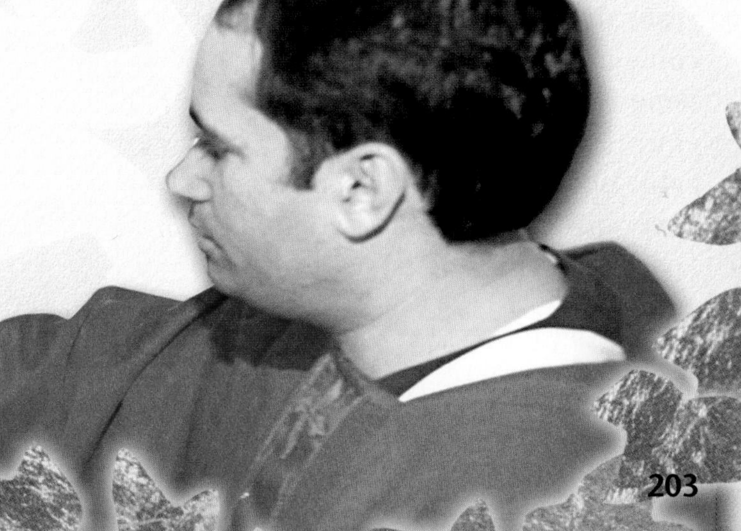

Escribe una oración por los enfermos. Reza para que encuentren la paz y la esperanza en Dios.

Señor ayuda a todos los enfermos del mundo para que se recuperen.

Jesús está con los que esperan la vida eterna.

El sacramento de Unción de los Enfermos se recibe cuando se está en peligro de muerte. Es también llamado sacramento de los enfermos. Jesús vino para darnos vida y recibimos su vida en los sacramentos. Él nos ayuda a entender que el sufrimiento y la muerte son parte de nuestro peregrinaje a la vida eterna. Sabemos que cuando morimos con Cristo también resucitaremos con él. Para ayudarnos en este peregrinaje hasta la muerte, Jesucristo se da a sí mismo en la Eucaristía.

Cuando la vida de una persona está por terminar, recibe la Eucaristía como viaticum. Viaticum es llamado el sacramento de los moribundos. En latín *viaticum* significa "comida para el viaje". Esto fortalece a la persona que se prepara para morir y le da la esperanza de la vida eterna. La persona recibe el Cuerpo de Cristo y confía en que Jesús la espera en casa.

Jesús dijo a sus seguidores: "El que come mi carne y bebe mi sangre tiene vida eterna, y yo lo resucitaré el último día (Juan 6:54). Jesús actúa a través de su Iglesia para hacer que su promesa se cumpla. Los sacramentos de la Reconciliación, la Unción de los Enfermos y la Eucaristía como viaticum son algunas veces celebrados juntos y son llamados los "últimos sacramentos".

RESPONDEMOS

El pan de vida

Yo soy el pan de la vida
que ha bajado del cielo.
El que come este pan
vivirá para siempre.

Como católicos...

El aceite usado en el sacramento de Unción de los Enfermos es llamado aceite de los enfermos. Es generalmente aceite de oliva que ha sido bendecido por el obispo en la Misa del Crisma. Esta es una Misa especial durante la cual el obispo prepara con bendiciones especiales el santo crisma usados en la unción en el Bautismo y la Confirmación. También bendice el aceite de los enfermos y el de los catecúmenos, usado durante el tiempo antes del bautismo de la persona.

¿Sabes cuándo se celebra la Misa del Crisma? Pregunta a alguien en tu parroquia que sepa la respuesta.

Write a prayer for those who are ill. Pray that they may find God's peace and hope.

____

____

____

As Catholics...

The oil used for the Sacrament of the Anointing of the Sick is called the oil of the sick. It is generally olive oil that has been blessed by the bishop at the Chrism Mass. This is a very special Mass during which the bishop prepares with special blessings the Sacred Chrism used for the anointings in Baptism and Confirmation. He also blesses the oil of the sick and the oil of catechumens, which is used during the time before the person's Baptism.

Do you know when the Chrism Mass is celebrated? Ask someone in your parish who might know.

Jesus is with those who hope for eternal life.

People receive the Sacrament of the Anointing of the Sick during a serious illness. It is often called the sacrament of the sick. Jesus came to give us life, and we receive his life in the sacraments. He helps us to understand that suffering and death are part of the journey to eternal life. We know that when we die with Christ, we will also rise with him. To help us in this journey through death to eternal life, Jesus Christ gives us himself in the Eucharist.

As a person's life on earth is about to end, he or she receives the Eucharist as viaticum. Viaticum is called the sacrament of the dying. In Latin *viaticum* means "food for the journey." It strengthens the person as he or she prepares for death and the hope of eternal life. The person receives the Body of Christ trusting that Jesus will welcome him or her home.

Jesus told his followers: "Whoever eats my flesh and drinks my blood has eternal life, and I will raise him on the last day" (John 6:54). Jesus acts through his Church to make this promise come true. The Sacraments of Penance, Anointing of the Sick, and the Eucharist as viaticum are sometimes celebrated together and are called the "last sacraments."

WE RESPOND

I Am the Bread of Life

I am the Bread of life.
You who come to me shall not hunger;
and who believe in me shall not thirst.
No one can come to me unless the Father beckons.

Refrain:

And I will raise you up,
and I will raise you up,
and I will raise you up on the last day.

Curso 5 • Capítulo 18

HACIENDO DISCÍPULOS

Emily M.

Muestra *lo* que sabes

Encuentra y encierra en un círculo las palabras que están en el cuadro. Escribe las letras que no se usaron en las líneas para revelar un mensaje. No tienes que usar las últimas siete letras.

- unción
- pena
- fortaleza
- viático
- consuelo
- eterno
- esperanza
- oración
- sufrimiento
- cuidado
- valor
- gracia

S	O	R	A	C	I	O	N	J	E
U	C	O	N	S	U	O	S	E	A
F	I	L	E	S	I	T	A	I	S
R	T	A	P	C	I	E	C	M	P
I	A	V	N	R	E	A	C	O	N
M	I	U	E	N	R	O	S	O	T
I	V	R	T	G	O	S	D	O	Z
E	S	P	E	R	A	N	Z	A	Q
N	F	O	R	T	A	L	E	Z	A
T	C	O	N	S	U	E	L	O	T
O	G	F	O	D	A	D	I	U	C

J e s u s   e s t a   s i e m p r e
c o n   n o s o t r o s.

Escritura

"¿Está enfermo alguno de ustedes? Que llame a los presbíteros de la Iglesia para que oren sobre él y lo unjan con óleo en el nombre del Señor. La oración hecha con fe salvará al enfermo; el Señor lo restablecerá, y le serán perdonados los pecados que hubiera cometido". (Santiago 5:14–15)

En este pasaje, Santiago describe el sacramento de Unción de los Enfermos. Los *presbíteros* son aquellos que tienen la autoridad en la Iglesia. Hoy, son los sacerdotes.

- Encierra en un círculo lo que significa lo mismo que imposición de las manos.
- Subraya la frase que es un signo de la presencia del Espíritu Santo.
- ¿Qué ofrece el sacramento a los enfermos?

Salvara al enfermo, el senor lo restablecera y le seran perdonados los pecados que hubiera cometido.

PROJECT DISCIPLE

Show What you Know

Find and circle the words in the box. They can be found up, down, across, and diagonally. Write the remaining letters that were not circled, from left to right, in order on the lines below to reveal the hidden message. Do not use the last two remaining letters.

Anointing
Pain
Strengthen
Viaticum
Comfort
Eternal
Hope
Prayer
Suffering
Care
Encourage
Grace

S C M J E P S P A N
U O U U A S R N E I
F M S I C A O H W L
F F N I Y I T T A G
E O H E N G T N R E
R R R T N H R A R U
I T I E O E C A I S
N N R P T E C A L V
G T E E W A Y S Z W
S E N C O U R A G E

____ ____ ____ ____ ____   ____ ____   ____ ____ ____ ____

____ ____   ____ ____ ____ ____ ____ ____.

What's the Word?

"Is anyone among you sick? He should summon the presbyters of the church, and they should pray over him and anoint [him] with oil in the name of the Lord, and the prayer of faith will save the sick person, and the Lord will raise him up. If he has committed any sins, he will be forgiven." (James 5:14–15)

In this passage, James describes the Sacrament of the Anointing of the Sick. *Presbyters* are those who have authority in the Church. Today, that refers to priests.

- Circle the phrase that means the same thing as laying on of hands.
- Underline the phrase that is a sign of the presence of the Holy Spirit.
- What does the sacrament offer to the sick?

____

____

HACIENDO DISCÍPULOS

Investiga

Los Hermanos Alexianos es una comunidad religiosa que empezó a cuidar de los enfermos en Europa en el siglo XII. En ese tiempo, los enfermos y moribundos no eran atendidos en hospitales. Sus familias algunas veces no podían cuidarlos por miedo a contagiarse. En el siglo XIV, las enfermedades se propagaron en Europa y los hermanos arriesgaron sus vidas cuidando de los enfermos. Los hermanos continuaron dedicando sus vidas a los pobres y a los enfermos. Escogieron a san Alexio, quien trabajó con los pobres, como patrón y así se llegaron a conocer como los Hermanos Alexianos.

Hoy estos hermanos continúan cuidando de los pobres y los enfermos. Ellos sirven en hospitales y clínicas en todo el mundo.

RETO PARA EL DISCIPULO Visita la página web de los Hermanos Alexianos (www.alexianbrothers.org) para obtener más información sobre la orden y sobre san Alexio.

Datos

La píxide es una cajita en la que el sacerdote lleva la Eucaristía a los enfermos y los moribundos. Son planas como los relojes de bolsillo. Algunas veces descansan en un pequeño pedestal. Son hechas de oro, plata u otro metal.

Tarea

¿Celebra tu parroquia Misas de sanación? Hay una Misa donde los enfermos o ancianos celebran el sacramento de Unción de los Enfermos. En familia, infórmense cuando se celebra una Misa de sanación en su parroquia y asistan juntos.

PROJECT DISCIPLE

More to Explore

The Alexian Brothers is a religious community of brothers that began to care for the sick of Europe in the twelfth century. At that time, the sick and dying were not cared for in hospitals. Their families sometimes were unable to take care of them due to fear of contagious diseases. In the fourteenth century, disease spread through Europe, and the brothers risked their lives to care for many who became sick. The brothers continued to devote themselves to the poor and sick. They chose Saint Alexius, who had worked among the poor, as their patron and became known as the Alexian Brothers. Today, Alexian Brothers continue to care for the poor and the sick. They serve in hospitals and clinics all over the world.

DISCIPLE CHALLENGE Visit the Alexian Brothers Web site (www.alexianbrothers.org) to find out more about Saint Alexius and the Alexian Brothers.

Fast Facts

The *pyx* is a small box used to carry the Eucharist to the sick, home-bound, or dying. Pyxes are often almost flat like a pocket watch. Sometimes they rest on a little stand. Pyxes are made of gold, silver, or brass.

Take Home

Does your parish have a healing Mass? There is a Mass when sick or elderly people celebrate the Sacrament of the Anointing of the Sick. As a family, find out when and where a healing Mass is being celebrated. Plan to attend.

Catequesis en el hogar

Capítulo 18 (páginas 198–209)

La celebración de la Unción de los Enfermos

En este capítulo su hijo(a) aprenderá que Jesús da consuelo y paz en el sacramento de la Unción de los Enfermos.

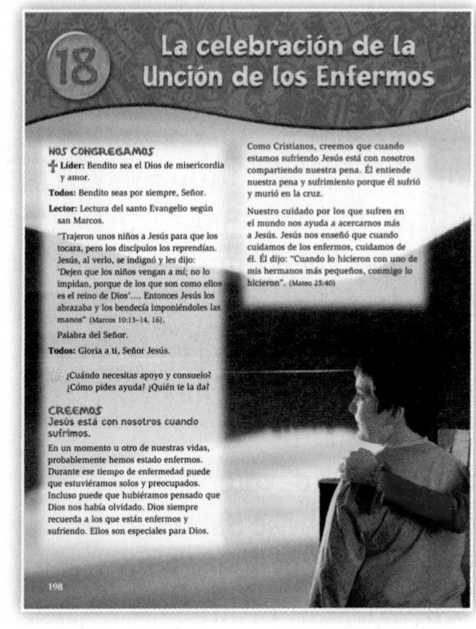

18 La celebración de la Unción de los Enfermos

NOS CONGREGAMOS

Líder: Bendito sea el Dios de misericordia y amor.

Todos: Bendito seas por siempre, Señor.

Lector: Lectura del santo Evangelio según san Marcos.

"Trajeron unos niños a Jesús para que los tocara, pero los discípulos los reprendían. Jesús, al verlo, se indignó y les dijo: 'Dejen que los niños vengan a mí; no lo impidan, porque de los que son como ellos es el reino de Dios'.... Entonces Jesús los abrazaba y los bendecía imponiéndoles las manos" (Marcos 10:13–14, 16).

Palabra del Señor.

Todos: Gloria a ti, Señor Jesús.

¿Cuándo necesitas apoyo y consuelo? ¿Cómo pides ayuda? ¿Quién te la da?

CREEMOS

Jesús está con nosotros cuando sufrimos.

En un momento u otro de nuestras vidas, probablemente hemos estado enfermos. Durante ese tiempo de enfermedad puede que estuviéramos solos y preocupados. Incluso puede que hubiéramos pensado que Dios nos había olvidado. Dios siempre recuerda a los que están enfermos y sufriendo. Ellos son especiales para Dios.

Como Cristianos, creemos que cuando estamos sufriendo Jesús está con nosotros compartiendo nuestra pena. Él entiende nuestra pena y sufrimiento porque él sufrió y murió en la cruz.

Nuestro cuidado por los que sufren en el mundo nos ayuda a acercarnos más a Jesús. Jesús nos enseñó que cuando cuidamos de los enfermos, cuidamos de él. Él dijo: "Cuando lo hicieron con uno de mis hermanos más pequeños, conmigo lo hicieron". (Mateo 25:40)

198

Para los padres

Jesús sanó tocando cuidadosamente a la gente. La Iglesia continúa este toque sanador en el sacramento de la Unción de los Enfermos. La celebración de este sacramento empieza con una expresión de nuestra fe y confianza en Dios. Se empieza leyendo la Escritura. Y se hace una oración recordando que Dios: "Lo restablecerá, y le serán perdonados los pecados que hubiera cometido". (Sant 5:15)

Todos los días

- Encienda una vela y tomen un momento para aquietarse. Juntos hagan la señal de la cruz y hagan una corta oración pidiendo a Dios que bendiga este tiempo que van a pasar juntos.

Primer día **Jesús está con nosotros cuando sufrimos.**

- Diga a su hijo(a) que en este capítulo aprenderá cómo la Iglesia pasa el toque sanador de Jesús.
- Pida a su hijo(a) que lea en voz alta el título y túrnense para leer en voz alta el texto. Ponga énfasis en que cuando nos enfermamos nos sentimos solos y sin ánimo. Jesús está siempre con nosotros, ofreciéndonos consuelo y esperanza. Cuando cuidamos de los enfermos, cuidamos de ellos en el nombre de Jesús.

Segundo día **La Unción de los Enfermos continúa la obra sanadora de Jesús.**

- Túrnense para leer en voz alta el título y el texto que sigue. Ponga énfasis en que este sacramento es para todas las edades—niños y adultos— y se puede recibir más de una vez.

Tercer día **La Iglesia celebra la Unción de los Enfermos.**

- Túrnense para leer en voz alta el título y el texto que sigue.
- Ponga énfasis en que rezar con la Iglesia por los enfermos es parte importante del sacramento. El sacerdote impone las manos como signo de bendición. La unción con óleo representa el poder y la presencia del Espíritu Santo.

Cuarto día **Jesús está con los que esperan la vida eterna.**

- Túrnense para leer en voz alta el título y el texto que sigue.
- Ponga énfasis en que el sufrimiento y muerte de los humanos son parte del peregrinaje a la vida eterna. Las personas que están en peligro de muerte reciben los últimos sacramentos de Reconciliación, Unción de los Enfermos y Eucaristía como *viaticum*.

Respondemos en fe

Quinto día

- Ayude a su hijo(a) a escribir oraciones por los enfermos en su parroquia.

Sexto día

- Conversen sobre cómo pueden consolarse y fortalecerse uno a otro.

Catechesis at Home

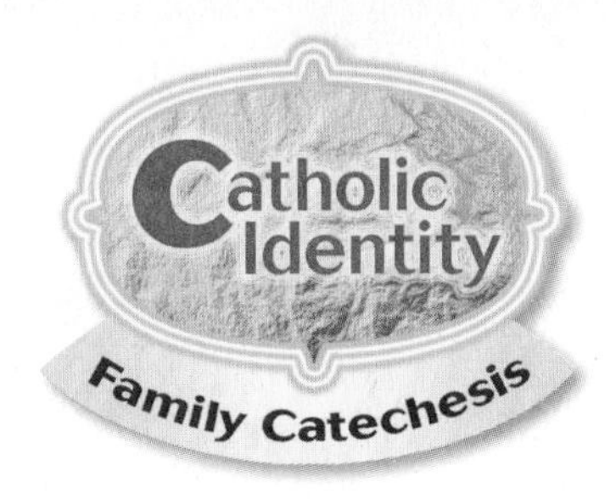

Chapter 18 (pages 198–209)

The Celebration of the Anointing of the Sick

In this chapter your child will learn how Jesus gives his comfort and peace in the sacrament of the Anointing of the Sick.

For the Parents

Jesus healed through the caring power of touch. The Church continues this healing touch in the sacrament of the Anointing of the Sick. The celebration of this sacrament begins with an expression of our faith and trust in God. We usually begin with a Liturgy of the Word or a reading from Scripture. A prayer of faith is offered, recalling that God "will save the sick person" (James 5:15).

Every Day

- Light a candle and take a few moments to quiet yourselves. Pray the Sign of the Cross together, and offer a short prayer asking God to bless your time together.

Day One **Jesus is with us when we are suffering.**

- Tell your child that in this chapter he or she will learn the way the Church passes on the healing touch of Jesus.
- Have your child read aloud the *We Believe* statement. Take turns reading aloud the text. Emphasize that when we are sick and become lonely and discouraged, Jesus is always with us, offering us comfort and hope. When we care for the sick, we really care for them in Jesus' name.

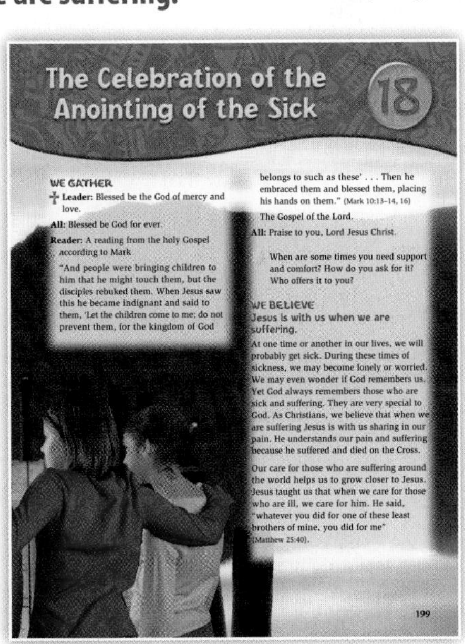
The Celebration of the Anointing of the Sick 18

WE GATHER

✝ **Leader:** Blessed be the God of mercy and love.

All: Blessed be God for ever.

Reader: A reading from the holy Gospel according to Mark

"And people were bringing children to him that he might touch them, but the disciples rebuked them. When Jesus saw this he became indignant and said to them, 'Let the children come to me; do not prevent them, for the kingdom of God belongs to such as these' . . . Then he embraced them and blessed them, placing his hands on them." (Mark 10:13–14, 16)

The Gospel of the Lord.

All: Praise to you, Lord Jesus Christ.

When are some times you need support and comfort? How do you ask for it? Who offers it to you?

WE BELIEVE

Jesus is with us when we are suffering.

At one time or another in our lives, we will probably get sick. During these times of sickness, we may become lonely or worried. We may even wonder if God remembers us. Yet God always remembers those who are sick and suffering. They are very special to God. As Christians, we believe that when we are suffering Jesus is with us sharing in our pain. He understands our pain and suffering because he suffered and died on the Cross.

Our care for those who are suffering around the world helps us to grow closer to Jesus. Jesus taught us that when we care for those who are ill, we care for him. He said, "whatever you did for one of these least brothers of mine, you did for me" (Matthew 25:40).

199

Day Two **The Anointing of the Sick continues Jesus' saving work of healing.**

- Take turns reading aloud the statement and the text that follows. Emphasize that this sacrament is for all ages—children and adults—and can be received more than once.

Day Three **The Church celebrates the Anointing of the Sick.**

- Take turns reading aloud the statement and the text that follows.
- Emphasize that praying with the Church for the ill person is an important part of the sacrament. The priest's laying on of hands is a sign of blessing. Anointing with blessed oil represents the power and presence of the Holy Spirit.

Day Four **Jesus is with those who hope for eternal life.**

- Take turns reading aloud the statement and the text that follows.
- Emphasize that human suffering and death are part of our journey to eternal life. People who are dying receive the last sacraments of Reconciliation, the Anointing of the Sick, and the Eucharist as *viaticum*.

We Respond in Faith

Day Five

- Help your child to write prayers for the sick in the parish.

Day Six

- Brainstorm ways you can offer comfort and strength to each other.

María, modelo de discípulo

NOS CONGREGAMOS

Líder: María es la madre de Jesús y nuestra madre. Ella cuida de nosotros y lleva todos nuestras necesidades a Jesús, su hijo. Piensa en algo que te preocupa. ¿Hay algo importante que necesitas? Vamos a llevar nuestras necesidades a nuestra madre, María. Pidámosle que las lleve a su hijo, Jesús.
Respondemos: "María, llévalas a Jesús".

Lector 1: Por los necesitados en el mundo . . .

Lector 2: Por los necesitados en nuestro país. . .

Lector 3: Por los necesitados en nuestra parroquia. . .

Líder: María, madre nuestra, ruega por nosotros.

Todos: Amén.

¿Qué personas admiras en tu comunidad? ¿Qué tienen esas personas que te inspiran a seguir su ejemplo?

CREEMOS

María es el discípulo de Jesús más importante.

María, la madre de Jesús, es también su primer y más fiel discípulo. María creyó en Jesús desde el momento en que Dios le pidió ser la madre de su Hijo.

Primero encontramos a María en la Anunciación. **Anunciación** es el nombre dado a la visita del ángel a María anunciándole que ella iba a ser la madre del Hijo de Dios.

Lucas 1:26–38

Dios envió al ángel Gabriel al pueblo de Nazaret en Galilea a visitar a una joven judía. Su nombre era María y ella estaba prometida en matrimonio con un hombre llamado José.

Mary, Model of Discipleship

WE GATHER

✝ **Leader:** We know Mary as the mother of Jesus and our mother, too. Mary cares about us. She will bring all our needs to Jesus, her son. Think quietly about anything you might be worried about. Is there anything important that you might need? Let us bring our needs to our mother, Mary. Let us ask her to bring them to her son.

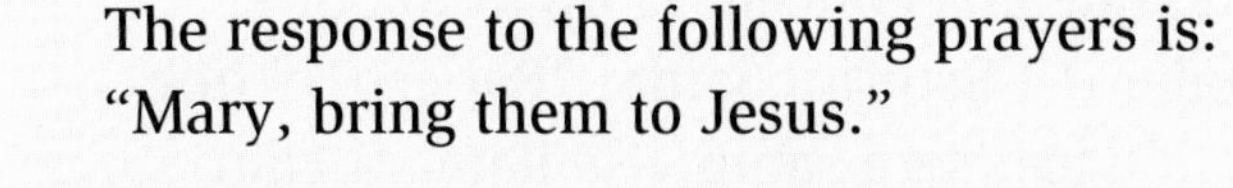

The response to the following prayers is: "Mary, bring them to Jesus."

Reader 1: For those who are in need in the world. . .

Reader 2: For those who are in need in our country. . .

Reader 3: For those who are in need in our parish. . .

All: Amen.

Who are some people in your community whom you admire? What is it about these people that makes you want to follow their example?

WE BELIEVE

Mary is Jesus' first disciple.

Mary, the mother of Jesus, is also his first and most faithful disciple. Mary believed in Jesus from the moment that God asked her to be the Mother of his Son.

We first learn about Mary at the Annunciation. The **Annunciation** is the name given to the angel's visit to Mary at which the announcement was made that she would be the Mother of the Son of God.

Luke 1:26–38

God sent the angel Gabriel to the town of Nazareth in Galilee to a young Jewish woman. Her name was Mary, and she was promised in marriage to a man named Joseph.

El ángel dijo a María: "Dios te salve, llena de gracia, el Señor está contigo" (Lucas 1:28). María no entendió lo que el ángel le quiso decir, entonces el ángel le dijo: "No temas, María, pues Dios te ha concedido su favor. Concebirás y darás a luz un hijo, al que pondrás por nombre Jesús" (Lucas 1:30–31).

María dudó de la posibilidad. El ángel le dijo que ella concebiría un niño por el poder del Espíritu Santo: "Por eso, el que va a nacer será santo y se llamará Hijo de Dios". (Lucas 1:35).

Y María dijo: "Aquí está la esclava del Señor, que me suceda como tú dices" (Lucas 1:38).

María fue escogida por Dios entre todas las mujeres de la historia para ser la madre de su Hijo. Ella no sabía qué esperar o cómo la gente reaccionaría. Sin embargo, la fe y el amor a Dios de María le permitieron aceptar la invitación.

María amó y cuidó de Jesús mientras él crecía y aprendía. Ella lo apoyó durante su ministerio. Ella estuvo al pie de la cruz cuando moría. Junto con los seguidores de Jesús esperó en oración por la venida del Espíritu Santo. En todas estas formas María es el ejemplo perfecto de discípulo y modelo para todos nosotros.

Igual que María necesitamos estar atentos a las formas en que Dios nos llama. María nos enseña a confiar en la voluntad de Dios para nosotros. Cuando confiamos en Dios. mostramos que creemos en su amor.

Con un compañero conversen sobre situaciones en las que podemos mostrar que confiamos en Dios.

María es bendita entre las mujeres.

Cuando el ángel Gabriel visitó a María, él le dijo algo sorprendente acerca de su prima Isabel. Isabel, quien no había tenido hijos, estaba embarazada, a pesar de su avanzada edad.

María fue a visitar a su prima Isabel y al esposo de esta, Zacarías. "Cuando Isabel oyó el saludo de María, el niño saltó en su seno. Entonces Isabel, llena del Espíritu Santo, exclamó a grandes voces: 'Bendita tú entre las mujeres y bendito el fruto de tu vientre'" (Lucas 1:41–42).

Isabel también le dijo: "¡Dichosa tú que has creído! Porque lo que te ha dicho el Señor se cumplirá" (Lucas 1:45). María le respondió con el canto que conocemos como el *Magnificat*. Una versión de la oración es también un canto llamado El cántico de María.

The angel said to Mary, "Hail, favored one! The Lord is with you" (Luke 1:28). Mary did not understand what the angel meant, so the angel said, "Do not be afraid, Mary, for you have found favor with God. Behold, you will conceive in your womb and bear a son, and you shall name him Jesus" (Luke 1:30–31).

Mary questioned how this could be possible. The angel told Mary that she would conceive her child by the power of the Holy Spirit. "Therefore the child to be born will be called holy, the Son of God." (Luke 1:35)

And Mary said, "Behold, I am the handmaid of the Lord. May it be done to me according to your word"(Luke 1:38).

Mary was chosen by God from among all the women of history to be the Mother of his Son. She did not know what to expect or how people would react. Yet Mary's faith and love for God brought her to accept his invitation.

Mary loved and cared for Jesus as he grew and learned. She supported Jesus throughout his ministry. She even stood by the Cross as he died. Along with Jesus' followers she waited in prayer and with hope for the coming of the Holy Spirit. In all of these ways Mary is the perfect example of discipleship, and she is a model for all of us.

Like Mary we need to be open to the ways God may be calling us. Mary teaches us to trust in God's will for us. When we trust God, we show that we believe in his love for us.

With a partner discuss situations in which we show trust in God.

Mary is most blessed among women.

When the angel Gabriel visited Mary, he told her something amazing about her cousin Elizabeth. Elizabeth, who had not been able to have children, had become pregnant with a son, even in her old age.

Mary went to visit her cousin Elizabeth and Elizabeth's husband Zechariah. "When Elizabeth heard Mary's greeting, the infant leaped in her womb, and Elizabeth, filled with the holy Spirit, cried out in a loud voice and said, 'Most blessed are you among women, and blessed is the fruit of your womb'" (Luke 1:41–42).

Elizabeth then told Mary, "Blessed are you who believed that what was spoken to you by the Lord would be fulfilled" (Luke 1:45). Mary's response to Elizabeth is known as the *Magnificat*. A version of the prayer is also found as a song called the Canticle of Mary.

Cántico de María

Proclama mi alma la grandeza del Señor.
Se alegra mi espíritu en Dios mi Salvador.

Porque ha mirado la humillación
de su esclava, de su esclava.
Desde a hora todas las gentes
siempre me felicitarán.

Lo que los católicos celebramos de María está basado en lo que creemos de su hijo, Jesucristo. María fue bendecida por Dios y escogida para ser la madre de su Hijo. Por esta razón, ella fue libre de pecado desde el momento de su concepción. Esta creencia es llamada la **Inmaculada Concepción**.

Durante toda su vida María amó y obedeció a Dios. Porque María nunca pecó, ella era pura de corazón. Dios la bendijo de otra forma. Creemos que cuando el trabajo de María en la tierra terminó ella fue llevada en cuerpo y alma al cielo para vivir eternamente con Cristo resucitado. A esta creencia la llamamos la **Asunción**.

María es la mayor entre los santos.

Porque María esta cerca de Jesús, la Iglesia la honra como la más grande entre todos los santos. Los santos son seguidores de Cristo que vivieron vidas santas en la tierra y ahora comparten la vida eterna con Dios en el cielo.

La Iglesia tiene muchos títulos para María. Estos títulos nos ayudan a entender el papel de María en nuestras vidas y en la vida de la Iglesia.

Santísima Virgen Aprendemos de la Anunciación que María no estaba casada aún cuando el ángel la visitó. Ella era una virgen. Su hijo fue concebido por el poder del Espíritu Santo. María fue verdaderamente bendecida por Dios con el regalo de su Hijo. También creemos que María siguió virgen durante el resto de su vida. Llamamos a María, la Santísima Virgen, la Santísima Virgen María y la Santísima Madre.

Madre de Dios Como madre de Jesús, María tuvo la alegría de tener un bebé. Ella cuidó de su hijo y lo amó. Ella rezó con él, y fue un ejemplo de amor y obediencia a Dios para él. Sin embargo, Jesús fue verdaderamente divino y humano. Él es el Hijo de Dios, la segunda Persona de la Santísima Trinidad quien se hizo hombre. María es la Madre de Dios.

Madre de la Iglesia María es la madre de Jesús. Ella es también la madre de la Iglesia. Cuando Jesús estaba muriendo en la cruz él vio a su madre y al discípulo Juan al pie de la cruz. Jesús dijo a María: "Mujer, ahí tienes a tu hijo". Él le dijo a Juan: "Ahí tienes a tu madre". (Juan 19:26, 27). María es la madre de todos los que creen y siguen a Cristo. María es la Madre de la Iglesia y también nuestra madre.

The Canticle of Mary

My soul proclaims the greatness
of the Lord.
My spirit sings to God, my
saving God,
Who on this day above all others favored me
And raised me up, a light for
all to see.

As Catholics, what we believe about Mary is based on what we believe about her son, Jesus Christ. Mary was blessed by God and chosen to be the Mother of his Son. For this reason, she was free from Original Sin from the moment she was conceived. This belief is called the **Immaculate Conception**.

Throughout her life Mary loved and obeyed God. Because Mary did not sin, she had a pure heart. God blessed Mary in another way. We believe that when Mary's work on earth was done, God brought her body and soul to live forever with the Risen Christ. This belief is called the **Assumption**.

Mary is the greatest of all the saints.

Because of Mary's closeness to Jesus, the Church honors her as the greatest of all the saints. Saints are followers of Christ who lived lives of holiness on earth and now share in eternal life with God in heaven.

The Church has many titles for Mary. These titles help us to understand Mary's role in our lives and in the life of the Church.

Blessed Virgin We learn from the Annunciation account that Mary was not yet married when the angel visited her. She was a virgin. Her son was conceived by the power of the Holy Spirit. Mary was truly blessed by God with the gift of his Son. We also believe that Mary remained a virgin throughout her married life. We call Mary the Blessed Virgin, the Blessed Virgin Mary, and the Blessed Mother.

Mother of God As the mother of Jesus, Mary went through the joys of having a baby. She cared for her son and loved him. She prayed with him, and was an example to him of love and obedience to God. However, Jesus was truly human and truly divine. He is the Son of God, the Second Person of the Blessed Trinity who became man. So Mary is the Mother of God.

Mother of the Church Mary is Jesus' mother. She is the mother of the Church, too. As Jesus was dying on the Cross he saw his mother and his disciple John at his feet. Jesus said to Mary, "Woman, behold, your son." He said to John, "Behold, your mother" (John 19:26, 27). Mary is the mother of all those who believe in and follow Jesus Christ. Mary is the Mother of the Church and our mother, too.

Hay muchos más títulos para María. Escuchamos esos títulos cuando rezamos una letanía a Maria. La palabra *letanía* viene del griego que significa oración. Con frecuencia las letanías a María se hacen con los títulos de María seguidos de un pequeño ruego. Por ejemplo rezamos: "Reina de la Paz, ruega por nosotros".

¿Cuáles son algunos de los nombres que das a María? ¿Cuáles otros títulos conoces?

La Iglesia recuerda y honra a María.

Los católicos en todo el mundo honran a María con la oración. Sin embargo, no adoramos a María ni le rendimos culto. Nuestra adoración pertenece sólo a Dios, Padre, Hijo y Espíritu Santo. Somos devotos de María y los santos por la forma en que ellos han respondido al gran amor de Dios. Pedimos a María que ruegue por nosotros y le pida a su hijo en nuestro nombre.

La Iglesia recuerda como Dios ha bendecido a María en sus oraciones y liturgia. Celebramos tiempos especiales en su vida como madre del Hijo de Dios. La Iglesia tiene muchas fiestas para honrar a María.

Hay devociones populares a María. Igual que las letanías y las novenas, rezar el Rosario es una de esas devociones. Podemos rezar el Rosario solos o con otros.

El Rosario se reza usando un conjunto de cuentas con un crucifijo. El Rosario se reza con padrenuestros, Ave Marías y glorias. Eso crea un ritmo cadencioso en la oración durante la cual podemos reflexionar en momentos especiales en las vidas de Jesús y María.

Los Misterios del Rosario recuerdan esos momentos especiales. Recordamos diferentes misterios al inicio de cada decena del Rosario. Puedes encontrar los Misterios del Rosario en la página 308.

RESPONDEMOS

María dijo sí a Dios toda su vida. Honra a María hoy rezando el Rosario.

Anunciación (pp 331)
Inmaculada Concepción (pp 332)
Asunción (pp 331)

Como católicos...

Honramos a san José por su amor y cuidado por María y Jesús. No sabemos mucho de él. Sin embargo, sabemos que fue un hombre justo y que escuchó al ángel que Dios le envió.

Llamamos a Jesús, María y José la Sagrada Familia. Como padre adoptivo de Jesús, José cuidó de él. José y Maria rezaron con Jesús y le enseñaron la fe judía.

Las fiestas de san José se celebran el 19 de marzo y el 1 de mayo. Investiga algunas formas en que la Iglesia honra a José.

There are many more titles for Mary. We hear some of these titles when we pray a litany of Mary. The word *litany* comes from the Greek word for *prayer*. Often litanies of Mary are made up of a list of Mary's titles followed by a short request for her help. For example, we pray "Queen of Peace, pray for us."

What are some ways you call on Mary? What are some other titles for Mary that you know?

The Church remembers and honors Mary.

Catholics all over the world honor Mary through prayer. However, we do not worship or adore Mary. Our worship and adoration belong only to God: the Father, Son, and Holy Spirit. We are devoted to Mary and the saints because of the ways they have responded to God's great love. We ask Mary to pray for us and to speak to her son on our behalf.

In its prayer and liturgy the Church remembers the ways God blessed Mary. We celebrate the special times in her life as the Mother of the Son of God. The Church has many feast days in Mary's honor.

There are also popular devotions to Mary. Like litanies and novenas, praying the Rosary is one of these devotions. We can pray the Rosary alone or with others.

The Rosary is usually prayed using a set of beads with a crucifix attached. We pray the Rosary by praying the Our Father, Hail Mary, and Glory Be to the Father over and over again. This creates a peaceful rhythm of prayer during which we can reflect on special times in the lives of Jesus and Mary. The Mysteries of the Rosary recall these special times. We remember a different mystery at the beginning of each set of prayers, or decade, of the Rosary. You can find the Mysteries of the Rosary on page 320.

Annunciation (p. 334)
Immaculate Conception (p. 335)
Assumption (p. 334)

WE RESPOND

Honor Mary today by praying the Rosary.

As Catholics...

We honor Saint Joseph for his love and care of Mary and Jesus. We do not know many things about him. However, we know that he was a just man who listened to the angel sent by God.

We call Jesus, Mary, and Joseph the Holy Family. As Jesus' foster father, Joseph took care of him. Joseph and Mary prayed with Jesus and taught him the Jewish faith.

Saint Joseph's feast days are March 19 and May 1. Find out some ways the Church honors him.

HACIENDO DISCIPULOS

Emily M.

Muestra *lo* que sabes

A tu grupo se le ha pedido actualizar la página web de la escuela. Escribe y diseña un retrato de María. Asegúrate de incluir las palabras del Vocabulario en tu retrato.

¿Qué devoción a María practicarás con más frecuencia?

- ❑ Rezar el Rosario
- ☑ Rezar el "Ave María"
- ❑ Rezar una letanía a María
- ❑ Otra ____________________

____

RETO PARA EL DISCIPULO Escoge una de esas devociones para enseñarla a un niño más pequeño.

Joaquín y Ana fueron los padres de María. Ellos cuidaron de ella y le dieron ejemplo de cómo ser buenos padres. La Iglesia los honra como santos. Para más información sobre los santos visita: *Vidas de santos* en **religion.sadlierconnect.com**.

PROJECT DISCIPLE

Show What you Know

Your class has been asked to update your school's Web site. Write and design an on-line profile of Mary. Be sure to include the Key Words in your profile.

What devotions to Mary do you plan to practice more often?

❑ Praying the Rosary

❑ Praying the "Hail Mary"

❑ Praying a litany to Mary

❑ Other ______________

____

DISCIPLE CHALLENGE Choose one of the above and teach it to someone younger than you.

Fast Facts

The parents of Mary were Joachim and Anne. They cared for Mary, brought her up, and gave her an example of good parenting. The Church honors them as saints. To find more saints, visit *Lives of the Saints* on **religion.sadlierconnect.com**.

Anunciacion
Inmacculada concepion
Asuncion

HACIENDO DISCIPULOS

Investiga

En 1847, el papa Pío IX proclamó a María, bajo el título de Inmaculada Concepción, "patrona de los Estados Unidos". Más tarde los obispos de los Estados Unidos construyeron un santuario nacional en Washington, D.C. para honrar a María. Esta es la Basílica del santuario nacional de la Inmaculada Concepción y la iglesia católica romana más grande de los Estados Unidos de Norte América. Muchas personas van a rezar a la basílica. Dentro de la basílica hay un total de setenta y dos capillas hermosamente decoradas. Muchas están dedicadas a nuestra señora bajo los nombres en que es honrada en diferentes países alrededor del mundo.

RETO PARA EL DISCIPULO

- ¿Quién declaró a María, bajo el título de Inmaculada Concepción, patrona de los Estados Unidos?

  El Papa Pio IX

- ¿Qué construyeron los obispos de los Estados Unidos en honor a María?

  un santuario nacional en WA D.C.

- Visita la página web del Santuario Nacional y haz una visita virtual a la iglesia en la parte superior. ¿Qué capilla te gustó más?

  ____

  ¿Por qué? ____________________

Haz*lo*

El "sí" de María a Dios nos enseña a estar dispuestos a lo que Dios nos pide. ¿Cómo puede un estudiante de quinto curso estar más dispuesto a escuchar a Dios?

____

____

____

Tarea

¿Cuáles son algunas formas en que tu familia recuerda honrar a María?

____

____

____

____

____

PROJECT DISCIPLE

More to Explore

In 1847, Pope Pius IX proclaimed Mary as "patroness of the United States" under her title of the Immaculate Conception. Later, the bishops of the United States built a national shrine in Washington, D.C. to honor Mary. It is called the Basilica of the National Shrine of the Immaculate Conception, and is the largest Roman Catholic church in North America. People come from all over to pray at the shrine. Within the Basilica, there are seventy-two in total beautifully decorated chapel areas. Many are dedicated to Our Lady in the names by which she is known in countries around the world.

DISCIPLE CHALLENGE

- Who declared Mary, under the title of the Immaculate Conception, to be the patroness of the United States?

  ____

- What did the bishops of the United States build to honor Mary?

  ____

- Visit the Web site for the National Shrine and take the virtual tour of the Great Upper Church. Which chapel is your favorite?

  ____

- Why? ______________________________

Make it Happen

Mary's "yes" to God teaches us to be open to the ways that God may be calling us. How can fifth-graders be more open to God?

____

____

____

Take Home

What are some ways your family remembers and honors Mary?

____

____

____

____

____

Catequesis en el hogar

Capítulo 19 (páginas 210–221)

María, modelo de discípulo

En este capítulo su hijo(a) aprenderá que María es modelo de discipulado para toda la Iglesia.

Para los padres

En su fe en Dios, María dijo sí a todo lo que Dios le pidió. Ella se abandonó en las manos de Dios y se convirtió en la madre del Salvador Jesucristo. Ella es la primera entre los discípulos de Jesús, manteniéndose devota a él y al reino de Dios. Después de la muerte y resurrección de Jesús, María se quedó con los discípulos para continuar su trabajo. Tenemos un rica historia de devoción a María, la honramos por medio de oraciones reconociendo que puede interceder por nosotros.

Todos los días

- Encienda una vela y tomen un momento para aquietarse. Juntos hagan la señal de la cruz y hagan una corta oración pidiendo a Dios que bendiga este tiempo que van a pasar juntos.

Primer día **María es el discípulo de Jesús más importante.**

- Túrnense para leer en voz alta el título y el texto que sigue, incluyendo el pasaje bíblico. Ponga énfasis en que María es el perfecto ejemplo de discípulo. María creyó en Jesús desde el momento en que Dios le pidió ser su madre.
- Converse con su hijo(a) sobre sus sentimientos hacia María. Enfatice que María tuvo gran fe y confianza en Dios para decir sí a su plan.

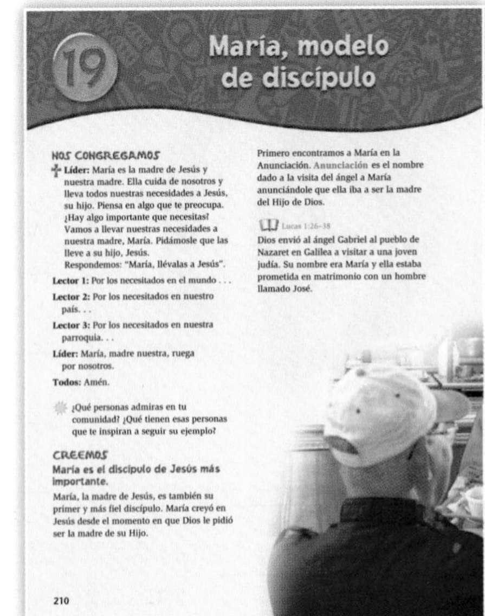

19 María, modelo de discípulo

NOS CONGREGAMOS

Líder: María es la madre de Jesús y nuestra madre. Ella cuida de nosotros y lleva todos nuestras necesidades a Jesús, su hijo. Piensa en algo que te preocupa. ¿Hay algo importante que necesitas? Vamos a llevar nuestras necesidades a nuestra madre, María. Pidámosle que las lleve a su hijo, Jesús.
Respondemos: "María, llévalas a Jesús".

Lector 1: Por los necesitados en el mundo . . .

Lector 2: Por los necesitados en nuestro país. . .

Lector 3: Por los necesitados en nuestra parroquia. . .

Líder: María, madre nuestra, ruega por nosotros.

Todos: Amén.

¿Qué personas admiras en tu comunidad? ¿Qué tienen esas personas que te inspiran a seguir su ejemplo?

CREEMOS

María es el discípulo de Jesús más importante.

María, la madre de Jesús, es también su primer y más fiel discípulo. María creyó en Jesús desde el momento en que Dios le pidió ser la madre de su Hijo.

Primero encontramos a María en la Anunciación. Anunciación es el nombre dado a la visita del ángel a María anunciándole que ella iba a ser la madre del Hijo de Dios.

Lucas 1:26–38

Dios envió al ángel Gabriel al pueblo de Nazaret en Galilea a visitar a una joven judía. Su nombre era María y ella estaba prometida en matrimonio con un hombre llamado José.

210

Segundo día **María es bendita entre las mujeres.**

- Túrnense para leer en voz alta el título y el texto que sigue, incluyendo el pasaje bíblico.
- Enfatice que la *inmaculada concepción* de María significa que ella estuvo libre del pecado original y de todo pecado por la gracia especial de Dios como la Madre de nuestro Señor.

Tercer día **María es la mayor entre los santos.**

- Pida a su hijo(a) que lea en voz alta el título y el texto que sigue.
- Converse con su hijo(a) sobre los diferentes nombres que damos a María. Luego use algunos de ellos para hacer una letanía a la santísima virgen María. Ejemplo: Modelo de Madre, Espejo de Justicia, Salud de los Enfermos, Consuelo de los Afligidos, Reina de la Paz.

Cuarto día **La Iglesia recuerda y honra a María.**

- Túrnense para leer en voz alta el título y el texto que sigue. Ponga énfasis en que honramos a María porque ella respondió con gran amor a Dios.
- Si lo desean pueden rezar un década del rosario.

Respondemos en fe

Quinto día

- Ayude a su hijo(a) a explorar formas de mostrar confianza en Dios y cómo animar a otros a hacer lo mismo.

Sexto día

- En la próxima semana busque formas de decir "sí" al llamado de Dios. Al final de la semana, planifique una celebración especial en honor a María.

Catechesis at Home

Chapter 19 (pages 210–221)

Mary, Model of Discipleship

In this chapter your child will learn that Mary is a model of discipleship for the Church.

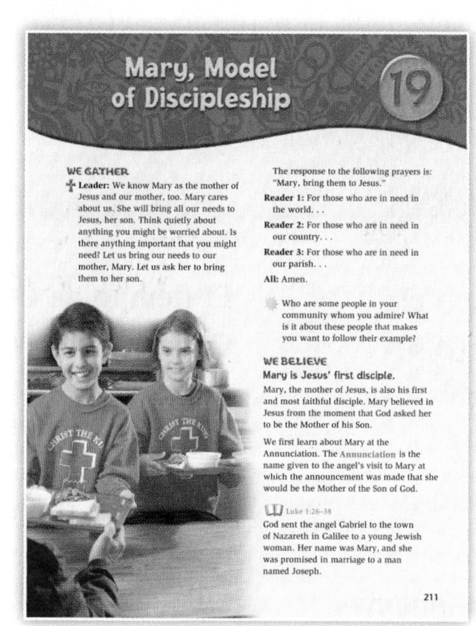

Mary, Model of Discipleship

19

WE GATHER

Leader: We know Mary as the mother of Jesus and our mother, too. Mary cares about us. She will bring all our needs to Jesus, her son. Think quietly about anything you might be worried about. Is there anything important that you might need? Let us bring our needs to our mother, Mary. Let us ask her to bring them to her son.

The response to the following prayers is: "Mary, bring them to Jesus."

Reader 1: For those who are in need in the world. . .

Reader 2: For those who are in need in our country. . .

Reader 3: For those who are in need in our parish. . .

All: Amen.

Who are some people in your community whom you admire? What is it about these people that makes you want to follow their example?

WE BELIEVE

Mary is Jesus' first disciple.

Mary, the mother of Jesus, is also his first and most faithful disciple. Mary believed in Jesus from the moment that God asked her to be the Mother of his Son.

We first learn about Mary at the Annunciation. The Annunciation is the name given to the angel's visit to Mary at which the announcement was made that she would be the Mother of the Son of God.

Luke 1:26–38

God sent the angel Gabriel to the town of Nazareth in Galilee to a young Jewish woman. Her name was Mary, and she was promised in marriage to a man named Joseph.

211

For the Parents

In her faith and trust in God, Mary said yes to all that God asked of her. She placed herself in God's hands and became the mother of the Savior, Jesus Christ. She is also Jesus' first disciple, remaining devoted to him and the Kingdom of God. After his death and Resurrection, Mary stayed with the disciples to continue Jesus' work. We have a rich history of devotion to Mary, we honor Mary through prayer, and acknowledge her ability to intercede on our behalf.

Every Day

- Light a candle and take a few moments to quiet yourselves. Pray the Sign of the Cross together, and offer a short prayer asking God to bless your time together.

Day One **Mary is Jesus' first disciple.**

- Take turns reading aloud the *We Believe* statement and the text the follows, including the Scripture passage. Emphasize that Mary is the perfect example of discipleship. Mary believed in Jesus from the moment God asked her to become his mother.
- Discuss with your child the feelings that Mary might have experienced. Stress that Mary had great faith and trust in God to say yes to his plan.

Day Two **Mary is most blessed among women.**

- Take turns reading aloud the statement and the text including the Scripture passage.
- Stress that Mary's Immaculate Conception means that she was free of original sin and always free from sin by God's unique gift of grace to Mary as the Mother of Our Lord.

Day Three **Mary is the greatest of all the saints.**

- Have your child read aloud the statement and the text that follows.
- Discuss with your child some ways you can call on Mary. Then, call on Mary using some of her titles from the Litany of the Blessed Virgin Mary. Examples: Model of motherhood, Mirror of justice, Health of the sick, Comfort of the troubled, Help of Christians, Queen of peace.

Day Four **The Church remembers and honors Mary.**

- Take turns reading the statement and the text that follows. Emphasize that we honor Mary because of the way she responded to God's love.
- You may want to pray a decade of the rosary.

We Respond in Faith

Day Five

- Help your child to explore ways you both show trust in God and how you and your child can encourage others to do the same.

Day Six

- In the coming week, find ways to say "yes" to God's call. At the end of the week, plan a special family celebration to honor Mary.

Cuaresma

La Cuaresma es tiempo de preparación para la gran celebración de Pascua

NOS CONGREGAMOS

✝ *Espíritu Santo, ayúdanos a seguir a Cristo.*

¿Cuáles son algunas cosas que nos ayudan a ser mejor estudiante, jugador, o compañero de clase? ¿Por qué es importante tratar de mejorar?

CREEMOS

Durante la Cuaresma toda la Iglesia se prepara para la gran celebración del misterio pascual de Cristo, durante el Triduo. Este tiempo es la preparación final para los que celebrarán los sacramentos de iniciación cristiana en la Vigilia Pascual. También es tiempo para que todos los bautizados se preparen para renovar su bautismo. Toda la Iglesia piensa y reza sobre la nueva vida, que por el Bautismo, Cristo comparte con nosotros.

El tiempo de Cuaresma dura cuarenta días y empieza el Miércoles de Ceniza cuando nuestras frentes son marcadas con ceniza bendita. Esta ceniza es señal de arrepentimiento por nuestros pecados y de esperanza de tener vida eterna con Dios. Durante la Cuaresma la Iglesia usa el color morado oscuro durante nuestras ceremonias. Esta es señal de que necesitamos reconciliarnos con Dios. El color también nos ayuda a recordar que el gozo y la felicidad vendrán de la muerte y resurrección de Cristo.

La Cuaresma es tiempo para vivir con sencillez. Hacemos un esfuerzo especial para rezar, hacer penitencia y buenas obras. Se nos pide hacer estas cosas todo el año. Durante la Cuaresma, sin embargo, añaden significado a nuestra preparación para renovar nuestro bautismo.

"Pero ahora, oráculo del Señor, conviértanse a mí de todo corazón".

Joel 2:12

Lent

Lent is a season of preparation for the great celebration of Easter.

WE GATHER

Holy Spirit, help us to follow Christ.

What are some ways to become a better student, team player, or class member? Why is it important to try to improve?

WE BELIEVE

During Lent the whole Church prepares for the great celebration of Christ's Paschal Mystery in the Easter Triduum. This season is the final time of preparation for those who will celebrate the Sacraments of Christian Initiation at Easter. It is also a time for all who are already baptized in the Church to prepare to renew their Baptism at Easter. The whole Church thinks and prays about the new life Christ shares with us in Baptism.

The season of Lent begins on Ash Wednesday and lasts forty days. On Ash Wednesday we are marked on our foreheads with blessed ashes. These ashes are a sign of sorrow for our sins and of hope of having life forever with God. During Lent we use deep shades of purple and violet in our churches and during our worship. This is a sign of our need for reconciliation with God. The color also helps us to remember that joy and happiness will come from Christ's Death and Resurrection.

Lent is a season of simple living. We make a special effort to pray, to do penance, and to do good works. We are called to do these things all year long. During Lent, however, they take on added meaning as we prepare to renew our Baptism.

"Yet even now, says the Lord,
return to me with your whole heart."
(Joel 2:12)

Penitencia La Cuaresma es tiempo de conversión, de volverse a Dios con todo el corazón. Dios constantemente nos llama a estar con él y a responder a su amor. La Cuaresma es tiempo especial para pensar acerca de las formas en que podemos cumplir la ley de Dios. Es tiempo para cambiar nuestras vidas para que podemos ser mejores discípulos de Cristo.

La penitencia es parte importante de esta conversión. Hacer penitencia nos ayuda a volver a Dios y a centrarnos en las cosas que son importantes en nuestras vidas de cristianos. Hacer penitencia es una forma de mostrar que estamos arrepentidos de nuestros pecados. Nuestra penitencia repara nuestra amistad con Dios y con el Cuerpo de Cristo, la Iglesia.

Podemos hacer penitencia dejando de hacer cosas que nos gustan. Como dejar de hacer nuestra actividad favorita o comer nuestra comida favorita. También podemos ayunar. Los católicos adultos hacen penitencia ayunando el Miércoles de Ceniza y dejando de comer carne los viernes de Cuaresma.

Oración En la Cuaresma tratamos de dar más tiempo a Dios, y la oración nos ayuda. Podemos dedicar tiempo extra a la oración diaria y a la alabanza. Podemos pasar más tiempo leyendo y reflexionando en la Escritura. Podemos rezar especialmente por los que se están preparando para recibir los sacramentos de iniciación cristiana. Podemos reunirnos en nuestras parroquias para rezar el vía crucis (ver página 306) y para celebrar el sacramento de la Reconciliación.

Buenas obras En la Cuaresma también mostramos especial interés por los necesitados. Una forma de hacer penitencia es practicando una obra de misericordia o dando nuestro tiempo de manera especial. Seguimos el ejemplo de Jesús de dar de comer a los hambrientos y de cuidar de los enfermos. Tratamos de ayudar a otros a tener lo que necesitan y a asegurarnos de que la gente tiene lo que por ley les corresponde. Muchas parroquias recogen ropa y comida durante este tiempo. Familias se ofrecen de voluntarias para trabajar en las cocinas populares, visitar a los enfermos y practicar obras de misericordia. Recordamos que las buenas obras deben hacerse durante todo el año.

Domingo de Ramos Después de cinco semanas de preparación orando, haciendo penitencia y buenas obras, la Cuaresma termina. El domingo antes del Triduo es conocido como Domingo de Ramos. Recordamos la pasión de Jesús: el juicio que lo mandó a la muerte, que Jesús carga la cruz y su sufrimiento y muerte. También celebramos su entrada triunfante a Jerusalén días antes de su muerte.

Mateo 21:1–11

Jesús y sus discípulos iban camino a Jerusalén para la gran fiesta de Pascua. Al acercarse a la ciudad, Jesús envió dos discípulos para buscar un burro para montarse. Ellos hicieron lo que él pidió. Cuando regresaron, pusieron una capa sobre el animal y Jesús se sentó en él.

"El gentío, que era muy numeroso, extendía sus mantos en el camino; otros cortaban ramas de árboles y las extendían por el camino. Y la gente que iba adelante y atrás gritaba:"

'*Hosanna al* Hijo de David, *bendito el que viene en nombre del Señor. Hosanna* en las alturas'.

Al entrar Jesús en Jerusalén, toda la ciudad se alarmó y se preguntaban: '¿Quién es éste?' La gente respondía: 'Es el profeta Jesús, el de Nazareth de Galilea'".
(Mateo 21:8–11).

Penance. Lent is a time of conversion, of turning to God with all our hearts. God constantly calls us to be with him and to respond to his love. Lent is a special time to think about the ways we follow God's law. It is a time to change our lives so that we can be better disciples of Christ.

Penance is an important part of this conversion. Doing penance helps us to turn back to God and to focus on the things that are important in our lives as Christians. Doing penance is a way to show that we are sorry for our sins. Our penance restores our friendship with God and the Body of Christ, the Church.

We may do penance by giving up things we enjoy, like a favorite food or activity. We can also do without, or fast, from these things. Catholics of certain ages do penance by fasting from food on Ash Wednesday or not eating meat on the Fridays during Lent.

Prayer. During Lent we try to give more time to God, and prayer helps us to do this. In Lent we may devote extra time to daily prayers and worship. We can spend more time reading and reflecting on Scripture. We can pray especially for those who are preparing to receive the Sacraments of Christian Initiation. We can gather with our parishes for the Stations of the Cross (found on page 306) and for the celebration of the Sacrament of Penance.

Good Works. During Lent we also show special concern for those in need. A way to do penance is to practice a work of mercy or to give of our time in a special way. We follow Jesus' example of providing for the hungry and caring for the sick. We try to help other people get the things they need and to make sure that people have what is rightfully theirs. Many parishes have food and clothing drives during this time of year. Families may volunteer at soup kitchens, visit those who are sick, and practice other works of mercy. We remember that good works should happen all year long.

Passion (Palm) Sunday After five weeks of preparing through prayer, penance, and doing good works, Lent is nearly over. The Sunday before the Easter Triduum is known as Passion Sunday. This Sunday is also called Palm Sunday. We recall Jesus' Passion: the judgment to put him to Death, his carrying of the cross, and his suffering and dying on the cross. We also celebrate his joyous entrance into Jerusalem just days before he was to die.

Matthew 21:1–9

Jesus and his disciples were traveling to Jerusalem for the great feast of Passover. As they neared the city, Jesus sent two disciples ahead to find a mule on which he could ride. They did as Jesus ordered. When they returned they placed their cloaks upon the animal, and Jesus sat upon it.

"The very large crowd spread their cloaks on the road, while others cut branches from the trees and strewed them on the road. The crowds preceding him and those following kept crying out and saying:

'Hosanna to the Son of David;
blessed is he who comes in the
name of the Lord;
hosanna in the highest.'

El significado original en hebreo de la palabra hosanna es "Oh Señor, gran salvación". Pero se ha convertido en una exclamación de alegría y bienvenida. La multitud estaba contenta de ver a Jesús.

En el Domingo de Ramos, se hace una alegre procesión para celebrar la entrada de Jesús a Jerusalén. Nos reunimos afuera de la iglesia y se bendicen ramas de palma. Escuchamos la historia de la entrada de Jesús a Jerusalén y una corta homilía. La procesión se dirige a la iglesia. Todos cantamos hosanna y movemos nuestras palmas para alabar y dar la bienvenida a Jesús.

Cuando llegamos a la iglesia, se inicia la Misa. Durante la Liturgia de la Palabra, en el Evangelio se lee la Pasión de nuestro Señor Jesucristo. Nos ayuda a preparar para la celebración del Triduo Pascual que se iniciará el Jueves Santo.

Las ramas de palma bendecidas el Domingo de Ramos nos recuerdan que la Cuaresma es tiempo de renovación y esperanza. Muchas personas ponen sus ramas cerca de una cruz o de un crucifijo en sus casas. Las ramas muchas veces se quedan ahí hasta el Domingo de Ramos del año siguiente. Estas ramas son quemadas antes de la Cuaresma del año siguiente para usar las cenizas el Miércoles de Ceniza.

RESPONDEMOS

 ¿En qué formas puedes acercarte a Cristo y a otros durante la Cuaresma?

Rezaré

____

Regresaré a Dios

____

Cuidaré de los necesitados

____

CUARESMA

Respondemos en oración

Líder: El Señor nos llama a hacer penitencia y a tener misericordia. Bendito sea el nombre del Señor.

Todos: Ahora y siempre.

Lector: Lectura del libro de Joel
"Pero ahora, oráculo del Señor, conviértanse a mí de todo corazón, con ayunos, lágrimas y llantos. Desgarren su corazón, no sus vestiduras; conviértanse al Señor, su Dios, porque él es clemente y misericordioso, lento a la ira, rico en amor y siempre dispuesto a perdonar". (Joel 2:12–13).

Palabra de Dios.

Todos: Te alabamos, Señor.

Perdón, Señor

Estribillo:

Perdón, Señor, perdón.

Misericordia, mi Dios, por tu bondad. Por tu inmensa compasión borra mi culpa. (Estribillo)

Lava del todo mi delito y limpia todo mi pecado. (Estribillo)

And when he entered Jerusalem the whole city was shaken and asked, 'Who is this?' And the crowds replied, 'This is Jesus the prophet, from Nazareth in Galilee.'"
(Matthew 21:8–11)

The original Hebrew meaning of the word *hosanna* is "O Lord, grant salvation." But it had come to be an acclamation of joy and welcome. The crowds were overjoyed to see Jesus.

On Passion Sunday, a joyful procession takes place to celebrate Jesus' entrance into Jerusalem. We may gather away from the church building, and palm branches are blessed with holy water. We listen to the story of Jesus' entrance into Jerusalem and a short homily. The procession then begins to the church. We all sing hosanna and wave our branches to praise and welcome Jesus.

When we arrive at the church, Mass begins. During the Liturgy of the Word the Gospel reading is the Passion of our Lord Jesus Christ. This Gospel reading helps to prepare us for the celebration of the Easter Triduum that will begin on Holy Thursday evening.

The palm branches that are blessed on Passion Sunday remind us that Lent is a time of renewal and hope. Many people place these branches near the cross or crucifix in their home. The palm branches often remain there until Passion Sunday the following year. These branches are also burned before Lent of the next year to make ashes for the Ash Wednesday celebration.

WE RESPOND

 In what ways can you grow closer to Christ and others this Lent?

I will pray by

____

I will turn to God by

____

I will care for the needs of others by

____

We Respond in Prayer

Leader: The Lord calls us to days of penance and mercy. Blessed be the name of the Lord.

All: Now and for ever.

Reader: A reading from the Book of Joel

"Yet even now, says the LORD,
return to me with your whole heart,
with fasting, and weeping, and mourning;
Rend your hearts, not your garments,
and return to the LORD, your God.
For gracious and merciful is he,
slow to anger, rich in kindness."
(Joel 2:12–13)

The word of the Lord.

All: Thanks be to God.

Sign Us with Ashes

Refrain:
Sign us with ashes, the sign of your cross.
Give us the grace to know your mercy, Lord.
Renew our spirits and open our hearts.
Help us remember the love you gave us.

Help us pray so we might be closer to you and to God's family.
(Refrain)

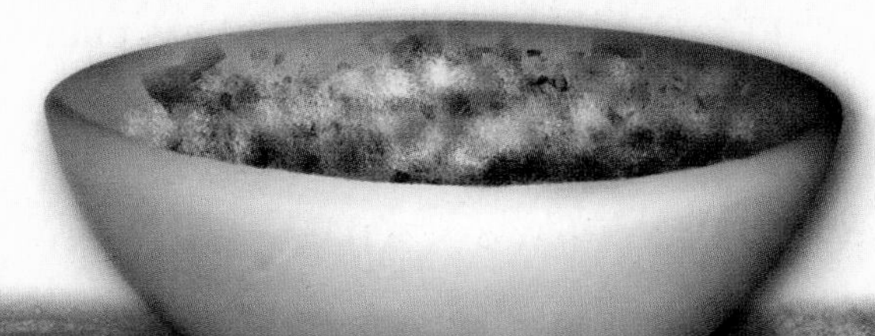

Via Crusis

HACIENDO DISCÍPULOS

Muestra lo que sabes

Escribe un párrafo sobre la Cuaresma.

la Cuaresman es un periodo de 40 dias en posque recordamos el viacrusis de jesursto y su resurreccion.

Escritura

"De nuevo el diablo lo llevó consigo a una montaña muy alta, le mostró todos los reinos del mundo con su gloria y le dijo: 'Todo esto te daré, si te postras y me adoras'. Entonces Jesús le dijo: 'Retírate, Satanás, porque está escrito: Adorarás al Señor tu Dios y sólo a él le darás culto'". (Mateo 4:8–10)

RETO PARA EL DISCÍPULO Lee el resto de la historia en Mateo 4:1–11. ¿Por qué crees que la historia del Evangelio sobre la tentación de Jesús se lee algunas veces en la Misa el primer Domingo de Cuaresma?

porque fue cuando satanas tento a Jesus

Datos

"Acuérdate de que eres polvo y al polvo has de volver". El sacerdote dice estas palabras cuando impone la ceniza en la frente del cristiano el Miércoles de Ceniza.

Tarea

La Cuaresma es tiempo para una vida simple en familia. Junto con tu familia haz una lista de como puedes vivir simplemente durante este tiempo. ¿Cómo pueden tomar juntos tiempo para rezar, hacer penitencia y buenas obras?

____

____

____

PROJECT DISCIPLE

Show What *you* Know

Write a paragraph about Lent.

What's *the* Word?

"Then the devil took him [Jesus] up to a very high mountain, and showed him all the kingdoms of the world in their magnificence, and he said to him, 'All these I shall give to you, if you will prostrate yourself and worship me.' At this, Jesus said to him, 'Get away, Satan! It is written, 'The Lord your God, shall you worship and him alone shall you serve.'" (Matthew 4:8–10)

DISCIPLE CHALLENGE Read the rest of the story (Matthew 4:1–11). Why do you think the Gospel story of the temptation of Jesus is sometimes read at Mass on the first Sunday of Lent?

____

____

Take Home

Lent is a season of simple living. With your family, make a list of ways that you can live more simply during this season. Where can you all add extra time to pray, do penance, and to do good works as a family?

____

____

____

Fast Facts

"Remember . . . you are dust and to dust you will return." The priest may speak these words as he marks the foreheads of the Christian faithful with ashes on Ash Wednesday.

Catequesis en el hogar

Capítulo 20 (páginas 222–229)

Cuaresma

En este capítulo su hijo(a) aprenderá que la Cuaresma es tiempo de preparación para la gran celebración de Pascua.

Para los padres

La Cuaresma es un tiempo en que la Iglesia se prepara para celebrar la gran fiesta de Pascua. El proceso de preparación incluye oración litúrgica y personal, sacrificio y buenas obras de misericordia, justicia y paz. Desde el Miércoles de Ceniza hasta la Misa del Señor el Jueves Santo en la tarde, el pueblo de Dios fortalece su relación con Cristo. La Cuaresma es el tiempo de reconciliación con Dios y con los demás mientras nos preparamos para renovar nuestro Bautismo.

Todos los días

- Encienda una vela. Juntos hagan la señal de la cruz y recen: *"Espíritu Santo, ayúdanos a seguir a Cristo"*.

Primer día **El Tiempo de Cuaresma.**

- Conversen sobre las preguntas en *Nos congregamos* en la página 222.
- Explique que este capítulo explora el Tiempo de Cuaresma y descubre las prácticas que nos ayudan a prepararnos para la fiesta de Pascua.
- Juntos proclamen las palabras del profeta Joel al final de la página 222.

Segundo día **La Cuaresma es tiempo de preparación para la celebración de Pascua.**

- Túrnense para leer el título y el texto.
- Señale que durante la Cuaresma nos preparamos para celebrar el misterio pascual de Cristo en el Triduo Pascual.

Tercer día **Durante la Cuaresma nos preparamos haciendo buenas obras y rezando.**

- Jesús fue llevado al desierto por el Espíritu Santo donde ayunó durante cuarenta días. El tiempo de Cuaresma dura cuarenta días, durante los cuales rezamos y hacemos sacrificios y buenas obras.
- También nos preparamos para renovar nuestras promesas de bautismo.

Cuarto día **Durante la Cuaresma nos acercamos a Jesús.**

- Lea en voz alta la sección sobre el Domingo de Ramos y el pasaje bíblico de Mateo 21:1–11.
- Lea en voz alta las preguntas en *Respondemos* en la página 226 y ayude a su hijo(a) a responder.

TIEMPO LITÚRGICO

Cuaresma

Cuaresma

La Cuaresma es tiempo de preparación para la gran celebración de Pascua

NOS CONGREGAMOS

✝ *Espíritu Santo, ayúdanos a seguir a Cristo.*

¿Cuáles son algunas cosas que nos ayudan a ser mejor estudiante, jugador, o compañero de clase? ¿Por qué es importante tratar de mejorar?

CREEMOS

Durante la Cuaresma toda la Iglesia se prepara para la gran celebración del misterio pascual de Cristo, durante el Triduo. Este tiempo es la preparación final para los que celebrarán los sacramentos de iniciación cristiana en la Vigilia Pascual. También es tiempo para que todos los bautizados se preparen para renovar su bautismo. Toda la Iglesia piensa y reza sobre la nueva vida, que por el Bautismo, Cristo comparte con nosotros.

El tiempo de Cuaresma dura cuarenta días y empieza el Miércoles de Ceniza cuando nuestras frentes son marcadas con ceniza bendita. Esta ceniza es señal de arrepentimiento por nuestros pecados y de esperanza de tener vida eterna con Dios. Durante la Cuaresma la Iglesia usa el color morado oscuro durante nuestras ceremonias. Esta es señal de que necesitamos reconciliarnos con Dios. El color también nos ayuda a recordar que el gozo y la felicidad vendrán de la muerte y resurrección de Cristo.

La Cuaresma es tiempo para vivir con sencillez. Hacemos un esfuerzo especial para rezar, hacer penitencia y buenas obras. Se nos pide hacer estas cosas todo el año. Durante la Cuaresma, sin embargo, añaden significado a nuestra preparación para renovar nuestro bautismo.

"Pero ahora, oráculo del Señor, conviértanse a mí de todo corazón".
Joel 2:12

222

Respondemos en fe

Quinto día

- Anime a su hijo(a) a leer la página 224 para aprender más sobre la Cuaresma.

Sexto día

- Hagan una lista de las actividades diarias regulares de la familia. Busque formas de simplificar la rutina diaria. Use el tiempo extra para rezar, hacer buenas obras y sacrificios.

Catechesis at Home

Chapter 20 (pages 222–229)

Lent

In this chapter your child will learn that Lent is a season of preparation for the great celebration of Easter.

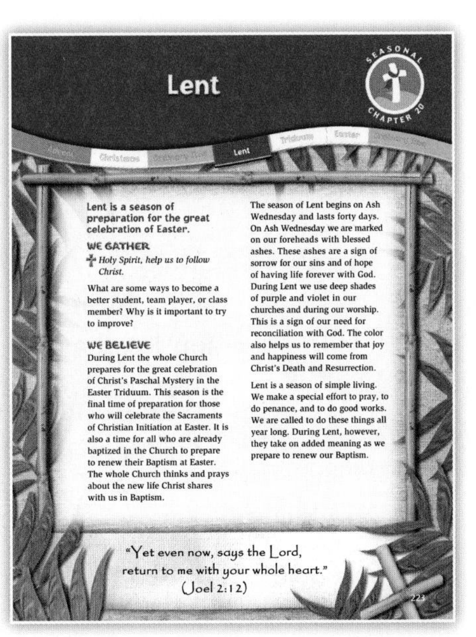

Lent

Lent is a season of preparation for the great celebration of Easter.

WE GATHER

Holy Spirit, help us to follow Christ.

What are some ways to become a better student, team player, or class member? Why is it important to try to improve?

WE BELIEVE

During Lent the whole Church prepares for the great celebration of Christ's Paschal Mystery in the Easter Triduum. This season is the final time of preparation for those who will celebrate the Sacraments of Christian Initiation at Easter. It is also a time for all who are already baptized in the Church to prepare to renew their Baptism at Easter. The whole Church thinks and prays about the new life Christ shares with us in Baptism.

The season of Lent begins on Ash Wednesday and lasts forty days. On Ash Wednesday we are marked on our foreheads with blessed ashes. These ashes are a sign of sorrow for our sins and of hope of having life forever with God. During Lent we use deep shades of purple and violet in our churches and during our worship. This is a sign of our need for reconciliation with God. The color also helps us to remember that joy and happiness will come from Christ's Death and Resurrection.

Lent is a season of simple living. We make a special effort to pray, to do penance, and to do good works. We are called to do these things all year long. During Lent, however, they take on added meaning as we prepare to renew our Baptism.

"Yet even now, says the Lord, return to me with your whole heart." (Joel 2:12)

223

For the Parents

Lent is the season in which the Church prepares to celebrate the great feast of Easter. The process of preparation includes liturgical and personal prayer, penance, and the good works of mercy, justice, and peace. From Ash Wednesday until the Evening Mass of the Lord's Supper on Holy Thursday, the people of God strengthen their relationship with Christ. Lent is the season of reconciliation with God and others as we prepare to renew our Baptism.

Every Day

- Light a candle. Pray the Sign of the Cross and the prayer, *"Holy Spirit, help us to follow Christ."*

Day One **The Season of Lent.**

- Discuss the *We Gather* questions on top of page 223.
- Explain that this chapter will explore the season of Lent and discover what practices help us to prepare for the feast of Easter.
- Proclaim together the words on the banner under the photo.

Day Two **Lent is a season of preparation for the great celebration of Easter.**

- Take turns reading the *We Believe* statement and the text that follows.
- Point out that during Lent we are preparing to celebrate Christ's Paschal Mystery in the Easter Triduum.

Day Three **During Lent we prepare by doing good deeds and praying.**

- Jesus was led to the desert by the Holy Spirit to fast for forty days. The season of Lent lasts for forty days, during which we pray, do penance, and do good works.
- We are also getting ready to renew our Baptism by prayer, penance, and doing good works.

Day Four **During Lent we get closer to Jesus.**

- Read aloud the section on Palm Sunday and the Scripture passage from Matthew 21:1–11. Continue reading about Palm Sunday on the next page.
- Read aloud the *We Respond* questions on page 227 and help your child respond to them.

We Respond in Faith

Day Five

- Encourage your child to use page 225 for more information on the season of Lent.

Day Six

- Make a list of your family's usual, daily activities, then look for ways to simplify these routines. Use the extra time to pray, do penance, and do good works.

Triduo

El Triduo es nuestra celebración más importante del misterio pascual.

NOS CONGREGAMOS

✠ *Jesús, recuérdanos cuando estés en tu reino.*

Piensa en alguien de tu familia a quien quieres mucho. ¿Cómo le mostrarías tu amor?

CREEMOS

Durante toda su vida, Jesús mostró su amor por sus discípulos. La mayor demostración de amor de Jesús fue morir por nuestros pecados. Sin embargo, la muerte de Jesús no fue el final de su amor por nosotros. Tres días después de su muerte, Jesús resucitó a una nueva vida. Su muerte y Resurrección restauran nuestra relación con Dios. Eso hace posible que tengamos vida eterna con Dios. Celebramos el misterio pascual de Cristo, su muerte y Resurrección a una nueva vida, durante el Triduo Pascual. Estos tres días son los días más santos del año.

Es una tradición judía empezar el día con el atardecer del día antes y terminarlo con el atardecer del día siguiente. Como Jesús seguía esta tradición, la Iglesia también inicia los domingos y las solemnidades en la tarde. El Triduo se inicia el Jueves Santo en la tarde y termina el Domingo de Pascua en la tarde.

Jueves Santo Con la Misa de la cena del Señor el Jueves Santo se inicia el Triduo Pascual. Esta celebración no es simplemente recordar los eventos de la Última Cena. Es una celebración de la vida que Jesús nos da en la Eucaristía. Damos las gracias por la unidad que tenemos debido a la Eucaristía. Celebramos el amor y el servicio al que Cristo nos llama todos los días.

"Jesús sabía que le había llegado la hora de dejar este mundo para ir al Padre. Y él, que había amado a los suyos, que estaban en el mundo, llevó su amor hasta el final".

Juan 13:1

Triduum

Advent Christmas Ordinary Time Lent Triduum Easter Ordinary Time

The Easter Triduum is our greatest celebration of the Paschal Mystery.

WE GATHER

✝ *Jesus, remember us when you come into your kingdom.*

Think of someone in your family whom you care about and love very much. How do you let him or her know your love?

WE BELIEVE

All during his life Jesus showed his love for his disciples. Jesus' greatest act of love for us was his dying for our sins. However, Jesus' Death was not the end of his love for us. Three days after his Death Jesus rose to new life. His Death and Resurrection restores our relationship with God. They make it possible for us to have life forever with God. We celebrate Christ's Paschal Mystery of dying and rising to new life during the Easter Triduum. These three days are the holiest days of the year.

It is a Jewish tradition to mark the day as beginning at sundown and ending at sundown of the next day. Since Jesus followed this tradition, the Church also counts Sundays and solemnities from one evening to the next. So the Triduum begins on Holy Thursday evening and ends on the evening of Easter Sunday.

Holy Thursday The Evening Mass of the Lord's Supper on Holy Thursday begins the Easter Triduum. This celebration is not simply a remembering of the events of the Last Supper. It is a celebration of the life that Jesus gives us in the Eucharist. We are thankful for the unity that we have because of the Eucharist. We celebrate the love and service Christ calls us to everyday.

"Jesus knew that his hour had come to pass from this world to the Father. He loved his own in the world and he loved them to the end."

(John 13:1)

En la Última Cena Jesús lavó los pies de sus discípulos como signo de su amor por ellos. Jesús llama a cada uno de nosotros a amar y servir a los demás. Durante la Misa del Jueves Santo, tenemos una ceremonia especial del lavado de los pies. Esta nos compromete a seguir el ejemplo del amor y servicio de Jesús. Durante esta Misa también hacemos una colecta especial para los necesitados.

Realmente no terminamos la liturgia. Después que todos reciben la Comunión, el Santísimo Sacramento se lleva en procesión por la iglesia y se coloca en otra capilla. El altar principal de la iglesia se desviste y la iglesia se queda en silencio. Esto nos recuerda la relación entre el Jueves Santo y el Viernes Santo.

Viernes Santo Celebramos la pasión del Señor el Viernes Santo. Generalmente se celebra en la tarde. La cruz es la imagen central de la liturgia de este día. La cruz es un signo de la muerte y sufrimiento de Cristo. Es un signo de su victoria sobre la muerte y la salvación que trae a todo el mundo.

Entramos calladamente a la iglesia y el sacerdote o el diácono, viste color rojo como signo de la muerte de Cristo. La Liturgia de la Palabra incluye la lectura de la pasión del Evangelio de Juan. Hay diez intercesiones generales que incluyen oraciones por todo el mundo. Algunas veces hay himnos para mostrar la importancia de esta liturgia.

También honramos la cruz con una procesión especial. Escuchamos las palabras: "Mirad el árbol de la Cruz donde estuvo clavado Cristo, el Salvador del mundo. Venid y adoremos". Después todos son invitados a reverenciar la cruz.

No se celebra Misa en Viernes Santo. Hay un servicio de Comunión. Al terminar todos parten en silencio.

Sábado Santo Durante el día pensamos y rezamos. Recordamos que Jesús murió para salvar a todo el mundo y damos gracias a Dios por su regalo. En la tarde nos reunimos en la parroquia para la celebración de la Vigilia Pascual.

At the Last Supper Jesus washed his disciples' feet as a sign of his love for them. Jesus calls each of us to love and serve others, too.

During the Mass on Holy Thursday, we have a special ceremony of the washing of the feet. This commits us to follow the example of Jesus' love and service. During this Mass we also take a special collection for those who are in need.

We do not actually end this liturgy. After everyone has received Holy Communion, the Blessed Sacrament is carried through the church in procession. It is reserved in another chapel. Back in the main church the altar is stripped, and the church is silent. This reminds us of the connection between Holy Thursday and Good Friday.

Good Friday On Good Friday we have the Celebration of the Lord's Passion. This often takes place in the afternoon. The cross is the central image of this day's liturgy. The cross is a sign of Christ's suffering and Death. It is also a sign of his victory over death and the salvation he brings to the whole world.

We enter the church quietly, and the priest and deacon wear the color red as a sign of Christ's Death. The Liturgy of the Word includes the reading of the Passion from the Gospel of John. There are ten general intercessions that include prayers for the whole world. They are sometimes sung to show their special importance in this liturgy.

We also honor the cross with a special procession. We hear the words: "This is the wood of the cross, on which hung the Savior of the world. Come, let us worship." Then all gathered are invited to give reverence to the cross.

The Mass is not celebrated on Good Friday. There is a communion service instead. After this, all depart in silence.

Holy Saturday During the day we spend time thinking and praying. We remember that Jesus died to save all people, and we thank God for this gift. In the evening we gather with our parish for the celebration of the Easter Vigil.

Empezamos en la oscuridad, esperando por la luz de Cristo. Cuando vemos la luz del cirio pascual, cantamos con gozo. En esta vigilia hay muchas lecturas en la Liturgia de la Palabra. Escuchamos de nuevo las maravillas que Dios ha hecho por su pueblo. No se ha cantado Aleluya desde que se inició la Cuaresma, ahora la cantamos con gran gozo. Jesús ha resucitado de la muerte. Un momento importante de la Liturgia es la celebración de los sacramentos de iniciación cristiana. Damos la bienvenida a la Iglesia a los nuevos miembros y alabamos a Dios por la nueva vida que hemos recibido en Cristo. Renovamos nuestras promesas bautismales y nos regocijamos en nuestra propia nueva vida. Continuamos compartiendo la vida de Cristo en la celebración de la Eucaristía.

El tercer día del Triduo se inicia el sábado en la tarde y sigue hasta el domingo en la tarde. Las parroquias se reúnen el Domingo de Pascua para celebrar la Misa. Cantamos con gozo porque el Señor ha resucitado.

RESPONDEMOS

En grupo conversen sobre la celebración litúrgica de los días del Triduo.

Respondemos en oración

Líder: La gracia de nuestro Señor Jesucristo esté siempre con nosotros.

Todos: Amén.

Lector: Lectura de la primera carta de Juan

"Hermanos queridos, amémonos los unos a los otros, porque el amor procede de Dios. . . Dios nos ha manifestado el amor que nos tiene enviando al mundo a su Hijo único, para que vivamos por él. . . Hermanos queridos, si Dios nos amó así, también nosotros debemos amarnos unos a otros". (1 Juan 4:7, 9, 11)

Palabra de Dios.

Todos: Te alabamos, Señor.

Líder: El Señor Jesús, cuando comía con sus discípulos, puso agua en una vasija y empezó a lavarles los pies diciendo: Este ejemplo les doy.

Todos: Señor, ayúdanos a seguir tu ejemplo de amor y servicio.

Líder: Si yo, su Señor y Maestro, les he lavado los pies ustedes también deben lavarse los pies unos a otros.

Todos: Ellos sabrán que somos sus discípulos si hay
amor entre nosotros.

Un mandamiento nuevo

(Estribillo)

Un mandamiento nuevo nos da el Señor
Que nos amemos todos como nos ama Dios. (estribillo)

La señal de los cristianos,
Es amarnos como hermanos. (estribillo)

We begin in darkness, waiting for the light of Christ. When we see the light of the large paschal candle, we sing with joy. At this vigil there are many readings in the Liturgy of the Word. We hear again all the wonderful things God has done for his people. We have not sung the Alleluia since Lent began, but we sing it now with great joy. Jesus has indeed risen from the dead! One high point of this vigil is the celebration of the Sacraments of Christian Initiation. We welcome new members into the Church and praise God for the new life we have all received in Christ. We renew our own baptismal promises and rejoice in the newness of our own lives. We continue to share in Christ's life in the celebration of the Eucharist that follows.

The third day of the Triduum begins Saturday evening and continues until the evening of Sunday. Parishes gather on Easter Sunday for the celebration of the Mass. We sing with joy that the Lord is risen!

WE RESPOND

Discuss the liturgical celebration for each day of the Triduum.

TRIDUUM

We Respond in Prayer

Leader: The grace of our Lord Jesus Christ be with us all, now and forever.

All: Amen.

Reader: A reading from the first Letter of John

"Beloved, let us love one another, because love is of God. . . . In this way the love of God was revealed to us: God sent his only Son into the world so that we might have life through him. . . . Beloved, if God so loved us, we also must love one another."
(1 John 4:7, 9, 11)

The word of the Lord.

All: Thanks be to God.

Leader: The Lord Jesus,
when he had eaten with his disciples,
poured water into a basin and began
to wash their feet saying: This example
I leave you.

All: Lord, help us to follow your example of love and service.

Reader: If I, your Lord and Teacher, have washed your feet, then surely you must wash one another's feet.

All: They will know we are his disciples if there is love among us.

This Is My Commandment

This is my commandment,
that you love one another
that your joy may be full.

HACIENDO DISCIPULOS

Emily n.

Completa el cuadro describiendo lo que celebramos y lo que sucede en cada día del Triduo Pascual.

Día	Lo que celebramos	Lo que sucede
Jueves Santo	la oultima cena	Es una celebracion dela vida que Jesus nos da en la Eucarstia
Viernes Santo	La Pasion del señor	Entramos calladamente a la iglesia y el sacerdote o el diacono viste color rojo como signo de la muerte de cristo.
Sábado Santo	La vigila pascual	Recordamos que jesus murio para salvar a todoel mundo y damos gracias a Dios por su regalo.

Datos

Las letras griegas A (alfa) y Ω (omega) están grabadas en el cirio pascual. Estas letras se refieren al verso en la Escritura: "Yo soy el Alfa y la Omega—dice el Señor Dios—el que es, el que era y el que está a punto de llegar, el todopoderoso". (Apocalipsis 1:8)

El cirio pascual se enciende durante la Vigilia Pascual como símbolo de la resurrección de Cristo.

Tarea

Con tu familia planifica hacer una caminata durante el Triduo. ¿Qué signos de nueva vida ves? Escríbelos.

____

____

____

____

PROJECT DISCIPLE

Complete the chart by describing what we celebrate and what happens on each day of the Easter Triduum.

Day	What We Celebrate	What Happens
Holy Thursday		
Good Friday		
Holy Saturday		Recordamos que jesus murio para salvar a todo el mundo y damos gracias a Dios por su regalo.

Fast Facts

Two Greek letters A (alpha) and Ω (omega) are carved into the Easter, or Paschal candle. The letters are referred to in Scripture. "'I am the Alpha and the Omega,' says the Lord God, 'the one who is and who was and who is to come, the almighty.'" (Revelation 1:8)

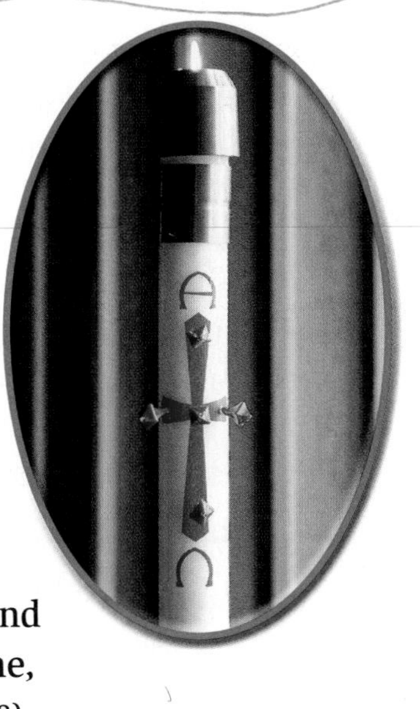

The Paschal candle is lit at the Easter Vigil as a symbol of Jesus' Resurrection.

Take Home

With your family plan to take a walk or drive during the Triduum. What signs of new life did you see? Write down some of these.

____

____

____

____

Capítulo 21 (pages 230–237)

Triduo

En este capítulo su hijo(a) aprenderá que el Triduo Pascual es nuestra mayor celebración del misterio pascual.

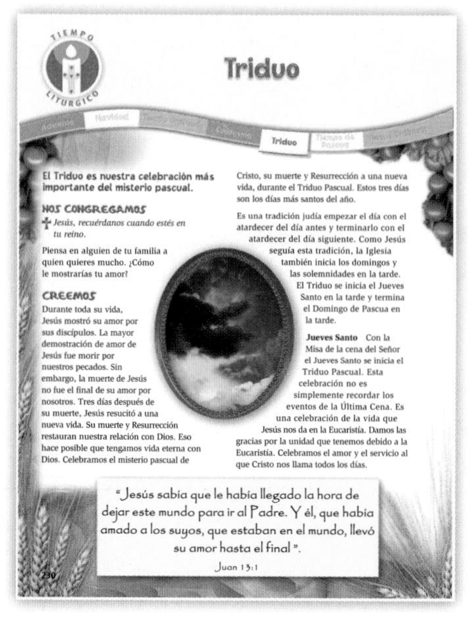

Triduo

El Triduo es nuestra celebración más importante del misterio pascual.

NOS CONGREGAMOS

Jesús, recuérdanos cuando estés en tu reino.

Piensa en alguien de tu familia a quien quieres mucho. ¿Cómo le mostrarías tu amor?

CREEMOS

Durante toda su vida, Jesús mostró su amor por sus discípulos. La mayor demostración de amor de Jesús fue morir por nuestros pecados. Sin embargo, la muerte de Jesús no fue el final de su amor por nosotros. Tres días después de su muerte, Jesús resucitó a una nueva vida. Su muerte y Resurrección restauran nuestra relación con Dios. Eso hace posible que tengamos vida eterna con Dios. Celebramos el misterio pascual de Cristo, su muerte y Resurrección a una nueva vida, durante el Triduo Pascual. Estos tres días son los días más santos del año.

Es una tradición judía empezar el día con el atardecer del día antes y terminarlo con el atardecer del día siguiente. Como Jesús seguía esta tradición, la Iglesia también inicia los domingos y las solemnidades en la tarde. El Triduo se inicia el Jueves Santo en la tarde y termina el Domingo de Pascua en la tarde.

Jueves Santo Con la Misa de la cena del Señor el Jueves Santo se inicia el Triduo Pascual. Esta celebración no es simplemente recordar los eventos de la Última Cena. Es una celebración de la vida que Jesús nos da en la Eucaristía. Damos las gracias por la unidad que tenemos debido a la Eucaristía. Celebramos el amor y el servicio al que Cristo nos llama todos los días.

"Jesús sabía que le había llegado la hora de dejar este mundo para ir al Padre. Y él, que había amado a los suyos, que estaban en el mundo, llevó su amor hasta el final".
Juan 13:1

230

Para los padres

De la tarde del Jueves Santo hasta la tarde del Domingo de Pascua, la Iglesia se centra en la celebración del misterio pascual de Cristo. El Triduo Pascual, como se conocen esos tres días, es el tiempo más importante del año de la Iglesia. Toda la Iglesia entra en el misterio de salvación de Cristo, su pasión, muerte y resurrección. El Jueves Santo la Iglesia celebra la Misa de la cena del Señor, el Viernes Santo venera la santa cruz y proclama la pasión de nuestro Señor Jesucristo y el Domingo de Resurrección se regocija en la resurrección de Cristo.

Todos los días

- Encienda una vela y recen la oración en *Nos congregamos*: *"Jesús, recuérdanos cuando estés en tu reino".*

Primer día **El Triduo.**

- Explique que el Triduo Pascual es la celebración más importante de todo el año de la Iglesia.
- Lea la pregunta en *Nos congregamos* y conversen sobre ella.

Segundo día **El Triduo es nuestra celebración más importante del misterio pascual.**

- Proclamen juntos las palabras al final de la página 230.
- Pida a su hijo(a) que lea en silencio el título. Luego túrnense para leer el texto que sigue.

Tercer día **Durante el Triduo celebramos el Misterio Pascual.**

- Explique que en la Misa de la cena del Señor, celebramos la vida, el amor y el servicio al que Jesús nos llamó con su ejemplo. Señale que la acción de Jesús de lavar los pies de sus discípulos es una ilustración del servicio que Cristo quiere que sigamos.
- En el Viernes Santo celebramos la pasión del Señor. Se lee el Evangelio de Juan; se ora por todo el mundo. La cruz es la imagen central de la liturgia del día. La honramos y reverenciamos. No tenemos celebración de la Eucaristía. Se ofrece un servicio de comunión.

Cuarto día **Durante la celebración de Pascua recibimos la luz de Cristo.**

- Señale el simbolismo de la luz usado en la Vigilia. Cristo es nuestra luz. Explique que muchas de las lecturas en esta liturgia recuerdan la historia de nuestra salvación. Ponga énfasis en que el culmen de la celebración de la Vigila Pascal es nuestro regocijo en el Señor resucitado.

Respondemos en fe

Quinto día

- Ayude a su hijo(a) a completar el cuadro en la página 236.

Sexto día

- Repasen y conversen sobre la celebración litúrgica de cada día del Triduo.

Catechesis at Home

Chapter 21 (pages 230–237)

Triduum

In this chapter your child will learn that the Easter Triduum is our greatest celebration of the Paschal Mystery.

For the Parents

From the evening of Holy Thursday to the evening of Easter Sunday, the Church focuses entirely on the celebration of Christ's Paschal Mystery. The Easter Triduum, as these three days are known, is the most important season of the Church year. It is the time when the entire Church enters into the saving mystery of Christ's passion, death, and Resurrection. On Holy Thursday the Church celebrates the Mass of the Lord's Supper. On Good Friday the Church venerates the holy cross and proclaims the passion of our Lord Jesus Christ. On Holy Saturday the Church rejoices in the Resurrection of Christ.

Every Day

- Light the candle and read the *We Gather* prayer: *"Jesus, remember us when you come into your Kingdom."*

Day One **The Triduum.**

- Explain that the Easter Triduum is the Church's greatest celebration of the entire year.

Day Two **The Easter Triduum is our greatest celebration.**

- Proclaim together the words on the banner under the photo.

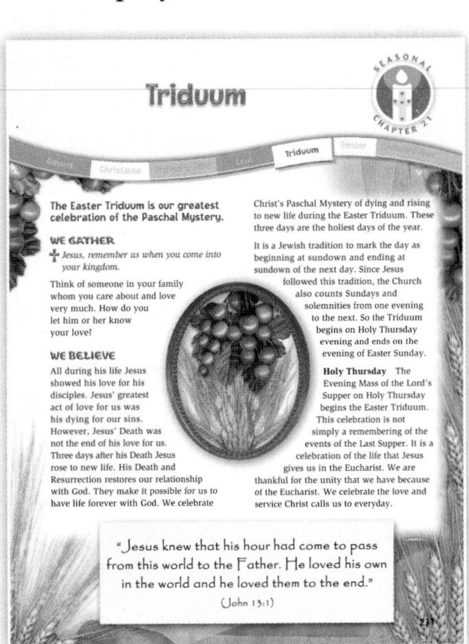

Triduum

The Easter Triduum is our greatest celebration of the Paschal Mystery.

WE GATHER

✝ *Jesus, remember us when you come into your kingdom.*

Think of someone in your family whom you care about and love very much. How do you let him or her know your love?

WE BELIEVE

All during his life Jesus showed his love for his disciples. Jesus' greatest act of love for us was his dying for our sins. However, Jesus' Death was not the end of his love for us. Three days after his Death Jesus rose to new life. His Death and Resurrection restores our relationship with God. They make it possible for us to have life forever with God. We celebrate Christ's Paschal Mystery of dying and rising to new life during the Easter Triduum. These three days are the holiest days of the year.

It is a Jewish tradition to mark the day as beginning at sundown and ending at sundown of the next day. Since Jesus followed this tradition, the Church also counts Sundays and solemnities from one evening to the next. So the Triduum begins on Holy Thursday evening and ends on the evening of Easter Sunday.

Holy Thursday The Evening Mass of the Lord's Supper on Holy Thursday begins the Easter Triduum. This celebration is not simply a remembering of the events of the Last Supper. It is a celebration of the life that Jesus gives us in the Eucharist. We are thankful for the unity that we have because of the Eucharist. We celebrate the love and service Christ calls us to everyday.

"Jesus knew that his hour had come to pass from this world to the Father. He loved his own in the world and he loved them to the end." (John 13:1)

231

- Have your child read silently the statement. Then take turns reading aloud the text.

Day Three **During the Triduum we celebrate the Paschal Mystery.**

- Explain that in the Mass of the Lord's Supper, we celebrate the life, love, and service to which Jesus called us by his own example. Point out the action of Jesus washing the feet of his disciples as an illustration of Christ's service that we should follow.
- On Good Friday, we celebrate the Lord's Passion. The Gospel of John is proclaimed; prayers for the whole world are prayed. The cross is the central image of the day's liturgy. We honor it and give reverence to it. We do not have the celebration of the Eucharist. We hold a communion service.

Day Four **During the Easter Celebration we receive Christ's light.**

- Point out the symbolism of light used at the vigil. Christ is our Light! Explain that many readings in the Liturgy of the Word recall the history of our salvation. The culmination of the Easter Vigil is our rejoicing in the risen Christ.

We Respond in Faith

Day Five

- Help your child to complete the chart on page 237.

Day Six

- Review and discuses the liturgical celebration for each day of the Triduum.

Formas de orar

Oración

Todos rezan la señal de la cruz.

Líder: Rezar es hablar con Dios en la quietud de nuestros corazones. Tradicionalmente hay cinco formas de hacer oración: bendición, petición, intercesión, acción de gracias y alabanza. Vamos a orar en las diferentes formas de orar. Con nuestros corazones dispuestos nos ponemos en la presencia de Dios para escucharlo y pedirle nos ayude a seguir aprendiendo cómo orar.

Lector 1: "Bendito sea el Señor, Dios de Israel, porque ha visitado y redimido a su pueblo". (Lucas 1:68)

Todos: Bendito seas por siempre, Señor.

Lector 2: "Dios mío, ten compasión de mí, que soy un pecador". (Lucas 18:13)

Todos: Dios misericordioso, perdónanos y escucha nuestras **peticiones**.

Lector 3: "Por eso oramos sin cesar por ustedes, para que nuestro Dios los haga dignos de su llamada y con su poder lleve a término todo buen propósito o acción inspirada por la fe". (2 Tesalonicenses 1:11)

Todos: Dios de amor, te pedimos por las necesidades de los demás. (*Recen intercesiones específicas por las necesidades de sus familias, parroquia, comunidad y otras necesidades.*)

Lector 4: "Den gracias al Señor, porque es bueno, porque es eterno su amor". (1 Crónicas 16:34)

Todos: Dios de toda bondad, te damos **gracias** por tus dones. Tu generosidad no tiene límites.

Lector 5: "Alabaré tu nombre sin cesar". (Salmo 145:2)

Todos: Te **alabamos**, Señor.

Líder: Padre celestial, escucha nuestras oraciones. Te lo pedimos en el nombre de tu Hijo, nuestro Señor Jesucristo.

Todos: Amén.

Líder: Para terminar nuestra oración, bendiga a la persona a su lado con la siguiente oración: "El Señor te bendiga y te guarde".

Amén.

Forms of Prayer

Prayer

All pray the Sign of the Cross.

Leader: To pray is to talk with God in the quiet of our hearts. Traditionally we have five forms of prayer: blessing, petition, intercession, thanksgiving, and forgiving. Let us pray together in each of these five forms of prayer. With our hearts and hands open, we come before God to listen and to ask for continued help in learning how to pray.

Reader 1: "Blessed be the Lord, the God of Israel, for he has visited and brought redemption to his people!" (Luke 1:68)

All: Blessed be God for ever.

Reader 2: "O God, be merciful to me a sinner." (Luke 18:13)

All: Merciful God, forgive us. Hear our **petitions** for forgiveness.

Reader 3: "We always pray for you, that our God may make you worthy of his calling . . . that the name of our Lord Jesus may be glorified in you, and you in him." (2 Thessalonians 1:11–12)

All: Caring God, we pray for the needs of others. (*Pray specific* ***intercessions*** *for the needs of your family, parish, community, and beyond.*)

Reader 4: "Give thanks to the Lord, for he is good, for his kindness endures forever." (1 Chronicles 16:34)

All: God of all goodness, we **thank** you for your gifts! Your generosity is beyond measure.

Reader 5: "I will praise your name forever." (Psalm 145:2)

All: Glorious God, we **praise** you!

Leader: Dear Heavenly Father, hear our prayers. We ask this in the name of your Son, our Lord Jesus Christ.

All: Amen.

Leader: To close our prayer, bless the person next to you with the following prayer: "The Lord bless you and keep you!"

Amen.

Identidad católica Retiro

Formas de orar

Compartiendo la Palabra de Dios

Reflexión sobre la lectura de la Escritura.

> "Pidan y Dios les dará, busquen y encontrarán, llamen y Dios les abrirá. Porque todo el que pide recibe, el que busca encuentra, y al que llama, Dios le abre".
> (Mateo 7:7–8)

LEA despacio y con atención el pasaje del Evangelio de Mateo.

REFLEXIONE sobre la lectura.

Piense en las siguientes preguntas:

- Imagine que tiene la oportunidad de hablar con Jesús. ¿Qué ayuda le pediría para mejorar su vida de oración?
- ¿Busca a Jesús para que le dé consejos? ¿Qué le pide?
- ¿Cuándo va a tocar a la puerta de Jesús pidiendo ayuda?

COMPARTA sus pensamientos en grupo.

Conversen sobre algunas formas en las que pueden continuar aprendiendo cómo rezar para fortalecer y mejorar su vida de oración.

MEDITE y comparta sus pensamientos y sentimientos con Jesús en oración.

Con un compañero(a) escriban una oración corta para cada una de las formas de oración: bendición, petición, intercesión, acción de gracias y alabanza.

Bendición

____

____

____

Petición

____

____

____

Intercesión

____

____

____

Acción de gracias

____

____

____

Alabanza

____

____

____

Escoja un tiempo para rezar cada una de las cinco oraciones.

Forms of Prayer

Sharing God's Word

Reflect on the Bible reading.

> "Ask and it will be given to you; seek and you will find; knock and the door will be opened to you. For everyone who asks, receives; and the one who seeks finds; and to the one who knocks, the door will be opened." (Matthew 7:7–8)

READ the passage from the Gospel of Matthew. Read slowly and carefully.

REFLECT on what you read.

Think about the following questions:

- Imagine that you have the chance to speak to Jesus. What would you ask him to teach you to help you grow in your prayer life?
- Do you seek for Jesus´ advice? What do you ask for?
- When would you knock at Jesus' door asking for help?

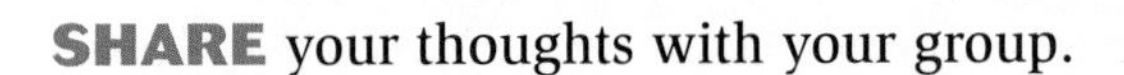

SHARE your thoughts with your group.

Talk about ways you can continue to learn how to pray and what helps your prayer life grow stronger.

CONTEMPLATE and share your thoughts and feelings with Jesus in prayer.

With a partner write a short prayer for each of the five forms of prayer—forgiving, petition, intercession, thanksgiving, and praise.

Blessing

Petition

Intercession

Thanksgiving

Praise

Choose a time to pray each of the five prayers.

Formas de orar

Valoramos nuestra fe católica

El tema de nuestro retiro es *Formas de orar*.

Piense en las siguientes preguntas:

- Jesús nos enseña a rezar con sus palabras y ejemplo. ¿Qué puede aprender del ejemplo de Jesús de hablar con Dios en la oración?
- Podemos hablar con Dios en nuestras oraciones de bendición, petición, interseción, acción de gracias y alabanza. Piense en cada una de estas formas de oración y en qué circunstancias puede usarlas para hablar con Dios.
- "El que canta ora dos veces", es una cita atribuida a san Agustín. ¿Cómo puede orar por medio del canto durante la Misa o en su hogar?

Celebramos y honramos nuestra identidad católica

Jesús enseñó a sus discípulos a orar. Él dijo: "Porque donde están dos o tres reunidos en mi nombre, allí estoy yo en medio de ellos" (Mateo 18:20). ¿Cuándo se reúne con otros en nombre de Jesús? Escríbalo.

Piense en momentos en los que se reúnen en nombre de Jesús.

Con un compañero(a), escriban dos formas en las que sus familias se reunirán en oración en nombre de Jesús esta semana.

Juntos, escriban una oración que rezarán cuando se reúnan.

Catholic Identity Retreat

Forms of Prayer

We Value Our Catholic Faith

The theme of our retreat is the *Forms of Prayer*.

Think about the following questions:

- Jesus teaches us to pray by his word and example. What can you learn from Jesus' example of talking to God in prayer?
- We can talk to God in prayers of blessing, petition, intercession, thanksgiving, and praise. Think about each form and name a circumstance when you can talk to God using that form.
- A quote attributed to Saint Augustine tells us, "He who sings prays twice." How can you pray through song, either at Mass or as a family at home?

We Celebrate and Honor Our Catholic Identity

Jesus taught his disciples to pray. He said, "Where two or three are gathered together in my name, there am I in the midst of them" (Matthew 18:20). What are times when you gather with others in Jesus' name? Write some times below.

Think about the times you gather in Jesus name.

____
____
____
____
____
____
____
____
____

With a partner write two ways your families will gather in Jesus' name in the coming week.

____
____
____
____
____
____
____

Together, write a prayer that you will pray during these times.

____
____
____
____
____
____
____

Christ Heals the Blind-Born Man,
by Eustache Le Sueur (1617–1655)

Identidad católica Retiro

Llevando el retiro a casa

Formas de orar

Repaso del retiro

Repase con su familia el retiro sobre la *Oración*. Conversen sobre las formas de orar de los católicos (ver página R48 para las definiciones):

- Bendición
- Petición
- Intercesión
- Acción de gracias
- Alabanza

Practicando la oración

Conversen sobre cosas por las que la familia necesite orar. Juntos compongan una oración de bendición, petición, intercesión, acción de gracias o alabanza. Récenla durante la comida u otro tiempo adecuado para la familia. Invite a los miembros de la familia a practicar cada una de las formas de oración.

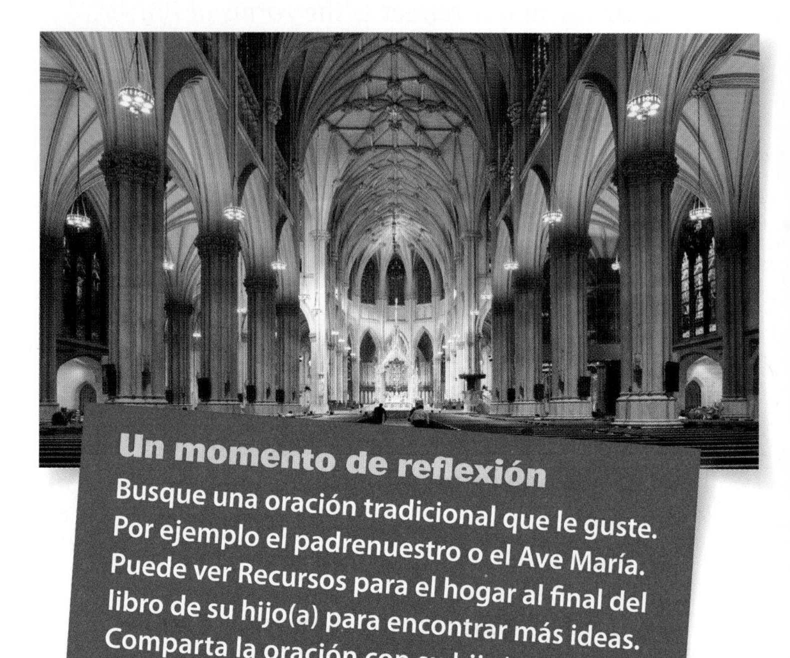

Un momento de reflexión

Busque una oración tradicional que le guste. Por ejemplo el padrenuestro o el Ave María. Puede ver Recursos para el hogar al final del libro de su hijo(a) para encontrar más ideas. Comparta la oración con su hijo(a) y récenla juntos.

Oración en familia

Juntos recen esta bendición para la familia. Nombre a los miembros de su familia cuando llegue el momento.

Señor Jesús, bendice a nuestra familia.

Bendice individualmente a cada persona, incluyendo a (mencione los nombres de cada uno de los miembros de su familia):

____

____

Que desarrollemos una fuerte relación contigo cada día.

Bendícenos como familia. Que tu luz y amor brillen en todas nuestras acciones. Bendice todo lo que digamos y hagamos. Amén.

Para más recursos vea *Identidad católica Amigo del hogar* al final del libro.

Catholic Identity Retreat

Bringing the Retreat Home

Forms of Prayer

Retreat Recap

Review with your family the *Celebrating Catholic Identity: Prayer* retreat. Talk about what you heard about the five forms of Catholic prayer (see page R49 for definitions):

- Blessing
- Petition
- Intercession
- Thanksgiving
- Praise

Practicing Prayer

As a family, compose your own family prayer of blessing, petition, intercession, thanksgiving, or praise. For example, your family might pray a short prayer of praise in response to beautiful weather or a prayer of intercession for a friend or relative who is ill. Choose a time to pray this prayer together. Also find unplanned times for daily prayer using one of the five forms of prayer each day.

Take a Moment

Find a favorite traditional prayer. Examples might include the Our Father or the Hail Mary. You may wish to look in Prayers and Practices or the Catholic Identity Home Companion at the end of your child's book for ideas. Share this traditional prayer with your child, and spend time praying it together.

Family Prayer

Pray this family blessing prayer together. Name the members of the family where prompted.

Lord Jesus, bless our family.
Bless each person individually, including (name each family member):

____

____

May each of us develop a stronger relationship with you day by day.

Bless us as a whole family.
May your light and love shine upon all our actions and endeavors.
Bless all we say and do. Amen.

For more resources, see the *Catholic Identity Home Companion* at the end of this book.

Qué creemos
como familia católica

Si alguien nos pregunta:

- ¿Qué sucede si Dios no contesta mis oraciones?
- ¿Por qué no consultar otros medios como los horóscopos y quirománticos?

Los siguientes recursos nos pueden ayudar a contestar:

Jesús nos enseñó a rezar con paciencia y completa confianza en Dios. Cuando tenemos una necesidad especial por la que estamos rezando, puede que nos preocupemos de que Dios no nos escucha. Puede que digamos las palabras de la oración pero mantenemos nuestros corazones y mentes en estado de preocupación y ansiedad.

¿Qué dice la Escritura?

"Que nada los angustie; al contrario, en cualquier situación presenten sus deseos a Dios orando, suplicando y dando gracias. Y la paz de Dios, que supera cualquier razonamiento, protegerá sus corazones y sus pensamientos por medio de Cristo Jesús". (Filipenses 4:6–7)

Jesús dijo: "No sean como ellos, pues su Padre ya sabe lo que ustedes necesitan antes de que se lo pidan [...] Fíjense en las aves del cielo; ni siembran ni cosechan ni guardan en graneros, y sin embargo el Padre celestial las alimenta. ¿No valen ustedes mucho más que ellas? ¿Quién de ustedes, por más que lo intente, puede añadir una sola hora a su vida?". (Mateo 6:8, 26–27)

"Pidan, y Dios les dará; busquen, y encontrarán; llamen, y Dios les abrirá", dijo Jesús. (Lucas 11:9)

Jesús dijo, "Cualquier cosa que pidan en mi nombre, lo haré". (Juan 14:13)

Jesús claramente nos pide confiar solo en Dios, rezando por nuestras necesidades con confianza en que Dios nos escuchará. Confiar en Dios es parte de cumplir el primer mandamiento: *"Yo soy el Señor, tu Dios [...] No tendrás otro Dios fuera de mí".* Este mandamiento, que encontramos en Éxodo 20:2, 5, nos pide honrar, amar y respetar a Dios como el único y verdadero Dios. Cuando tenemos preocupaciones en nuestras vidas, no debemos consultar horóscopos o tratar de predecir el futuro. Estas son ofensas contra el primer mandamiento. Somos llamados a confiar en Dios como nuestro Padre amoroso.

¿Qué dice la Iglesia?

"Creer en Dios, el Único, y amarlo con todo el ser tiene consecuencias inmensas para toda nuestra vida. [...] Es confiar en Dios en todas las circunstancias, incluso en la adversidad". (CIC, 222, 227)

"Nada te turbe, nada te espante. Todo pasa; Dios no se muda. La paciencia todo lo alcanza. Solo Dios basta". (Santa Teresa de Jesús, doctora de la Iglesia, 1515–1582)

"Reza, espera y no te preocupes. La preocupación es inútil. Dios es misericordioso y escucha tu oración". (San Pio de Pietrelcina, 1887–1968)

Presentando nuestras necesidades ante Dios

Las necesidades del mundo son muchas y urgentes: paz, alimentos, alivio ante los desastres naturales, y sanación de enfermedades físicas y morales. Recemos ante nuestro altar en el hogar por las personas que nos han pedido que oremos por ellas y acudamos a nuestra Madre, María, para que interceda ante Dios. Pidamos, sobre todo, que toque los corazones de las personas que pueden aliviar algún sufrimiento y que llene sus corazones de compasión y solidaridad.

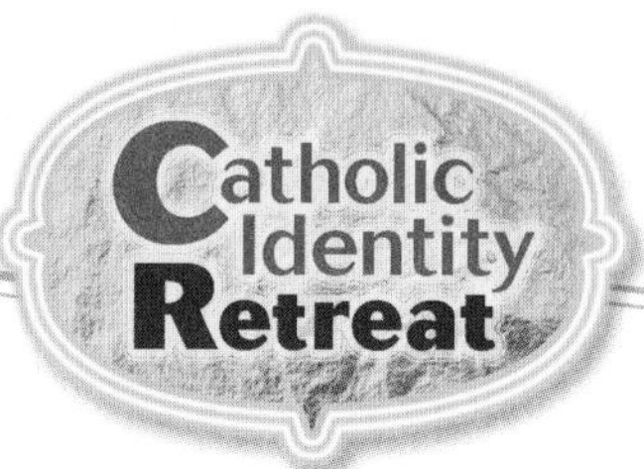

Why We Believe
As a Catholic Family

What if someone asks us:

- What if God doesn't answer my prayers?
- Why not consult other means, such as horoscopes or psychics, for help?

The following resources can help us to respond:

Jesus taught us to pray with patience and complete trust in God. When we have a particular need we are praying about, we might worry that God may not hear us. We might say the words of our prayer but keep our hearts and minds in a state of distrust and anxiety.

What does Scripture say?

"Have no anxiety at all, but in everything, by prayer and petition, with thanksgiving, make your requests known to God. Then the peace of God that surpasses all understanding will guard your hearts and minds in Christ Jesus." (Philippians 4:6–7)

Jesus said, "Your Father knows what you need before you ask him. . . . Look at the birds in the sky; they do not sow or reap, they gather nothing into barns, yet your heavenly Father feeds them. Are not you more important than they? Can any of you by worrying add a single moment to your life-span?" (Matthew 6:8, 26–27)

"Ask and you will receive; seek and you will find; knock and the door will be opened to you," said Jesus (Luke 11:9).

Jesus said, "And whatever you ask in my name, I wil do" (John 14:13–14).

Jesus clearly asks us to trust in God alone, praying for our needs and being confident that God will hear us. Trust in God is part of following the First Commandment: I am the Lord your God: you shall not have strange gods before me. This commandment, found in Exodus 20:2–5, calls us to honor, love, and respect God as the one true God. When we have concerns about our lives, we must not consult horoscopes, seek the advice of psychics, or try to predict the future. These are all offenses against the First Commandment. We are called to instead trust God as our loving Father.

What does the Church say?

"Believing in God, the only One, and loving him with all our being has enormous consequences for our whole life. . . . It means trusting God in every circumstance, even in adversity." (CCC, 222, 227)

"Let nothing disturb you, nothing cause you fear. All things pass; God is unchanging. Patience obtains all. Whoever has God needs nothing else." (Saint Teresa of Ávila, Doctor of the Church, 1515–1582)

"Pray, hope, and don't worry. Worry is useless. God is merciful and will hear your prayer." (Saint Pio of Pietrelcina, 1887–1968)

Placing Our Needs Before God

The needs of the world are many and urgent, including peace, food, aid for natural disasters, and healing for physical and moral ailments. Let us pray before our home altar about the people who have asked us to pray for them, and let us turn to our Mother Mary, who intercedes before God. Let us pray, above all, that God may touch the hearts of people who have the power to alleviate suffering and fill their hearts with compassion and solidarity.

Apreciada familia

En la unidad 4 los niños aprenderán a crecer como discípulos de Jesús:

- decidiendo practicar las virtudes de la fe, esperanza y caridad y viviendo las Bienaventuranzas que Jesús nos enseñó
- aprendiendo cómo los discípulos de Jesús pueden seguirlo como laicos, hombres ordenados o religiosos y mujeres religiosas
- valorando que el sacramento del Matrimonio es la celebración de una alianza de toda la vida
- comprendiendo que en el sacramento del Orden Sagrado los hombres son ordenados para servir como diáconos, sacerdotes u obispos
- reconociendo las cuatro marcas especiales o características de la Iglesia: una, santa, católica y apostólica.

Datos

El símbolo cristiano utilizado para la virtud de la esperanza es un ancla. El ancla es vista también como un símbolo de la cruz de Cristo, por el cual somos salvados y tenemos esperanza. ¿Cómo la esperanza es un ancla en su familia hoy en día?

Exprésalo

Observen las fotos en esta unidad que enseñan a personas mostrando amor a otros. Conversen acerca de cómo su familia puede demostrar amor a sus vecinos, su familia parroquial y su comunidad. Planifiquen hacer juntos una obra de amor por alguien en necesidad.

Realidad

"El hogar cristiano es el lugar en que los hijos reciben el primer anuncio de la fe".

(Catecismo de la Iglesia Católica, 1666)

Mostrando amor

La Iglesia está enriquecida con personas generosas que siguen sus vocaciones con fidelidad y amor. ¿Quiénes son las parejas casadas, personas solteras, sacerdotes, diáconos, religiosos y religiosas que su familia conoce? Hagan algo para celebrar sus vocaciones y agradecerles sus ejemplos cristianos—envíenles un correo electrónico o una tarjeta, llámenlos o invítenlos a su casa a cenar.

Tarea

Las tareas para esta unidad son:

Capítulo 22: Conversando sobre las formas de vivir las Bienaventuranzas

Capítulo 23: Decidiendo participar activamente en su parroquia

Capítulo 24: Decidiendo ser una "iglesia doméstica"

Capítulo 25: Trabajando juntos en las tareas del hogar

Capítulo 26: Participando en un proyecto de servicio local

Dear Family

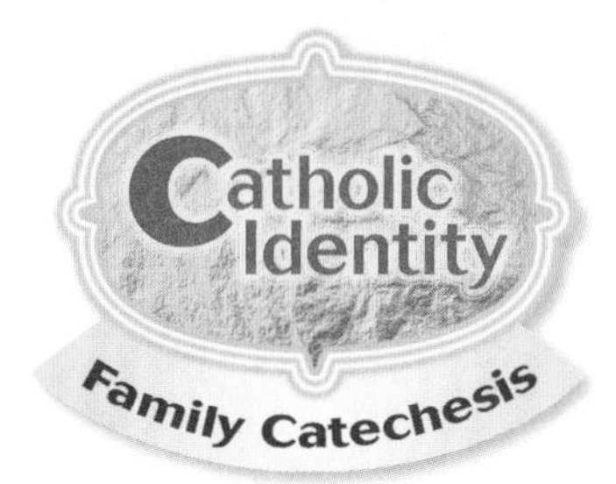

In Unit 4 your child will grow as a disciple of Jesus by:

- choosing to practice the virtues of faith, hope and love and living the Beatitudes that Jesus taught
- learning the ways disciples of Jesus can follow him as laypeople, ordained men, or religious
- appreciating that the Sacrament of Matrimony is celebrated as a life-long covenant
- understanding that in the Sacrament of Holy Orders men are ordained to serve as deacons, priests, and bishops
- recognizing the four special marks or characteristics of the Church: one, holy, catholic, and apostolic.

Reality Check

"The Christian home is the place where children receive the first proclamation of the faith."

(*Catechism of the Catholic Church*, 1666)

Show That You Care

The Church is enriched by generous people who follow their vocations with faithfulness and love. Who are the married couples, single people, priests, deacons, brothers and sisters your family knows? Do something to celebrate their vocations and to thank them for their Christian examples—send an e-mail or a card, call them, or invite them for dinner.

The Christian symbol used for the virtue of hope is an anchor. The anchor is also seen as a representation of Christ's Cross, through which we are saved and so have hope. How does hope anchor your family today?

Picture This

Look at the photos in this unit that show people acting in loving ways toward others. Talk about the ways your family can show love to your neighbors, your parish family, your community. Plan on doing a loving act together for someone in need.

Take Home

Be ready for this unit's Take Home:

Chapter 22: Discussing ways to live out the Beatitudes

Chapter 23: Choosing to be active in your parish

Chapter 24: Deciding to be the "domestic Church"

Chapter 25: Working together on family tasks

Chapter 26: Participating in a local service project

22 Fe, esperanza y caridad

NOS CONGREGAMOS

✝ **Líder:** Dios de amor, llena nuestros corazones de paz y comparte tu amor con nosotros. Bendito sea tu nombre Señor.

Todos: Ahora y siempre.

Lector: Lectura de la primera carta de san Pablo a los Corintios.

". . .aunque mi fe fuera tan grande como para trasladar montañas, si no tengo amor, nada soy. . . . El amor es paciente y bondadoso. . .Ahora permanecen estas tres cosas: la fe, la esperanza, el amor, pero la más excelente de todas es el amor". (1 Corintios 13:2, 4, 13)

Palabra de Dios.

Todos: Te alabamos, Señor.

♫ **Amémonos unos a otros**

Hermanos amémonos unos a otros,
porque Dios es amor.
Y todo el que ama es amigo de Dios,
y conoce a Dios.
El que no ama, no es de Dios.
Porque Dios es amor, Dios es amor.
Hermanos amémonos unos a otros.

¿Qué decisiones has tomado recientemente? ¿Fueron esas decisiones fáciles o difíciles? ¿Cómo afectan tus decisiones a los demás?

CREEMOS

Creemos en Dios y en todo lo que la Iglesia enseña.

Cristo nos llama todos los días a seguirle y a vivir de acuerdo a sus enseñanzas. Cada día tenemos la oportunidad de actuar como discípulos de Jesús. Las decisiones que tomamos muestran si seguimos o no el ejemplo de Jesús. Algunas veces no nos damos cuenta de que estamos tomando una decisión. Mostramos amor y respeto porque tenemos el hábito de hacerlo. Una **virtud** es un buen hábito que nos ayuda a actuar de acuerdo al amor de Dios por nosotros.

Faith, Hope, and Love

WE GATHER

Leader: Loving God, fill our hearts with peace and share your love with us. Blessed be the name of the Lord.

All: Now and for ever.

Reader: A reading from the first Letter of Saint Paul to the Corinthians

"If I have all faith so as to move mountains, but do not have love, I am nothing . . . Love is patient, love is kind . . . . Faith, hope, love remain, these three; but the greatest of these is love." (1 Corinthians 13:2, 4, 13)

The word of the Lord.

All: Thanks be to God.

God's Greatest Gift

Love, love, Jesus is love.
God's greatest gift is the gift of love.
All creation sings together,
praising God for love.

What are some choices you have had to make recently? Were your decisions easy or difficult to make? How did your decisions affect you and others?

WE BELIEVE

We believe in God and all that the Church teaches.

Every day Christ calls us to follow him and to live by his teachings. Every day we have the opportunity to act as Jesus' disciples. The choices that we make show whether or not we follow Jesus' example. Sometimes we do not even realize that we are making a choice. We show love and respect because we are in the habit of doing it. A **virtue** is a good habit that helps us to act according to God's love for us.

Las *virtudes teologales* de fe, esperanza y caridad nos acercan a Dios y aumentan nuestro deseo de estar con él por siempre. Son llamadas teologales porque son dones de Dios, *teo* viene del griego y significa "Dios." Ellas hacen posible que tengamos una relación con Dios, Padre, Hijo y Espíritu Santo.

La virtud de la **fe** nos ayuda a creer en Dios y todo lo que la Iglesia enseña. La fe nos ayuda a creer todo lo que Dios nos ha dicho sobre él y todo lo que ha hecho. El don de la fe nos ayuda a creer que Dios está con nosotros y actúa en nuestras vidas.

Dios hace posible la fe, pero la fe es una decisión que tomamos. Jesús dijo una vez: "Dichosos los que han creído sin haber visto" (Juan 20:29). Escogemos responder al regalo divino del don de la fe. Escogemos creer. La fe nos dirige a querer entender más sobre Dios y su plan para con nosotros, para que nuestra fe en él pueda fortalecerse.

Nuestra fe es la fe de la Iglesia. Es por medio de la comunidad de la Iglesia que creemos. Por esta comunidad de fe aprendemos lo que significa creer. Nuestra fe es guiada y fortalecida por la Iglesia.

Los seguidores de Jesús una vez le pidieron: "Auméntanos la fe" (Lucas 17:5). Ellos entendieron que la fe podía crecer por el poder de Dios. Para que la fe aumente, necesitamos leer la Biblia, rezar a Dios para fortalecer nuestra fe y dar testimonio de nuestra fe con nuestra vida. Somos testigos de Cristo cuando hablamos y actuamos basados en la buena nueva. Como discípulos de Cristo somos llamados a mostrar a otros nuestra fe en Dios y ayudarles a creer.

Con un compañero usa cada una de las letras para describir la fe.

F elicidad

E speranza

¿Cómo puedes aumentar tu fe?

Confiamos en Dios, en su amor y su cuidado.

La **esperanza** es una virtud que nos ayuda a confiar en la promesa de Dios de compartir su vida con nosotros por siempre. La esperanza hace que confiemos en el amor y el cuidado que Dios nos tiene. La esperanza nos protege del desaliento en tiempos difíciles. También nos ayuda a confiar en Cristo y la fortaleza del Espíritu Santo.

La esperanza es un don que nos ayuda a responder a la felicidad que Dios nos ofrece ahora y en el futuro. La esperanza nos ayuda a trabajar para predicar el Reino de Dios aquí en la tierra y esperar ansiosos el reino en el cielo.

Jesus teaching the Beatitudes from the motion picture Jesus of Nazareth.

The *theological virtues* of faith, hope, and love bring us closer to God and increase our desire to be with God forever. They are called theological because *theo* means "God" and these virtues are gifts from God. They make it possible for us to have a relationship with God—the Father, the Son, and the Holy Spirit.

The virtue of **faith** enables us to believe in God and all that the Church teaches us. Faith helps us to believe all that God has told us about himself and all that he has done. The gift of faith helps us to believe that God is with us and is acting in our lives.

God makes faith possible, but faith is still a choice we make. Jesus once said, "Blessed are those who have not seen and have believed" (John 20:29). We choose to respond to God's gift of faith. We choose to believe. Faith leads us to want to understand more about God and his plan for us, so that our belief in him can grow stronger.

Our faith is the faith of the Church. It is through the community of the Church that we come to believe. Through this community of faith we learn what it means to believe. Our faith is guided and strengthened by the Church.

Jesus' followers once asked him to "increase our faith" (Luke 17:5). They understood that faith could grow by the power of God. To grow in faith, we need to read the Bible, pray to God to make our faith stronger, and give witness to our faith by the way we live. We give witness to Christ when we speak and act based upon the Good News. As Christ's disciples we are called to show others our belief in God and to help them believe.

With a partner use each of the letters below to describe faith.

F ______________________________

A ______________________________

I ______________________________

T ______________________________

H ______________________________

How can you grow in faith this week?

We trust in God and are confident in his love and care for us.

The virtue of **hope** enables us to trust in God's promise to share his life with us forever. Hope makes us confident in God's love and care for us. Hope keeps us from becoming discouraged or giving up when times are difficult. Hope helps us to trust in Christ and to rely on the strength of the Holy Spirit.

Hope is a gift that helps us to respond to the happiness that God offers us now and in the future. Hope helps us work to spread the Kingdom of God here on earth, and to look forward to the Kingdom in heaven.

Desde el inicio de su ministerio, Jesús dio a la gente una razón para confiar en la misericordia de Dios. Dios no ha olvidado a su pueblo. Él envió a su único Hijo a compartir su amor y su vida con ellos. Jesús les trajo el perdón y la sanación de Dios. Él les dio esperanza de paz y vida con Dios.

Las Bienaventuranzas, puedes encontrarlas en la página 309, son enseñanzas de Jesús muy importantes. Cada una empieza con la palabra *dichosos* que significa "felices". En las Bienaventuranzas Jesús describe la felicidad que viene a los que siguen su ejemplo de vivir y confiar en el cuidado de Dios. Las Bienaventuranzas describen las formas en que los discípulos de Cristo deben actuar y pensar. Ellas son una promesa de las bendiciones de Dios. Nos dan una razón de esperar en el Reino de Dios, también llamado reino de los cielos.

Comparte una cosa que te da esperanza.

yo tengo la esperanza de vivir muchos años

Podemos amar a Dios y a los demás.

Durante su ministerio Jesús enseñó a la gente sobre el significado de los Diez Mandamientos. Les dio las Bienaventuranzas como modelo para vivir y trabajar para la felicidad futura. Jesús mostró al pueblo que la ley de Dios es la ley del amor.

Una vez le preguntaron a Jesús cual era el más importante de los mandamientos de Dios. Él respondió diciendo: "*Amarás al Señor tu Dios, con todo tu corazón, con toda tu alma* y con toda tu mente. Este es el primer mandamiento y el más importante. El segundo es semejante a éste: *Amarás a tu prójimo como a ti mismo*" (Mateo 22:37–39).

El amor es posible porque Dios nos amó primero. Todo el amor viene de Dios. El amor de Dios nunca termina. Él siempre está ahí con nosotros, especialmente en la comunidad de la Iglesia. La virtud de la **caridad** nos permite amar a Dios y amar a nuestro prójimo. El amor es la mayor de todas las virtudes. Todas las demás vienen de ella y llevan a ella. El amor es la meta de nuestras vidas cristianas.

Antes de morir, Jesús dijo a sus discípulos: "Les doy un mandamiento nuevo: Ámense los unos a los otros. Como yo los he amado, así también ámense los unos a los otros. Por el amor que se tengan los unos a los otros reconocerán que son discípulos míos" (Juan 13:34–35).

Jesús nos mostró como amar. Él mantuvo su promesa, vivió de acuerdo a las virtudes, cuidó de sus amigos y familiares y trató a todo el mundo con respeto. Escuchó a la gente y cuidó de sus necesidades, aun cuando estuviera cansado. Luchó por los derechos de los demás y los ayudó a encontrar paz y consuelo.

¿Cómo se reconocen los discípulos de Jesús? Trabaja en grupo y escenifiquen las maneras.

Como católicos...

Las virtudes teologales son la base de las virtudes humanas. Las virtudes humanas son hábitos que se forman por nuestro propio esfuerzo. Nos llevan a vivir una buena vida. Resultan de las decisiones que tomamos, una y otra vez, de cumplir la ley de Dios. Estas virtudes humanas guían la forma en que pensamos, sentimos y actuamos. Cuatro de esas virtudes son llamadas "cardinales": prudencia, justicia, fortaleza y templanza.

Averigua más sobre estas virtudes.

From the beginning of his ministry, Jesus gave people a reason to hope in God's mercy. God had not forgotten his people. He had sent his only Son to be with them and to share his life and love with them. Jesus brought them God's forgiveness and healing. He gave them the hope of peace and life with God.

The Beatitudes, which can be found on page 321, are a very important teaching of Jesus. Each beatitude begins with the word *blessed* which means "happy." In the Beatitudes, Jesus describes the happiness that comes to those who follow his example of living and trusting in God's care. The Beatitudes describe the ways Christ's disciples should think and act. They are a promise of God's blessings. They give us reason to hope in the Kingdom of God, also called the Kingdom of heaven.

 Share one thing that gives you hope.

____

____

As Catholics...

The theological virtues are the foundation of the human virtues. The human virtues are habits that come about by our own efforts. They lead us to live a good life. They result from our making the decision, over and over again, to live by God's law. These human virtues guide the way we think, feel, and behave. Four of these are called "Cardinal" Virtues: prudence, justice, fortitude, and temperance. Find out more about each of these virtues.

We are able to love God and one another.

During his ministry Jesus taught the people about the meaning of the Ten Commandments. He gave them the Beatitudes as a model for living and working toward future happiness. Jesus showed the people that God's law is a law of love.

Once Jesus was asked what commandment of God's Law was the greatest. Jesus responded by saying "You shall love the Lord, your God, with all your heart, with all your soul, and with all your mind. This is the greatest and the first commandment. The second is like it: You shall love your neighbor as yourself" (Matthew 22:37–39).

Love is possible because God loves us first. All love comes from God. God's love for us never ends. He is always there for us, especially through the Church community. The virtue of **love** enables us to love God and to love our neighbor. Love is the greatest of all virtues. All the other virtues come from it and lead back to it. Love is the goal of our lives as Christians.

Before he died Jesus told his disciples, "I give you a new commandment: love one another. As I have loved you, so you also should love one another. This is how all will know that you are my disciples, if you have love for one another" (John 13:34–35).

Jesus showed us how to love. He kept his promises, lived by the virtues, took care of his family and friends, and treated all people with respect. He listened to people and cared for their needs, even when he was tired. He stood up for the rights of others and helped them to find peace and comfort.

How can you recognize Jesus' disciples? Work in groups and act out some ways.

Los santos son modelos para vivir una vida virtuosa.

Desde el origen de la Iglesia, los discípulos de Cristo han sido testigos de su fe. Ellos predicaron la buena nueva de Jesucristo, siguieron las enseñanzas de los apóstoles y vivieron como una comunidad de creyentes.

Muchos de estos primeros discípulos fueron mártires, personas que prefirieron morir antes que negar su fe en Cristo. La palabra *mártir* viene de una palabra griega que significa "testigo". Recordamos y honramos a esos mártires y muchos otros que a través de la historia han dado sus vidas por nuestra fe.

En el siglo XVI, los misioneros cristianos llevaron la fe por primera vez a Vietnam. Durante los tres siguientes siglos los cristianos en Vietnam sufrieron por su fe. Muchos fueron martirizados, especialmente durante los años 1820 a 1840. En 1988, el Papa Juan Pablo II proclamó santos a un grupo de ciento diecisiete de estos mártires.

La mayoría de ellos eran laicos. También había sacerdotes, algunos obispos y hermanos y hermanas religiosos. Muchos de ellos eran misioneros. Andrew Dung-Lac era un sacerdote vietnamita que murió junto con el padre Peter Thi.

Andrew Trong Van Tram era un soldado y oficial de la armada. Él había mantenido su fe en secreto. En 1834 las autoridades descubrieron que Andrew, quien era católico, estaba ayudando a los misioneros. Fue destituido de su posición de oficial y fue encarcelado. Se le dio la oportunidad de salir libre si renegaba de su fe. Él se negó y por eso en 1835 fue asesinado por su fe.

Anthony Dich Nguyen era un rico granjero que contribuía con la Iglesia. Él ayudaba a los misioneros de Paris Foreign Mission Society que servía en Vietnan. Escondió a sacerdotes que trataban de escapar de la persecución del gobierno. Anthony fue arrestado y golpeado por su fe y por haber escondido a sacerdotes católicos.

Anthony Dich Nguyen

Estos santos hicieron posible que futuras generaciones vietnamitas conocieran a Cristo. La fiesta de estos mártires de Vietnam se celebra el 24 de noviembre. También recordamos y honramos a esos mártires en sus días de fiesta. Andrew Dung-Lac y Pedro Thi el 21 de diciembre y Andrew Trong van Tram el 28 de noviembre.

RESPONDEMOS

Imitamos el ejemplo de los santos para vivir las virtudes de fe, esperanza y caridad. Escribe el nombre de un santo.

San francisco de asis

Con un compañero habla de las formas en que puedes seguir su ejemplo.

Vocabulario

virtud (pp 333)
fe (pp 332)
esperanza (pp 331)
caridad (pp 331)

The saints are models for living the life of virtue.

From the very beginning of the Church, Christ's disciples have given witness to their faith in him.They spread the Good News of Jesus Christ, followed the teaching of the Apostles, and lived as a community of believers.

Many of these early disciples were martyrs, people who died rather than give up their belief in Christ. The word *martyr* comes from the Greek word for "witness." We remember and honor these martyrs, and the many others throughout history who have given their lives for their faith.

Andrew Trong Van Tram

In the sixteenth century, Christian missionaries first brought the faith to Vietnam. During the next three centuries, Christians in Vietnam suffered for their beliefs. Many were martyred, especially during the years of 1820 to 1840. In 1988, Pope John Paul II proclaimed a group of one hundred seventeen of these martyrs as saints.

The majority of those honored were laypeople. There were also many priests, some bishops, and religious sisters and brothers. Many of them were missionaries. Andrew Dung-Lac was a Vietnamese priest who was martyred, along with Father Peter Thi.

Andrew Trong Van Tram was a soldier and later an officer in the army. He had to keep his faith a secret. In 1834 the authorities discovered that Andrew, who was Catholic, was helping the missionaries. His position as an officer was taken away from him, and he was put in prison. He was given the chance to be freed if he would stop practicing his faith. He refused to do so, and in 1835 he was killed for his belief.

Anthony Dich Nguyen was a wealthy farmer who contributed to the Church. He helped the missionaries of the Paris Foreign Mission Society who served in Vietnam. He hid priests who were trying to escape government persecution. Anthony was arrested and beaten because of his faith and because he sheltered these Catholic priests.

These holy people made it possible for future generations of Vietnamese to know Christ and learn the faith. The feast day of the martyrs of Vietnam is November 24. We also remember and honor some of these martyrs with their own feast days: Andrew Dung-Lac and Peter Thi on December 21 and Andrew Trong Van Tram on November 28.

WE RESPOND

We look to the saints as examples for living the virtues of faith, hope, and love. Name one saint that you know about.

____

With a partner talk about ways we can follow the example of the saints.

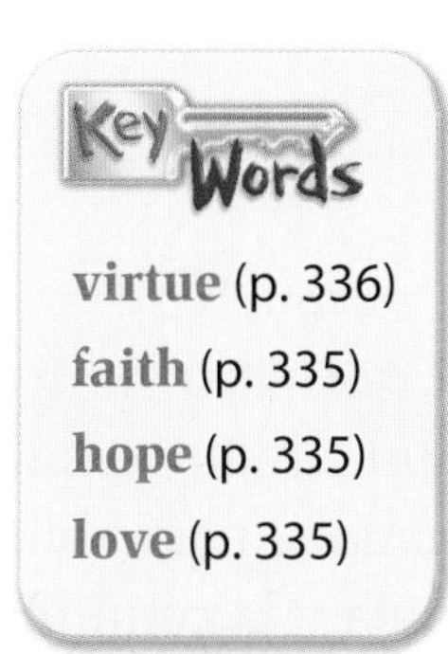

virtue (p. 336)
faith (p. 335)
hope (p. 335)
love (p. 335)

Curso 5 • Capítulo 22

HACIENDO DISCIPULOS

Emily M.

Muestra lo que sabes

Haz un juego usando las palabras del Vocabulario. Escribe las palabras que faltan y sus definiciones en diferentes cuadros. Después, cubre cada cuadro con un pedazo de papel. Para jugar, pide a un compañero escoger cuadros y encontrar la pareja de palabras y definiciones.

La mayor de todas las virtudes que nos permite amar a Dios y a nuestro prójimo	Es un buen habito que nos ayuda a actuar de acuerdo al amor de Dios por nosotros	Nos ayuda a creer en Dios y todo lo que la iglesia nos enseña	Es una virtud que nos ayuda a confiar en la promesa de Dios
virtud	fe	caridad	esperanza

Hazlo

¿Cuáles son algunas formas en que puedes mostrar fe, esperanza y caridad? Haz una lista aquí:

Creyendo en Dios.
haciendo oracion.
Ayudando a los demas.

RETO PARA EL DISCIPULO Mira tus ideas y encierra en un círculo lo que puedes hacer esta semana para vivirlas en tu casa, la escuela y la comunidad.

Dios de amor,
Sé que me creaste para amarte.
Me amas de todos modos-como me creaste.
Dios, tú ves mis talentos escondidos y sabes lo que puedo hacer.
Algunas veces estoy triste, no me gusto como soy.
Ayúdame a verme como tú me ves.
Amén.

Grade 5 • Chapter 22

PROJECT DISCIPLE

Show What you Know

EMILY

Make a memory game using the Key Words. Write the remaining Key Words and definitions in different squares. Then, cover each square with a sticky note or scrap paper. Play the game by asking a partner to choose squares to find matching pairs of Key Words and definitions.

the greatest of all virtues that enables us to love God and to love our neighbor			
	Faith	love	Hope

Make it Happen

What are some ways that you can show faith, hope, and love? Make a list here:

____

____

____

____

____

DISCIPLE CHALLENGE Look over your ideas. Circle one that you will live out this week at school, at home, and in the community.

Dear God,
I know you created me out of love.
You love me no matter what—just the way I am.
God, you see my hidden talents and know what I can do.
Sometimes I am not happy being me.
Help me to see myself as you see me.
Amen.

HACIENDO DISCIPULOS

Tu mamá ha empezado a trabajar medio tiempo. Ves que no tiene el tiempo para hacer las cosas que solía hacer. Tú:

la ayudaria con algunas cosas en la casa.

Recuerda que tenemos la oportunidad de actuar como Jesús todos los días.

Compártelo.

Investiga

La Iglesia tiene un proceso especial para honrar a los que han vivido vidas santas y han sido testigos de Jesucristo. Este proceso es llamado *canonización*. Durante este proceso los líderes de la Iglesia examinan la vida de una persona cuyo nombre ha sido sometido para ser considerada santa. Ellos reúnen pruebas de que la persona ha vivido una vida de fe y santidad. Cuando alguien es canonizado, su nombre es oficialmente inscrito en la lista mundial de santos reconocidos por la Iglesia Católica. Cada santo es recordado en un día especial durante el año litúrgico. ¿Cómo se llama el proceso especial de la Iglesia para santificar a alguien? Para que una persona sea nombrada santa ¿qué tipo de vida debe vivir?

RETO PARA EL DISCIPULO Visita la página web del Vaticano para contestar estas preguntas sobre la canonización:

- ¿Cuáles son dos títulos que la Iglesia da a los virtuosos que no están canonizados aún?

  ____

- ¿Qué evidencias son usadas para probar que una persona merece ser santa?

  ____

Tarea

Reúne a tu familia. Vean el cuadro en la página 309 que describe algunas formas para vivir las Bienaventuranzas. Escojan una bienaventuranza que la familia pondrá en práctica esta semana.

____

____

____

PROJECT DISCIPLE

What Would you do?

Your mother has recently started a part-time job. You notice that she doesn't have the time to do all the things that she used to do. You

____

____.

Remember, every day we have the opportunity to act as Jesus' disciples.

Now, pass it on!

More to Explore

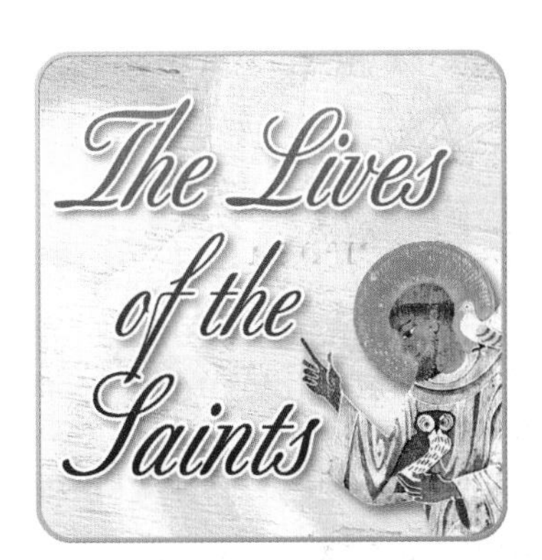

The Church has a special process to honor people who have lived very holy lives and have witnessed to Jesus Christ. This process, is called *canonization*. During this process Church leaders examine the life of a person whose name has been submitted for sainthood. They gather proof that the person has lived a life of faith and holiness. When someone is canonized, his or her name is officially entered into the worldwide list of saints recognized by the Catholic Church. Each saint is remembered on a special day during the Church year. What is the Church's special process of becoming a saint called? For a person to be named a saint, what kind of life would they have lived?

DISCIPLE CHALLENGE Visit the Vatican web page to find the answers to these questions about canonization.

- What are two titles that the Church gives to people of virtue who are not yet saints?

  ____

- What evidence is used to prove a person worthy of sainthood?

  ____

Take Home

Gather your family together. Look over the chart on page 321 which describes some ways to live the Beatitudes. Choose a beatitude that your family will live out this week.

____

____

____

Catequesis en el hogar

Capítulo 22 (páginas 238–249)

Fe, esperanza y caridad

En este capítulo su hijo(a) aprenderá sobre las virtudes teologales de fe, esperanza y caridad.

Para los padres

Un hábito que nos ayuda a hacer el bien es una virtud. Hay cuatro virtudes cardinales: prudencia, justicia, fortaleza y templanza. Las virtudes cardinales están basadas en las virtudes teologales: fe, esperanza y caridad. Las virtudes teologales se relacionan directamente con Dios y nuestra relación con él.

Todos los días

- Encienda una vela, hagan la señal de la cruz y ofrezcan una corta oración pidiendo a Dios que bendiga el momento que van a pasar juntos.

Primer día **Creemos en Dios y en todo lo que la Iglesia enseña.**

- Pida a su hijo(a) que lea en voz alta el título. Túrnense para leer el texto.
- Ponga énfasis en la importancia de la virtud de la fe para los cristianos. Explique que nuestra fe tiene una dimensión individual y una comunitaria. Es la fe de la Iglesia la que nos guía y dirige.

Segundo día **Confiamos en Dios, en su amor y su cuidado.**

- Lea el título en voz alta. Túrnense para leer el texto que sigue.
- Ponga énfasis en que Jesús llevó esperanza y paz a la gente a quien sanó y perdonó en nombre de Dios. Las Bienaventuranzas nos dan la razón por la esperanza en el reino de Dios. Pida a su hijo(a) que explique con sus propias palabras el significado de *virtud, fe* y *esperanza.*

Tercer día **Podemos amar a Dios y a los demás.**

- Túrnense para leer el título y el texto que sigue. Ponga énfasis en que la virtud teologal de la caridad es la más importante de las virtudes. Jesús nos enseñó a amar.
- Señale la diferencia entre el significado popular de la palabra amor y el ejemplo de amor de Jesús. Pregunte: *¿Cómo podemos reconocer a los discípulos de Jesús?* Converse sobre algunas formas. Recen un acto de caridad juntos.

Cuarto día **Los santos son modelos para vivir una vida virtuosa.**

- Túrnense para leer el título y el texto que sigue. Ponga énfasis en que dar testimonio de fe empezó desde el inicio de la Iglesia.
- Pida a su hijo(a) que piense en un santo de quien haya oído hablar. Conversen sobre cómo podemos seguir el ejemplo de los santos, tal como amando a Dios y a los demás.

Respondemos en fe

Quinto día

- Ayude a su hijo(a) a recordar los puntos principales del capítulo.

Sexto día

- Tome tiempo para conversar en familia sobre las personas en su vida que dan ejemplo de vida santa y fidelidad a Dios.

Catechesis at Home

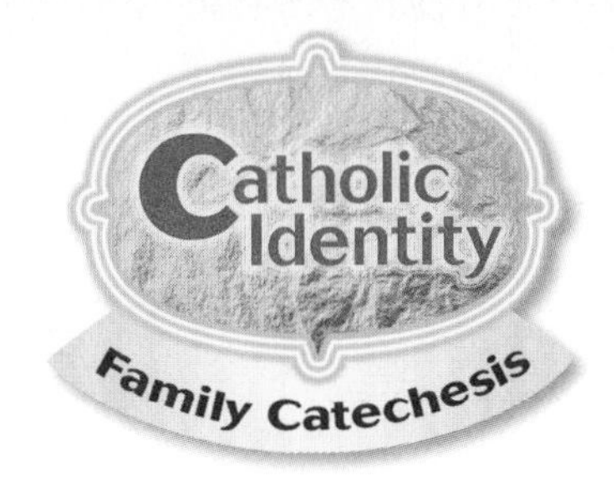

Chapter 22 (pages 238–249)

Faith, Hope, and Love

In this chapter your child will learn about the theological virtues of faith, hope, and love.

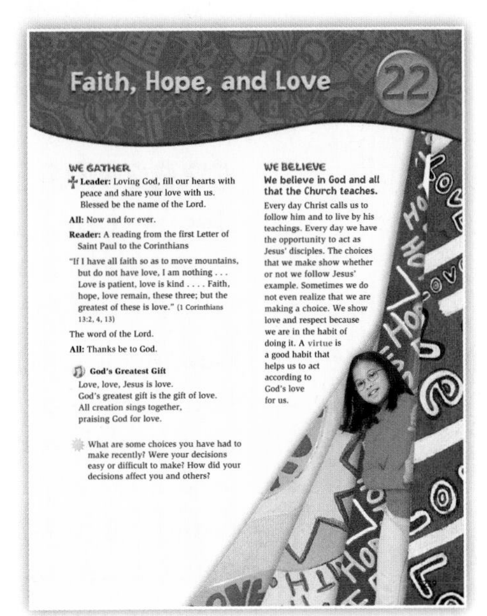

Faith, Hope, and Love 22

WE GATHER

Leader: Loving God, fill our hearts with peace and share your love with us. Blessed be the name of the Lord.

All: Now and for ever.

Reader: A reading from the first Letter of Saint Paul to the Corinthians

"If I have all faith so as to move mountains, but do not have love, I am nothing . . . Love is patient, love is kind . . . . Faith, hope, love remain, these three; but the greatest of these is love." (1 Corinthians 13:2, 4, 13)

The word of the Lord.

All: Thanks be to God.

God's Greatest Gift
Love, love, Jesus is love.
God's greatest gift is the gift of love.
All creation sings together,
praising God for love.

What are some choices you have had to make recently? Were your decisions easy or difficult to make? How did your decisions affect you and others?

WE BELIEVE

We believe in God and all that the Church teaches.

Every day Christ calls us to follow him and to live by his teachings. Every day we have the opportunity to act as Jesus' disciples. The choices that we make show whether or not we follow Jesus' example. Sometimes we do not even realize that we are making a choice. We show love and respect because we are in the habit of doing it. A virtue is a good habit that helps us to act according to God's love for us.

For the Parents

A habit that helps us to do good is called a virtue. There are four cardinal virtues: prudence, justice, fortitude, and temperance. The cardinal virtues are rooted in the three theological virtues: faith, hope, and love. The theological virtues relate directly to God and our relationship with him.

Every Day

- Light a candle, pray the Sign of the Cross together, and offer a short prayer asking God to bless your time together.

Day One **We believe in God and all that the Church teaches.**

- Have your child read aloud the statement. Then take turns reading the text.
- Emphasize the importance of the virtue of faith for Christians. Explain that our faith has both individual and communal dimensions to it. It is the faith of the Church itself that guides and leads us.

Day Two **We trust in God and are confident in his love and care for us.**

- Read aloud the statement. Take turns reading the text that follows.
- Emphasize that Jesus brought hope and peace to the people whom he healed and forgave in God's name. The Beatitudes give us reason to hope in the Kingdom of God. Have your child explain the meanings of *virtue, faith,* and *hope* in his or her own words.

Day Three **We are able to love God and one another.**

- Take turns reading aloud the statement and the text that follows. Emphasize that the theological virtue of love is the greatest of all virtues. Jesus showed us how to love.
- Point out the difference between popular meanings of the word love and Jesus' example of love. Ask: *How can we recognize Jesus' disciples?* Talk about some ways. Then pray together an Act of Love.

Day Four **The saints are models for living the life of virtue.**

- Take turns reading the statement and the text. Emphasize that giving witness to the faith began from the very beginning of the Church.
- Have your child think of a saint he or she knows about. Then discuss ways we can follow the example of the saints, such as by praying and by loving God and others.

We Respond in Faith

Day Five

- Help your child recall some important points of the chapter.

Day Six

- Spend some time as a family talking about other people in your lives who offer a faithful and holy example of living.

Llamado a vivir como discípulos de Jesús

NOS CONGREGAMOS

Líder: Señor, que podamos seguir el llamado a hacer el bien en cualquier trabajo que hagamos.

Lector: Lectura del santo Evangelio según san Juan

"El que cree en mí, hará también las obras que yo hago, e incluso otras mayores, porque yo me voy al Padre. En efecto, cualquier cosa que pidan en mi nombre, lo haré, para que el Padre sea glorificado en el Hijo".
(Juan 14:12–13)

Palabra del Señor.

Todos: Gloria a ti, Señor Jesús.

Piensa en una vez en que a un grupo al que pertenecías se le dio un trabajo para hacer. ¿Cuál fue el trabajo? ¿Cómo lo hizo el grupo?

CREEMOS

Jesús llama a los bautizados a servirle en el sacerdocio de los fieles.

Cuando Jesús fue bautizado en el Jordán, el Espíritu del Señor se posó sobre él. Esta unción del Espíritu Santo hace a Jesús sacerdote, profeta y rey. Nuestra unción en el Bautismo nos hace compartir en este papel de Cristo de sacerdote, profeta y rey.

Todo bautizado comparte en la misión sacerdotal de Jesús. Esto es conocido como **sacerdocio de los fieles**. En el sacerdocio de los fieles, todos somos llamados a servir, a alabar a Dios, a predicar la buena nueva de Jesucristo y a servir a los demás y a la Iglesia.

En el sacramento del Orden, sacerdotes y obispos se hacen miembros ordenados del sacerdocio. Ellos participan en la misión sacerdotal de Cristo de una forma especial. Ellos reciben la gracia para actuar en el nombre y la persona de Cristo.

Called to Live As Jesus' Disciples

23

WE GATHER

✝ **Leader:** Lord, may we follow your call to do good in whatever work we do.

Reader: A reading from the holy Gospel according to John

"Whoever believes in me will do the works that I do, and will do greater ones than these, because I am going to the Father. And whatever you ask in my name, I will do, so that the Father may be glorified in the Son." (John 14:12–13)

The Gospel of the Lord.

All: Praise to you, Lord Jesus Christ.

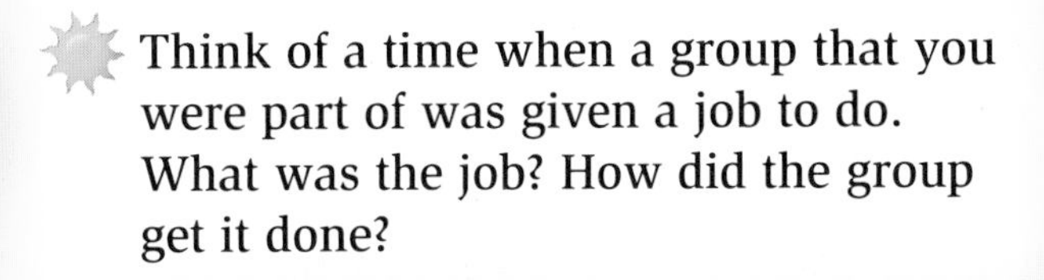

Think of a time when a group that you were part of was given a job to do. What was the job? How did the group get it done?

WE BELIEVE

Jesus calls the baptized to serve him in the priesthood of the faithful.

When Jesus was baptized at the Jordan, the Spirit of the Lord came upon him. This anointing by the Holy Spirit marked Jesus as priest, prophet, and king. Our anointing at Baptism makes us sharers in Christ's role as priest, prophet, and king.

So all those who are baptized share in Christ's priestly mission. This is known as the **priesthood of the faithful**. In the priesthood of the faithful, each and every one of us is called to worship God, spread the Good News of Jesus Christ, and serve one another and the Church.

In the Sacrament of Holy Orders, priests and bishops become members of the ordained priesthood. They participate in Christ's priestly mission in a unique way. They receive the grace to act in the name of and in the person of Christ.

Ser parte del sacerdocio de los fieles no es lo mismo que ser un sacerdote ordenado. Sin embargo, los miembros del sacerdocio de los fieles trabajan con los sacerdotes para dirigir y cuidar el pueblo de Dios. Estos hombres y mujeres nos ayudan a participar en la misión sacerdotal de Cristo. Ellos nos ayudan a enseñar la fe, a adorar y a cuidar de los necesitados.

Como miembros del sacerdocio de los fieles, continuamos aprendiendo sobre Jesús y las enseñanzas de la Iglesia. Vivimos el sacerdocio de los fieles reuniéndonos para celebrar la Misa y abriendo nuestros corazones a Dios en oración. Amamos a Dios y a los demás y predicamos la buena nueva de Cristo.

Nombra una forma en que la gente puede mostrar que es parte del sacerdocio de los fieles.

Los laicos comparten la misión de llevar la buena nueva de Cristo al mundo.

Porque todo cristiano comparte el sacerdocio de los fieles, tenemos una vocación común. Esta vocación es crecer en santidad y predicar el mensaje de la vida y trabajo salvador de Jesús. Dios nos llama a cada uno de nosotros a vivir nuestra vocación común en una forma específica. Podemos hacerlo como laicos, religiosos o ministros ordenados.

Laicos son todos los bautizados, miembros de la Iglesia que comparten la misión de llevar la buena nueva de Cristo al mundo. Los laicos son también llamados fieles cristianos. La mayoría de los católicos son laicos que escuchan el llamado de Dios para servir como solteros o casados.

Los solteros y los casados son personas que sirven a Dios y a la Iglesia de muchas formas. Ellos comparten el amor de Dios con sus familias y parroquias. Los esposos comparten el amor de Dios para formar una familia cristiana. La mayor parte de su tiempo es dedicado a cuidar de sus familias.

Los solteros comparten sus dones y talentos con otros por medio de su trabajo. Algunas veces cuidan de sus hermanos o toman la responsabilidad de cuidar de sus padres. Ellos pueden también dedicar su tiempo a sus parroquias y comunidades.

Perteneces a los fieles cristianos. Eres llamado a compartir la buena nueva en el hogar, la escuela y tu vecindario.

Puedes participar en las celebraciones de tu parroquia. Puedes vivir como Jesús enseñó. Puedes ser un ejemplo de cristiano para otros. Con tu familia y tu parroquia, puedes cuidar de las necesidades de los demás. Puedes defender lo que es correcto. Puedes ayudar a otros a ver el amor de Cristo y su presencia en el mundo.

Los laicos tienen una responsabilidad de llevar la buena nueva de Cristo a su lugar de trabajo y a sus comunidades. Ellos llevan a cabo esa misión tratando a los demás con justicia. También tienen la responsabilidad de actuar y tomar decisiones basadas en las enseñanzas de Jesús y su su fe.

Being part of the priesthood of the faithful is not the same thing as being an ordained priest. However, members of the priesthood of the faithful work with ordained priests to lead and care for God's People. These women and men help us to participate in Christ's priestly mission. They help us to learn the faith, to worship, and to care for the needs of others.

As members of the priesthood of the faithful, we continue to learn about Jesus and the teachings of the Church. We live out the priesthood of the faithful by gathering together for the celebration of the Mass and by opening our hearts to God in prayer. We focus on loving God and others, and on spreading the Good News of Christ.

Name one way people can show they are part of the priesthood of the faithful.

The laity share in the mission to bring the Good News of Christ to the world.

Because all Christians share in the priesthood of the faithful, we all share a common vocation, too. Our common vocation is to grow in holiness and spread the message of Jesus' life and saving work. God calls each of us to live out our common vocation in a particular way. We do this as laypeople, religious, or ordained ministers.

Laypeople are all the baptized members of the Church who share in the mission to bring the Good News of Christ to the world. Laypeople are also known as the Christian faithful or the laity. Most Catholics are members of the laity and follow God's call either in the single life or in marriage.

Single people and married people serve God and the Church in many ways. They share God's love in their families and parishes. A husband and wife share God's love with each other and form a new Christian family. Much of their time is focused on loving and caring for their families.

Single people can share their gifts and talents with others through their work. Sometimes they care for their brothers or sisters or take on extra responsibility in caring for their parents. They may also dedicate their time to their parishes and communities.

You are a member of the Christian faithful. You are called to share the Good News at home, in school, and in your neighborhood. You can take part in your parish celebrations. You can live as Jesus taught. You can be an example of Christian living for others. With your family and your parish, you can care for the needs of others. You can stand up for what is right. You can help others to see Christ's love and his presence in the world.

Laypeople have a responsibility to bring the Good News of Christ to their work and communities. They do this when they treat others fairly and justly. They also have a responsibility to act and make decisions based on the teachings of Jesus and on their faith.

Los fieles cristianos están llamados a ser activos en sus parroquias:

- participando en la celebración de los sacramentos y los programas parroquiales
- sirviendo como laicos: en el consejo parroquial, la escuela, el programa de educación religiosa, o la pastoral juvenil de la parroquia.
- participando en diferentes ministerios litúrgicos durante al Misa.

Los laicos también sirven en sus diócesis. Pueden trabajar en oficinas de educación, la liturgia y en otros ministerios.

Imagínate dentro de diez años. ¿En qué formas puedes verte participando en el trabajo de la Iglesia? Escenifícalo.

Mujeres y hombres en la vida religiosa sirven a Cristo, a sus comunidades y a toda la Iglesia.

Dios llama a algunos hombres y mujeres a la vida religiosa. **Religioso** se refiere a la persona que pertenece a una comunidad que sirve a Dios y a la Iglesia. Ellos se conocen como hermanas, hermanos y sacerdotes. Ellos se dedican al trabajo de Cristo por medio del trabajo en sus comunidades.

Los religiosos hacen votos, o promesas a Dios. Al tomar esos votos tratan de seguir el ejemplo de Jesús de vivir todos los días para Dios. Los votos que generalmente hacen son:

Castidad Ellos escogen vivir una vida de amor y servicio a la Iglesia y a su comunidad. No se casan. Prometen dedicarse al trabajo de Dios y de la Iglesia como miembros de sus comunidades.

Pobreza Ellos prometen vivir una vida simple como la que vivió Jesús. Comparten sus pertenencias y no tienen propiedades personales.

Obediencia Ellos prometen escuchar con cuidado las direcciones de Dios en sus vidas obedeciendo a los líderes de la Iglesia y sus comunidades. Ellos sirven dondequiera que la Iglesia y sus comunidades los envíen. Los religiosos tratan de vivir de la forma en que vivió Cristo y de cumplir la voluntad de Dios.

Muchos religiosos viven como una familia en una comunidad. Ellos rezan juntos, trabajan y comparten las comidas. Otros pueden vivir lejos de su comunidad y trabajan donde se les necesita.

Algunas comunidades se retiran de la sociedad. Esos religiosos generalmente viven en monasterios. Se dedican a la vida de oración por el mundo. Ya sea que trabajen en el campo, preparen comida para vender o trabajen en computadoras su trabajo es una forma de oración.

Otras comunidades combinan la oración con una vida de servicio fuera de sus comunidades. Estas hermanas, hermanos y sacerdotes pueden servir en diferentes ministerios parroquiales. Ellos también enseñan, son misioneros, médicos, enfermeras o trabajadores sociales. De esa forma pueden ayudar directamente a los pobres, a los ancianos y a los necesitados.

The Christian faithful are called to be active in their parishes. We

- participate in the celebration of the sacraments and parish programs
- serve as lay ecclesial ministers: on the pastoral council, in the parish school or religious education program, in youth ministry, and more
- perform different liturgical ministries during the Mass.

The laity serve in their dioceses, too. They may work in offices for education, worship, youth, and social ministries.

Imagine yourself ten years from now. In what ways do you see yourself taking part in the work of the Church? Act these out.

Women and men in religious life serve Christ, their communities, and the whole Church.

God calls some women and men to the religious life. **Religious** refers to the women and men who belong to communities of service to God and the Church. They are known as religious sisters, brothers, and priests. They devote themselves to Christ's work through the work of their communities.

Religious make vows, or promises, to God. By taking these vows religious try to follow Jesus' example of living each day for God. The vows that religious sisters, brothers, and priests often make are:

Chastity They choose to live a life of loving service to the Church and their community. They do not marry. Instead they promise to devote themselves to the work of God and to the Church as members of their communities.

Poverty They promise to live simply as Jesus did. They agree to share their belongings and to own no personal property.

Obedience They promise to listen carefully to God's direction in their lives by obeying the leaders of the Church and of their communities. They serve wherever their community and the Church need them. Religious try to live the way Christ did and follow God's will.

Many religious live as a family in one community. They pray together, work together, and share their meals. Other religious may live away from their community and work where they are needed.

Some communities are set apart from the rest of society. These religious usually live in places called monasteries. They devote their lives to praying for the world. Whether they farm, prepare food to sell, or work on computers, their work is a way of prayer.

Other communities combine prayer with a life of service outside their communities. These religious sisters, brothers, and priests may serve in many different parish ministries. They may also be teachers, missionaries, doctors, nurses, or social workers. In these ways they can directly help those who are poor, elderly, suffering, or in any type of need.

Juntos, los laicos, los religiosos y los ministros ordenados, componen la Iglesia. Ningún grupo es más importante o especial que otro. La Iglesia necesita de todos sus miembros para poder continuar el trabajo de Jesús.

Habla sobre las formas en que las religiosas, los religiosos y los sacerdotes pueden servir en tu comunidad.

La amistad nos prepara para futuras vocaciones.

Para la mayoría de nosotros descubrir nuestra vocación es un proceso que toma muchos años. Se nos pide rezar y pensar en nuestros talentos y habilidades. El Espíritu Santo nos guiará y nos ayudará cuando rezamos por nuestro futuro. Nuestra familia, nuestra parroquia y amigos también nos apoyan mientras tratamos de descubrir a que nos llama Dios.

Puede que no te des cuenta de esto pero ahora te estás preparando para tu futura vocación. Las formas en que estás respondiendo a Dios y a otras personas en tu vida te están preparando para responder a Dios en el futuro.

Ahora mismo estás descubriendo la importancia de la responsabilidad, la fidelidad y el amor propio. Estos valores son esenciales en todas tus relaciones. También estás aprendiendo, con tu familia y con tus amigos, sobre el amor y el servicio.

sacerdocio de los fieles (pp 333)
laico (pp 332)
religiosos (pp 333)

La amistad es parte importante para descubrir lo que significa ser fieles a Cristo y a los demás. Los buenos amigos son fieles unos a otros y a las promesas que se hacen. Son honestos y se ayudan. Sin embargo, algunas veces los amigos cometen errores. Ellos olvidan algo importante o se ofenden. Pero aprenden a perdonarse. Ellos se animan a ser justos y a amarse en el futuro.

Los buenos amigos nos ayudan a vivir como discípulos de Cristo en la casa, la escuela y el vecindario. Ellos también nos preparan para servir a Dios en cualquiera que sea nuestra vocación.

RESPONDEMOS

Dios nos llama a cumplir nuestra misión. He aquí tres formas en que podemos escuchar el llamado de Dios: con la oración, con los consejos de personas buenas y reconociendo las habilidades y talentos que Dios nos ha dado.

Pon atención a cada una de estas formas. Escoge una para que te ayude a escuchar a Dios.

Como católicos...

Todos somos llamados a compartir la misión de la Iglesia. Podemos hacer eso rezando, con palabras y obras. Somos llamados a compartir la buena nueva de Cristo y a vivir vidas santas. Los laicos, los religiosos y los ministros ordenados también pueden hacer eso como misioneros.

Los misioneros sirven aquí en nuestro propio país y en lugares en todo el mundo. Ellos pueden pasar semanas, meses o años como misioneros. También viven con las personas a quienes sirven y comparten su amor con ellos. Algunos misioneros aprenden las costumbres y las tradiciones del pueblo al que sirven. Ellos muchas veces aprenden otros idiomas para poder enseñar sobre Jesús y la fe católica.

Together the laity, religious, and ordained ministers make up the Church. No one group is more important or special than another. The Church needs all its members to be able to continue Jesus' work.

Talk about the ways religious sisters, brothers, and priests may serve in your community.

Friendships prepare us for future vocations.

For most of us discovering our vocation is a process that takes many years. We are encouraged to pray and think about our talents and abilities. The Holy Spirit will guide and help us as we pray about our future. Our families, friends, and parish also support us as we try to find out what God is calling us to do.

You might not realize it, but you are actually preparing for your future vocation. The ways that you are responding to God and other people in your life right now are preparing you to respond to God in the future.

Right now you are discovering the importance of responsibility, faithfulness, and self-respect. These values are essential in all of your relationships. You are also learning about love and service in your families and with your friends.

Friendships are an important part of finding out what it means to be faithful to Christ and one another. Good friends are true to each other. They are honest. They keep their promises. They stand up for each other. However, friends sometimes make mistakes. They may forget something important or hurt each other's feelings. But they learn to forgive each other. They encourage each other to be fair and loving in the future.

Good friends help us to live as disciples of Christ at home, in school, and in our neighborhood. They also prepare us to serve God in whatever vocation we accept and follow.

We Respond

God calls us to our vocation. Here are three ways we can listen to God's call: through prayer, through advice from good people, and through recognizing our God-given abilities and talents.

Choose one of these ways to help you to listen to God's call.

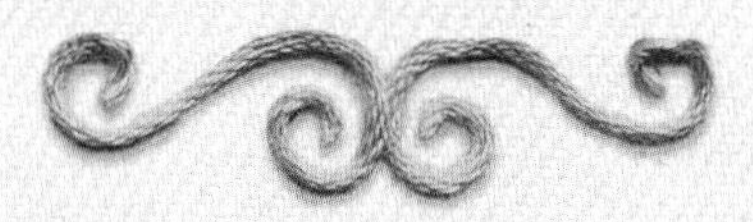

As Catholics...

All of us are called to share in the mission of the Church. We can do this by our prayers, words, and actions. We are called to share the Good News of Christ and to live lives of holiness. Laypeople, religious, and ordained ministers can also do this as missionaries.

Missionaries serve here in our own country and in places all over the world. They may spend weeks, months, or even years doing mission work. They live with the people they serve and share their love with them. Some missionaries learn the customs and traditions of the people they serve. They may even learn a new language so that they can teach about Jesus and the Catholic faith.

priesthood of the faithful (p. 336)
laypeople (p. 335)
religious (p. 336)

Emily M.

HACIENDO DISCÍPULOS

Muestra lo que sabes

Usando la L de laico y/o R de religioso, identifica los grupos a que corresponde cada afirmación.

1. L Por medio del Bautismo, comparte el sacerdocio de los fieles.
2. R Vive su fe como ciudadano, vota y trabaja.
3. R Hace votos de castidad, obediencia y pobreza.
4. L Puede seguir el llamado de Dios en la vida de casado.
5. R Dedica su vida a Cristo trabajando en su comunidad religiosa.

¿Qué harás?

Los buenos amigos nos ayudan a ser las personas que Dios quiere que seamos. ¿Qué consejo darás a alguien para hacer nuevos amigos?

Conviviendo con personas que piensan igual que tu.

Datos

El monasterio de San Antonio el Grande es el más antiguo de los monasterios cristianos activos en el mundo. Se construyó en el año 356 dC, en la tumba de san Antonio. El monasterio está localizado en un oasis en el desierto egipcio.

San Antonio el Grande

PROJECT DISCIPLE

Show What you Know

Using L for laypeople and/or R for religious, identify the groups that correspond to each statement.

1. ________ Through Baptism, share in the priesthood of the faithful.
2. ________ Live their faith as citizens, voters, and workers.
3. ________ Make vows of chastity, poverty, and obedience.
4. ________ May follow God's call in the married life.
5. ________ Devote themselves to Christ through the work of their religious community.

What Would you do?

Good friends help us to be the people God wants us to be. What advice could you give to someone about making new friends?

____

____

____

____

____

____

Fast Facts

The monastery of Saint Anthony the Great is the oldest active Christian monastery in the world. Built in A.D. 356 on the burial site of Saint Anthony, the monastery is located in an oasis of the Egyptian desert.

HACIENDO DISCÍPULOS

Celebra

En 1963 el papa Paulo VI designó el Cuarto Domingo de Pascua como el Día mundial de la oración por las vocaciones. Ese día, todos los miembros de la Iglesia, en todo el mundo, rezan por los que sirven como sacerdotes y religiosos, y por los que Dios está llamando a esas vocaciones.

Investiga

Cuando una parroquia no tiene a un sacerdote residente para servir al pueblo, el obispo de la diócesis asigna a un administrador para servir a la parroquia. Estos administradores pueden ser hermanas o hermanos religiosos y laicos. Un administrador pastoral sirve como líder de la vida parroquial. Estos administradores se aseguran que la comunidad parroquial tenga culto, educación religiosa y programas sociales. Con frecuencia dirigen las comunidades de fe en oración y servicios a la comunidad. El obispo asigna a un sacerdote para celebrar la misa y otros sacramentos para la parroquia, o la comunidad se une con otra parroquia para la celebración de los sacramentos.

- ¿Quién puede dirigir la parroquia si no hay un sacerdote disponible?

  ____

- ¿Quién puede ser un administrador parroquial?

  ____

- ¿Tiene tu parroquia un administrador parroquial?

  ____

Tarea

¿Cuáles son algunas formas en que tu familia, como fieles cristianos, pueden ser activos en tu parroquia?

____

____

____

RETO PARA EL DISCIPULO Junto con tu familia escojan una idea de tu lista para vivirla esta semana.

PROJECT DISCIPLE

Celebrate!

In 1963 Pope Paul VI designated the Fourth Sunday of Easter as the World Day of Prayer for Vocations. On this day, all members of the Church, throughout the world, are called to pray for those who are serving in the vocations to the priesthood and religious life, and for those whom God is calling to those vocations.

More to Explore

When a parish does not have a resident priest to serve the people, the bishop of the diocese appoints a pastoral administrator to serve the parish. Pastoral administrators may be religious sisters and brothers as well as laypeople. A pastoral administrator serves as the leader of parish life. Pastoral administrators make sure parish communities have worship, religious education, and social outreach programs. They often lead their faith communities in prayer services and community outreach. The bishop assigns a priest to celebrate the Mass and other sacraments for the parish, or the community joins with another parish for the celebration of the sacraments.

- Who might lead the parish if a priest is not available?

  ____

- Who can be a pastoral administrator?

  ____

- Does your parish have a pastoral administrator?

  ____

Take Home

What are some ways that your family, as Christian faithful, can be active in your parish?

____

____

____

DISCIPLE CHALLENGE With your family, choose one idea from your list to live out this week.

Catequesis en el hogar

Capítulo 23 (páginas 250–261)

Llamados a vivir como discípulos de Jesús

En este capítulo su hijo(a) aprenderá que Jesús nos llama a ser sus discípulos.

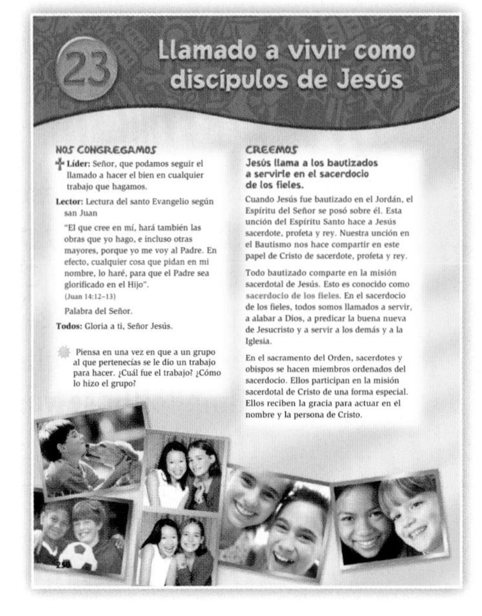

23 Llamado a vivir como discípulos de Jesús

NOS CONGREGAMOS

✝ **Líder:** Señor, que podamos seguir el llamado a hacer el bien en cualquier trabajo que hagamos.

Lector: Lectura del santo Evangelio según san Juan

"El que cree en mí, hará también las obras que yo hago, e incluso otras mayores, porque yo me voy al Padre. En efecto, cualquier cosa que pidan en mi nombre, lo haré, para que el Padre sea glorificado en el Hijo".
(Juan 14:12–13)

Palabra del Señor.

Todos: Gloria a ti, Señor Jesús.

Piensa en una vez en que a un grupo al que pertenecías se le dio un trabajo para hacer. ¿Cuál fue el trabajo? ¿Cómo lo hizo el grupo?

CREEMOS

Jesús llama a los bautizados a servirle en el sacerdocio de los fieles.

Cuando Jesús fue bautizado en el Jordán, el Espíritu del Señor se posó sobre él. Esta unción del Espíritu Santo hace a Jesús sacerdote, profeta y rey. Nuestra unción en el Bautismo nos hace compartir en este papel de Cristo de sacerdote, profeta y rey.

Todo bautizado comparte en la misión sacerdotal de Jesús. Esto es conocido como sacerdocio de los fieles. En el sacerdocio de los fieles, todos somos llamados a servir, a alabar a Dios, a predicar la buena nueva de Jesucristo y a servir a los demás y a la Iglesia.

En el sacramento del Orden, sacerdotes y obispos se hacen miembros ordenados del sacerdocio. Ellos participan en la misión sacerdotal de Cristo de una forma especial. Ellos reciben la gracia para actuar en el nombre y la persona de Cristo.

Para los padres

Cuando el Cristo resucitado ascendió al Padre dejó los cimientos del inicio de la Iglesia. La Iglesia es el cuerpo de Cristo. En este cuerpo todas las partes son esenciales. Algunos son llamados a servir en la Iglesia en la vida religiosa. Hombres y mujeres entran a la vida religiosa haciendo votos. Algunos hombres son llamados a servir como sacerdotes o diáconos ordenados por medio del sacramento del Orden. Los laicos son los miembros bautizados de la Iglesia que comparten en la misión de llevar la buena nueva de Cristo al mundo. Ellos pueden vivir su vocación como casados o como solteros.

Todos los días

- Encienda una vela y tomen un momento para aquietarse. Hagan la señal de la cruz y ofrezcan una corta oración pidiendo a Dios que bendiga el tiempo que van a pasar juntos.

Primer día **Jesús llama a los bautizados a servirle en el sacerdocio de los fieles.**

- Pida a su hijo(a) que lea en voz alta el título. Túrnense para leer el texto que sigue.
- Enfatice que el sacerdocio de los fieles no es igual que el sacerdocio ordenado, estos son considerados como complementarios en la Iglesia.

Segundo día **Los laicos comparten en la misión de llevar la buena nueva de Cristo al mundo.**

- Túrnense para leer el título y el texto que sigue.
- Ayude a su hijo(a) a imaginar su vida dentro de diez años. Pregunte: *¿Cómo estarás llevando la buena nueva de Cristo al mundo?*

Tercer día **Mujeres y hombres en la vida religiosa sirven a Cristo, sus comunidades y a toda la Iglesia.**

- Pida a su hijo (a) que lea el título en voz alta y el texto que sigue. Explique que los votos son promesas hechas a Dios para vivir el evangelio.
- Converse sobre cómo las hermanas y hermanos religiosos y los sacerdotes pueden servir a su comunidad.

Cuarto día **La amistad nos prepara para futuras vocaciones.**

- Pida a su hijo(a) que lea el título y el texto.
- Ponga énfasis en que el Espíritu Santo nos ayuda a descubrir nuestra vocación.

Respondemos en fe

Quinto día

- Ayude su hijo(a) a recordar los puntos importantes del capítulo.

Sexto día

- Converse con su hijo(a) sobre lo que significa ser un misionero. Pídale que identifique dónde trabajan los misioneros y lo que hacen.

Catechesis at Home

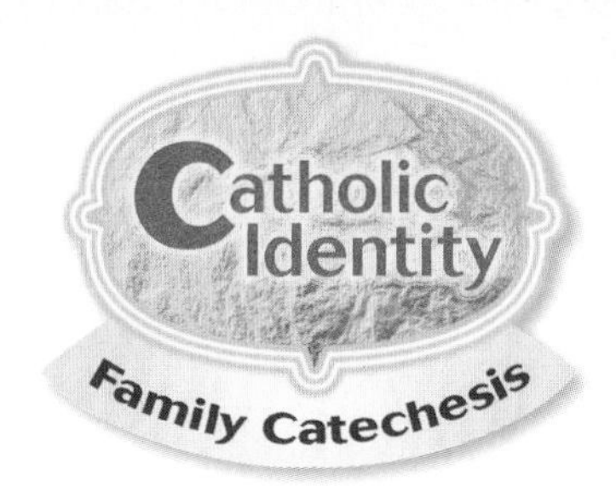

Chapter 23 (pages 250–261)

Called to Live As Jesus' Disciples

In this chapter your child will learn that Jesus calls us to be his disciples.

For the Parents

When the risen Christ ascended to the Father, he left in place the beginnings of the Church. The Church is the Body of Christ. Within this Body all of the parts are essential. Some people are called to serve the Church in the religious life. Women and men who enter religious life take vows. Some men are called to serve the Church as ordained priests or deacons through the sacrament of Holy Orders. Laypeople are all of the baptized members of the Church who share in the mission to bring the good news of Christ to the world. They may live out their vocations in the married or single life.

Every Day

- Light a candle and take a few moments to quiet yourselves for prayer. Pray the Sign of the Cross together, and offer a short prayer asking God to bless your time together.

Day One **Jesus calls the baptized to serve him in the priesthood of the faithful.**

- Have your child read aloud the *We Believe* statements. Take turns reading the text that follows.
- Stress that the priesthood of the faithful is not to be seen as comparable to the ordained priesthood. Rather, the two should be seen as having complementary roles in the church.

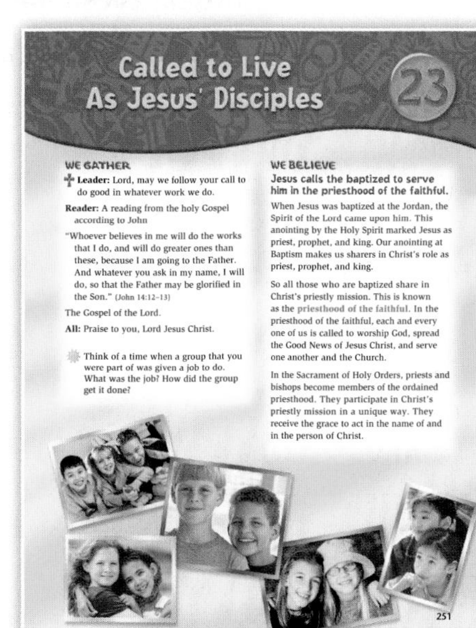

Called to Live As Jesus' Disciples 23

WE GATHER

Leader: Lord, may we follow your call to do good in whatever work we do.

Reader: A reading from the holy Gospel according to John

"Whoever believes in me will do the works that I do, and will do greater ones than these, because I am going to the Father. And whatever you ask in my name, I will do, so that the Father may be glorified in the Son." (John 14:12–13)

The Gospel of the Lord.

All: Praise to you, Lord Jesus Christ.

Think of a time when a group that you were part of was given a job to do. What was the job? How did the group get it done?

WE BELIEVE

Jesus calls the baptized to serve him in the priesthood of the faithful.

When Jesus was baptized at the Jordan, the Spirit of the Lord came upon him. This anointing by the Holy Spirit marked Jesus as priest, prophet, and king. Our anointing at Baptism makes us sharers in Christ's role as priest, prophet, and king.

So all those who are baptized share in Christ's priestly mission. This is known as the priesthood of the faithful. In the priesthood of the faithful, each and every one of us is called to worship God, spread the Good News of Jesus Christ, and serve one another and the Church.

In the Sacrament of Holy Orders, priests and bishops become members of the ordained priesthood. They participate in Christ's priestly mission in a unique way. They receive the grace to act in the name of and in the person of Christ.

251

Day Two **The laity share in the mission to bring the good news of Christ to the world.**

- Take turns reading aloud the statement and the text that follows.
- Help your child imagine life ten years from now for him or her. Ask: *How will you be bringing the good news of Christ to the world?*

Day Three **Women and men in religious life serve Christ, their communities, and the whole Church.**

- Have your child read aloud the statement and the text that follows. Explain that the vow is a promise made to God to live the gospel.
- Talk about ways religious sisters, brothers, and priests may serve in your community.

Day Four **Friendships prepare us for future vocations.**

- Have your child read the statement and the text that follows silently.
- Emphasize that the Holy Spirit helps us to discover our vocation.

We Respond in Faith

Day Five

- Help your child to recall some of the important points in this chapter.

Day Six

- Discuss with your child what it means to be a missionary. Ask him or her to identify where missionaries work and what they do.

24 Matrimonio: una promesa de fidelidad y amor

NOS CONGREGAMOS

Líder: Bendigamos al Señor, de quien procede toda bondad y por cuya gracia nos amamos unos a otros. Bendito seas por siempre, Señor.

Todos: Bendito seas por siempre, Señor.

Lector: Lectura del Libro del Deuteronomio

"Escucha, Israel, el Señor es nuestro Dios, el Señor es uno. Amarás al Señor tu Dios con todo tu corazón, con toda tu alma y con todas tus fuerzas. Guarda en tu corazón estas palabras que hoy te digo. Incúlcaselas a tus hijos y háblales de ellas cuando estés en casa o cuando vayas de viaje, acostado o levantado". (Deuteronomio 6:4–7)

Palabra de Dios.

Todos: Te alabamos, Señor.

¿Qué palabras usas para explicar el significado de fidelidad? ¿Cómo describes al amigo fiel?

CREEMOS

El matrimonio fue parte del plan de Dios desde el principio.

Cuando Dios creó a los primeros humanos, los creó hombre y mujer. Dios los creó iguales pero diferentes y dijo que era muy bueno. Las diferencias entre niños y niñas, hombres y mujeres son buenas. Estas diferencias son parte del plan de Dios. Compartimos la misma dignidad humana porque somos creados a imagen de Dios.

Dios dijo a los primeros humanos: "Crezcan y multiplíquense." (Génesis 1:28). De esta forma Dios bendijo a los primeros humanos para traer nueva vida al mundo. Él quería que ellos tuvieran hijos y compartieran su plan para la creación con la familia humana.

Aprendemos en el Antiguo Testamento que el matrimonio es parte del plan de Dios desde el inicio. "Por esta razón deja el hombre a su padre y a su madre y se une a su mujer, y los dos se hacen uno solo". (Génesis 2:24)

Matrimony: A Promise of Faithfulness and Love

WE GATHER

✝ **Leader:** Let us bless the Lord,
by whose goodness we live
and by whose grace we love one another.
Blessed be God for ever.

All: Blessed be God for ever.

Reader: A reading from the Book of Deuteronomy

"Hear, O Israel! The LORD is our God, the LORD alone! Therefore, you shall love the LORD, your God, with all your heart, and with all your soul, and with all your strength. Take to heart these words which I enjoin on you today. Drill them into your children. Speak of them at home and abroad, whether you are busy or at rest." (Deuteronomy 6:4–7)

The word of the Lord.

All: Thanks be to God.

What words would you use to explain what faithfulness means? How would you describe faithful friends?

WE BELIEVE

Marriage was part of God's plan from the very beginning.

When God created the first humans, he made them male and female. God created them to be different but equal, and he found this very good. The differences between girls and boys, women and men are good. These differences are part of God's plan. Even though we are different, we are equal. We share the same human dignity that comes from being made in God's image.

God told the first man and woman to "be fertile and multiply" (Genesis 1:28). In this way God blessed the first man and woman to bring new life into the world. He wanted them to have children and to share in his plan for creating the human family.

We learn from the Old Testament that marriage was part of God's plan from the very beginning: "That is why a man leaves his father and mother and clings to his wife, and the two of them become one body" (Genesis 2:24).

También aprendemos en el Nuevo Testamento que Jesús mostró la importancia del matrimonio asistiendo a una boda en Caná y ayudando a la pareja que se casaba. Desde ese tiempo el matrimonio ha sido un signo festivo del amor y la presencia de Jesús. El amor de Jesús se hace presente por medio del amor de los esposos. Es por eso que la Iglesia celebra el sacramento del Matrimonio.

En el sacramento del **Matrimonio**, un hombre y una mujer se hacen esposos. Ellos prometen ser fieles uno al otro por el resto de sus vidas. Ellos prometen: amarse y ser fieles uno al otro, amar y aceptar a los hijos como un regalo de Dios sin tratar de evitar la concepción por medios inadmisibles y fortalecerse con la gracia de Dios para vivir sus promesas a Cristo y uno al otro.

Como miembros de la comunidad de la Iglesia presente, su amor es bendecido y fortalecido con la gracia de este sacramento.

Hablen del por qué es importante mantener nuestras promesas. Después recen en silencio pidiendo a Dios que ayude a todo el mundo a cumplir con lo que le han prometido y prometido a otros.

La alianza matrimonial está construida en el amor de Cristo por su Iglesia.

Los cristianos creen que hay una nueva alianza entre Jesucristo y la Iglesia. Esto se basa en el amor total del Hijo de Dios por su Iglesia. Jesús promete amarnos y estar con nosotros siempre. A cambio, nosotros, la Iglesia promete amar a Jesús y a los demás. Prometemos seguir y ser fieles a sus enseñanzas y a las enseñanzas de la Iglesia.

La Iglesia ve el matrimonio como una alianza. La **alianza matrimonial** es un compromiso de toda la vida entre un hombre y una mujer para vivir como fieles y amorosos compañeros. La alianza matrimonial nos recuerda la alianza de Cristo con su Iglesia.

El amor entre esposos es un signo del amor de Cristo por su Iglesia. El amor entre esposos debe ser generoso, fiel y total. Una pareja casada promete compartir y expresar su amor sólo uno al otro. Por esta razón, la poligamia el tener más de un(a) esposo(a) a la vez está en contra de la alianza matrimonial.

Cristo siempre nos ama. Él mantendrá siempre su promesa de compartir la vida y el amor de Dios con nosotros. Así que el amor de Cristo por su Iglesia es permanente. De la misma forma, la alianza matrimonial es para siempre. El divorcio quebranta la alianza matrimonial. Los católicos divorciados que se vuelven a casar todavía forman parte de la Iglesia pero no pueden recibir la Eucaristía.

Una vez Jesús estaba enseñando sobre el matrimonio, y dijo: "Lo que Dios unió, que no lo separe el hombre" (Mateo19:6). Cristo y la Iglesia nos enseñan que la alianza matrimonial no se debe romper.

Los casados pueden pedir a la Iglesia y a la comunidad oración y apoyo. Ellos pueden celebrar el sacramento de la Eucaristía y la Reconciliación para fortalecer y sanar su relación.

We learn from the New Testament that Jesus showed the importance of marriage by attending a wedding in Cana and helping the couple who had been married. Since that time marriage has been an effective sign of Jesus' love and presence. Jesus' love is made present through the love of a husband and wife. This is what the Church celebrates in the Sacrament of Matrimony.

In the Sacrament of **Matrimony**, a man and woman become husband and wife. They promise to be faithful to each other for the rest of their lives. They promise to love and be true to each other always, lovingly accept their children as a gift from God, not preventing conception by unacceptable means, and are strengthened by God's grace to live out their promises to Christ and each other.

With members of the Church community present, their love is blessed and strengthened by the grace of this sacrament.

Discuss why it is important to keep our promises. Then quietly pray and ask God to help all people live out their promises to him and to one another.

The marriage covenant is built on Christ's love for the Church.

Christians believe there is a new covenant between Jesus Christ and the Church. It is based on the Son of God's complete love for his Church. Jesus promises to love us always and be with us. In return, we, the Church, promise to love Jesus and one another. We promise to follow and be faithful to his teachings and the teachings of the Church.

The Church sees marriage as a covenant, too. The **marriage covenant** is the life-long commitment between a man and woman to live as faithful and loving partners. The marriage covenant reminds us of Christ's covenant with the Church.

The love between a husband and a wife is a sign of Christ's love for his Church. The love between a husband and wife is meant to be generous, faithful, and complete. A married couple promises to share and express this love only with each other. That is why polygamy, having more than one spouse at the same time, is against the marriage covenant.

Christ will always love us. He will forever keep his promise to share God's life and love with us. So Christ's love for the Church is permanent. In the same way, the marriage covenant is meant to be permanent, too. Divorce breaks the marriage covenant. Catholics who are divorced and remarried are not separated from the Church, but cannot receive the Eucharist.

Once Jesus was teaching about marriage, and he said, "what God has joined together, no human being must separate" (Matthew 19:6). Christ and the Church teach us that the marriage covenant is not to be broken.

Married couples can turn to their family and parish community for prayer and support. They can turn to the Sacraments of Eucharist and Penance to strengthen and heal their relationship.

Con frecuencia durante tiempos difíciles los niños no entienden lo que pasa con sus padres. Ellos puede que estén confusos y tristes. Es importante que entiendan que no son culpables de esas dificultades. Ellos tampoco son responsables de la separación de sus padres. Aun cuando la separación y el divorcio son muy dolorosos, Dios sigue ofreciendo su sanación a todo el que lo necesite.

Escribe dos formas en la que puedes ser fiel y confiable miembro de tu familia, amigo y vecino.

En el sacramento del Matrimonio, un hombre y una mujer se comprometen a amarse y ser fieles uno al otro toda la vida.

Cuando un hombre y una mujer se preparan para celebrar el sacramento del Matrimonio, el sacerdote, o el diácono, explica las enseñanzas de la Iglesia sobre el matrimonio y se asegura de que ellos son libres para casarse. La pareja aprende la santidad y las responsabilidades del matrimonio cristiano. Con frecuencia participan en un programa o retiro y celebran el sacramento de la Reconciliación.

En todos los demás sacramentos Jesús actúa a través de un ministro ordenado para ofrecer la gracia del sacramento. En el sacramento del Matrimonio, los novios son los celebrantes. Jesús actúa por medio de la pareja y su promesa de amarse y ser fieles siempre. El sacerdote, o el diácono, es sólo un testigo oficial del sacramento y bendice la unión que Dios ha permitido.

Rito del Matrimonio

Con frecuencia la celebración del sacramento del Matrimonio tiene lugar dentro de una Misa. Cuando así sucede, la Liturgia de la Palabra incluye lecturas seleccionadas por la pareja. El rito del Matrimonio tiene lugar después de la proclamación del Evangelio.

El diácono, o el sacerdote, hace tres preguntas importantes a la pareja. ¿Son libres de darse en matrimonio? ¿Se amarán y honrarán como esposos durante toda la vida? ¿Aceptarán los hijos que Dios les mande y los criarán en la fe?

Después de contestar esas preguntas, los novios intercambian sus votos. Pueden decir algunas palabras como las siguientes: "Yo te recibo a ti como esposo (esposa) y prometo serte fiel, en lo favorable y en lo adverso, con salud o enfermedad, y así, amarte y respetarte todos los días de mi vida".

El diácono, o el sacerdote, recibe las promesas de los esposos y pide a Dios fortalezca su amor y fidelidad y los llene de bendiciones. Los anillos son bendecidos, y la pareja los intercambia como señal de amor y fidelidad. Fidelidad es ser leal a una persona, una obligación o una promesa. En el matrimonio, fidelidad es lealtad y voluntad de ser siempre fiel el uno al otro para toda la vida.

Toda la asamblea reza la oración de los fieles y la Misa continúa con la Liturgia eucarística. Después del padrenuestro, el sacerdote mira a la pareja y hace una oración especial pidiendo el favor de Dios para el nuevo matrimonio. Los novios, si son católicos, reciben la Comunión. Su Comunión es señal de su unión con Jesús quien es la fuente de su amor.

En el rito del Matrimonio el sacerdote reza: "que su vida sea ejemplo para todos". Nombra algunas formas en que los esposos pueden mostrar a otros lo que significa ser un ejemplo de vida cristiana.

Often during difficult times children do not understand what is happening to their parents. They may be confused and sad. So it is important for them to understand that they are not to blame for these difficulties. And they are not responsible if their parents get separated or divorced. Though separation and divorce are very painful, God continues to offer his healing to all who need it.

Write two ways you can be a loyal and trustworthy family member, friend, or neighbor.

In the Sacrament of Matrimony, a man and woman promise to always love and be true to each other.

As a man and woman prepare to celebrate Matrimony, the priest or deacon explains the Church's teachings about marriage and makes sure that they are free to marry one another. The couple learns the holiness and duties of Christian marriage. They often participate in a program or retreat and celebrate the Sacrament of Penance and Reconciliation.

In all the other sacraments, Jesus acts through his ordained ministers to offer the grace of the sacrament. But in the Sacrament of Matrimony, the bride and groom are the celebrants. Jesus acts through the couple and through their promise to always love and be true to each other. The priest or deacon is the official witness of the sacrament, and he blesses the union that God has joined together.

The Rite of Marriage

The celebration of the Sacrament of Matrimony often takes place within the Mass. When it does, the Liturgy of the Word includes readings selected by the couple themselves. The Rite of Marriage takes place after the Gospel is proclaimed.

The deacon or priest asks the couple three important questions. Are they free to give themselves in marriage? Will they love and honor each other as husband and wife for the rest of their lives? Will they lovingly accept children from God and raise them in the faith?

After answering these questions, the bride and groom then pledge their love for each other by exchanging their vows. They may say words such as these: "I take you to be my husband (or wife). I promise to be true to you in good times and in bad, in sickness and in health. I will love you and honor you all the days of my life."

The deacon or priest receives the couple's promises and asks God to strengthen their love and faithfulness and to fill them with many blessings. The rings are then blessed and the couple exchanges them as a sign of their love and fidelity. Fidelity is faithfulness to a person and to duties, obligations, or promises. In marriage, fidelity is loyalty and the willingness to be true to each other always.

The whole assembly prays the Prayer of the Faithful and the Mass continues with the Liturgy of the Eucharist. After the Lord's Prayer, the priest faces the couple and prays a special prayer asking for God's favor on this new marriage. The bride and groom, if they are Catholic, receive Holy Communion. Their Communion is a sign of their union with Jesus who is the source of their love.

In the Rite of Marriage the priest prays, "Let them be living examples of Christian life." Name some ways that married couples can show others what it means to be an example of Christian life.

Las familias son comunidades importantes.

El sacramento del Matrimonio es un sacramento de servicio a la Comunión. Los que lo celebran son fortalecidos para servir a Dios y a la Iglesia. Ellos son llamados para vivir su fidelidad a Dios y a ellos mismos en su hogar, su trabajo y su vecindario. Al tener una familia llena de amor, los esposos expresan su amor. Cuando comparten la bondad de su amor con otros, crece el amor entre ellos y el amor a Cristo.

Ser parte de una familia significa tener deberes y responsabilidades. Los padres y tutores tratan de ofrecer un hogar seguro y lleno de amor a sus hijos. Ellos protegen y cuidan de sus hijos. Los padres y tutores son los primeros maestros de sus hijos. Ellos también son llamados a vivir su fe y a compartirla con sus hijos. Los hijos aprenden lo que significa ser un discípulo de Cristo y miembro de la Iglesia por el ejemplo de sus padres, tutores y familiares.

Los niños también tienen responsabilidades y deberes. Ellos son llamados a honrar a sus padres y tutores amándolos y obedeciéndolos. Ellos deben hacer las cosas justas y buenas que se les pide hacer y cooperar con sus padres y tutores. Ellos deben tratar de ayudar en la casa para mostrar el aprecio que tienen por los miembros de la familia.

Vocabulario

Matrimonio (pp 332)
alianza matrimonial (pp 331)
fidelidad (pp 332)

Al crecer los niños, la forma de mostrar amor y aprecio cambia. Pero el amor entre los hijos y los padres o tutores debe seguir creciendo.

RESPONDEMOS

Diseña un aviso que muestre a otros las cosas bellas que pasan en familias donde se ama a Dios y a los demás.

Como católicos...

Las familias cristianas son llamadas a ser comunidades de fe, esperanza y amor. Cada familia es llamada a ser una iglesia doméstica, o una "iglesia en el hogar". Es en la familia que podemos sentir el amor y la aceptación por primera vez. Podemos vivir el amor de Jesús cuando nuestros familiares nos aman y nos cuidan. Podemos aprender a perdonar y a ser perdonados cuando crecemos en la fe, rezamos y adoramos juntos. En la familia podemos aprender a ser discípulos de Jesús y a ayudar y consolar a los que sufren.

Habla con tu familia sobre las formas en que pueden ser una iglesia doméstica.

Families are very important communities.

The Sacrament of Matrimony is a Sacrament at the Service of Communion. Those who celebrate this sacrament are strengthened to serve God and the Church. They are called to live out their fidelity to God and each other in their home, in their jobs, and in their neighborhoods. By creating a loving family, married couples express their love. When they share the goodness of their love with others, their own love for each other and for Christ grows.

Being part of a family means having duties and responsibilities. Parents and guardians try to provide a safe, loving home for the children. They protect and care for their children. Parents and guardians are the first teachers of their children. They are called to live by their faith and to share their belief with their children. Children learn what it means to be a disciple of Christ and member of the Church by the example of their parents, guardians, and family members.

Children have many duties and responsibilities, too. They are called to honor their parents and guardians by loving and obeying them. They are to do the just and good things that are asked of them, and to cooperate with their parents and guardians. They try to help out around the house by doing chores and showing their appreciation for their family members and all of their relatives.

Key Words

Matrimony (p. 336)
marriage covenant (p. 335)
fidelity (p. 335)

As children grow older, the ways they show their love and appreciation often change. But the love between children and their parents and guardians is meant to stay strong and to continue to grow.

WE RESPOND

Design a billboard to show others what wonderful things can happen in families where there is love for God and one another.

As Catholics...

Christian families are called to be communities of faith, hope, and love. Every family is called to be a domestic Church, or a "Church in the home." It is in the family that we can first feel love and acceptance. We can experience Jesus' love when our family members love and care for us. We can learn to forgive and be forgiven, to grow in faith as we pray and worship together. In our families we can learn to be disciples of Jesus and to help and comfort those in need.

Talk with your family about the ways that you can be a domestic Church.

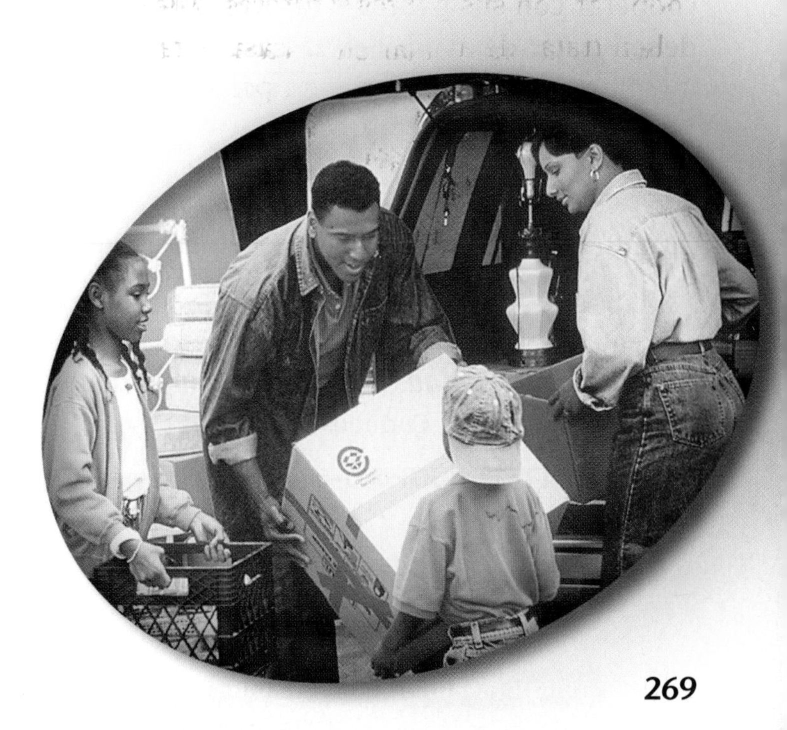

HACIENDO DISCIPULOS

Emily M.

Muestra *lo* que sabes

Usa tus manos para comunicarte. ¿Puedes señalar las palabras del 

Matrimonio, alianza matrimonial y fidelidad?

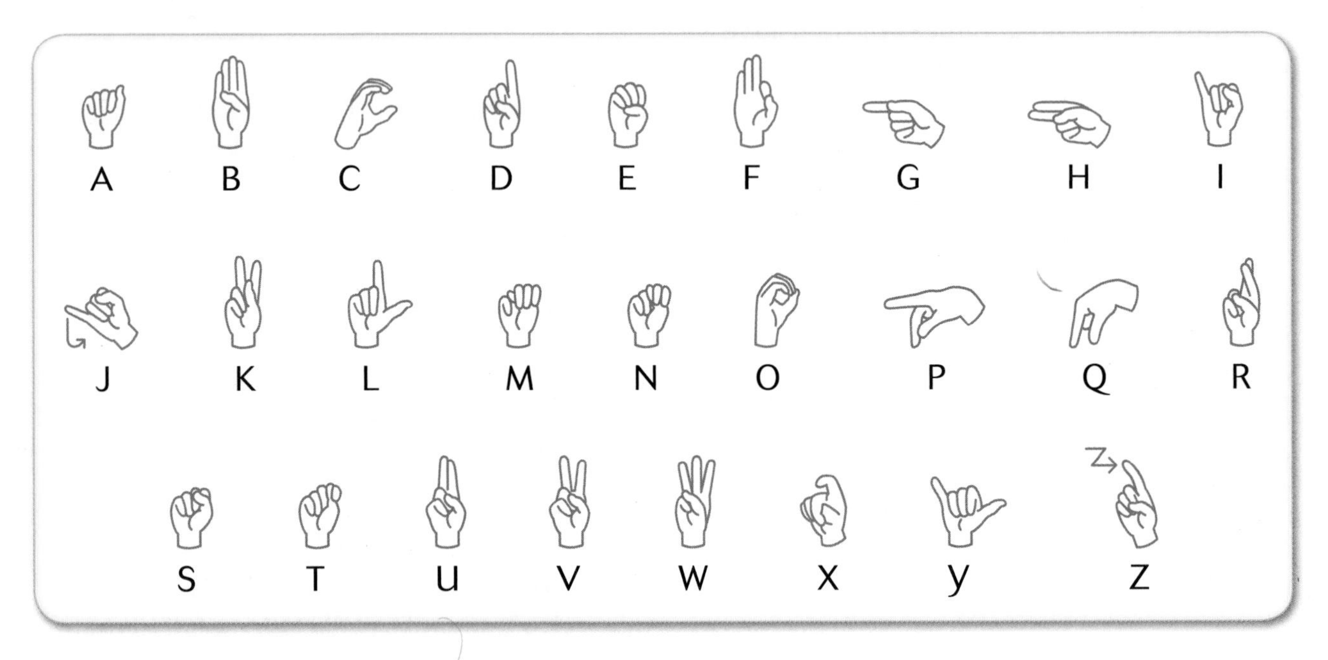

Después escribe una oración con cada palabra del Vocabulario en estas líneas.

El el matrimonio un hombre y una mujer se unen para toda la vida.

La alianza matrimonial nos recuerda la alianza de Cristo con su Iglesia.

Fidelidad es ser leal a una persona.

Escritura

Con frecuencia los novios escogen la siguiente lectura para el rito del matrimonio.

"El amor es paciente y bondadoso; no tiene envidia ni orgullo ni arrogancia. No es grosero ni egoísta, no se irrita ni es rencoroso; no se alegra de la injusticia, sino que encuentra su alegría en la verdad. Todo lo disculpa, todo lo cree, todo lo espera, todo lo soporta. El amor nunca pasará". (1 Corintios 13:4–8)

RETO PARA EL DISCIPULO ¿Por qué este pasaje es apropiado para el sacramento del Matrimonio?

porque es como deve vivir un matrimonio,

PROJECT DISCIPLE

Show What you Know

Use your hands to communicate. Can you sign the Key Words: Matrimony, marriage covenant, and fidelity?

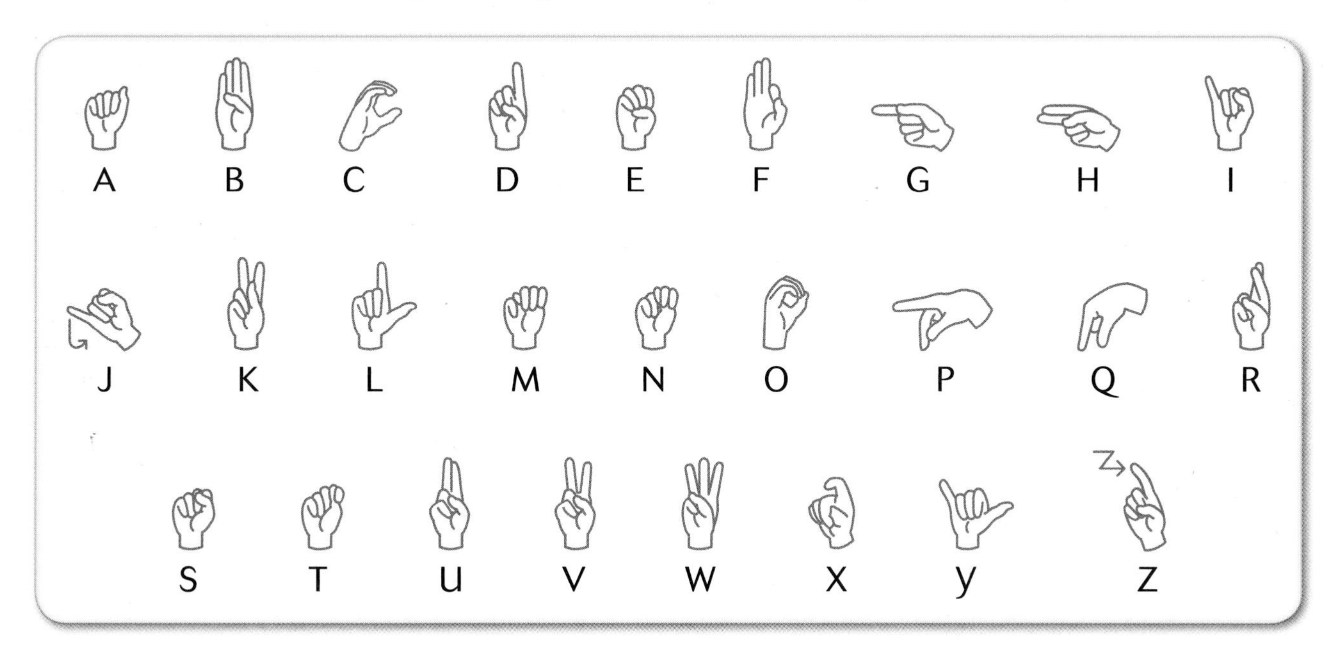

Then, write a sentence for each Key Word on the lines below.

____

____

____

En El matrimonio un hombre y una mujerse comprometen a amarse y ser fieles uno al otro toda la vida

What's the Word?

Brides and grooms often select the following as a reading for the Rite of Marriage.

"Love is patient, love is kind. It is not jealous, [love] is not pompous, it is not inflated, it is not rude, it does not seek its own interests, it is not quick-tempered, it does not brood over injury, it does not rejoice over wrongdoing but rejoices with the truth. It bears all things, believes all things, hopes all things, endures all things. Love never fails." (1 Corinthians 13:4–8)

DISCIPLE CHALLENGE Why is the above passage appropriate for the Sacrament of Matrimony?

____

HACIENDO DISCIPULOS

Margarita fue una princesa inglesa que nació en 1045. Cuando creció se mudó a Escocia junto con su madre, donde se casó con el rey Malcolm. Como reina de Escocia, Margarita trabajó para hacer que Escocia fuera un mejor lugar. Dio sabios consejos a su marido y le ayudó a vivir una vida virtuosa. Rezaban juntos y daban de comer a los que tenían hambre. Tuvieron ocho hijos. Ella se dedicó a su familia, su fe y al pueblo escocés. Ella quería que ellos aprendieran y practicaran su fe, así que hizo un gran esfuerzo para obtener buenos maestros y construir iglesias. Margarita es un gran ejemplo de esposa y madre.

RETO PARA EL DISCIPULO

- Subraya una frase que describa como Margarita ayudó a los escoceses a aprender y practicar su fe.

Visita *Vidas de santos* en **religion.sadlierconnect.com** para contestar estas preguntas sobre santa Margarita.

- ¿Cuándo se celebra la fiesta de santa Margarita?

____

- ¿Cuál es el nombre del hijo que llegó a ser santo?

____

Datos

En el *Catecismo de la Iglesia Católica* leemos: "El matrimonio se funda en el consentimiento de los contrayentes, es decir, en la voluntad de darse mutua y definitivamente con el fin de vivir una alianza de amor fiel y fecundo". (*CIC*, 1662)

Tarea

Habla con tu familia sobre formas en que pueden ser una iglesia doméstica, o "una iglesia en el hogar".

Hagan una lista aquí:

____

____

____

Pon un ✔ al lado de cada forma en que tu familia muestra ser una iglesia doméstica.

PROJECT DISCIPLE

Margaret was an English princess born in 1045. When she was older, she and her mother moved to Scotland where Margaret married King Malcolm. As Queen of Scotland, Margaret worked to make Scotland a better place. She gave her husband wise advice and helped him to live a life of virtue. They prayed together and fed the poor. Margaret and Malcolm had eight children. She was devoted to her family, her faith, and the people of Scotland. She wanted the Scots to learn and practice their faith, so she made great efforts to get good teachers and had churches built. Margaret is a great example to wives and mothers.

DISCIPLE CHALLENGE

- Underline the phrase that describes how Margaret helped the Scots learn and practice their faith.

Visit the *Lives of the Saints* on **religion.sadlierconnect.com** to answer the questions about Saint Margaret.

- When is the feast day of Saint Margaret?

____

- What was the name of her son who became a saint?

____

Fast Facts

The *Catechism of the Catholic Church* states, "Marriage is based on the consent of the contracting parties, that is, on their will to give themselves, each to the other, mutually and definitively, in order to live a covenant of faithful and fruitful love" (*CCC*, 1662).

Take Home

Talk with your family about some ways that a family can be a domestic Church, or "a Church in the home."

Make a list here:

____

____

____

Put a check next to each way your family shows it is a domestic Church.

Catequesis en el hogar

Capítulo 24 (páginas 262–273)

Matrimonio: una promesa de fidelidad y amor

En este capítulo su hijo(a) aprenderá que el matrimonio está construido en el amor de Cristo por su Iglesia.

Para los padres

En el sacramento del Matrimonio una pareja se jura fidelidad. La pareja de recién casados forma un nueva familia, que incluirá en el futuro el regalo de los hijos. En el corazón del hogar de la familia es donde primero tenemos experiencias de Dios y empezamos nuestra peregrinación hacia nuestro hogar celestial. El sacramento del Matrimonio concretiza el amor humano como ofrenda de alabanza y acción de gracias a Dios.

Todos los días

- Encienda una vela, hagan la señal de la cruz y una corta oración.

Primer día **El matrimonio fue parte del plan de Dios desde el principio.**

- Túrnense para leer el título y el texto que sigue. Ponga énfasis en que los humanos fueron creados para ser diferentes pero con igual dignidad humana.
- Pregunte: *¿Qué hizo Jesús en las bodas de Caná?* (Jesús ayudó a la pareja cambiando el agua en vino).

Segundo día **La alianza matrimonial está construida en el amor de Cristo por su Iglesia.**

- Pida a su hijo(a) que lea en silencio el título y el texto que sigue. Ponga énfasis en que la Iglesia ve el matrimonio como un compromiso de por vida entre un hombre y una mujer.
- Explique que la separación o el divorcio algunas veces suceden. Es triste para todos pero nunca es culpa de los niños. Dios sigue amando a ambos padres y a los niños.

Tercer día **En el sacramento del Matrimonio, un hombre y una mujer se comprometen a amarse y a ser fieles uno al otro toda la vida.**

- Pida a su hijo(a) que lea en silencio el título y el texto que sigue. Enfatice que en el sacramento del Matrimonio los novios son los celebrantes y el sacerdote o el diácono son los testigos oficiales del sacramento.
- Enfatice el significado de la palabra *fidelidad*. Explique que la pareja acepta libremente la responsabilidad de honrar y ser fieles uno al otro.

Cuarto día **Las familias son comunidades importantes.**

- Túrnense para leer el título y el texto. Pregunte: *¿En que forma una pareja de casados sirve a la Iglesia?*
- Enfatice que en una familia tantos los adultos como los niños necesitan mostrar amor y respeto.

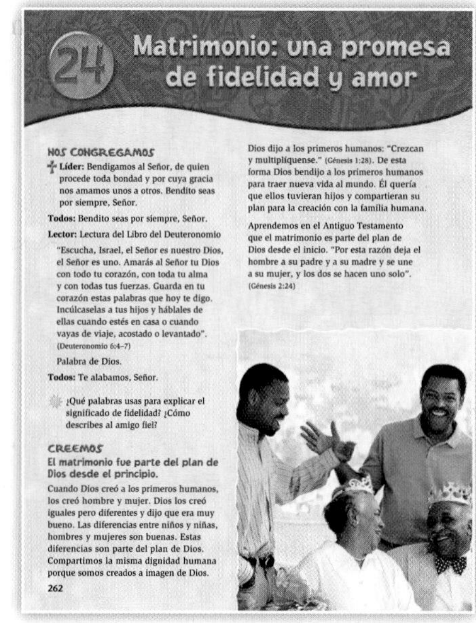

24 Matrimonio: una promesa de fidelidad y amor

NOS CONGREGAMOS

Líder: Bendigamos al Señor, de quien procede toda bondad y por cuya gracia nos amamos unos a otros. Bendito seas por siempre, Señor.

Todos: Bendito seas por siempre, Señor.

Lector: Lectura del Libro del Deuteronomio

"Escucha, Israel, el Señor es nuestro Dios, el Señor es uno. Amarás al Señor tu Dios con todo tu corazón, con toda tu alma y con todas tus fuerzas. Guarda en tu corazón estas palabras que hoy te digo. Incúlcaselas a tus hijos y háblales de ellas cuando estés en casa o cuando vayas de viaje, acostado o levantado". (Deuteronomio 6:4–7)

Palabra de Dios.

Todos: Te alabamos, Señor.

¿Qué palabras usas para explicar el significado de fidelidad? ¿Cómo describes al amigo fiel?

CREEMOS

El matrimonio fue parte del plan de Dios desde el principio.

Cuando Dios creó a los primeros humanos, los creó hombre y mujer. Dios los creó iguales pero diferentes y dijo que era muy bueno. Las diferencias entre niños y niñas, hombres y mujeres son buenas. Estas diferencias son parte del plan de Dios. Compartimos la misma dignidad humana porque somos creados a imagen de Dios.

Dios dijo a los primeros humanos: "Crezcan y multiplíquense." (Génesis 1:28). De esta forma Dios bendijo a los primeros humanos para traer nueva vida al mundo. Él quería que ellos tuvieran hijos y compartieran su plan para la creación con la familia humana.

Aprendemos en el Antiguo Testamento que el matrimonio es parte del plan de Dios desde el inicio. "Por esta razón deja el hombre a su padre y a su madre y se une a su mujer, y los dos se hacen uno solo". (Génesis 2:24)

262

Respondemos en fe

Quinto día

- Anime a su hijo(a) a hacer un plan de acción que puedan seguir en la casa y que los acerque más a la imagen de la iglesia doméstica.

Sexto día

- Conversen sobre cómo la familia puede ser la iglesia doméstica.

Catechesis at Home

Chapter 24 (pages 262–273)

Matrimony: A Promise of Faithfulness and Love

In this chapter your child will learn that Matrimony is built on Christ's love for his Church.

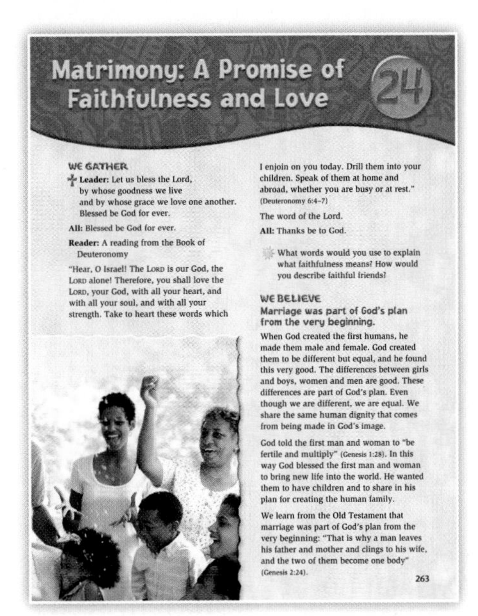

Matrimony: A Promise of Faithfulness and Love 24

WE GATHER

Leader: Let us bless the Lord,
by whose goodness we live
and by whose grace we love one another.
Blessed be God for ever.

All: Blessed be God for ever.

Reader: A reading from the Book of Deuteronomy

"Hear, O Israel! The LORD is our God, the LORD alone! Therefore, you shall love the LORD, your God, with all your heart, and with all your soul, and with all your strength. Take to heart these words which I enjoin on you today. Drill them into your children. Speak of them at home and abroad, whether you are busy or at rest." (Deuteronomy 6:4–7)

The word of the Lord.

All: Thanks be to God.

What words would you use to explain what faithfulness means? How would you describe faithful friends?

WE BELIEVE

Marriage was part of God's plan from the very beginning.

When God created the first humans, he made them male and female. God created them to be different but equal, and he found this very good. The differences between girls and boys, women and men are good. These differences are part of God's plan. Even though we are different, we are equal. We share the same human dignity that comes from being made in God's image.

God told the first man and woman to "be fertile and multiply" (Genesis 1:28). In this way God blessed the first man and woman to bring new life into the world. He wanted them to have children and to share in his plan for creating the human family.

We learn from the Old Testament that marriage was part of God's plan from the very beginning: "That is why a man leaves his father and mother and clings to his wife, and the two of them become one body" (Genesis 2:24).

263

For the Parents

In the sacrament of marriage couples pledge their fidelity. They become rooted in faith and love. The married couple forms a new family, which may someday include the gift of children. In the heart of the family home, we first experience God and begin to journey toward our heavenly home. The sacrament of Matrimony concretizes human love as an offering of praise and thanksgiving to the God.

Every Day

- Light a candle, pray the Sign of the Cross together, and offer a short prayer.

Day One **Marriage was part of God's plan from the very beginning.**

- Take turns reading the statement and the text. Emphasize that human beings were created to be different but equal in human dignity.
- Ask: *What did Jesus do at the wedding feast in Cana?* (Jesus helped the newly married couple by changing water into wine.)

Day Two **The marriage covenant is built on Christ's love for the Church.**

- Have your child read the statement and the text that follows silently or aloud. Emphasize that the Church sees the marriage covenant as a lifelong commitment between a man and a woman.
- Explain that separation and divorce sometimes happen. It is very sad for everyone, and it is never the children's fault. God still loves both parents and children.

Day Three **In the sacrament of Matrimony, a man and woman promise to always love and be true to each other.**

- Have your child read the statement and the text that follows silently or aloud. Stress that in the sacrament of Matrimony the bride and groom are the celebrants, and the priest or deacon is the official witness of the sacrament.
- Stress the word *fidelity*. Explain that the couple freely accepts the responsibility of honoring and being faithful to one another.

Day Four **Families are very important communities.**

- Take turns reading the statement and the text. Ask: *In what ways does a married couple serve the Church?*
- Stress that in a family both adults and children need to show mutual love and respect.

We Respond in Faith

Day Five

- Encourage your child to make a plan that you can follow at home to bring the family closer to the image of the family as a domestic church.

Day Six

- Discuss the ways in which every family can be a domestic church.

Orden Sagrado: una promesa de servir al pueblo de Dios

NOS CONGREGAMOS

Líder: Cristo, nos has llamado a seguirte todos los días de nuestras vidas. Danos el valor de confiar en ti como lo hicieron tus primeros discípulos.

Lector: Lectura del santo Evangelio según san Mateo.

"Paseando junto al lago de Galilea, vio a dos hermanos: Simón, llamado Pedro, y su hermano Andrés, que estaban echando la red en el lago, pues eran pescadores. Les dijo: 'Vengan conmigo y los haré pescadores de hombres.' Ellos dejando inmediatamente las redes, lo siguieron". (Mateo 4:18–20)

Palabra del Señor.

Todos: Gloria a ti, Señor Jesús.

Pescadores de hombres

Tú has venido a la orilla,
no has buscado ni a sabios ni a ricos,
tan sólo quieres que yo te siga.

Señor, me has mirado a los ojos,
sonriendo has dicho mi nombre,
en la arena he dejado mi barca,
junto a ti buscaré otro mar.

¿Cuáles son algunas personas que te ayudan a crecer en la fe? ¿Cómo te ayudan a creer y a seguir a Cristo?

CREEMOS

Jesús comparte su ministerio en una forma especial con sus apóstoles.

Desde el inicio de su ministerio, Jesucristo invitó a todo tipo de personas a ser sus discípulos. Después de una noche de oración, Jesús "reunió a sus discípulos, eligió de entre ellos a doce, a quienes dio el nombre de apóstoles" (Lucas 6:13). Jesús escogió a los apóstoles para compartir su ministerio de manera especial.

Jesús envió a los apóstoles a compartir su mensaje. Los envió a predicar y a curar en su nombre. Les dijo: "El que reciba a quien yo envíe, me recibe a mí mismo" (Juan 13:20).

Holy Orders: A Promise of Service for the People of God

WE GATHER

Leader: Christ, you call us to follow you every day of our lives. Give us the courage to trust in you as your first disciples did.

Reader: A reading from the holy Gospel according to Matthew

"As he was walking by the Sea of Galilee, he saw two brothers, Simon who is called Peter, and his brother Andrew, casting a net into the sea; they were fishermen. He said to them, 'Come after me, and I will make you fishers of men.' At once they left their nets and followed him."
(Matthew 4:18–20)

The Gospel of the Lord.

All: Praise to you, Lord Jesus Christ.

Come, Follow Me

Refrain:

Come, follow me, come, follow me.
I am the way, the truth, and the life.
Come, follow me, come, follow me.
I am the light of the world, follow me.

You call us to serve with a generous heart;
in building your kingdom each one has a part.
Each person is special in your kingdom of love.
Yes, we will follow you, Jesus!
(Refrain)

Who are some people who help you to grow in faith? How do they help you to believe in and follow Christ?

WE BELIEVE

Jesus shares his ministry in a special way with the Apostles.

From the beginning of his ministry, Jesus Christ invited all types of people to be his disciples. After a night of prayer, Jesus "called his disciples to himself, and from them he chose Twelve, whom he also named Apostles" (Luke 6:13). Jesus chose the Apostles to share in his ministry in a special way.

Jesus sent the Apostles out to share his message. He sent them to preach and to cure people in his name. He told them, "Whoever receives the one I send receives me" (John 13:20).

Una vez los apóstoles hablaban sobre quien era el más importante entre ellos. Jesús les dijo que el que quería ser el más importante debía servir a los demás: "Estoy entre ustedes como el que sirve" (Lucas 22:27). Jesús quería que sus apóstoles siguieran su ejemplo de guiar sirviéndolos.

Antes de ir a su Padre, Jesús prometió a sus apóstoles que recibirían el don del Espíritu Santo. El Espíritu Santo les ayudaría a recordar todo lo que Jesús había dicho y hecho.

Después de su muerte y Resurrección, el Cristo resucitado dio a los apóstoles la autoridad de continuar su trabajo. Él los comisionó, o envió, diciendo: "'La paz esté con ustedes'. Y añadió: 'Como el Padre me ha enviado, yo también los envío a ustedes'. Sopló sobre ellos y les dijo: 'Reciban el Espíritu Santo'".
(Juan 20:21–22).

Con esas palabras Jesús confió su trabajo a los apóstoles. Jesús los envió a ir por todo el mundo a dirigir su comunidad y llevar el Reino de Dios a la gente. Ellos debían enseñar y bautizar a la gente. El Espíritu Santo fortalecería a los apóstoles para cumplir su misión.

En grupos hablen sobre las formas en que los miembros de la familia pueden servirse unos a otros y como los vecinos pueden servir a la comunidad. Escribe algunas ideas sobre como sirves a tu familia y a tus compañeros.

____

____

El Orden Sagrado es el sacramento por medio del cual la Iglesia continúa la misión de los apóstoles.

Los apóstoles reunían creyentes en comunidades locales en todos los lugares a donde iban. Con la ayuda de cada iglesia local, escogían líderes y ministros para la comunidad. Los apóstoles imponían las manos en los escogidos y los comisionaban.

Algunos de esos líderes actuaban en nombre de los apóstoles predicando la buena nueva de Jesucristo y compartiendo las enseñanzas de los apóstoles. Ellos continuaron el ministerio de los apóstoles y los sucedieron. Eventualmente llegaron a ser los que hoy conocemos como obispos.

Los líderes locales que trabajaron con los obispos fueron los sacerdotes y los que los ayudaban en el culto y el servicio a la comunidad eran diáconos.

La Iglesia continuó creciendo y los obispos, los sucesores de los apóstoles, enviaron a otros a continuar el ministerio de los apóstoles. De esa forma, el liderazgo de la Iglesia a través de la historia se originó con los apóstoles.

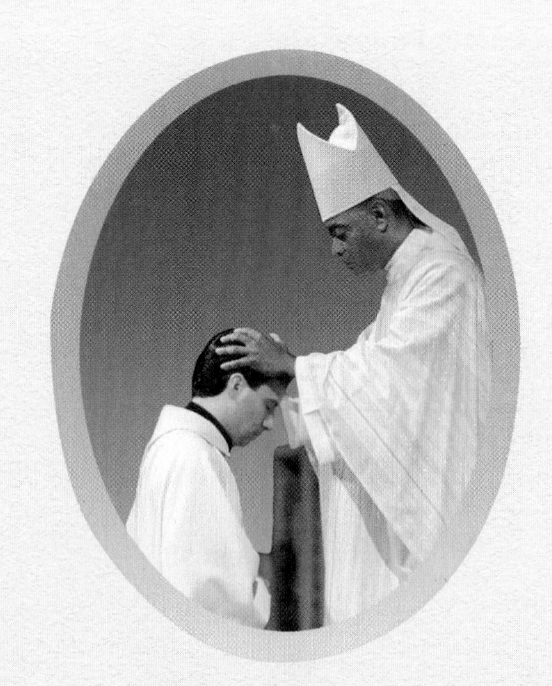

Once the Apostles argued among themselves about who was the greatest. Jesus told them that whoever wanted to be great must be a servant to the others. He told them, "I am among you as the one who serves" (Luke 22:27). Jesus wanted his Apostles to follow his example and to lead others by serving them.

Before he returned to his Father, Jesus promised his Apostles that they would receive the Gift of the Holy Spirit. The Holy Spirit would help them to remember all that Jesus had said and done.

After his Death and Resurrection, the Risen Jesus gave the Apostles the authority to continue his work. He commissioned them, or sent them out, saying, "'Peace be with you. As the Father has sent me, so I send you.' And when he had said this, he breathed on them and said to them, 'Receive the holy Spirit'" (John 20:21-22).

With these words Jesus trusted the Apostles with his own work, and they received their mission. Jesus sent them out to all parts of the world to lead his community and to bring people to share in his Kingdom. They were to teach and to baptize people. The Holy Spirit strengthened the Apostles to carry out their mission.

In groups talk about the ways family members serve one another and the ways members of a neighborhood serve their community. Then write one way that you serve your family and your classmates.

____

____

Holy Orders is the sacrament through which the Church continues the Apostles' mission.

Everywhere they went the Apostles gathered believers into local Church communities. With the help of each local Church, they chose leaders and ministers for the community. The Apostles laid hands on those chosen and commissioned them.

Some of these leaders acted on behalf of the Apostles by preaching the Good News of Jesus Christ and sharing the teachings of the Apostles. They continued the Apostles' ministry and were the successors of the Apostles. They eventually became known as bishops.

The local leaders who worked with the bishops became known as priests. And those who assisted in the worship and service of the community were called deacons.

As the Church continued to grow, the bishops, the successors of the Apostles, commissioned others to continue the ministry of the Apostles. In this way, the leadership of the Church throughout history can be traced back to the Apostles.

Orden Sagrado es el sacramento por medio del cual hombres bautizados son ordenados para servir a la Iglesia, como diáconos, sacerdotes y obispos. Este es un sacramento de servicio a la Comunión. Aun cuando hay muchos ministerios en la Iglesia, los únicos ordenados son los diáconos, los sacerdotes y los obispos. Los que reciben el Orden Sagrado tienen la misión especial de dirigir y servir al pueblo de Dios.

En el sacramento del Orden:

- Hombres son ordenados por la imposición de las manos del obispo y la oración de la consagración.
- Los ordenados reciben la gracia necesaria para llevar a cabo su ministerio con los fieles.
- Los hombres quedan marcados con un signo sacramental indeleble, un sello espiritual permanente en su alma.
- La Iglesia, por medio de estos ministros ordenados, continúa la misión que Jesucristo dio a los primeros apóstoles.

obispo

Algunos hombres bautizados, casados o solteros, son ordenados como diáconos permanentes. Ellos comparten la misión de Cristo y son diáconos por toda la vida. Pueden trabajar para mantenerse y mantener a su familia. Otros son ordenados diáconos como un paso en la preparación para el sacerdocio. Esos hombres no se casan y continúan estudiando para ordenarse sacerdotes.

Con un compañero hablen de las formas en que los miembros de tu parroquia trabajan con los sacerdotes y diáconos.

Obispos, sacerdotes y diáconos sirven a la Iglesia en diferentes formas.

Los **obispos** son los sucesores de los apóstoles. Ellos son llamados a seguir la misión de los apóstoles de dirigir y servir en la Iglesia. Los obispos son los principales maestros, líderes y sacerdotes de la Iglesia.

Un obispo generalmente tiene a cargo una diócesis. Una diócesis es una comunidad local de fieles cristianos. Una diócesis está compuesta de comunidades parroquiales, escuelas, universidades y hospitales.

Aunque los obispos son completamente responsables del cuidado de toda la Iglesia, ellos no trabajan solos. El obispo de una diócesis asigna sacerdotes para que lo representen y lleven a cabo su ministerio en las parroquias. El obispo asigna diáconos, religiosos y laicos para trabajar con los sacerdotes en el cuidado de la gente de su diócesis.

Los **sacerdotes** son ordenados por sus obispos y son llamados a servir en la comunidad de los fieles dirigiendo, enseñando y especialmente celebrando la Eucaristía y otros sacramentos. Los sacerdotes trabajan juntos con los obispos.

Los obispos asignan a un sacerdote para servir como párroco de una parroquia. El párroco es responsable de velar por el crecimiento de la vida de la parroquia. Es especialmente responsable de la celebración de la liturgia, la oración, la educación y el cuidado de los necesitados. El párroco no trabaja solo. Hay otros sacerdotes y muchos hombres y mujeres de la parroquia que trabajan con él.

sacerdote

Holy Orders is the sacrament in which baptized men are ordained to serve the Church as deacons, priests, and bishops. It is a Sacrament at the Service of Communion. While there are many ministries in the Church, deacons, priests, and bishops are the only ordained ministers. Those who receive Holy Orders take on a special mission in leading and serving the People of God.

In the Sacrament of Holy Orders:

- Men are ordained by the bishop's laying on of hands and prayer of consecration.
- Those ordained receive the grace necessary to carry out their ministry to the faithful.
- Men are imprinted with an indelible sacramental character, a permanent spiritual seal on their souls.

missionary priest

- Men are imprinted with an indelible sacramental character, a permanent spiritual seal on their souls.

- The Church, through its ordained ministers, continues the mission that Jesus Christ first gave to his Apostles.

Some baptized men, single or married, are ordained permanent deacons. They share in Christ's mission and remain deacons for life. They may work to support themselves and their families. Other baptized men are ordained deacons as a step in their preparation for the priesthood. These men remain unmarried and continue their study to become ordained priests.

With a partner discuss ways that the members of your parish work with the priests and deacons who serve you.

Bishops, priests, and deacons serve the Church in different ways.

The **bishops** are the successors of the Apostles. They are called to continue the Apostles' mission of leadership and service in the Church. The bishops are the chief teachers, leaders, and priests of the Church.

A bishop usually leads and cares for a diocese. A diocese is a local community of Christian faithful. A diocese is made up of parish communities, schools and colleges, and even hospitals.

deacon

While bishops are fully and completely responsible for the care of the whole Church, they do not do this alone. The bishop of a diocese appoints priests to represent him and carry out his ministry in the parishes. The bishop also appoints deacons, religious and lay women and men to work with the priests in caring for the people of his diocese.

Priests are ordained by their bishops and are called to serve the Christian faithful by leading, teaching, and most especially celebrating the Eucharist and other sacraments. Priests are co-workers with their bishops.

Bishops usually appoint one priest to serve as the pastor of a parish. The pastor is responsible to see that the life of the parish grows stronger. He is especially responsible for the celebration of the liturgy, prayer, education, and care for those in need. The pastor does not work alone. There may be other priests and many women and men of the parish who work with him.

Diáconos son hombres bautizados, no sacerdotes, ordenados por los obispos para trabajar sirviendo a la Iglesia. Ellos tienen un importante papel en la adoración, liderazgo y ministerios sociales.

Los diáconos son llamados a servir a la comunidad en el culto. Predican la Palabra de Dios y bautizan. Pueden ser testigos de matrimonios y presidir los funerales. En la Misa, pueden proclamar el Evangelio, predicar, preparar el altar, distribuir la Comunión y enviar a la comunidad a servir a los demás cuando termina la Misa.

Los diáconos ayudan a la parroquia. Tienen la responsabilidad especial de cuidar de los que sufren y de los necesitados.

Muchas personas son ministros en tu parroquia. En grupo, nombren algunos y expliquen sus ministerios.

La imposición de las manos y la oración de consagración son las partes principales del sacramento del Orden.

El sacramento del Orden es una maravillosa celebración de la Iglesia. Toda la comunidad de la diócesis se reúne para la celebración. Un obispo celebra siempre el sacramento. Sólo un obispo puede ordenar a otros obispos, sacerdotes y diáconos.

La celebración siempre tiene lugar durante una Misa. La ordenación de diáconos, sacerdotes y obispos es similar. La Liturgia de la Palabra incluye lecturas sobre el ministerio y servicio. Después de la lectura del Evangelio, los que van a ser ordenados son presentados al obispo celebrante. El celebrante habla sobre el papel que esos hombres tienen en la Iglesia. Reflexiona en las formas en que ellos son llamados a dirigir y servir en el nombre de Jesús. Habla sobre sus responsabilidades de enseñar, dirigir y rendir culto.

La imposición de las manos y la oración de la consagración son las partes principales del sacramento del Orden. Es por esas dos acciones que los candidatos o el obispo elegido son ordenados. Durante la imposición de las manos, el obispo celebrante reza en silencio. Después el obispo hace la oración de consagración. Por medio de esta oración esos hombres son consagrados o dedicados de forma especial a servir en la Iglesia. El obispo celebrante extiende sus manos y por el poder del Espíritu Santo consagra a los candidatos o al obispo electo para seguir el ministerio de Jesús. Los nuevos ordenados son marcados con el Orden Sagrado para toda su vida.

RESPONDEMOS

Diseña un aviso para mostrar que sigues a Cristo y eres miembro de la Iglesia.

Vocabulario

Orden Sagrado (pp 332)
obispos (pp 332)
sacerdotes (pp 333)
diáconos (pp 331)

Como católicos...

El papa es el obispo de Roma porque él es el sucesor del apóstol Pedro, quien fue el primer líder de la Iglesia de Roma. Como obispo de Roma, el papa tiene la responsabilidad especial de cuidar y dirigir la Iglesia. Los obispos son llamados a trabajar con el papa para dirigir y guiar a toda la Iglesia. Los obispos, con el papa a la cabeza, están llamados a vigilar a todos los que están bajo su mando, especialmente los necesitados.

Deacons are baptized men who are not priests but are ordained by their bishops to the work of service for the Church. They have an important role in worship, leadership, and social ministries.

Deacons are called to serve the community in worship. They may preach the Word of God and baptize. They may witness marriages and preside at Christian burials. At Mass they proclaim the Gospel, preach, prepare the altar, distribute Holy Communion, and send the gathered community out to serve others.

Deacons help the parish to reach out to people in the community. They have a special responsibility to care for those who are suffering or who are in need.

As a class name people who minister to and lead the members of your parish community. Explain their ministries.

The laying on of hands and prayer of consecration are the main parts of the Sacrament of Holy Orders.

The Sacrament of Holy Orders is a wonderful celebration for the Church. The whole community in the diocese gathers for the celebration. A bishop is always the celebrant of this sacrament. Only a bishop can ordain another bishop, a priest, or a deacon.

The celebration of Holy Orders always takes place during the celebration of the Mass. The ordination of deacons, priests, and bishops is similar. The Liturgy of the Word includes readings about ministry and service. After the Gospel reading, those to be ordained are presented to the bishop celebrant. The celebrant speaks about the roles these men will have in the Church. He reflects on the ways they are called to lead and serve in Jesus' name. He talks about their responsibilities to teach, to lead, and to worship.

The laying on of hands and the prayer of consecration are the main parts of the Sacrament of Holy Orders. It is through these two actions that the candidates or the bishop-elect are ordained. During the laying on of hands, the bishop celebrant prays in silence. The bishop celebrant then prays the prayer of consecration. Through this prayer these men are consecrated or dedicated for a particular service in the Church. The bishop celebrant extends his hands, and by the power of the Holy Spirit consecrates the candidates or the bishop-elect to continue Jesus' ministry. The newly ordained are forever marked by Holy Orders.

WE RESPOND

Design a sign of service to show others that you are a follower of Christ and member of the Church.

Key Words

Holy Orders (p. 335)
bishops (p. 334)
priests (p. 336)
deacons (p. 334)

As Catholics...

The pope is the Bishop of Rome because he is the successor of the Apostle Peter, who was the first leader of the Church of Rome. As the Bishop of Rome, the pope has a special responsibility to care for and lead the Church. The bishops are called to work with the pope to lead and guide the whole Church. The bishops, with the pope as their head, are called to watch over all those under their care, especially those who are in need in any way.

HACIENDO DISCÍPULOS

Muestra lo que sabes

Horizontal

1. ________________ son ministros ordenados que sirven a los fieles cristianos dirigiendo, enseñando y especialmente celebrando la Eucaristía y otros sacramentos.

3. Los obispos, los sacerdotes y los diáconos sirven en la ________________ de diferentes formas.

5. Jesús compartió su ministerio en una forma especial con los ________________.

6. ________________ son los sucesores de los apóstoles que son ordenados para continuar la misión de liderazgo de los apóstoles.

7. ________________ son hombres bautizados, que no son sacerdotes, pero son ordenados para trabajar y servir en la Iglesia.

Vertical

2. La imposición de las manos y la oración de ________________ son las partes principales del sacramento del Orden.

4. ________________ el sacramento en el cual hombres bautizados son ordenados para servir a la Iglesia como diáconos, sacerdotes y obispos.

PROJECT DISCIPLE

Show What you Know

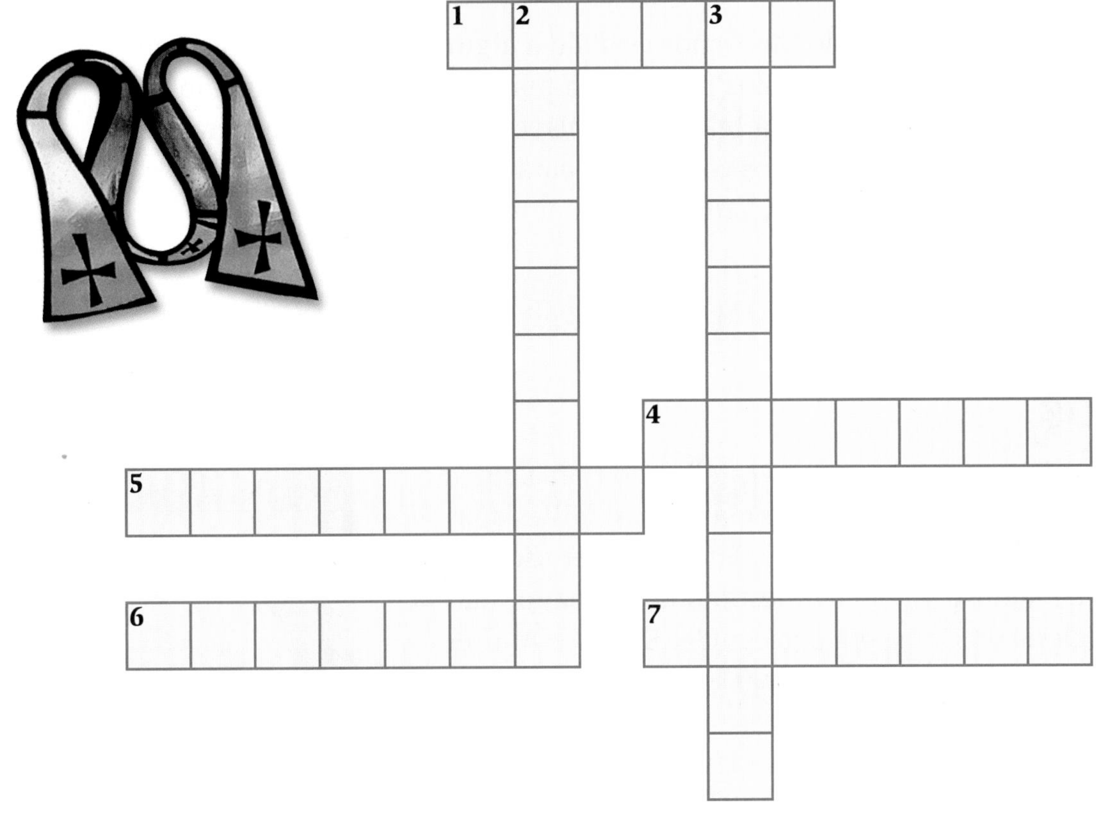

Across

1. Bishops, priests, and deacons serve the __________ in different ways.
4. __________ ordained ministers who serve the Christian faithful by leading, teaching, and most especially celebrating the Eucharist and other sacraments
5. Jesus shared his ministry in a special way with the __________.
6. __________ baptized men who are not priests but are ordained to the work of service for the Church
7. __________ the successors of the Apostles who are ordained to continue the Apostles' mission of leadership

Down

2. __________ the sacrament in which baptized men are ordained to serve the Church as deacons, priests, and bishops (two words)
3. The laying on of hands and prayer of __________ are the main parts of the Sacrament of Holy Orders.

HACIENDO DISCIPULOS

El título Monseñor es dado a algunos sacerdotes que han sido honrados por el papa por su fidelidad y estimado servicio a la Iglesia. El obispo de una diócesis generalmente nomina a los candidatos para este honor y somete los nombres al Vaticano para aprobación.

Vidas de santos

Andrés Kim Taegon fue bautizado católico en Corea cuando tenía quince años. Más tarde viajó más de mil millas a la China para estudiar para sacerdote. Fue el primer sacerdote coreano. Fue famoso por su fe y testimonio cristiano. En esa época, la Iglesia en Corea era perseguida. El padre Andrés ayudó a muchos cristianos a escapar a la China. También trató de llevar algunos misioneros franceses a Corea. Por tratar de continuar el trabajo de Cristo y la Iglesia fue capturado y asesinado. Él fue el primero de los 103 católicos mártires por defender la fe en Corea. Tenía sólo veinticinco años cuando fue martirizado. Su fiesta se celebra el 20 de septiembre.

RETO PARA EL DISCIPULO

- Subraya la frase que describe por qué el padre Andrés fue asesinado.
- ¿Qué retos tuvo el padre Andrés durante su vocación?

____

____

Visita *Vidas de santos* en **religion.sadlierconnect.com** para aprender más sobre los santos.

Tarea

Jesús les pidió a sus apóstoles trabajar juntos. Como miembros de nuestras familias tenemos tareas que cumplir. En familia tomen tiempo para hacer una lista de las tareas que tienen que hacer diaria o semanalmente.

____

____

____

PROJECT DISCIPLE

Fast Facts

The title of *Monsignor* is given to certain priests who have been honored by the pope for faithful and esteemed service to the Church. The bishop of a diocese usually nominates candidates for this honor and submits them to the Vatican for approval.

Saint Stories

Andrew Kim Taegon was baptized a Catholic in Korea when he was fifteen years old. He later traveled more than a thousand miles to China to study for the priesthood. He became Korea's first native priest. He was famous for the faith and witness he gave to Christ. At that time, the Church in Korea was persecuted. Father Andrew helped many Christians escape to China. He also tried to bring some French missionaries to Korea. Because he tried to continue the work of Christ and the Church, he was captured and put to death. He was the first of 103 Korean Catholics to be martyred for their faith. He was only twenty-five years old when he was killed. His feast day is September 20.

DISCIPLE CHALLENGE

- Underline the phrase that describes why Father Andrew was put to death.
- What hardships did Father Andrew go through for his vocation?

____

____

Visit *Lives of the Saints* on **religion.sadlierconnect.com** to learn more about saints and holy people.

Take Home

Jesus called his Apostles to work together. As family members we may have certain daily work we are expected to do. With your family, take time to make a list of family tasks that need to be done on a daily/weekly basis.

____

____

____

Catequesis en el hogar

Capítulo 25 (páginas 274–285)

Orden Sagrado: una promesa de servir al pueblo de Dios

En este capítulo su hijo(a) aprenderá sobre el sacramento del Orden.

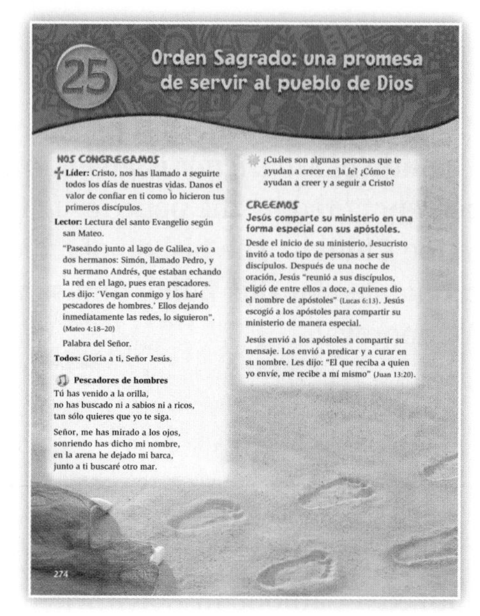

25 Orden Sagrado: una promesa de servir al pueblo de Dios

NOS CONGREGAMOS

Líder: Cristo, nos has llamado a seguirte todos los días de nuestras vidas. Danos el valor de confiar en ti como lo hicieron tus primeros discípulos.

Lector: Lectura del santo Evangelio según san Mateo.

"Paseando junto al lago de Galilea, vio a dos hermanos: Simón, llamado Pedro, y su hermano Andrés, que estaban echando la red en el lago, pues eran pescadores. Les dijo: 'Vengan conmigo y los haré pescadores de hombres.' Ellos dejando inmediatamente las redes, lo siguieron". (Mateo 4:18–20)

Palabra del Señor.

Todos: Gloria a ti, Señor Jesús.

Pescadores de hombres

Tú has venido a la orilla,
no has buscado ni a sabios ni a ricos,
tan sólo quieres que yo te siga.

Señor, me has mirado a los ojos,
sonriendo has dicho mi nombre,
en la arena he dejado mi barca,
junto a ti buscaré otro mar.

¿Cuáles son algunas personas que te ayudan a crecer en la fe? ¿Cómo te ayudan a creer y a seguir a Cristo?

CREEMOS

Jesús comparte su ministerio en una forma especial con sus apóstoles.

Desde el inicio de su ministerio, Jesucristo invitó a todo tipo de personas a ser sus discípulos. Después de una noche de oración, Jesús "reunió a sus discípulos, eligió de entre ellos a doce, a quienes dio el nombre de apóstoles" (Lucas 6:13). Jesús escogió a los apóstoles para compartir su ministerio de manera especial.

Jesús envió a los apóstoles a compartir su mensaje. Los envió a predicar y a curar en su nombre. Les dijo: "El que reciba a quien yo envíe, me recibe a mí mismo" (Juan 13:20).

274

Para los padres

Por medio del sacramento del Orden se ordenan líderes para el ministerio sacerdotal. Estos hombres sirven a la Iglesia de manera especial. Su papel se remonta a los tiempos de Cristo y los apóstoles. El ministerio sacerdotal continúa el trabajo de la Iglesia enseñando, predicando y administrando los sacramentos.

Todos los días

- Encienda una vela, hagan la señal de la cruz y ofrezcan una corta oración.

Primer día **Jesús comparte su ministerio en una forma especial con sus apóstoles.**

- Diga a su hijo(a) que va a aprender que el sacramento del Orden permite que la Iglesia continúe la misión de los apóstoles.
- Túrnense para leer en voz alta el título y el texto. Enfatice que el liderazgo de Jesús estuvo basado en servir a otros.

Segundo día **El Orden Sagrado es el sacramento por medio del cual la Iglesia continúa la misión de los apóstoles.**

- Lea el título en voz alta y pida a su hijo(a) que lea el texto que sigue. Ponga énfasis en que los obispos son los sucesores de los apóstoles y que continúan el ministerio apostólico.
- Explique que los diáconos permanentes son diáconos para toda la vida y trabajan para mantenerse y mantener a sus familias.

Tercer día **Los obispos, sacerdotes y diáconos sirven a la Iglesia en diferentes formas.**

- Túrnense para leer el título y el texto que sigue. Ponga énfasis en que los obispos, como sucesores de los apóstoles, son los líderes, sacerdotes y maestros en sus diócesis.
- Los sacerdotes trabajan con los obispos celebrando los sacramentos y enseñando.

Cuarto día **La imposición de las manos y la oración de consagración son las partes principales del sacramento del Orden.**

- Invite a su hijo(a) a leer en silencio el título y el texto.
- Los diáconos son ordenados por los obispos para servir en las necesidades de la diócesis. Ayude a su hijo(a) a nombrar otros ministros de la parroquia y explicar cómo sirven.

Respondemos en fe

Quinto día

- Ayude a su hijo(a) a recordar los puntos importantes de este capítulo.

Sexto día

- Tomen tiempo para conversar en familia sobre los dones y talentos de los miembros de la familia y cómo pueden ayudar a otros.

Catechesis at Home

Chapter 25 (pages 274–285)

Holy Orders: A Promise of Service for the People of God

In this chapter your child will learn about the sacrament of Holy Orders.

For the Parents

Through the sacrament of Holy Orders, leaders are ordained to the ministerial priesthood. These men serve the Church in a special way. Their role goes back to the time of Christ and his apostles. The ministerial priesthood continues the Church's work of teaching, preaching, and administering the sacraments.

Every Day

- Light a candle, pray the Sign of the Cross together, and offer a short prayer.

Day One **Jesus shares his ministry in a special way with the apostles.**

- Tell your child that he or she will learn that the sacrament of Holy Orders enables the Church to continue the apostles' mission.
- Take turns reading aloud the *We Believe* statement and the text that follows. Stress that Jesus' leadership was based upon serving others.

Day Two **Holy Orders is the sacrament through which the Church continues the apostles' mission.**

- Read aloud the statement and have your child read the text that follows. Emphasize that the bishops are the successors of the apostles and continue the apostles' ministry.
- Explain that permanent deacons remain deacons for life, and they may work to support themselves and their families.

Day Three **Bishops, priests, and deacons serve the Church in different ways.**

- Take turns reading aloud the statement and the text that follows. Emphasize that the bishops, as successors of the apostles, are chief leaders, priests, and teachers in their dioceses.
- Priests work with the bishops in celebrating the sacraments and teaching.

Day Four **The laying on of hands and prayer of consecration are the main parts of the sacrament of Holy Orders.**

- Invite your child to read the statement and the text that follows silently.
- Deacons are ordained by bishops to serve the needs of the diocesan Church. Help your child name other parish ministries and explain how they serve the parish.

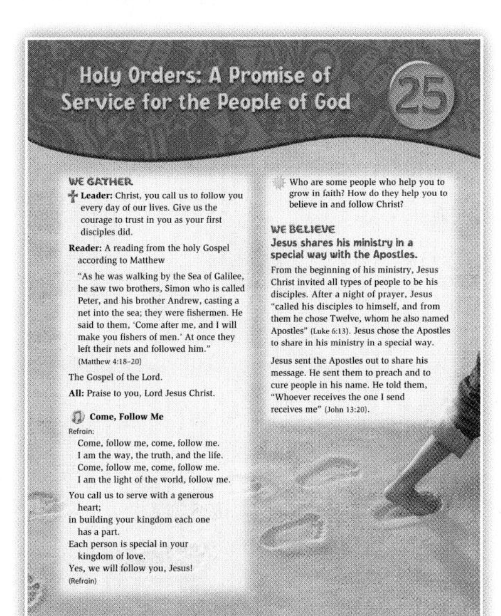

Holy Orders: A Promise of Service for the People of God

25

WE GATHER

Leader: Christ, you call us to follow you every day of our lives. Give us the courage to trust in you as your first disciples did.

Reader: A reading from the holy Gospel according to Matthew

"As he was walking by the Sea of Galilee, he saw two brothers, Simon who is called Peter, and his brother Andrew, casting a net into the sea; they were fishermen. He said to them, 'Come after me, and I will make you fishers of men.' At once they left their nets and followed him." (Matthew 4:18–20)

The Gospel of the Lord.

All: Praise to you, Lord Jesus Christ.

Come, Follow Me

Refrain:
Come, follow me, come, follow me.
I am the way, the truth, and the life.
Come, follow me, come, follow me.
I am the light of the world, follow me.

You call us to serve with a generous heart;
in building your kingdom each one has a part.
Each person is special in your kingdom of love.
Yes, we will follow you, Jesus!
(Refrain)

Who are some people who help you to grow in faith? How do they help you to believe in and follow Christ?

WE BELIEVE

Jesus shares his ministry in a special way with the Apostles.

From the beginning of his ministry, Jesus Christ invited all types of people to be his disciples. After a night of prayer, Jesus "called his disciples to himself, and from them he chose Twelve, whom he also named Apostles" (Luke 6:13). Jesus chose the Apostles to share in his ministry in a special way.

Jesus sent the Apostles out to share his message. He sent them to preach and to cure people in his name. He told them, "Whoever receives the one I send receives me" (John 13:20).

275

We Respond in Faith

Day Five

- Help your child recall some of the important points in this chapter.

Day Six

- Spend time as a family discussing each member's gifts and talents, then look for ways each of you can offer your assistance to others.

26 Una, santa, católica y apostólica

NOS CONGREGAMOS

✠ **Líder:** Bendito sea el nombre del Señor.

Todos: Ahora y siempre.

Lector: Lectura de la Carta de san Pablo a los Efesios.

". . . sino conciudadanos de los que forman el pueblo de Dios; son familia de Dios, edificados sobre el cimiento de los apóstoles y profetas siendo el mismo Cristo Jesús la piedra fundamental". (Efesios 2:19, 20)

Palabra de Dios.

Todos: Te alabamos, Señor.

¿Cuáles son algunas cualidades o características que te describen? ¿Cómo pueden esas cualidades y características acercarte a tu familia y tu comunidad?

CREEMOS

La Iglesia es una y santa.

Profesamos nuestra fe en los sacramentos. En la celebración de la Eucaristía lo hacemos cuando rezamos el Credo de Nicea. En este credo afirmamos que "creemos en una Iglesia santa, católica y apostólica". Estas son las cuatro **características de la Iglesia**. La Iglesia es una, santa, católica y apostólica.

La primera característica es que la Iglesia es una. La Iglesia es una porque todos sus miembros creen en un solo Señor, Jesucristo. La Iglesia es una porque compartimos el mismo Bautismo y juntos somos el Cuerpo de Cristo.

One, Holy, Catholic, and Apostolic

WE GATHER

✝ **Leader:** Blessed be the name of the Lord.

All: Now and for ever.

Reader: A reading from the Letter of Saint Paul to the Ephesians

"You are fellow citizens with the holy ones and members of the household of God, built upon the foundation of the apostles and prophets, with Christ Jesus himself as the capstone." (Ephesians 2:19, 20)

The word of the Lord

All: Thanks be to God.

What are some characteristics or qualities that describe you? How can these qualities and characteristics help you to grow closer to your family and community?

WE BELIEVE

The Church is one and holy.

In the sacraments we profess our faith. In the celebration of the Eucharist, we do this when we pray the Nicene Creed. In the Nicene Creed we state that "we believe in one holy catholic and apostolic Church." These four characteristics are the **marks of the Church**. The Church is one, holy, catholic, and apostolic.

The first mark is that the Church is one. The Church is one because all its members believe in the one Lord, Jesus Christ. The Church is one because we all share the same Baptism, and together are the one Body of Christ.

La Iglesia es una porque estamos guiados y unidos a un Espíritu Santo. La Iglesia es una porque el liderazgo del papa y los obispos, los sacramentos que celebramos y las leyes de la Iglesia nos ayudan a vivir como miembros de la Iglesia.

La segunda característica es que la Iglesia es santa. Sólo Dios es bueno y santo. Cristo comparte la santidad de Dios con nosotros hoy por medio de la Iglesia, donde primero somos santificados en el Bautismo. Durante toda la vida Dios y la Iglesia nos llaman a la santidad. Nuestra santidad viene del don de la gracia que recibimos en los sacramentos, de los dones del Espíritu Santo y de practicar las virtudes. Nuestra santidad crece al responder al amor de Dios en nuestras vidas y del vivir como Cristo nos pide.

No somos perfectos. No siempre vivimos de acuerdo al ejemplo de Cristo o de acuerdo a las leyes de Dios. Sin embargo, siempre tenemos la oportunidad de empezar de nuevo. Los sacramentos nos ayudan a volvernos a Dios y a su amor. Cuando seguimos el ejemplo de Jesús, orando, respetando, viviendo justamente y trabajando por la justicia y la paz, nuestra santidad aumenta.

Escribe algo que puedes hacer esta semana que te lleve a la santidad.

____

____

La Iglesia es católica y apostólica.

La tercera característica es que la Iglesia es católica. La palabra católica quiere decir "universal". La Iglesia está en todo el mundo y está abierta a todos en todas partes. La Iglesia ha sido universal desde sus inicios.

Algunos de los apóstoles viajaron a diferentes partes del mundo que conocían. Ellos predicaron el mensaje del Evangelio. La Iglesia sigue creciendo y hoy hay católicos en todas partes del mundo.

La Iglesia es verdaderamente católica, o universal. Está compuesta de personas de todas partes del mundo. Con frecuencia, los católicos tienen diferentes formas de vivir, vestir y celebrar. Estas costumbres diferentes son parte de la vida de la Iglesia. Añaden belleza a la Iglesia. Con todas nuestras diferencias somos una. Estamos unidos por nuestra fe en Jesús y por nuestra membresía en la Iglesia. Somos el Cuerpo de Cristo y el Pueblo de Dios.

Como católicos...

Las leyes de la Iglesia están en la página 316. Ellas son llamadas preceptos de la Iglesia. Esas leyes nos recuerdan que somos llamados a crecer en santidad y servir a la Iglesia. Nos ayudan a conocer y cumplir nuestras responsabilidades como miembros de la Iglesia y nos une como seguidores de Jesucristo. Ellas guían nuestro comportamiento y nos enseñan a actuar como miembros de la Iglesia.

Juntos lean las leyes de la Iglesia y comenten formas de cumplirlas.

The Church is one because we are guided and united by the one Holy Spirit. The Church is one because of the leadership of the pope and bishops, the sacraments we celebrate, and the laws of the Church that help us to live as members of the Church.

The second mark of the Church is that she is holy. God alone is good and holy. Christ shares God's holiness with us today through the Church, where we are first made holy in Baptism. Throughout our lives God and the Church call us to holiness. Our holiness comes from the gift of grace that we receive in the sacraments. It comes from the gifts of the Holy Spirit and from the practice of the virtues. Our holiness grows as we respond to God's love in our lives, and from living as Christ asks us to live.

We are not perfect. We do not always live according to Christ's example or God's law for us. Yet we always have the chance to begin again. The sacraments help us to turn to God and his love. When we follow Jesus' example to pray, respect all people, live fairly, and work for justice and peace, we grow in holiness.

Write one thing you can do this week that will lead you to holiness.

____

____

The Church is catholic and apostolic.

The third mark of the Church is that she is catholic. The word *catholic* means "universal." The Church is worldwide, and she is open to all people everywhere. The Church has been universal since her very beginning.

Some of the Apostles traveled to different parts of the world they knew. They preached the Gospel message. The Church continued to grow, and today there are Catholics all across the world.

The Church is truly catholic, or universal. She is made up of people from all over the world. Often Catholics have different ways of living, dressing, and celebrating. These different customs are part of the Church's life. They add beauty and wonder to the Church. Yet with all of our differences, we are still one. We are united by our faith in Jesus and by our membership in the Church. We are the Body of Christ and the People of God.

As Catholics...

The laws of the Church are found on page 329. They are also called the precepts of the Church. These laws remind us that we are called to grow in holiness and serve the Church. They help us to know and fulfill our responsibilities as members of the Church and to unite us as followers of Jesus Christ. They guide our behavior and teach us how we should act as members of the Church.

Read the laws of the Church together and discuss ways you can follow them.

Vivimos la Iglesia universal en nuestras parroquias. En esta familia de fe nos unimos a católicos que pueden ser muy diferentes a nosotros. Juntos crecemos y celebramos nuestra fe.

Porque la Iglesia es católica y misionera debemos acoger a todos como lo hizo Jesús. Debemos contar a todos sobre el amor salvador de Cristo y su Iglesia.

La cuarta característica de la Iglesia es apostólica. La palabra apostólica viene de la palabra *apóstol*. La Iglesia es *apostólica* porque está basada en la fe de los apóstoles. La fe que profesamos y practicamos está basada en el Credo de los Apóstoles, que rezamos aún hoy.

La Iglesia es apostólica porque la vida y liderazgo de la Iglesia está basada en la de los apóstoles. Jesús escogió a los apóstoles para cuidar y dirigir a la comunidad de creyentes. Hoy el papa y los obispos continúan la misión de los apóstoles y todo bautizado católico comparte ese trabajo.

En grupos hablen de formas en que, como Iglesia, podemos acoger a otros y compartir nuestra fe con ellos.

La Iglesia respeta a todo el mundo.

Los cristianos creen y siguen a Jesucristo. Dentro de los cristianos están los católicos, cristianos ortodoxos y los episcopales. También hay luteranos, metodistas, presbiterianos, bautistas y muchos otros. Hay muchas cosas importantes en común. Los cristianos son bautizados, creen que Jesús es divino y humano. Creen que Jesús murió y resucitó para salvarnos del pecado. Los cristianos también comparten la creencia de que la Biblia fue inspirada por el Espíritu Santo.

La Iglesia Católica es la Iglesia fundada por Cristo mismo. Trabajamos con otras comunidades cristianas para lograr la unidad en la Iglesia. Este trabajo de promover la unidad de todos los cristianos es llamado **ecumenismo**.

Las diferencias entre los cristianos son serias, pero la Iglesia se ha comprometido a trabajar por el ecumenismo. Todos los años en enero, la Iglesia celebra la semana de oración por la unidad cristiana. Rezamos para que todos los cristianos sean uno. Se hacen oraciones y se tienen conversaciones. Juntos los cristianos tratan de que su amor y entendimiento crezcan.

Respetamos a todos los cristianos y reconocemos que se pueden encontrar verdades y elementos de santificación en otras comunidades cristianas.

La fe cristiana tiene un lazo especial con la fe judía. Jesús mismo creció como judío. El pueblo judío es nuestro antepasado en la fe. Muchas creencias y prácticas cristianas vienen de la fe judía. Hoy el pueblo judío en todas partes del mundo sigue viviendo la fe en un solo y verdadero Dios.

No todos en el mundo creen en Jesús como creen los cristianos, pero eso no quiere decir que no sean personas de fe. Respetamos el derecho de otros a practicar y a vivir su fe en forma diferente.

Imagina que estás pidiendo a Jesús que dé una conferencia sobre "Fe en nuestro mundo". ¿Qué preguntas le harías?

____

We experience the Church as worldwide in our parishes, too. In this family of faith we are joined with Catholics who may be very different from us. Together we grow and celebrate our faith.

Because the Church is catholic, and missionary, we are to welcome all people as Jesus Christ did. We are to tell everyone about the saving love of Christ and the Church.

The fourth mark of the Church is that she is apostolic. The word *apostolic* comes from the word *apostle*. The Church is apostolic because she is built on the faith of the Apostles. The faith we profess and practice is based on the Apostles' Creed, which we still pray today.

The Church is apostolic because the life and leadership of the Church is based on that of the Apostles. Jesus chose the Apostles to care for and lead the community of believers. Today the pope and bishops carry out the Apostles' mission, and all baptized Catholics share in this work.

In groups discuss ways that as the Church we can welcome others and share our faith with them.

The Church respects all people.

Christians are people of faith who believe in and follow Jesus Christ. Among Christians there are Catholics, Orthodox Christians, and Episcopalians. There are Lutherans, Methodists, Presbyterians, Baptists, and many others. There are some very important things that we have in common. Christians are baptized and believe that Jesus is both divine and human. They believe that he died and rose to save us from sin. Christians also share the belief that the Bible was inspired by the Holy Spirit.

The Catholic Church is the Church founded by Christ himself. We are working with other Christian communities to bring about the unity of the Church. This work to promote the unity of all Christians is called **ecumenism**.

The differences among Christians are serious, but the Church is committed to the work of ecumenism. Each year in January the Church celebrates a week of prayer for Christian unity. We pray that all Christians may be one. Prayer services and discussion groups are held. Together Christians try to grow in love and understanding.

The Christian faith has a special connection to the Jewish faith. Jesus himself grew up as a Jew. So the Jewish People are our ancestors in faith. Many Christian beliefs and practices come from the Jewish faith. Today Jewish People everywhere continue to live their faith in the one true God.

Not everyone in the world believes in Jesus as Christians do, but that does not mean that they are not people of faith. We respect the right of others to practice and live their faith in different ways. We respect all Christians and acknowledge that elements of sanctification and truth are found in other Christian communities.

Imagine that you are writing an invitation to Jesus asking him to come and give a talk on "Faith in Our World." What is one question you would ask him?

____

La Iglesia trabaja por la justicia y la paz.

Justicia quiere decir respetar los derechos de los demás. Cuando somos justos damos a los demás lo que les pertenece. La justicia está basada en el simple hecho de que todos tenemos la misma dignidad humana. Todo el mundo tiene el valor que viene de ser creado a imagen de Dios.

Jesús respetó la dignidad de los demás y protegió sus derechos. Él empezó su ministerio diciendo:

"*El Espíritu del Señor está sobre mí, porque me ha ungido para anunciar la buena noticia a los pobres; me ha enviado a proclamar la liberación a los cautivos, a dar vista a los ciegos, a libertar a los oprimidos y a proclamar un año de gracia del Señor*". (Lucas 4:18–19)

Jesús hizo todas esas cosas. Él trabajó para satisfacer las necesidades del mundo. Sanó a los enfermos y dio de comer al que tenía hambre. Escuchó a los que tenían necesidades. Jesús habló por los ignorados y abandonados por la sociedad.

Toda la Iglesia continúa la misión de Jesús de trabajar por la justicia. El papa y nuestros obispos nos recuerdan respetar los derechos de todos. Podemos trabajar para cambiar cosas en la sociedad que permiten comportamientos y situaciones injustas. Juntos podemos visitar a los enfermos y a los ancianos. Podemos ofrecernos de voluntarios en cocinas populares y albergues para desamparados. Podemos ayudar a los extranjeros a encontrar casas y trabajos y a aprender el idioma. Podemos escribir a los líderes de los estados y del país pidiéndoles leyes que protejan a los niños y a los necesitados.

Vocabulario

características de la Iglesia (pp 331)

ecumenismo (pp 331)

mayordomos de la creación (pp 332)

Justicia es compartir los recursos de la creación de Dios con los que no tienen. Dios nos pide proteger y cuidar de la creación, personas, animales y los recursos del mundo. Él nos pide ser mayordomos de la creación. **Mayordomos de la creación** son todos los que cuidan de todo lo que Dios les ha dado. Dios quiere que todos usemos los bienes de su creación.

Justicia es usar los recursos que tenemos en forma responsable. No podemos usar más comida, agua o energía de la que necesitamos. El mundo no es un regalo de Dios sólo para nosotros. Es también un regalo para las generaciones futuras. Debemos trabajar juntos para proteger nuestro medio ambiente y la bondad de toda la creación de Dios.

RESPONDEMOS

Hablen sobre lo que tú y tu familia pueden hacer durante los meses de verano para mostrar respeto por los derechos de otros en la casa, el vecindario y el mundo.

The Church works for justice and peace.

Justice means respect for the rights of others. When we are just we give people the things that are rightfully theirs. Justice is based on the simple fact that all people have human dignity. All people have the value and worth that come from being created in God's image.

Jesus respected the dignity of others and protected their rights. He began his ministry by saying,

"The Spirit of the Lord is upon me,
because he has anointed me
to bring glad tidings to the poor.
He has sent me to proclaim liberty to captives
and recovery of sight to the blind,
to let the oppressed go free,
and to proclaim a year acceptable to the Lord" (Luke 4:18–19).

Jesus then did all these things. He worked to be sure that people had what they needed. He healed the sick and fed the hungry. He listened to people when they told him about their needs. Jesus stood up for those who were neglected or ignored by society.

The whole Church continues Jesus' work for justice. The pope and our bishops remind us to respect the rights of all people. We can work to change the things in society that allow unjust behaviors and conditions to exist. Together we can visit those who are sick or elderly. We can volunteer in soup kitchens or homeless shelters. We can help those from other countries to find homes and jobs and to learn the language. We can write to the leaders of our state and country asking them for laws that protect children and those in need.

Justice is sharing the resources that come from God's creation with those who do not have them. God asks us to protect and take care of creation—people, animals, and the resources of the world. He asks us to be stewards of creation. **Stewards of creation** are those who take care of everything that God has given them. God intended all people to use the goods of his creation.

Justice is using the resources we have in a responsible way. We cannot use so much food, water, and energy that there is not enough for others. The world is not only God's gift to us. It is also his gift for the generations of people to come. We must work together to protect our environment and the good of all God's creation.

WE RESPOND

Discuss what you and your families can do during the summer months to show your respect for the rights of others at home, in your neighborhood, and around the world.

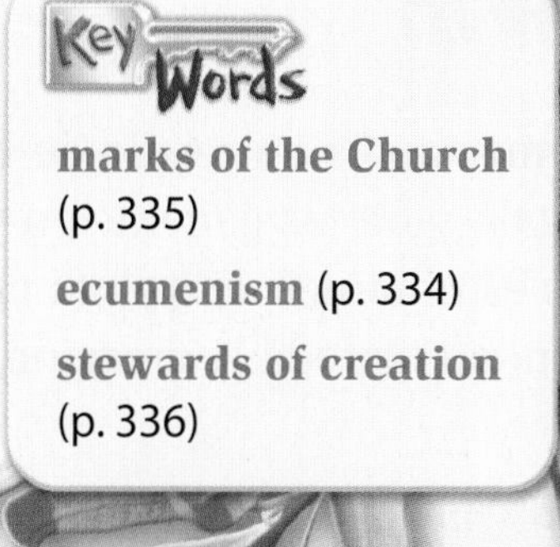
Key Words

marks of the Church (p. 335)

ecumenism (p. 334)

stewards of creation (p. 336)

HACIENDO DISCÍPULOS

Muestra lo que sabes

Completa la red de palabras escribiendo palabras o frases relacionadas con cada palabra del Vocabulario.

Hazlo

El mundo es un regalo de Dios no sólo para nosotros. Es también un regalo para las generaciones futuras. ¿Cuáles son algunas formas en que los estudiantes de quinto curso pueden proteger el medio ambiente y la bondad de toda la creación de Dios? ______________________________

____

Compártelo.

PROJECT DISCIPLE

Show What you Know

Complete the word webs by writing words or phrases that relate to each Key Word.

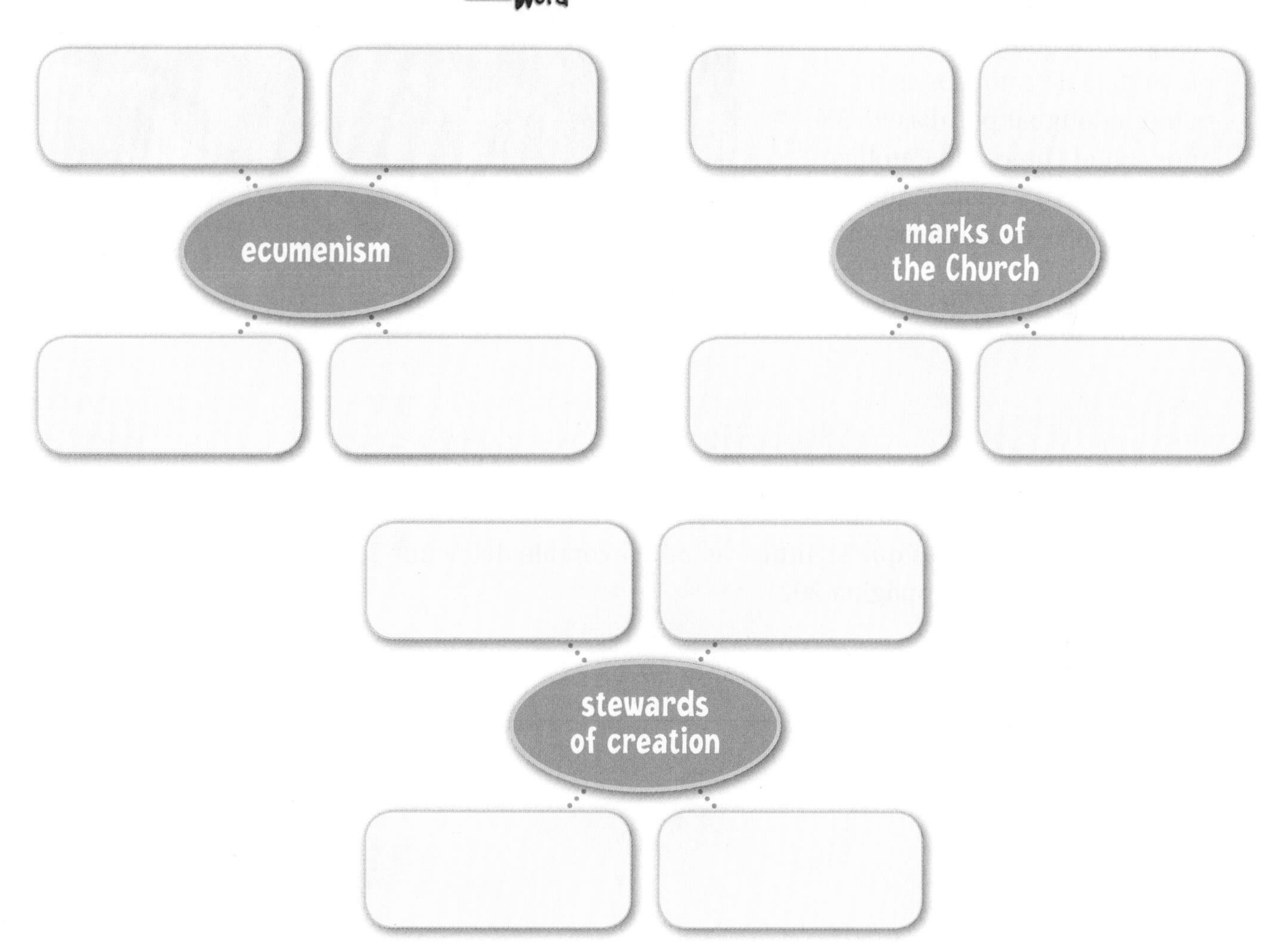

Make it Happen

The world is not only God's gift to us. It is also his gift for the generations of people to come. What are some ways that fifth-graders can protect our environment and the good of all God's creation?

____

______________________________ **Now pass it on!**

HACIENDO DISCIPULOS

Datos

Hay más de un billón de católicos en el mundo, alrededor del 17 por ciento de la población. El porcentaje de católicos se ha mantenido igual por más de 35 años. En el Directorio Católico Oficial del 2014 leemos que hay 66.6 millones de católicos en los Estados Unidos, 21 por ciento de la población total.

Realidad

¿Qué crees que significa "el año favorable del Señor"? (Idea: ver página 292)

____

____

____

Reza

María, Reina de la Paz,
sálvanos a todos los que confiamos en ti,
de la guerra, del odio, de la opresión.
Haznos aprender a vivir en paz y edúcanos
para la paz, a hacer lo que nos pide la justicia
y el respeto a los derechos de cada persona,
así la paz se establecerá firmemente.
Amén.
(Papa Juan Pablo II)

Tarea

Mira la lista que escribiste en *Hazlo*. Junto con tu familia, busquen un servicio local que ayude a realizar lo que escribiste en tu lista.

RETO PARA EL DISCIPULO Juntos planifiquen ayudar un proyecto de servicio local esta semana.

____

____

PROJECT DISCIPLE

Fast Facts

There are more than one billion Catholics in the world, which is about 17 percent of the world population. The percentage of Catholics has remained about the same for more than 35 years. The 2014 *Official Catholic Directory* lists the Catholic population in the United States as 66.6 million. Catholics represent about 21 percent of the total U.S. population.

Reality Check

What do you think "a year acceptable to the Lord" is like? (Hint: see page 293).

____

____

____

Pray Today

Mary, Queen of Peace,
save us all, who have so much trust in you,
from wars, hatred, and oppression.
Make us all learn to live in peace, and educate ourselves for peace,
do what is demanded by justice and respect the rights of every person,
so that peace may be firmly established.
Amen.

(Pope John Paul II)

Take Home

Look over the list you wrote in *Make It Happen*. With your family, find local service projects that will help bring about one of the items on your list.

DISCIPLE CHALLENGE Together, plan to help this local service project this week.

____

____

Catequesis en el hogar

Capítulo 26 (páginas 286–297)

Una, santa, católica y apostólica

En este capítulo su hijo(a) aprenderá que la Iglesia es una, santa, católica y apostólica.

26 Una, santa, católica y apostólica

NOS CONGREGAMOS

Líder: Bendito sea el nombre del Señor.

Todos: Ahora y siempre.

Lector: Lectura de la Carta de san Pablo a los Efesios.

". . . sino conciudadanos de los que forman el pueblo de Dios; son familia de Dios, edificados sobre el cimiento de los apóstoles y profetas siendo el mismo Cristo Jesús la piedra fundamental". (Efesios 2:19, 20)

Palabra de Dios.

Todos: Te alabamos, Señor.

¿Cuáles son algunas cualidades o características que te describen? ¿Cómo pueden esas cualidades y características acercarte a tu familia y tu comunidad?

CREEMOS

La Iglesia es una y santa.

Profesamos nuestra fe en los sacramentos. En la celebración de la Eucaristía lo hacemos cuando rezamos el Credo de Nicea. En este credo afirmamos que "creemos en una Iglesia santa, católica y apostólica". Estas son las cuatro características de la Iglesia. La Iglesia es una, santa, católica y apostólica.

La primera característica es que la Iglesia es una. La Iglesia es una porque todos sus miembros creen en un solo Señor, Jesucristo. La Iglesia es una porque compartimos el mismo Bautismo y juntos somos el Cuerpo de Cristo.

286

Para los padres

Tenemos una antigua forma profesada en el credo de Nicea, llamada las características de la Iglesia: una, santa, católica y apostólica. Decimos que la Iglesia es una porque la fuente de la Iglesia es la Santísima Trinidad. La Iglesia es también santa porque Cristo la santificó por medio de su muerte y resurrección. La Iglesia es católica, universal, porque Cristo la envió a "todos los pueblos" (Marcos 16:15). La Iglesia es también apostólica porque se basa en las enseñanzas y ministerio de los apóstoles.

Todos los días

- Encienda una vela, hagan la señal de la cruz y ofrezcan una corta oración.

Primer día **La Iglesia es una y santa.**

- Túrnense para leer en voz alta el título y el texto que sigue.
- Señale que las características de la Iglesia cobran vida cuando damos testimonio con nuestras palabras y obras.

Segundo día **La Iglesia es católica y apostólica.**

- Túrnense para leer el título y el texto que sigue.
- Pregunte: *¿Por qué la Iglesia es católica?* (Es universal, está en todo el mundo). *¿Por qué es apostólica?* (La vida y el liderazgo de la Iglesia se basan en los apóstoles).

Tercer día **La Iglesia respeta a todo el mundo.**

- Pida a su hijo(a) que lea el título en voz alta y el texto. Ponga énfasis en que los cristianos comparten creencias importantes. Creen que Jesús es divino y humano, que Jesús resucitó de la muerte y que la Biblia fue inspirada por el Espíritu Santo.
- Pregunte: *¿Por qué la fe judía es honrada y respetada por los cristianos?* (Jesús creció como judío. Muchas de nuestras creencias y prácticas vienen de la fe judía). *¿Cómo pueden los cristianos, musulmanes, budistas e hinduistas trabajar por la justicia y la paz en el mundo?* (Enfatice que todas las religiones y fes pueden promover respeto y formas pacíficas de resolver los problemas de la raza humana).

Cuarto día **La Iglesia trabaja por la justicia y la paz.**

- Lea el título en voz alta. Túrnense para leer el texto. Pregunte: *¿De qué forma se cumple en Jesús el pasaje bíblico en Lucas 4:18–19?* (Él representa y protege los derechos y la dignidad de todos). *¿Cómo, como discípulos de Jesús, podemos trabajar por la justicia hoy?* (Estamos llamados a respetar los derechos y la dignidad de todos).

Respondemos en fe

Quinto día

- Ayude a su hijo(a) a identificar algo que lo dirija hacia la santidad personal esta semana.

Sexto día

- Converse con su familia sobre cómo las leyes de la Iglesia nos ayudan.

Catechesis at Home

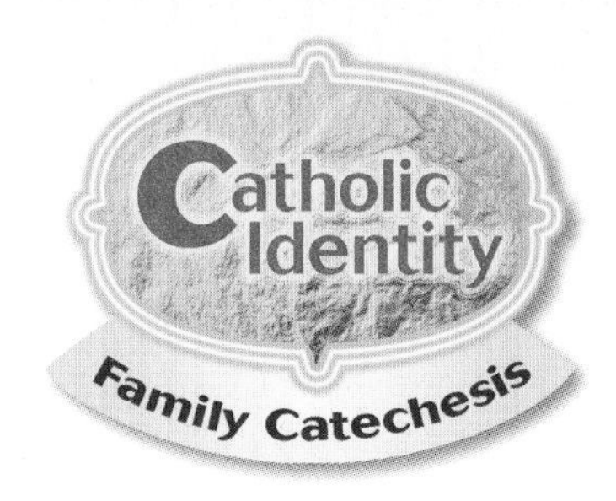

Chapter 26 (pages 286–297)

One, Holy, Catholic, and Apostolic

In this chapter your child will learn that the Church is one, holy, catholic, and apostolic.

For the Parents

We have an ancient way, professed in the Nicene Creed, called the four marks of the Church: one, holy, catholic, and apostolic. We say that the Church is one because the source of the Church is the Holy Trinity. The Church is also holy because Christ sanctified the Church through his death and Resurrection. The Church is catholic or universal. It is catholic because it has been sent out by Christ to "the whole world" (Mark 16:15). The Church is also apostolic, because it is rooted in the teachings and ministry of the apostles.

Every Day

- Light a candle, pray the Sign of the Cross together, and offer a short prayer.

Day One **The Church is one and holy.**

- Take turns reading aloud the statement and the text that follows.
- Stress that the marks of the Church come alive when we give witness to them in our words and actions.

Day Two **The Church is catholic and apostolic.**

- Take turns reading aloud the statement and the text that follows.
- Ask: *Why is the Church catholic?* (It is universal, worldwide, and open to all people.) *Why is the Church apostolic?* (The life and leadership of the Church are based on that of the apostles.)

Day Three **The Church respects all people.**

- Have your child read aloud the statement and the text. Emphasize that all Christians share very important beliefs. Jesus is both divine and human, he rose from the dead, and the Bible was inspired by the Holy Spirit.
- Ask: *Why is the Jewish faith held in honor and respect among Christians?* (Jesus grew up as an observant Jew. Many of our beliefs and practices come from the Jewish faith.) *In what ways can Christians, Muslims, Buddhists, and Hindus work toward world peace and justice?* (Stress that all religions and faiths can promote respect and nonviolent ways of bettering the human race and the world.)

Day Four **The Church works for justice and peace.**

- Read aloud the statement. Take turns reading the text. Ask: *In what ways did Jesus fulfill the Scripture passage Luke 4:18–19?* (He respected and protected the rights and dignity of all people.) *In what ways can we as Jesus' disciples work for justice today?* (Stress that we are called to respect the rights and dignity of all people.)

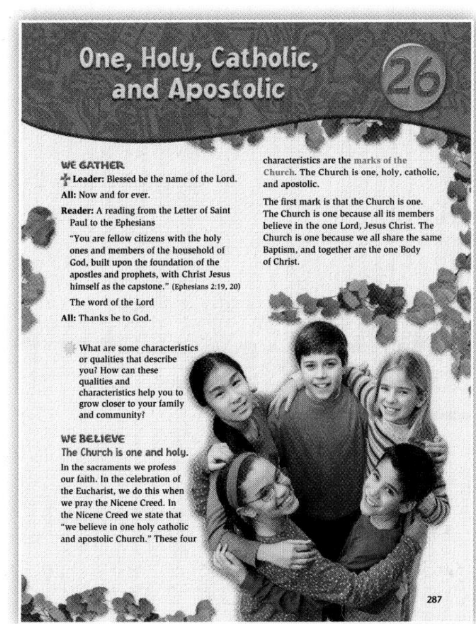

One, Holy, Catholic, and Apostolic 26

WE GATHER

Leader: Blessed be the name of the Lord.

All: Now and for ever.

Reader: A reading from the Letter of Saint Paul to the Ephesians

"You are fellow citizens with the holy ones and members of the household of God, built upon the foundation of the apostles and prophets, with Christ Jesus himself as the capstone." (Ephesians 2:19, 20)

The word of the Lord

All: Thanks be to God.

What are some characteristics or qualities that describe you? How can these qualities and characteristics help you to grow closer to your family and community?

WE BELIEVE

The Church is one and holy.

In the sacraments we profess our faith. In the celebration of the Eucharist, we do this when we pray the Nicene Creed. In the Nicene Creed we state that "we believe in one holy catholic and apostolic Church." These four characteristics are the marks of the Church. The Church is one, holy, catholic, and apostolic.

The first mark is that the Church is one. The Church is one because all its members believe in the one Lord, Jesus Christ. The Church is one because we all share the same Baptism, and together are the one Body of Christ.

287

We Respond in Faith

Day Five

- Help your child to identify one thing that can lead to personal holiness this week.

Day Six

- Discuss with your family the ways in which the laws of the Church help us.

Tiempo de Pascua

El Tiempo de Pascua es un tiempo especial de regocijo por la nueva vida que tenemos en Cristo.

NOS CONGREGAMOS

✝ *Señor, te alabamos con todo nuestro corazón y voces.*

¿Cuáles son algunos eventos alegres de la escuela o del vecindario en los que has participado? ¿Qué hace que ese tiempo sea feliz y ameno?

CREEMOS

La celebración de la Misa del Domingo de Pascua es muy festiva. Es un tiempo de gozo donde suenan campanas y la iglesia se llena de flores. También hay otros signos de nueva vida. Durante esta Misa escuchamos la lectura de la resurrección de Jesús en el Evangelio.

Marcos 16:1–10

Narrador: "Pasado el sábado, María Magdalena, María la de Santiago y Salomé compraron perfumes para ir a embalsamar a Jesús. El primer día de la semana, muy de madrugada, a la salida del sol, fueron al sepulcro. Iban comentando:

Mujeres: '¿Quién nos retirará la piedra de la entrada del sepulcro?'

Narrador: Pero, al mirar, observaron que la piedra había sido ya retirada, y eso que era muy grande. Cuando entraron en el sepulcro, vieron a un joven sentado a la derecha, que estaba vestido con una túnica blanca. Ellas se asustaron. Pero él les dijo:

Joven: 'No se asusten. Buscan a Jesús de Nazaret, el crucificado. Ha resucitado; no está aquí. Miren el lugar donde lo pusieron. Vayan, pues, a decir a sus discípulos y a Pedro: Él va camino de Galilea; allí lo verán tal como les dijo'". (Marcos 16:1–7)

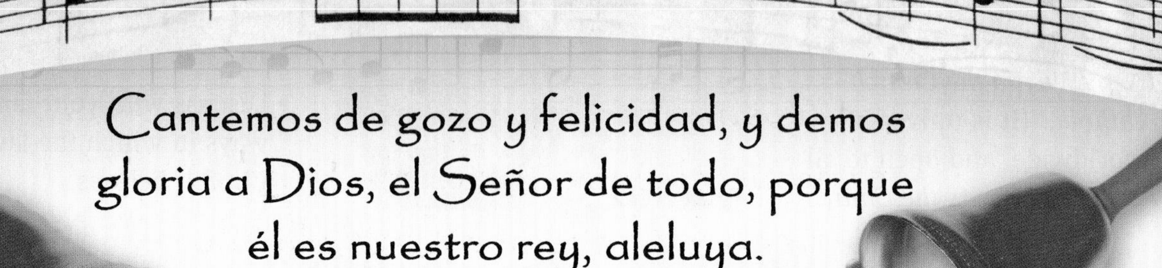

Cantemos de gozo y felicidad, y demos gloria a Dios, el Señor de todo, porque él es nuestro rey, aleluya.

Easter

The Easter season is a special time to rejoice over the new life we have in Christ.

WE GATHER

✝ *Lord, we praise you with our hearts and voices.*

What are some exciting or joyful school or neighborhood events that you have been a part of? What make these times so happy and full of fun?

WE BELIEVE

On Easter Sunday the celebration of the Mass is very festive. It is a joyous time with bells ringing and flowers filling the church. There are other signs of new life, too. During this Mass we listen to the Gospel reading about Jesus' Resurrection:

Mark 16:1–10

Narrator: "When the sabbath was over, Mary Magdalene, Mary, the mother of James, and Salome bought spices so that they might go and anoint him. Very early when the sun had risen, on the first day of the week, they came to the tomb. They were saying to one another,

Women: 'Who will roll back the stone for us from the entrance of the tomb?'

Narrator: When they looked up, they saw that the stone had been rolled back; it was very large. On entering the tomb they saw a young man sitting on the right side, clothed in a white robe, and they were utterly amazed. He said to them,

Young man: 'Do not be amazed! You seek Jesus of Nazareth, the crucified. He has been raised; he is not here. Behold, the place where they laid him. But go and tell his disciples and Peter, 'He is going before you to Galilee; there you will see him, as he told you.'" (Mark 16:1–7)

Let us shout out our joy and happiness,
and give glory to God, the Lord of all,
because he is our King, alleluia.

Narrador: Las mujeres corrieron sin saber que pensar. Más tarde esa mañana, el Cristo resucitado se apareció a María Magdalena y ella fue a contar a los otros discípulos. Pero ellos no le creyeron. Cristo se apareció a otros dos discípulos y tampoco creyeron. Cuando el Cristo resucitado se apareció a los apóstoles, ellos finalmente creyeron.

En grupo hablen sobre por qué los discípulos no creyeron. Imagina que estás entre los primeros discípulos que vieron la tumba vacía y que vieron a Jesús resucitado. ¿Qué pensarías? ¿Cuáles serían tus sentimientos? ¿Quién o qué te hace creer en el Cristo resucitado?

Celebramos la resurrección de Cristo todos los domingos. El Cristo resucitado está entre nosotros y hay signos de nueva vida a nuestro alrededor. Sin embargo, el Tiempo de Pascua es un tiempo especial para recordar y regocijarnos en la nueva vida que tenemos en Cristo.

El morado oscuro usado durante la Cuaresma es cambiado por un blanco brillante y dorado. Blanco y dorado son los colores de la luz, la vida y la Resurrección. El dorado es el metal más precioso y es usado frecuentemente como señal de Dios en el cielo.

Cantamos "aleluya". La palabra *aleluya* quiere decir "alaba a Dios". Durante la Cuaresma, no cantamos ni decimos Aleluya en la liturgia.

Ahora, durante el Tiempo de Pascua, cantamos o decimos aleluya una y otra vez. Jesús ha resucitado, ¡aleluya! Él ha conquistado la muerte, ¡aleluya!

En el Tiempo de Pascua la primera lectura de la Misa es tomada de Hechos de los apóstoles, no del Antiguo Testamento. Los Hechos de los Apóstoles registran la vida de los apóstoles después de la Ascensión de Jesús a los cielos. Nos hablan del inicio de la Iglesia. Durante esta lectura escuchamos la forma maravillosa en que los primeros cristianos predicaron la buena nueva de Cristo y formaron una comunidad de fe.

El Tiempo de Pascua dura cincuenta días y termina el domingo de Pentecostés. Como en todos los tiempos del año, recordamos a María y a los santos por su creencia en Cristo y el testimonio de su buena nueva. Algunas veces este tiempo se extiende hasta el mes de mayo.

Narrator: The women ran from the tomb not knowing what to think. Later that morning the Risen Christ appeared to Mary Magdalene, and she went and told his other disciples. But they did not believe. Christ appeared to two other disciples, and still the others did not believe. But when the Risen Christ appeared to the Apostles, the Apostles and disciples finally believed.

In groups talk about why the other disciples might not have believed. Imagine you are among the first disciples to see the empty tomb or to see the Risen Jesus. What might you be thinking? What might you be feeling? Who or what helps you to believe in the Risen Christ?

We celebrate Christ's Resurrection every Sunday. The Risen Christ is among us, and there are signs of new life all around us. However, the Easter season is a special time to remember and rejoice over the new life we have in Christ.

The deep purple used during Lent is changed to a brilliant white and joyous gold. White and gold are the colors of light, life, and Resurrection. Gold is the most precious metal there is, and we often use it as a sign of God and heaven.

We sing, "Alleluia!" The word *alleluia* means "Praise God!" All during Lent, we did not sing or say alleluia in the liturgy. Now during the Easter season, we say it and sing it over and over again! Jesus is risen, Alleluia! He has conquered death forever, Alleluia!

In the Easter season the first reading during the Mass is from the Acts of the Apostles, not the Old Testament. The Acts of the Apostles records the life of the Apostles after Jesus' Ascension into heaven. It tells of the beginning of the Church. During this reading we hear of the wonderful way the first Christians spread the Good News of Christ and formed a community of faith.

The season of Easter lasts fifty days and ends on Pentecost Sunday. As in all the seasons of the year, we remember Mary and the saints for their belief in Christ and witness to his Good News. We enter into the month of May sometime during the Easter season.

Honrando a María En muchas partes del mundo, mayo es un mes especial de devoción a María. Honramos y celebramos a María porque ella es la madre del Hijo de Dios. Su confianza y fe en Dios nos enseña como ser discípulos y le pedimos que rece por nosotros. Hay muchas devociones populares en honor a María. Para muchas personas el mes de mayo es tiempo para coronar estatuas de nuestra señora. Llamamos a María, reina, porque su hijo, Jesús, es el Rey de reyes y cuyo reino nunca terminará. De hecho, a todos los seguidores de Cristo se les ha prometido que "recibirán la corona de la gloria" (1 Pedro 5:4) y "la corona de la vida" (Santiago 1:12)

En una coronación en mayo, una estatua de María es coronada con flores.

La ceremonia de una coronación es con frecuencia celebrada en grutas o jardines. No tiene lugar durante la liturgia y muchas veces es acompañada de una procesión, cantando o leyendo la Escritura y de peticiones a María para que ruegue por nosotros. Nos regocijamos con ella de que un día, también nosotros, recibiremos la "corona de la gloria".

RESPONDEMOS

¿Cómo puedes seguir los ejemplos de María y de los santos? ¿Qué harás esta semana para dar testimonio de Jesús?

Respondemos en oración

Líder: Te alabamos, Señor, en tu hija de Israel.

Todos: María, fiel a ti y nuestra madre.

Lector:: Lectura del santo Evangelio según Lucas.

"Y cuando Isabel oyó el saludo de María, el niño saltó en su seno. Entonces Isabel, llena del Espíritu Santo, exclamó a grandes voces: 'Bendita tú entre las mujeres y bendito el fruto de tu vientre. Pero ¿cómo es posible que la madre de mi Señor venga a visitarme?'"
(Lucas 1:41–43)

Palabra del Señor.

Todos: Gloria a ti, Señor Jesús.

Líder: Ruega por nosotros Santa Madre de Dios.

Todos: Para que seamos dignos de alcanzar las promesas de Cristo.

Santa María del camino

Mientras recorres la vida tú nunca solo estás;
contigo por el camino, Santa María va.
Ven con nosotros al caminar; Santa María,
ven. Ven con nosotros al caminar;
Santa María, ven.

Honoring Mary In many areas of the world, May is a special month of devotion to Mary. We honor and celebrate Mary because she is the Mother of the Son of God. Her trust and faith in God teach us how to be disciples, and we ask her to pray with and for us. There are many popular devotions to Mary, and the month of May has for many people been a time for the crowning of Our Lady's statue. We call Mary Queen because her Son Jesus is the King of Kings whose Kingdom will never end. In fact, all followers of Christ are promised the "crown of glory" (1 Peter 5:4) and "the crown of life" (James 1:12).

In a May crowning, a statue of Mary may be crowned with a wreath of flowers or a simple crown. The May crowning ceremony, which does not take place during the liturgy, is often celebrated in grottos, outdoor shrines, or parish gardens. Many times there is a procession accompanied by singing, Scripture readings, and requests for Mary to pray for us. We rejoice with her that one day we, too, may receive the "crown of glory."

WE RESPOND

How can you follow the examples of Mary and the saints? What will you do this week to give witness to Jesus?

We Respond in Prayer

Leader: We praise you, Lord, in this daughter of Israel,

All: Mary, your faithful one and our mother.

Reader: A reading from the holy Gospel according to Luke

"When Elizabeth heard Mary's greeting, the infant leaped in her womb, and Elizabeth, filled with the holy Spirit, cried out in a loud voice and said, 'Most blessed are you among women, and blessed is the fruit of your womb. And how does this happen to me, that the mother of my Lord should come to me?'" (Luke 1:41–43)

The Gospel of the Lord.

All: Praise to you, Lord Jesus Christ.

Leader: Pray for us, holy Mother of God.

All: That we may become worthy of the promises of Christ.

Holy Mary

Holy Mary, we come to honor you.
We crown you this day,
the queen of our hearts.
Mary, you are filled with the Lord's own grace.
Salve Regina, Holy Mary.

HACIENDO DISCÍPULOS

Muestra lo que sabes

Haz un cuadro para encontrar palabras usando los siguientes términos relacionados con el Tiempo de Pascua. Intercambia tu rompecabezas con un compañero o un miembro de tu familia. Cuando se encuentre cada término enciérralo en un círculo y habla de su importancia en el Tiempo de Pascua.

- resurrección
- buena nueva
- regocijo
- nueva vida
- aleluya
- Jesucristo
- cincuenta días
- domingo
- pascua

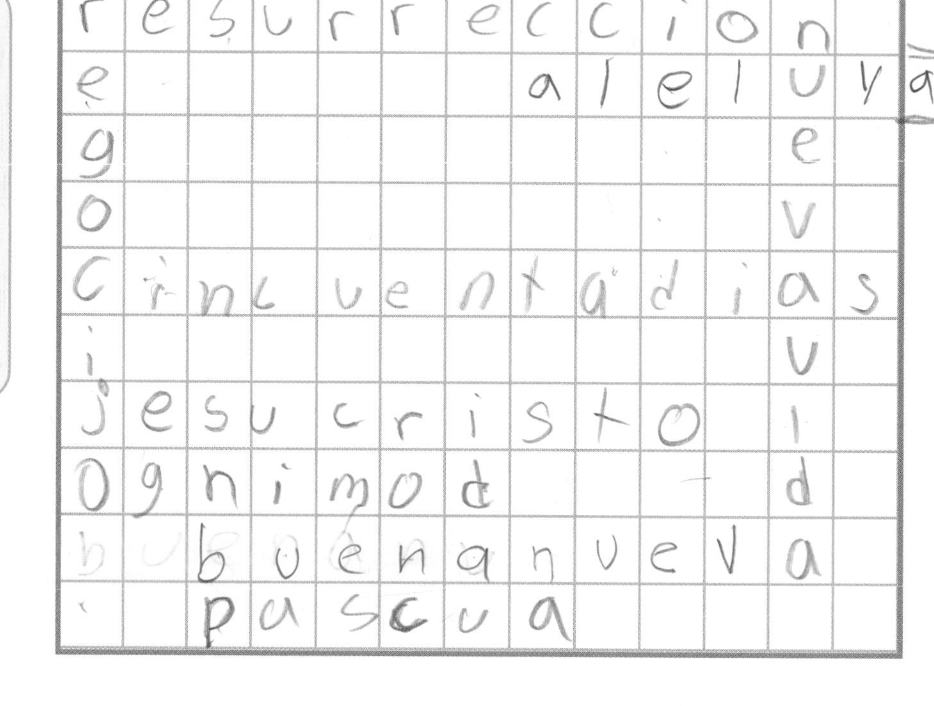

Escritura

"Aquel mismo domingo, por la tarde, estaban reunidos los discípulos en una casa con las puertas cerradas por miedo a los judíos. Jesús se presentó en medio de ellos y les dijo: 'La paz esté con ustedes'. Y les mostró las manos y el costado. Los discípulos, se llenaron de alegría al ver al Señor. Jesús les dijo de nuevo: 'La paz esté con ustedes'. Y añadió. 'Como el Padre me ha enviado, yo también los envío a ustedes'". (Juan 20:19–21)

- ¿Cómo llevarás la paz a otros durante el tiempo de Pascua?

rezando por ellos.

Compártelo.

Tarea

Anima a tu familia a hacer algo "verde" durante el Tiempo de Pascua. Puedes sugerir empezar un jardín (dentro o fuera de la casa), apagar las luces cuando salen de las habitaciones, reparar goteras, etc.

Escribe otras sugerencias para hacer que tu familia actúe "verde".

plantar una planta

PROJECT DISCIPLE

Show What you Know

Make a word search using the following terms related to the season of Easter. Exchange your puzzle with a classmate or family member. As each term is found and circled, talk about its significance to the season of Easter.

Resurrection
Good News
rejoice
new life
Alleluia
Jesus Christ
fifty days
Sunday
Easter

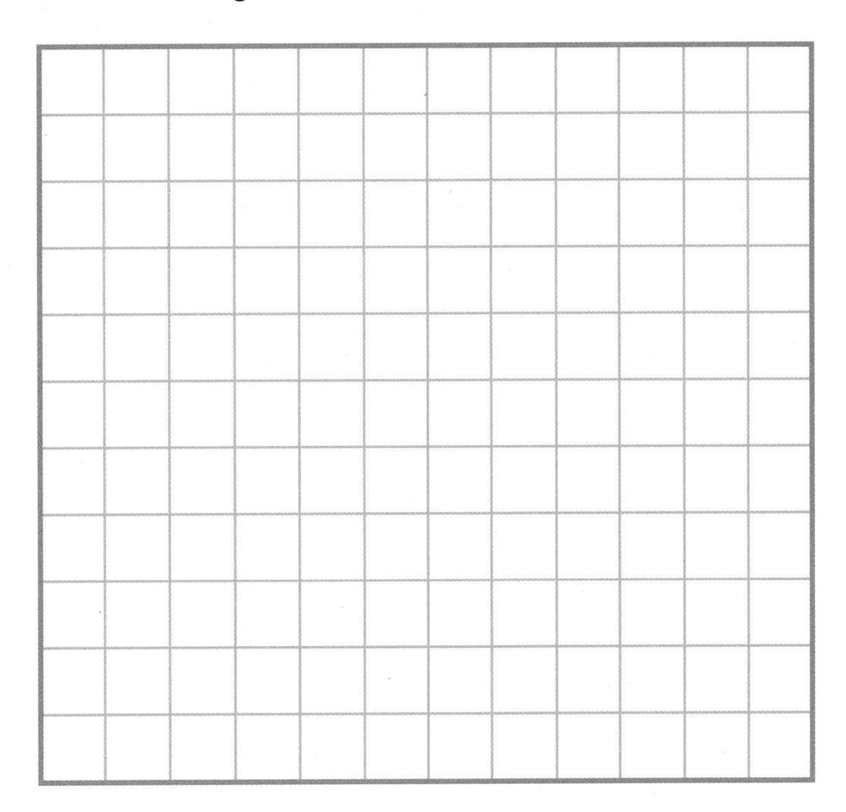

What's the Word?

"Jesus came and stood in their midst and said to them, 'Peace be with you.' When he had said this, he showed them his hands and his side. The disciples rejoiced when they saw the Lord. [Jesus] said to them again, 'Peace be with you. As the Father has sent me, so I send you.'"
(John 20:19–21)

- What are some ways you can bring peace to others this Easter Season?

____

______________________________ **Now, pass it on!**

Take Home

Encourage your family to do something "green" this Easter season. Suggestions might include: begin a family garden (indoors or outdoors), turn off lights when leaving a room, repair leaky faucets, etc.

Write another way for your family to go "green."

____

____

Catequesis en el hogar

Capítulo 27 (páginas 298–305)

Tiempo de Pascua

En este capítulo su hijo(a) aprenderá que el Tiempo de Pascua es un tiempo especial de regocijo por la nueva vida que tenemos en Cristo.

Para los padres

El Tiempo de Pascua es un tiempo de gozo y fiestas en el que la Iglesia celebra la resurrección de Cristo. Dura cincuenta días, desde el Domingo de Pascua hasta Pentecostés; este tiempo de regocijo es conocido como "la fiesta de las fiestas" o "el gran domingo". Cristo conquistó la muerte y su nueva vida permea el pueblo de Dios. Es Cristo mismo quien es el principio y la fuente de nuestra futura resurrección.

Todos los días

- Empiece haciendo la señal de la cruz y haciendo la siguiente oración: *Señor, te alabamos con nuestros corazones y voces.*

Primer día **Tiempo de Pascua.**

- Pida a su hijo(a) que conteste la pregunta en *Nos congregamos*. Señale que los eventos especiales nos llenan de vida y nos hacen sentir felices de estar vivos.
- Explique a su hijo(a) que el Tiempo de Pascua es un tiempo de celebración y regocijo en la Iglesia porque tenemos nueva vida en Cristo.

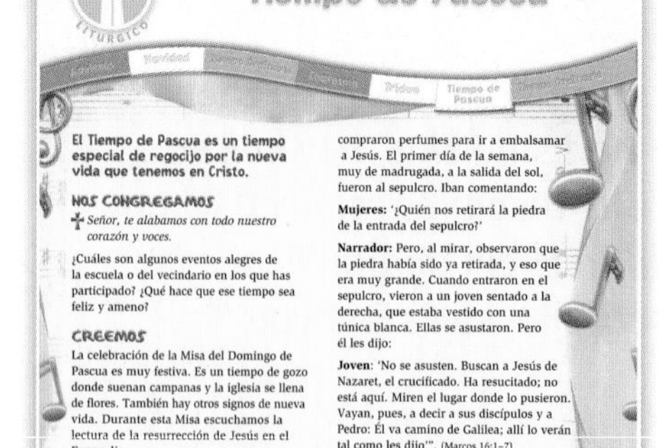

Tiempo de Pascua

El Tiempo de Pascua es un tiempo especial de regocijo por la nueva vida que tenemos en Cristo.

NOS CONGREGAMOS

✝ *Señor, te alabamos con todo nuestro corazón y voces.*

¿Cuáles son algunos eventos alegres de la escuela o del vecindario en los que has participado? ¿Qué hace que ese tiempo sea feliz y ameno?

CREEMOS

La celebración de la Misa del Domingo de Pascua es muy festiva. Es un tiempo de gozo donde suenan campanas y la iglesia se llena de flores. También hay otros signos de nueva vida. Durante esta Misa escuchamos la lectura de la resurrección de Jesús en el Evangelio.

Marcos 16:1–10

Narrador: "Pasado el sábado, María Magdalena, María la de Santiago y Salomé compraron perfumes para ir a embalsamar a Jesús. El primer día de la semana, muy de madrugada, a la salida del sol, fueron al sepulcro. Iban comentando:

Mujeres: '¿Quién nos retirará la piedra de la entrada del sepulcro?'

Narrador: Pero, al mirar, observaron que la piedra había sido ya retirada, y eso que era muy grande. Cuando entraron en el sepulcro, vieron a un joven sentado a la derecha, que estaba vestido con una túnica blanca. Ellas se asustaron. Pero él les dijo:

Joven: 'No se asusten. Buscan a Jesús de Nazaret, el crucificado. Ha resucitado; no está aquí. Miren el lugar donde lo pusieron. Vayan, pues, a decir a sus discípulos y a Pedro: Él va camino de Galilea; allí lo verán tal como les dijo'". (Marcos 16:1–7)

Cantemos de gozo y felicidad, y demos gloria a Dios, el Señor de todo, porque él es nuestro rey, aleluya.

298

Segundo día **Durante el Tiempo de Pascua celebramos la nueva vida en Cristo.**

- Explique a su hijo(a) los signos y símbolos de Pascua. Pregunte: *¿Por qué estos símbolos y signos se usan para el regocijo de la Pascua?*
- Juntos proclamen el versículo al final de la página.

Tercer día **El Tiempo de Pascua es un tiempo especial.**

- Lea en voz alta el título y el primer párrafo.
- Túrnense para leer en voz alta Marcos 16:1–10. Después de la lectura reflexionen en la pregunta de la actividad.

Cuarto día **Durante el Tiempo de Pascua nos regocijamos en la nueva vida que tenemos en Cristo.**

- Continúe leyendo el texto en voz alta. Pregunte: *¿Por qué el blanco y el dorado son los colores de Pascua?* (Ellos son los colores de luz, vida y resurrección. El dorado es signo de Dios y el cielo).
- Lea en voz alta el resto del texto. Enfatice que honramos a María durante el mes de mayo y a otros santos durante el Tiempo de Pascua.

Respondemos en fe

Quinto día

- Pida a su hijo(a) que haga una lista de las cosas que hará para dar testimonio de Jesús.

Sexto día

- ¿Cuáles son algunas de las cosas con que su familia puede demostrar el gozo de Pascua?

Catechesis at Home

Chapter 27 (pages 298–305)

Easter

In this chapter your child will learn that the Easter season is a special time to rejoice over the new life we have in Christ.

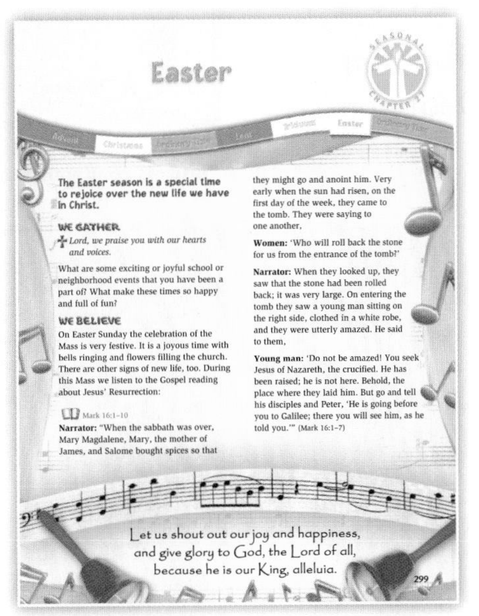

Easter

The Easter season is a special time to rejoice over the new life we have in Christ.

WE GATHER

Lord, we praise you with our hearts and voices.

What are some exciting or joyful school or neighborhood events that you have been a part of? What make these times so happy and full of fun?

WE BELIEVE

On Easter Sunday the celebration of the Mass is very festive. It is a joyous time with bells ringing and flowers filling the church. There are other signs of new life, too. During this Mass we listen to the Gospel reading about Jesus' Resurrection:

Mark 16:1–10

Narrator: "When the sabbath was over, Mary Magdalene, Mary, the mother of James, and Salome bought spices so that they might go and anoint him. Very early when the sun had risen, on the first day of the week, they came to the tomb. They were saying to one another,

Women: 'Who will roll back the stone for us from the entrance of the tomb?'

Narrator: When they looked up, they saw that the stone had been rolled back; it was very large. On entering the tomb they saw a young man sitting on the right side, clothed in a white robe, and they were utterly amazed. He said to them,

Young man: 'Do not be amazed! You seek Jesus of Nazareth, the crucified. He has been raised; he is not here. Behold, the place where they laid him. But go and tell his disciples and Peter, 'He is going before you to Galilee; there you will see him, as he told you.'" (Mark 16:1–7)

Let us shout out our joy and happiness, and give glory to God, the Lord of all, because he is our King, alleluia.

299

For the Parents

The Easter season is a time of great joy and festivity in which the Church celebrates the Resurrection of Christ. Lasting fifty days from Easter Sunday evening through Pentecost, this season of rejoicing is known as the "Feast of feasts" or "the great Sunday." Christ has conquered death and his new life permeates the people of God. It is Christ himself who is the principle and source of our own future resurrection.

Every Day

- Begin with the Sign of the Cross and the prayer. *Lord, we praise you with our hearts and voices.*

Day One **Easter**

- Ask your child to respond to the *We Gather* questions on the next page. Point out that special events make us feel full of life and happy to be alive.
- Explain to your child that Easter is a season of celebration and rejoicing in the Church because we have new life in Christ.

Day Two **During Easter we celebrate the new Life in Christ.**

- Explain to your child the signs and symbols of Easter. Ask: *Why are these signs and symbols used to rejoice in the season of Easter?*
- Together proclaim the verse on the banner under the photo.

Day Three **The Easter season is a special time.**

- Read aloud the *We Believe* statement and the first paragraph.
- Take turns reading aloud Mark 16:1–10. After the reading, reflect with the question activity in the text.

Day Four **During the Easter season we rejoice over the new life we have in Christ.**

- Continue reading the text aloud. Ask: *Why are white and gold the colors of Easter?* (They are the colors of light, life, and Resurrection. Gold is a sign of God and heaven.)
- Read aloud the remainder of the text. Stress that we honor Mary during May, as well as other saints during the Easter season.

We Respond in Faith

Day Five

- Ask your child to write a list of the things he or she will do this week to give witness to Jesus.

Day Six

- What are some other ways your family can give voice to your Easter joy at this special time of year?

Vía crucis

En el vía crucis seguimos los pasos de Jesús durante su pasión y muerte en la cruz.

Stations of the Cross

In the stations we follow in the footsteps of Jesus during his passion and Death on the cross.

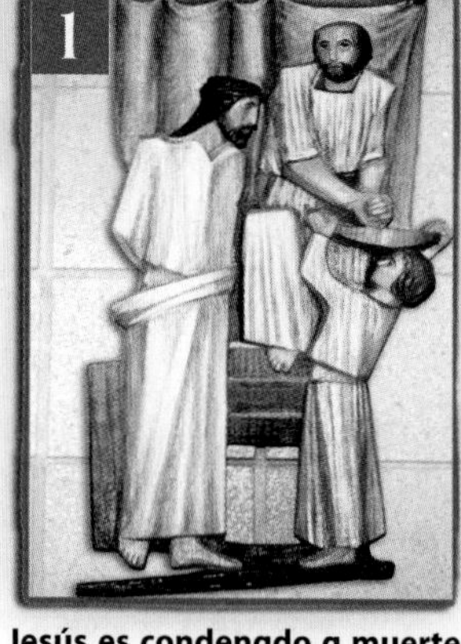

Jesús es condenado a muerte.
Jesus is condemned to die.

Jesús carga con la cruz.
Jesus takes up his cross.

Jesús cae por primera vez.
Jesus falls the first time.

Jesús encuentra a su madre.
Jesus meets his mother.

Simón ayuda a Jesús a cargar la cruz.
Simon helps Jesus carry his cross.

Verónica enjuga el rostro de Jesús.
Veronica wipes the face of Jesus.

Jesús cae por segunda vez.
Jesus falls the second time.

Jesús encuentra a las mujeres de Jerusalén.
Jesus meets the women of Jerusalem.

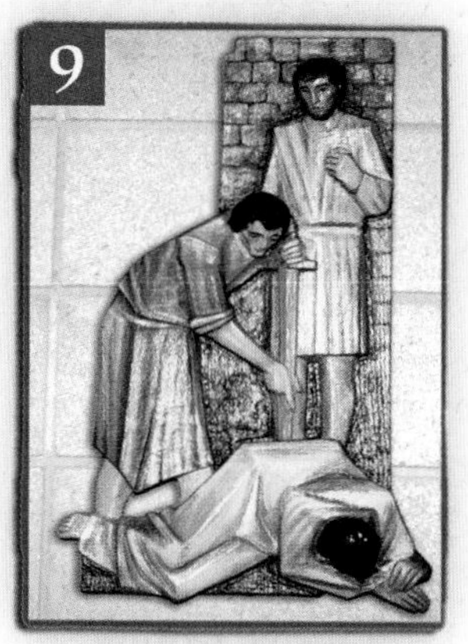

Jesús cae por tercera vez.
Jesus falls the third time.

Jesús es despojado de sus vestiduras.
Jesus is stripped of his garments.

Jesús es clavado en la cruz.
Jesus is nailed to the cross.

Jesús muere en la cruz.
Jesus dies on the cross.

Jesús es bajado de la cruz.
Jesus is taken down from the cross.

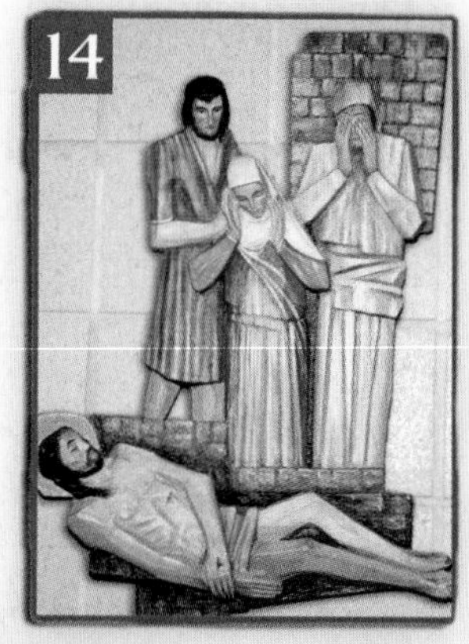

Jesús es dejado en un sepulcro.
Jesus is laid in the tomb.

Oraciones y devociones católicas

Ave María

Dios te salve María, llena eres de gracia;
el Señor es contigo;
bendita tú eres entre todas las mujeres,
y bendito es el fruto de tu vientre, Jesús.
Santa María, Madre de Dios,
ruega por nosotros pecadores,
ahora y en la hora
de nuestra muerte. Amén.

El angelus

El ángel del Señor anunció a María.
Y concibió del Espíritu Santo.
Dios te salve María . . .

He aquí la esclava del Señor.
Hágase en mí según tu palabra.
Dios te salve María. . .

El Hijo de Dios se hizo hombre.
Y habitó entre nosotros para la redención del mundo.
Dios te salve María . . .

Ruega por nosotros, santa Madre de Dios.
Para que seamos dignos de alcanzar las promesas de Cristo.

Oremos:
Derrama Señor, tu gracia sobre nosotros, que, por el anuncio del ángel, hemos conocido la encarnación de tu Hijo, para que lleguemos, por su pasión y su cruz, a la gloria de la resurrección.

Por Jesucristo nuestro Señor.

Amén.

Memorare

Acuérdate, oh piadosísima Virgen María, que jamás se ha oído decir que uno solo de cuantos han acudido a tu protección e implorado tu socorro, haya sido desamparado.

Yo, pecador, animado con tal confianza acudo a ti, oh Madre, Virgen de las vírgenes, a ti vengo, delante de ti me presento gimiendo. No quieras, oh Madre de Dios, despreciar mis súplicas, antes bien, óyelas benignamente y cúmplelas. Amén.

Magnificat

Proclama mi alma la grandeza del Señor,
se alegra mi espíritu en Dios, mi salvador;
porque ha mirado la humillación de su esclava.
Desde ahora me felicitarán todas las generaciones,
porque el Poderoso ha hecho obras grandes por mí: su nombre es santo,
y su misericordia llega a sus fieles de generación en generación.
Él hace proezas con su brazo:
dispersa a los soberbios de corazón,
derriba del trono a los poderosos
y enaltece a los humildes,
a los hambrientos los colma de bienes
y a los ricos los despide vacíos.
Auxilia a Israel, su siervo,
acordándose de la misericordia,
como lo había prometido a nuestros padres,
en favor de Abrahán y su descendencia
por siempre.
Gloria al Padre, y al Hijo, y al Espíritu Santo.
Como era en el principio, ahora y siempre, por los siglos de los siglos. Amén.

La Salve

Dios te salve, Reina y Madre de misericordia,
vida, dulzura y esperanza nuestra; Dios te salve.
A ti llamamos los desterrados hijos de Eva;
a ti suspiramos, gimiendo y llorando en este
valle de lágrimas.
Ea, pues, Señora, abogada nuestra,
vuelve a nosotros esos tus ojos misericordiosos,
y después de este destierro,
muéstranos a Jesús, fruto bendito de tu vientre.
Oh clementísima, oh piadosa, oh dulce
Virgen María.

Señal de la Cruz

En el nombre del Padre, y del Hijo, y del Espíritu
Santo. Amén.

Gloria

Gloria al Padre, y al Hijo, y al Espíritu Santo.
Como era en el principio, ahora y siempre, por los
siglos de los siglos. Amén.

Oración para la mañana

Mi Dios, te ofrezco todas mis oraciones,
trabajos y sufrimientros de este día por todas las
intenciones de tu sacratísimo corazón. Amén.

Oración para la noche

Dios de amor,
antes de irme a dormir quiero darte las gracias
por este día lleno de tu bondad y de tu gozo.
Cierro mis ojos para descansar
seguro de tu amor.

Misterios del Rosario

Misterios gozosos

La Anunciación
La visitación
El nacimiento de Jesús
La presentación de Jesús en el Templo
El niño Jesús es encontrado en el Templo

Misterios dolorosos

La agonía de Jesús en el huerto
Jesús es azotado en una columna
Jesús es coronado de espinas
Jesús carga con la cruz
La crucifixión y muerte de Jesús

Misterios gloriosos

La Resurrección
La Ascensión
La venida del Espíritu Santo
La asunción de María
La coronación de María

Misterios luminosos

El Bautismo de Jesús en el Jordán
El milagro de las bodas de Caná
Jesús anuncia el Reino de Dios
La Transfiguración
La institución de la Eucaristía

Las Bienaventuranzas

Mateo 5:3–10

Las Bienaventuranzas	Viviendo las Bienaventuranzas
"Dichosos los pobres en el espíritu, porque de ellos es el reino de los cielos.	Somos "pobres de espíritu" cuando dependemos de Dios y hacemos de Dios lo más importante en nuestras vidas.
Dichosos los afligidos, porque Dios los consolará.	Estamos "tristes" por la forma egoísta en que se trata la gente.
Dichosos los humildes, porque heredarán la tierra.	Somos "humildes" cuando somos pacientes, amables y respetuosos con todo el mundo.
Dichosos los que tienen hambre y sed de hacer la voluntad de Dios, porque Dios los saciará.	Tenemos "hambre y sed de justicia" cuando buscamos la justicia y tratamos justamente a todos.
Dichosos los misericordiosos, porque Dios tendrá misericordia de ellos.	Somos "compasivos" cuando perdonamos y no buscamos la venganza.
Dichosos los limpios de corazón, porque ellos verán a Dios.	Somos "limpios de corazón" cuando somos fieles a las enseñanzas de Dios y tratamos de ver a Dios en todo el mundo y todas las situaciones.
Dichosos los que construyen la paz, porque Dios los llamará sus hijos.	Somos "pacificadores" cuando tratamos a otros con amor y respeto y cuando ayudamos a los demás a buscar la paz.
Dichosos los perseguidos por hacer la voluntad de Dios, porque de ellos es el reino de los cielos.	Somos "perseguidos por hacer lo correcto" cuando otros nos faltan al respeto como discípulos de Jesús y porque seguimos su ejemplo.

Acto de fe

¡Oh, Dios! Creemos en todo lo que Jesús nos ha enseñado acerca de ti. Ponemos nuestra confianza en ti, porque tú nos amas grandemente.

Acto de esperanza

¡Oh Dios! No dudamos de tu amor. Esperamos y trabajaremos por tu reino y por la vida eterna contigo en el cielo.

Acto de caridad

¡Oh Dios! Te amamos sobre todas las cosas. Ayúdanos a amarnos y a amar a los demás como Jesús nos pide.

Celebración de la Eucaristía
La Misa

Ritos iniciales

Procesión/himno de entrada Los acólitos, lectores, el diácono y el sacerdote proceden hacia el altar. La asamblea canta. El sacerdote y el diácono besan el altar haciendo una genuflexión.

Saludos El sacerdote y la asamblea hacen la señal de la cruz y el sacerdote nos recuerda que estamos en la presencia de Jesús.

Acto penitencial Reunida en la presencia de Dios, la asamblea reconoce sus pecados y proclama el misterio del amor de Dios. Pedimos a Dios que sea misericordioso.

Yo confieso ante Dios todopoderoso,
y ante ustedes, hermanos,
que he pecado mucho
de pensamiento, palabra, obra y omisión.
Por mi culpa, por mi culpa, por mi gran culpa.
Por eso ruego a Santa María, siempre Virgen,
a los ángeles, a los santos
y a ustedes, hermanos,
que intercedan por mí ante Dios, nuestro Señor.

El gloria Algunos domingos cantamos o rezamos este antiguo himno.

Oración inicial Esta oración expresa el tema de la celebración, las necesidades y esperanzas de la asamblea.

Liturgia de la Palabra

Primera lectura Esta lectura es generalmente tomada del Antiguo Testamento. Escuchamos sobre el amor y la misericordia de Dios para su pueblo antes de la venida de Cristo. Escuchamos historias de esperanza y valor, poder y maravilla. Aprendemos la alianza de Dios con su pueblo y las formas en que vivieron esa alianza.

Salmo responsorial Después de reflexionar en silencio en la Palabra de Dios, damos gracias a Dios por la palabra escuchada.

Segunda lectura Esta lectura es tomada generalmente de las cartas de los apóstoles, Hechos de los apóstoles o el Apocalipsis en el Nuevo Testamento. Escuchamos sobre los primeros discípulos, las enseñanzas de los apóstoles y el inicio de la Iglesia.

Proclamación del Evangelio Nos ponemos de pie y cantamos Aleluya u otras palabras de alabanza. Esto muestra que estamos listos para escuchar la buena nueva de Jesucristo.

Lectura del Evangelio Esta lectura siempre es tomada de los Evangelios de Mateo, Marcos, Lucas o Juan. Proclamada por el diácono, o el sacerdote, esta lectura es sobre la misión y el ministerio de Jesús. Las palabras y acciones de Jesús que escuchamos hoy nos ayudan a vivir como sus discípulos.

Homilia El sacerdote, o el diácono, nos hablan sobre las lecturas. Estas palabras nos ayudan a entender el significado de la Palabra de Dios hoy. Aprendemos lo que significa creer y ser miembros de la Iglesia. Nos acercamos a Dios y a los demás.

El Credo Toda la asamblea reza el Credo de Nicea (pp 318) o el Credo de los Apóstoles (pp 318). Nos ponemos de pie y en voz alta expresamos lo que creemos como miembros de la Iglesia.

Oración de los fieles Rezamos por las necesidades del pueblo de Dios.

Liturgia Eucarística

Preparación de las ofrendas Durante la preparación de las ofrendas, el diácono y los acólicos preparan el altar. Ofrecemos nuestros dones. Estos incluyen el pan, el vino y la colecta para la Iglesia y los necesitados. Como miembros de la asamblea, cantando llevamos el pan y el vino en procesión hacia el altar. El pan y el vino se colocan en el altar y el sacerdote pide a Dios que los bendiga y acepte nuestros regalos. Respondemos: "Bendito seas por siempre, Señor".

Plegaria eucarística La Plegaria eucarística es verdaderamente la oración más importante de la Iglesia. Esta es nuestra mayor oración de adoración y acción de gracias. Nos unimos a Cristo y a los demás. Esta oración consiste en:

- adorar y dar gracias a Dios. Levantamos nuestros corazones al Señor. Alabamos y damos gracias a Dios por su obra de salvación y cantamos: "Santo, Santo, Santo".
- invocamos al Espíritu Santo para que bendiga los regalos de pan y vino que serán convertidos en el Cuerpo y la Sangre de Cristo. Rezamos para que también nosotros seamos cambiados en el cuerpo de Cristo en la tierra.
- recordamos las palabras y las acciones de Jesús en la Última Cena. Por el poder del Espíritu Santo y las palabras y acciones del sacerdote, el pan y el vino se convierten en el Cuerpo y la Sangre de Cristo. Esta parte de la oración es llamada consagración.
- recordamos la Pasión, muerte, Resurrección y Ascensión de Jesús.
- recordamos que la Eucaristía es ofrecida por la Iglesia en el cielo y en la tierra. Rezamos por las necesidades de la Iglesia. Rezamos por la unidad de todos los que reciben el Cuerpo y la Sangre de Cristo.
- alabamos a Dios rezando el gran "Amén" en amor a Dios: Padre, Hijo y Espíritu Santo. Nos unimos en esta gran oración de acción de gracias rezada por el sacerdote en nuestro nombre y en el nombre de Cristo.

Rito de la Comunión El rito de la Comunión es la tercera parte de la Liturgia de la Eucaristía. Rezamos en voz alta o cantamos el padrenuestro. Pedimos que la paz de Cristo esté siempre con nosotros. Nos damos el saludo de la paz para mostrar que estamos unidos en Cristo.

Rezamos en voz alta el Cordero de Dios, pedimos a Jesús misericordia, perdón y paz. El sacerdote parte la Hostia y somos invitados a compartir la Eucaristía. Se nos muestra la Hostia y escuchamos: "El Cuerpo de Cristo". Se nos muestra la copa y escuchamos: "La Sangre de Cristo". Cada persona responde: "Amén" y recibe la Comunión.

Mientras se recibe la Comunión todos cantamos. Trabajamos por la unidad de los cristianos. Sin embargo, algunas personas no católicas no deben recibir la Comunión en la Misa salvo en casos especiales. Después, reflexionamos en el don de Jesús y la presencia de Dios en nosotros. El sacerdote reza para que el don de Jesús nos ayude a vivir como discípulos de Jesús.

Rito de conclusión

Saludos El sacerdote ofrece la oración final. Sus palabras son una promesa de que Jesús estará con nosotros siempre.

Bendición El sacerdote nos bendice en el nombre del Padre, del Hijo, y del Espíritu Santo. Hacemos la señal de la cruz mientras él nos bendice.

Despedida El diácono, o el sacerdote, nos envía a anunciar el Evangelio.

Himno de despedida El sacerdote, o el diácono, besan el altar. Ellos, junto con los que han servido en la Msa, hacen una genuflexión y salen cantando.

Confiteor

Durante la Misa confesamos que hemos pecado. Rezamos:

Yo confieso ante Dios todopoderoso y ante ustedes, hermanos, que he pecado mucho de pensamiento, palabra, obra y omisión. Por mi culpa, por mi culpa, por mi gran culpa. Por eso ruego a santa María, siempre Virgen, a los ángeles, a los santos y a ustedes, hermanos, que intercedan por mí ante Dios, nuestro Señor.

Los Diez Mandamientos

1. Yo soy el Señor, tu Dios: no tendrás otros dioses fuera de mí.
2. No tomarás el nombre de Dios en vano.
3. Recuerda mantener santo el día del Señor.
4. Honra a tu padre y a tu madre.
5. No matarás.
6. No cometerás adulterio.
7. No robarás.
8. No darás falso testimonio en contra de tu prójimo.
9. No desearás la mujer de tu prójimo.
10. No codiciarás los bienes ajenos.

Examen de conciencia

En silencio examina tu conciencia. Usa estas preguntas para ayudarte a reflexionar en tu relación con Dios y con los demás.

¿Hay cosas más importantes para mí que Dios? ¿He leído la Biblia y he rezado?

¿He respetado el nombre de Dios y el de Jesús?

¿Participo en la Misa y mantengo el domingo santo con lo que hago y digo?

¿Obedezco a Dios obedeciendo a mis padres, maestros y tutores?

¿He ofendido a otros con mis palabras y acciones? ¿He ayudado a los necesitados?

¿Me he faltado al respeto? ¿Cuido mi cuerpo y muestro respeto a los demás? ¿Respeto la dignidad de todos los que conozco?

¿He sido egoísta o he tomado lo que pertenece a otro sin su permiso? ¿He compartido mis pertenencias?

¿He sido honesto? ¿He mentido o engañado a alguien?

¿He hablado, actuado o vestido en forma que muestra respeto a los demás y a mí?

¿Me he alegrado cuando alguien ha logrado lo que quiere o necesita?

Penitencia y Reconciliación

Rito de reconciliación con varios penitentes.

Ritos introductorios

Nos reunimos en asamblea y cantamos un himno. El sacerdote nos saluda y rezamos una oración.

Celebración de la Palabra de Dios

La asamblea escucha la proclamación de la Palabra de Dios, seguida de una homilía. Por medio de sus palabras Dios nos llama al arrepentimiento y a regresar a él. Las lecturas nos ayudan a reflexionar en la reconciliación ganada con la vida y la muerte de Jesús. Nos recuerdan la misericordia de Dios y nos prepara para juzgar la bondad de nuestros pensamientos y acciones. Después examinamos nuestras conciencias.

Rito de reconciliación

La asamblea reza un acto de contrición para mostrar que estamos arrepentidos de los pecados cometidos. Podemos hacer otra oración o cantar un himno y rezar un padrenuestro. Pedimos a Dios que nos perdone como perdonamos a los demás.

Nos reunimos individualmente con el sacerdote y confesamos nuestros pecados. El sacerdote nos aconseja sobre como amar a Dios y a los demás. Nos da una penitencia.

El sacerdote extiende sus manos y nos da la absolución.

Después de que todos se han confesado individualmente con el sacerdote, nos reunimos para terminar la celebración. La asamblea alaba a Dios por su misericordia. El sacerdote ofrece una oración de acción de gracias para terminar.

Rito de conclusión

El sacerdote nos bendice y despide a la asamblea diciendo "El Señor te ha librado de tus pecados. Vete en Paz". Respondemos: "Demos gracias a Dios".

Rito de reconciliación individual.

Examinamos nuestra conciencia antes de ir a ver al sacerdote.

Bienvenida

El sacerdote nos saluda y hace la señal de la cruz. El sacerdote nos pide confiar en la misericordia de Dios.

Lectura de la Palabra de Dios

El sacerdote puede leer algo de la Biblia.

Confesión y penitencia

Confesamos nuestros pecados. El sacerdote nos habla sobre amar a Dios y a los demás.

Oración de penitencia y absolución

Rezamos un acto de contrición. El sacerdote extiende su mano y nos da la absolución.

Proclamación de alabanza y despedida

El sacerdote dice: "Demos gracia a Dios, porque es bueno". Respondemos: "Su misericordia dura toda la vida". El sacerdote nos despide diciendo: "El Señor te ha librado de tus pecados. Vete en paz".

Sacramento del Orden

obispo

Los obispos son los maestros de la Iglesia. Ellos son llamados a asegurar que los fieles reciban las enseñanzas de Jesús y las creencias de nuestra fe. Los obispos nos ayudan a entender y a vivir esas enseñanzas.

Los obispos son los líderes y pastores de la Iglesia. Ellos tienen la autoridad sobre diócesis y juntos con el papa son los pastores de toda la Iglesia. Los obispos dirigen al pueblo y supervisan el trabajo de sus diócesis. En los Estados Unidos, los obispos se reúnen dos veces al año para tomar decisiones que afectan a la Iglesia en nuestro país.

Los obispos son los jefes de los sacerdotes de sus diócesis. Ellos aseguran que los fieles cristianos en sus diócesis tengan la oportunidad de participar en la celebración de los sacramentos, especialmente en la Eucaristía. Al velar por la liturgia de la diócesis, el obispo ayuda a todos los fieles a vivir vidas cristianas y crecer en santidad.

Hay dos tipos de sacerdotes: diocesanos y religiosos. Los sacerdotes religiosos pertenecen a una comunidad.

sacerdote

Los sacerdotes diocesanos son ordenados para servir en una diócesis. Ellos generalmente sirven en parroquias pero también pueden servir en hospitales, escuelas, la milicia, cárceles y otras instituciones.

Los sacerdotes religiosos sirven en cualquier comunidad donde sean enviados. Ellos generalmente hacen votos de castidad, pobreza y obediencia. Pueden ser párrocos o misioneros, maestros, doctores, escritores o pueden trabajar en cualquier área donde se necesite su servicio. Ellos pueden pasar su tiempo en oración y trabajar en sus comunidades. Todos los sacerdotes son llamados a orar, especialmente en la Misa, el centro de su ministerio. Esto los fortalece para ayudar a la Iglesia a crecer en fe por medio de la oración y el culto.

diácono

Los diáconos son llamados a servir en la comunidad alabando. Ellos son llamados al ministerio de servicio en la diócesis.

Grados del Orden

En el sacramento del Orden, a los nuevos ordenados se les presentan los signos de su servicio y ministerio en la Iglesia.

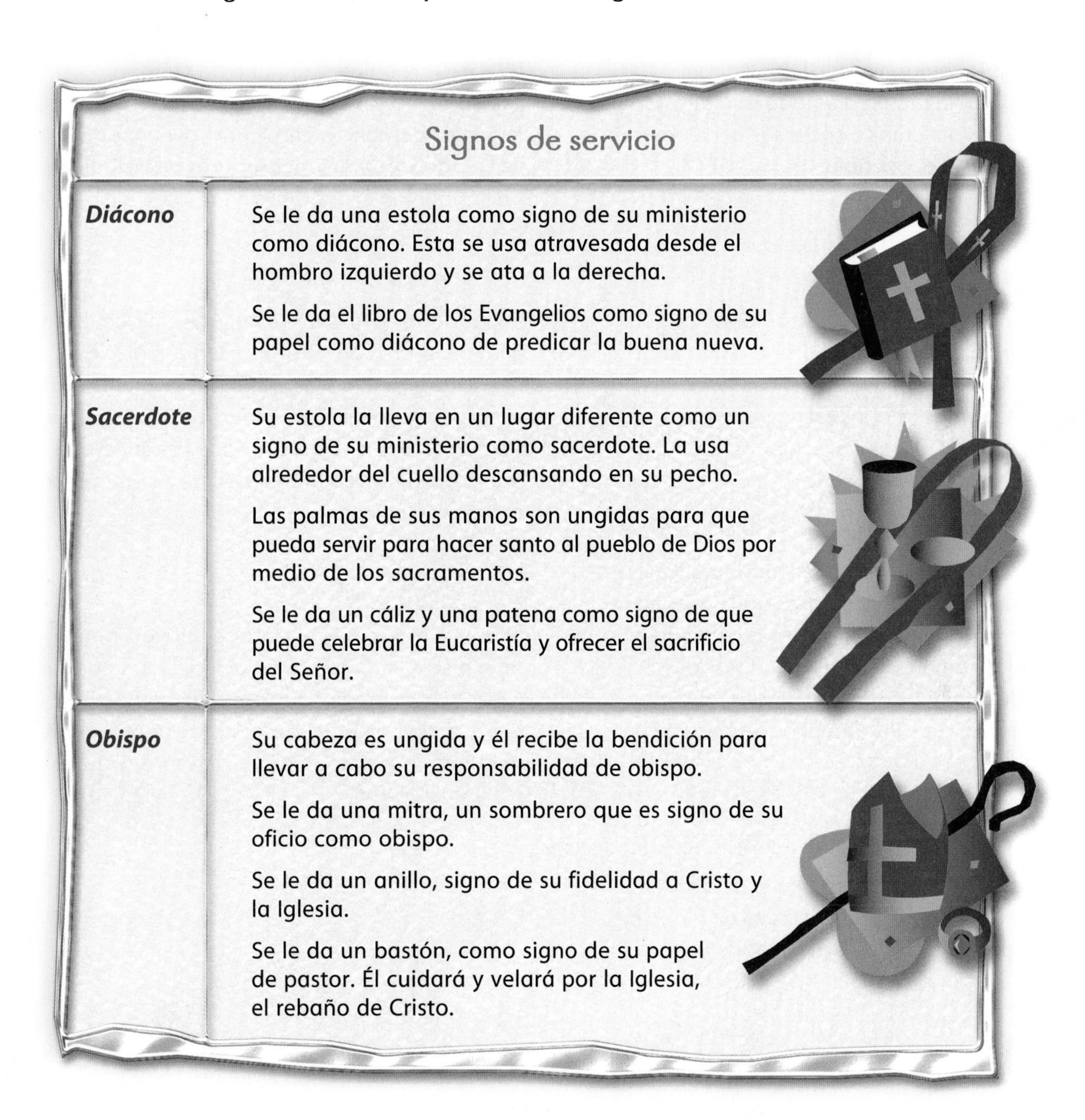

	Signos de servicio
Diácono	Se le da una estola como signo de su ministerio como diácono. Esta se usa atravesada desde el hombro izquierdo y se ata a la derecha. Se le da el libro de los Evangelios como signo de su papel como diácono de predicar la buena nueva.
Sacerdote	Su estola la lleva en un lugar diferente como un signo de su ministerio como sacerdote. La usa alrededor del cuello descansando en su pecho. Las palmas de sus manos son ungidas para que pueda servir para hacer santo al pueblo de Dios por medio de los sacramentos. Se le da un cáliz y una patena como signo de que puede celebrar la Eucaristía y ofrecer el sacrificio del Señor.
Obispo	Su cabeza es ungida y él recibe la bendición para llevar a cabo su responsabilidad de obispo. Se le da una mitra, un sombrero que es signo de su oficio como obispo. Se le da un anillo, signo de su fidelidad a Cristo y la Iglesia. Se le da un bastón, como signo de su papel de pastor. Él cuidará y velará por la Iglesia, el rebaño de Cristo.

Doctrina Social de la Iglesia

Hay siete temas de la doctrina social de la Iglesia.

Vida y dignidad de la persona

La vida humana es sagrada porque es un don de Dios. Porque somos hijos de Dios, todos compartimos la misma dignidad humana. Como cristianos respetamos a todas las personas aun cuando no las conozcamos.

Llamada a la familia, a la comunidad y a la participación

Somos entes sociales. Necesitamos estar con otros para crecer. La familia es la comunidad básica. En la familia crecemos y aprendemos valores. Como cristianos estamos involucrados en la vida de nuestra familia y comunidad.

Derechos y responsabilidades de la persona

Toda persona tiene derechos fundamentales en la vida. Estos incluyen las cosas que necesitamos para vivir: fe y familia, trabajo y educación, salud y vivienda. También tenemos una responsabilidad para con los demás y la sociedad. Trabajamos para asegurar que los derechos de todos sean protegidos.

Opción por los pobres y vulnerables

Tenemos una obligación especial de ayudar a los pobres y necesitados. Esto incluye a los que no pueden protegerse debido a su edad o salud.

Dignidad del trabajo y derechos de los trabajadores

Nuestro trabajo es un signo de nuestra participación en el trabajo de Dios. Todos tenemos derecho a un trabajo decente, justa paga, condiciones seguras de trabajo y participación en las decisiones sobre el trabajo.

Solidaridad de la familia humana

Solidaridad es un sentimiento de unidad. Esto une a los miembros de un grupo. Cada uno de nosotros es miembro de la familia humana. La familia humana incluye a personas de todas las razas y culturas. Todos sufrimos cuando una parte de la familia humana sufre, no importa si está cerca o lejos.

Cuidado de la creación de Dios

Dios nos creó a todos para ser mayordomos, administradores, de su creación. Debemos cuidar y respetar el medio ambiente. Debemos protegerlo para futuras generaciones. Cuando cuidamos de la creación, mostramos respeto a Dios, el creador.

Días de precepto en los Estados Unidos

Estos son los días en que la Iglesia Católica celebra la Eucaristía al igual que los domingos.

1. María, Madre de Dios (primero de enero)
2. La Ascensión (durante el tiempo de Pascua)
3. La Asunción de María (15 de agosto)
4. Día de Todos los Santos (primero de noviembre)
5. Inmaculada Concepción (8 de diciembre)
6. Navidad (25 de diciembre)

Mandamientos de la Iglesia

El papa y los obispos han establecido leyes para ayudarnos a conocer y cumplir nuestras responsabilidades como miembros de la Iglesia. Estas leyes son llamadas preceptos de la Iglesia.

Es bueno pensar que los preceptos son reglas o principios cuya intención es guiar nuestro comportamiento. Ellas nos enseñan como debemos actuar como miembros de la Iglesia. Estos preceptos también aseguran que la Iglesia tenga lo que necesita para servir a sus miembros y crecer.

1. Oír misa entera los domingos y demás fiestas de precepto y no realizar trabajos serviles.
2. Confesar los pecados al menos una vez al año.
3. Recibir el sacramento de la Eucaristía al menos por Pascua.
4. Abstenerse de comer carne y ayunar en los días establecidos por la Iglesia.
5. Ayudar a la Iglesia en sus necesidades.

Formas de orar

Estas son las formas de oración. Se ofrece un ejemplo para cada una.

Bendición

"La gracia de Jesucristo, el Señor, el amor de Dios y la comunion en el Espíritu Santo, estén con todos ustedes". (2 Corintios 13:13)

Petición

"Dios mío, ten compasión de mí, que soy un pecador" (Lucas 18:13)

Intercesión

"Y le pido que el amor de ustedes crezca más y más en conocimiento y sensibilidad para todo". (Filipenses 1:9)

Acción de gracias

"Padre, te doy gracias, porque me has escuchado". (Juan 11:41)

Alabanza

"Alabaré al Señor mientras viva, cantaré para mi Dios mientras exista".
(Salmo 146:2)

Padrenuestro

Padre nuestro, que estás en el cielo,
santificado sea tu nombre;
venga a nosotros tu reino;
hágase tu voluntad en la tierra como en el cielo.
Danos hoy nuestro pan de cada día;
perdona nuestras ofensas,
como también nosotros perdonamos a los que nos ofenden;
no nos dejes caer en la tentación,
y líbranos del mal. Amén.

Credo de los Apóstoles

Creo en Dios, Padre todopoderoso,
Creador del cielo y de la tierra.
Creo en Jesucristo, su único Hijo, nuestro Señor,
que fue concebido por obra y gracia del Espíritu Santo,
nació de santa María Virgen,
padeció bajo el poder de Poncio Pilato,
fue crucificado, muerto y sepultado,
descendió a los infiernos,
al tercer día recitó de entre los muertos,
subió a los cielos
y está sentado a la derecha de Dios, Padre todopoderoso.
Desde allí ha de venir a juzgar a vivos y muertos.
Creo en el Espíritu Santo,
la santa Iglesia católica,
la comunión de los santos,
el perdón de los pecados,
la resurrección de la carne
y la vida eterna. Amén.

Acto de Contrición

Dios mío,
con todo mi corazón me arrepiento
de todo el mal que he hecho
y de todo lo bueno que he dejado de hacer.
Al pecar, te he ofendido a ti,
que eres el supremo bien
y digno de ser amado sobre todas las cosas.
Propongo firmemente, con la ayuda de tu gracia,
hacer penitencia, no volver a pecar
y huir de las ocasiones de pecado.
Señor, por los méritos de la pasión de
nuestro Salvador Jesucristo,
apiádate de mí. Amén.

Credo de Nicea

Creo en un solo Dios,
Padre todopoderoso,
Creador del cielo y de la tierra,
de todo lo visible y lo invisible.

Creo en un solo Señor, Jesucristo,
Hijo único de Dios,
nacido del Padre antes de todos los siglos:
Dios de Dios, Luz de Luz, Dios verdadero de Dios
verdadero, engendrado, no creado,
de la misma naturaleza del Padre,
por quien todo fue hecho;
que por nosotros, los hombres,
y por nuestra salvación bajó del cielo,
y por obra del Espíritu Santo
se encarnó de María, la Virgen,
y se hizo hombre;
y por nuestra causa fue crucificado
en tiempos de Poncio Pilato;
padeció y fue sepultado,
y resucitó al tercer día, según las Escrituras,
y subió al cielo,
y está sentado a la derecha del Padre;
y de nuevo vendrá con gloria
para juzgar a vivos y muertos,
y su reino no tendrá fin.

Creo en el Espíritu Santo,
Señor y dador de vida,
que procede del Padre y del Hijo,
que con el Padre y el Hijo
recibe una misma adoración y gloria,
y que habló por los profetas.

Creo en la Iglesia,
que es una, santa, católica y apostólica.
Confieso que hay un solo bautismo
para el perdón de los pecados.
Espero la resurreción de los muertos
y la vida del mundo futuro. Amén.

Prayers and Practices

Hail Mary

Hail Mary, full of grace,
the Lord is with you!
Blessed are you among women,
and blessed is the fruit
of your womb, Jesus.
Holy Mary, Mother of God,
pray for us sinners,
now and at the hour of our death.
Amen.

The Angelus

The angel spoke God's message to Mary,
and she conceived of the Holy Spirit.
Hail, Mary. . . .

"I am the lowly servant of the Lord:
let it be done to me according to your word."
Hail, Mary. . . .

And the Word became flesh
and lived among us.
Hail, Mary. . . .

Pray for us, holy Mother of God,
that we may become worthy of the promises of Christ.

Let us pray.
Lord,
fill our hearts with your grace:
once, through the message of an angel
you revealed to us the incarnation of your Son;
now, through his suffering and death
lead us to the glory of his resurrection.
We ask this through Christ our Lord.
Amen.

Memorare

Remember, most loving Virgin Mary,
never was it heard
that anyone who turned to you for help
was left unaided.

Inspired by this confidence,
though burdened by my sins,
I run to your protection
for you are my mother.
Mother of the Word of God,
do not despise my words of pleading
but be merciful and hear my prayer.
Amen.

The Magnificat

"My soul proclaims the greatness of the Lord;
my spirit rejoices in God my savior,
For he has looked upon his handmaid's lowliness;
behold, from now on all ages will call me blessed.
The Mighty One has done great things for me,
and holy is his name.
His mercy is from age to age
to those who fear him.
He has shown might with his arm,
dispersed the arrogant of mind and heart.
He has thrown down the rulers from their thrones
but lifted up the lowly.
The hungry he has filled with good things;
the rich he has sent away empty.
He has helped Israel his servant,
remembering his mercy,
according to his promise to our fathers,
to Abraham and to his descendants forever."

(Luke 1:46–55)

Hail, Holy Queen

Hail, holy Queen, mother of mercy,
hail, our life, our sweetness, and our hope.
To you we cry, the children of Eve;
to you we send up our sighs,
mourning and weeping in this land of exile.
Turn, then, most gracious advocate,
your eyes of mercy toward us;
lead us home at last
and show us the blessed fruit of your womb, Jesus:
O clement, O loving, O sweet Virgin Mary.

Sign of the Cross

In the name of the Father,
and of the Son,
and of the Holy Spirit. Amen.

Glory Be to the Father

Glory be to the Father,
and to the Son
and to the Holy Spirit:
as it was in the beginning,
is now, and will be
world without end. Amen.

Morning Offering

Jesus, I offer you all my prayers, works,
and sufferings of this day for all the
intentions of your most Sacred Heart. Amen.

Evening Prayer

Dear God,
before I sleep
I want to thank you for this day,
so full of your kindness
and your joy.
I close my eyes to rest
safe in your loving care.

Mysteries of the Rosary

Joyful Mysteries

The Annunciation
The Visitation
The Birth of Jesus
The Presentation of Jesus in the Temple
The Finding of the Child Jesus in the Temple

Sorrowful Mysteries

The Agony in the Garden
The Scourging of the Pillar
The Crowning with Thorns
The Carrying of the Cross
The Crucifixion and Death of Jesus

Glorious Mysteries

The Resurrection
The Ascension
The Descent of the Holy Spirit upon the Apostles
The Assumption of Mary into Heaven
The Coronation of Mary as Queen of Heaven

The Mysteries of Light

Jesus' Baptism in the Jordan
The Miracle at the Wedding at Cana
Jesus Announces the Kingdom of God
The Transfiguration
The Institution of the Eucharist

The Beatitudes

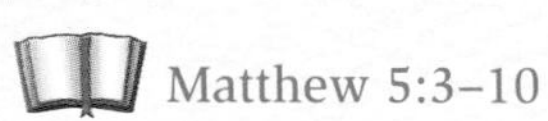

The Beatitudes	Living the Beatitudes
"Blessed are the poor in spirit, for theirs is the kingdom of heaven.	We are "poor in spirit" when we depend on God and make God more important than anyone or anything else in our lives.
Blessed are they who mourn, for they will be comforted.	We "mourn" when we are sad because of the selfish ways people treat one another.
Blessed are the meek, for they will inherit the land.	We are "meek" when we are patient, kind, and respectful to all people, even those who do not respect us.
Blessed are they who hunger and thirst for righteousness, for they will be satisfied.	We "hunger and thirst for righteousness" when we search for justice and treat everyone fairly.
Blessed are the merciful, for they will be shown mercy.	We are "merciful" when we forgive others and do not take revenge on those who hurt us.
Blessed are the clean of heart, for they will see God.	We are "clean of heart" when we are faithful to God's teachings and try to see God in all people and in all situations.
Blessed are the peacemakers, for they will be called children of God.	We are "peacemakers" when we treat others with love and respect and when we help others to stop fighting and make peace.
Blessed are they who are persecuted for the sake of righteousness, for theirs is the kingdom of heaven."	We are "persecuted for the sake of righteousness" when others disrespect us for living as disciples of Jesus and following his example.

Act of Faith

Oh God, we believe in all that
Jesus has taught us about you.
We place all our trust in you
because of your great love
for us.

Act of Hope

O God, we never give up on
your love.
We have hope and will work
for your kingdom to come and
for a life that lasts forever
with you in heaven.

Act of Love

Oh God, we love you above
all things.
Help us to love ourselves and
one another as Jesus taught
us to do.

The Celebration of the Eucharist
The Mass

Introductory Rites

Procession/Opening Song Altar servers, readers, the deacon, and the priest celebrant process forward to the altar. The assembly sings as this takes place. The priest and deacon kiss the altar and bow out of reverence.

Greeting The priest and assembly make the Sign of the Cross, and the priest reminds us that we are in the presence of Jesus.

Penitential Rite Gathered in God's presence the assembly sees its sinfulness and proclaims the mystery of God's love. We ask for God's mercy in our lives.

Gloria On some Sundays we sing or say this ancient hymn.

Opening Prayer This prayer expresses the theme of the celebration and the needs and hopes of the assembly.

Liturgy of the Word

First reading This reading is usually from the Old Testament. We hear of God's love and mercy for his people before the time of Christ. We hear stories of hope and courage, wonder and might. We learn of God's covenant with his people and of the ways they lived his law.

Responsorial Psalm After reflecting in silence as God's Word enters our hearts, we thank God for the Word just heard.

Second reading This reading is usually from the New Testament letters, the Acts of the Apostles, or the Book of Revelation. We hear about the first disciples, the teachings of the Apostles, and the beginning of the Church.

Gospel acclamation We stand to sing the Alleluia or other words of praise. This shows we are ready to hear the Good News of Jesus Christ.

Gospel This reading is always from the Gospel of Matthew, Mark, Luke, or John. Proclaimed by the deacon or priest, this reading is about the mission and ministry of Jesus. Jesus' words and actions speak to us today and help us know how to live as his disciples.

Homily The priest or deacon talks to us about the readings. His words help us understand what God's Word means to us today. We learn what it means to believe and be members of the Church. We grow closer to God and one another.

Profession of faith The whole assembly prays together the Nicene Creed (p. 330) or the Apostles' Creed (p. 330). We are stating aloud what we believe as members of the Church.

Prayer of the Faithful We pray for the needs of all God's People.

Liturgy of the Eucharist

Preparation of the Gifts During the Preparation of the Gifts the altar is prepared by the deacon and the altar servers. We offer the gifts. These gifts include the bread and wine and the collection for the Church and for those in need. As members of the assembly carry the bread and wine in a procession to the altar, we sing. The bread and wine are placed on the altar, and the priest asks God to bless and accept our gifts. We respond "Blessed be God for ever."

Eucharistic Prayer The Eucharistic Prayer is truly the most important prayer of the Church. It is our greatest prayer of praise and thanksgiving. It joins us to Christ and to one another. This prayer consists of

- offering God thanksgiving and praise. We lift up our hearts to the Lord. We praise and thank God for the good work of salvation by singing "Holy, Holy, Holy."
- calling on the Holy Spirit to bless the gifts of bread and wine that will be changed into the Body and Blood of Christ. We pray that we, too, will be changed into the Body of Christ on earth.
- recalling Jesus' words and actions at the Last Supper. By the power of the Holy Spirit and through the words and actions of the priest, the bread and wine become the Body and Blood of Christ. This part of the prayer is called the Consecration.
- recalling Jesus' suffering, Death, Resurrection, and Ascension.
- remembering that the Eucharist is offered by the Church in heaven and on earth. We pray for the needs of the Church. We pray that all who receive the Body and Blood of Christ will be united.
- praising God and praying a great "Amen" in love of God: Father, Son, and Holy Spirit. We unite ourselves to this great prayer of thanksgiving which is prayed by the priest in our name and in the name of Christ.

Communion Rite The Communion Rite is the third part of the Liturgy of the Eucharist. We pray aloud or sing the Lord's Prayer. We pray that Christ's peace be with us always. We offer one another a sign of peace to show that we are united in Christ.

We say aloud or sing the Lamb of God, asking Jesus for his mercy, forgiveness, and peace. The priest breaks apart the Host, and we are invited to share in the Eucharist. We are shown the Host and hear "The Body of Christ." We are shown the cup and hear "The Blood of Christ." Each person responds "Amen" and receives Holy Communion.

While people are receiving Holy Communion, we sing as one. We are working for Christian unity. However, people who are not Catholic may not receive Holy Communion at Mass, except in special cases. After this we silently reflect on the gift of Jesus and God's presence with us. The priest then prays that the gift of Jesus will help us live as Jesus' disciples.

Concluding Rites

Greeting The priest offers the final prayer. His words serve as a farewell promise that Jesus will be with us all.

Blessing The priest blesses us in the name of the Father, Son, and Holy Spirit. We make the Sign of the Cross as he blesses us.

Dismissal The deacon or priest sends us out to announce the Gospel of the Lord.

Closing song The priest and deacon kiss the altar. They, along with others serving at the Mass, bow to the altar, and process out as we sing.

Confiteor

During Mass the whole assembly confesses that we have greatly sinned. We often pray:

I confess to almighty God,
and to you, my brothers and sisters,
that I have greatly sinned
in my thoughts and in my words,
in what I have done
and in what I have failed to do,
through my fault,
through my fault,
through my most grievous fault;
therefore I ask blessed Mary ever-Virgin,
all the Angels and Saints,
and you, my brothers and sisters,
to pray for me to the Lord our God.

The Ten Commandments

1. I am the LORD your God: you shall not have strange gods before me.
2. You shall not take the name of the LORD your God in vain.
3. Remember to keep holy the LORD'S day.
4. Honor your father and your mother.
5. You shall not kill.
6. You shall not commit adultery.
7. You shall not steal.
8. You shall not bear false witness against your neighbor.
9. You shall not covet your neighbor's wife.
10. You shall not covet your neighbor's goods.

Examination of Conscience

Quietly sit and examine your conscience. Use these questions to help you reflect on your relationship with God and others.

Do I make anyone or anything more important to me than God? Have I read from the Bible and prayed?

Do I respect God's name and the name of Jesus?

Do I participate in Mass and keep Sunday holy by what I say and do?

Do I show obedience to God by my obedience to parents, guardians, and teachers?

Have I hurt others by my words and actions? Have I helped those in need?

Do I respect myself? Do I take good care of my body and show respect to others? Do I respect the dignity of everyone I meet?

Have I been selfish or taken the belongings of others without their permission? Have I shared my belongings?

Have I been honest? Have I lied or cheated?

Do I speak, act, and dress in ways that show respect for myself and others?

Have I been happy for others when they have the things they want or need?

Penance and Reconciliation

Rite for Reconciliation of Several Penitents

Introductory Rites

We gather as an assembly and sing an opening hymn. The priest greets us and prays an opening prayer.

Celebration of the Word of God

The assembly listens to the proclamation of the Word of God. This is followed by a homily. Through his Word God calls his people to repentance and leads them back to him. The readings help us to reflect on the reconciliation that Jesus' life and Death have made possible. They remind us of God's mercy and prepare us to judge the goodness of our thoughts and actions. Then we examine our conscience.

Rite of Reconciliation

The assembly prays together an act of contrition to show their sorrow for sinning. We may say another prayer or sing a song, and then pray the Our Father. We ask God to forgive us as we forgive others.

I meet individually with the priest and confess my sins. The priest talks to me about loving God and others. He gives me a penance.

The priest extends his hand and gives me absolution.

After everyone has met with the priest, we join together to conclude the celebration. The assembly praises God for his mercy. The priest offers a concluding prayer of thanksgiving.

Concluding Rite

The priest blesses us, and dismisses the assembly saying, "The Lord has freed you from your sins. Go in peace." We respond, "Thanks be to God."

Rite for Reconciliation of Individual Penitents

I examine my conscience before meeting with the priest.

Welcoming

The priest greets me and I make the Sign of the Cross. The priest asks me to trust in God's mercy.

Reading of the Word of God

The priest or I may read something from the Bible.

Confession and Penance

I confess my sins. The priest talks to me about loving God and others. He gives me a penance.

Prayer of Penitent and Absolution

I pray an act of contrition. The priest extends his hand and gives me absolution.

Proclamation of Praise and Dismissal

The priest says, "Give thanks to the Lord, for he is good." I respond, "His mercy endures for ever." The priest sends me out saying, "The Lord has freed you from your sins. Go in peace."

Bishop

The bishops are the chief teachers of the Church. They are called to make sure that the faithful receive the teachings of Jesus and the beliefs of our faith. The bishops help us to understand and live out these teachings.

The bishops are the chief leaders and pastors of the Church. They have authority in their dioceses, and together with the pope they are the pastors of the whole Church. The bishops lead their people and oversee the work of their dioceses. In the United States, the bishops meet twice a year to make decisions that affect the Church in our country.

The bishops are the chief priests in their dioceses. They make sure that the Christian faithful in the diocese have the opportunity to participate in the celebration of the sacraments, most especially the Eucharist. By providing for the liturgy of the diocese, the bishop helps all the faithful to live Christian lives and to grow in holiness.

There are two kinds of priests: diocesan priests and religious priests. Religious priests are those who belong to religious communities.

Diocesan priests are ordained to serve in a diocese. They usually serve in parishes. But diocesan priests may also serve in hospitals, schools, the military, prisons, or other institutions.

Priest

Religious priests serve wherever their communities send them. They usually take the vows of chastity, poverty, and obedience. They might be pastors of parishes, or they might be missionaries, teachers, doctors, writers, or work in any field where their service is needed. They might spend their time in prayer and work within their community. All priests are called to make prayer, most especially the Mass, the heart of their ministry. This strengthens them to help the Church grow in faith through prayer and worship.

Deacons are called to serve the community in worship. They are called to the ministry of service in the diocese.

Deacon

Holy Orders

In the Sacrament of Holy Orders, the newly ordained are presented with signs of their service and ministry in the Church.

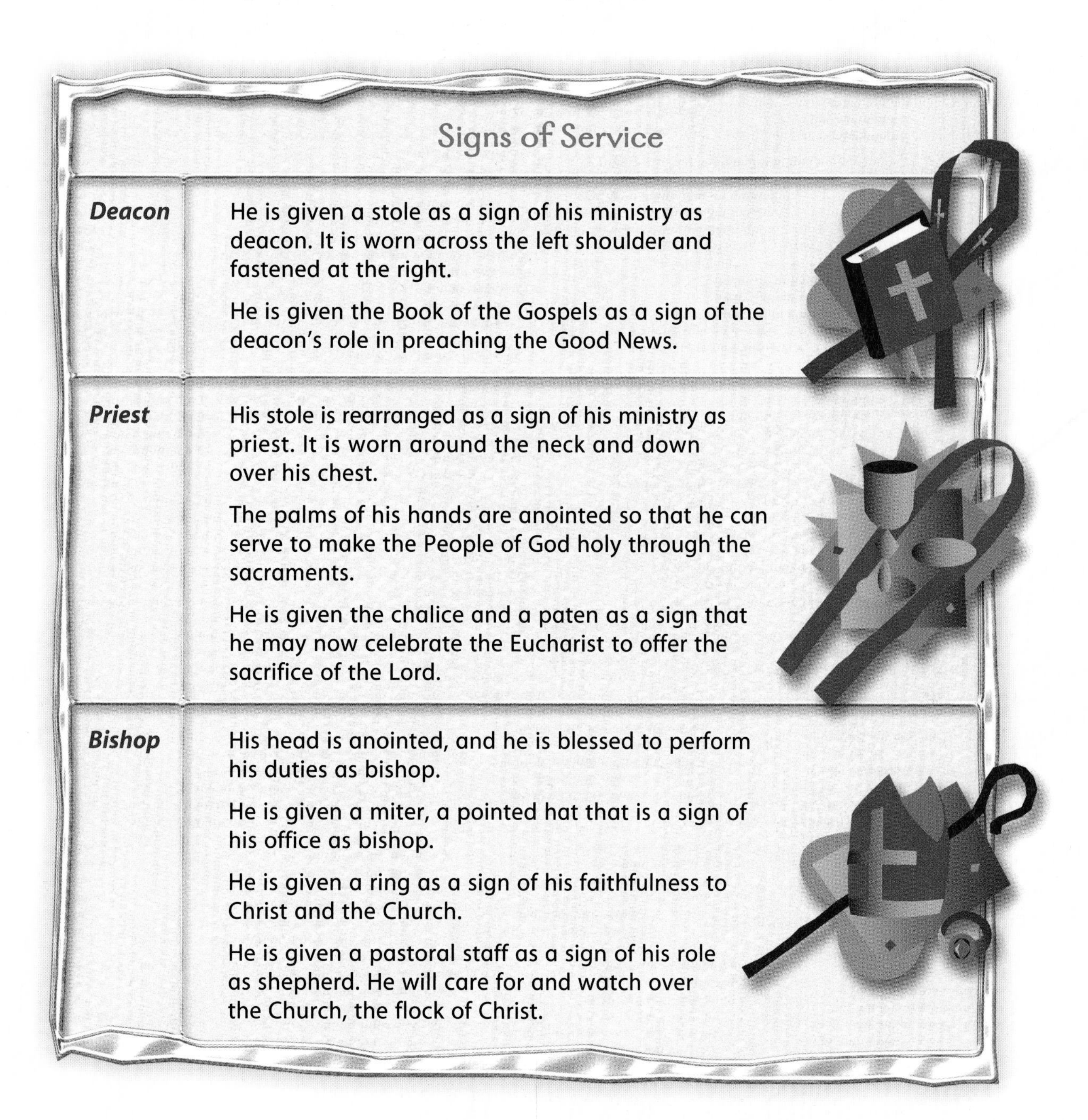

Signs of Service	
Deacon	He is given a stole as a sign of his ministry as deacon. It is worn across the left shoulder and fastened at the right. He is given the Book of the Gospels as a sign of the deacon's role in preaching the Good News.
Priest	His stole is rearranged as a sign of his ministry as priest. It is worn around the neck and down over his chest. The palms of his hands are anointed so that he can serve to make the People of God holy through the sacraments. He is given the chalice and a paten as a sign that he may now celebrate the Eucharist to offer the sacrifice of the Lord.
Bishop	His head is anointed, and he is blessed to perform his duties as bishop. He is given a miter, a pointed hat that is a sign of his office as bishop. He is given a ring as a sign of his faithfulness to Christ and the Church. He is given a pastoral staff as a sign of his role as shepherd. He will care for and watch over the Church, the flock of Christ.

Catholic Social Teaching

There are seven themes of Catholic social teaching.

Life and Dignity of the Human Person

Human life is sacred because it is a gift from God. Because we are all God's children, we all share the same human dignity. As Christians we respect all people, even those we do not know.

Call to Family, Community, and Participation

We are all social. We need to be with others to grow. The family is the basic community. In the family we grow and learn values. As Christians we are involved in our family life and community.

Rights and Responsibilities of the Human Person

Every person has a fundamental right to life. This includes the things we need to have a decent life: faith and family, work and education, health care and housing. We also have a responsibility to others and to society. We work to make sure the rights of all people are being protected.

Option for the Poor and Vulnerable

We have a special obligation to help those who are poor and in need. This includes those who cannot protect themselves because of their age or their health.

Dignity of Work and the Rights of Workers

Our work is a sign of our participation in God's work. People have the right to decent work, just wages, safe working conditions, and to participate in decisions about work.

Solidarity of the Human Family

Solidarity is a feeling of unity. It binds members of a group together. Each of us is a member of the one human family. The human family includes people of all racial and cultural backgrounds. We all suffer when one part of the human family suffers whether they live near or far away.

Care for God's Creation

God created us to be stewards, or caretakers, of his creation. We must care for and respect the environment. We have to protect it for future generations. When we care for creation, we show respect for God the Creator.

Holy Days

Here are the Holy Days of Obligation that the Church in the United States celebrates:

Solemnity of Mary, Mother of God (January 1)

Ascension (during the Easter season)

Assumption of Mary (August 15)

All Saints' Day (November 1)

Immaculate Conception (December 8)

Christmas (December 25)

The Precepts of the Church

The pope and bishops have established some laws to help us know and fulfill our responsibilities as members of the Church. These laws are called the **precepts of the Church.**

It is helpful to think of the precepts as rules or principles intended as a guide for behavior. They teach us how we should act as members of the Church. These precepts also make sure that the Church has what it needs to serve its members and to grow.

1. You shall attend Mass on Sundays and holy days of obligation and rest from servile labor.
2. You shall confess your sins at least once a year.
3. You shall receive the sacrament of the Eucharist at least during the Easter season.
4. You shall observe the days of fasting and abstinence by the Church.
5. You shall help to provide for the needs of the Church.

Forms of Prayers

These are the forms of prayer. An example of each form is given.

Blessing

"The grace of the Lord Jesus Christ and the love of God and the fellowship of the holy Spirit be with all of you." (2 Corinthians 13:13)

Petition

"O God, be merciful to me, a sinner."
(Luke 18:13)

Intercession

"And this is my prayer that your love may increase ever more and more in knowledge."
(Philippians 1:9)

Thanksgiving

"Father, I thank you for hearing me."
(John 11:41)

Praise

"I shall praise the LORD all my life,
sing praise to my God while I live."
(Psalm 146:2)

Our Father

Our Father, who art in heaven,
hallowed be thy name;
thy kingdom come;
thy will be done on earth
as it is in heaven.
Give us this day our daily bread;
and forgive us our trespasses
as we forgive those
who trespass against us;
and lead us not into temptation,
but deliver us from evil. Amen.

Apostles' Creed

I believe in God, the Father almighty,
Creator of heaven and earth,

and in Jesus Christ, his only Son,
our Lord,
who was conceived by the Holy Spirit,
born of the Virgin Mary,
suffered under Pontius Pilate,
was crucified, died and was buried;
he descended into hell;
on the third day he rose again
from the dead;

he ascended into heaven,
and is seated at the right hand
of God the Father almighty;
from there he will come to judge
the living and the dead.

I believe in the Holy Spirit,
the holy catholic Church,
the communion of saints,
the forgiveness of sins,
the resurrection of the body,
and life everlasting. Amen.

Act of Contrition

My God,
I am sorry for my sins with all my heart.
In choosing to do wrong
and failing to do good,
I have sinned against you
whom I should love above all things.
I firmly intend, with your help,
to do penance,
to sin no more,
and to avoid whatever leads me to sin.
Our Savior Jesus Christ
suffered and died for us.
In his name, my God, have mercy.

Nicene Creed

I believe in one God,
the Father almighty,
maker of heaven and earth,
of all things visible and invisible.

I believe in one Lord Jesus Christ,
the Only Begotten Son of God,
born of the Father before all ages.
God from God, Light from Light,
true God from true God,
begotten, not made, consubstantial
with the Father;
through him all things were made.
For us men and for our salvation
he came down from heaven,
and by the Holy Spirit
was incarnate of the Virgin Mary,
and became man.

For our sake he was crucified
under Pontius Pilate,
he suffered death and was buried,
and rose again on the third day
in accordance with the Scriptures.
He ascended into heaven
and is seated at the right hand
of the Father.
He will come again in glory to judge
the living and the dead
and his kingdom will have no end.

I believe in the Holy Spirit, the Lord,
the giver of life,
who proceeds from the Father and the Son,
who with the Father and the Son is
adored and glorified,
who has spoken through the prophets.

I believe in one, holy, catholic
and apostolic Church.
I confess one Baptism for the
forgiveness of sins
and I look forward to the resurrection of the
dead and the life of the world to come.
Amen.

Glosario

acto de contrición (pp 178)
oración que nos permite expresar nuestro arrepentimiento y en la cual prometemos tratar de no pecar más

alianza matrimonial (pp 264)
el compromiso entre un hombre y una mujer de vivir como fieles y amorosos compañeros durante toda la vida

Anunciación (pp 210)
nombre dado a la visita del ángel a María anunciándole que ella iba a ser la madre del Hijo de Dios

apóstoles (pp 16)
hombres escogidos por Jesús para compartir su misión de manera especial

Asunción (pp 214)
la creencia de que cuando María terminó su trabajo en la tierra su cuerpo y alma fueron llevados al cielo para vivir eternamente con Cristo resucitado

Bautismo (pp 48)
sacramento por medio del cual somos librados del pecado, nos hacemos hijos de Dios y somos bienvenidos a la Iglesia

características de la Iglesia (pp 286)
las cuatros características de la Iglesia: una, santa, católica y apostólica

caridad (pp 242)
la mayor de todas las virtudes que nos permite amar a Dios y a nuestro prójimo

catecumenado (pp 60)
período de formación para la iniciación cristiana que incluye oración y liturgia, instrucción religiosa y servicio a la comunidad

conciencia (pp 176)
nuestra habilidad de ver la diferencia entre lo bueno y lo malo, lo correcto y lo incorrecto

Confirmación (pp 90)
el sacramento en que recibimos el don del Espíritu Santo de manera especial

consagración (pp 126)
la parte de la Plegaria eucarística cuando, por el poder del Espíritu Santo y por las palabras y acciones del sacerdote, el pan y el vino se convierten en el Cuerpo y la Sangre de Cristo

conversión (pp 164)
volver a Dios con todo el corazón

diáconos (pp 280)
hombres ordenados por los obispos para trabajar al servicio de la Iglesia pero que no son sacerdotes

días de precepto (pp 138)
día en que estamos obligados a participar de la Misa para celebrar un evento especial en la vida de Jesús, María y los santos

dones del Espíritu Santo (pp 102)
sabiduría, inteligencia, consejo, fortaleza, ciencia, piedad y temor de Dios

ecumenismo (pp 290)
el trabajo de promover la unidad entre todos los cristianos

Encarnación (pp 50)
la verdad de que el Hijo de Dios se hizo hombre

esperanza (pp 240)
la virtud que nos ayuda a confiar en la promesa de Dios de compartir su vida con nosotros por siempre; nos da confianza en el amor y el cuidado de Dios por nosotros

Eucaristía (pp 112)
el sacramento del Cuerpo y la Sangre de Cristo. Jesús está verdaderamente presente bajo las apariencias de pan y vino

evangelización (pp 24)
proclamar la buena nueva de Cristo con lo que hacemos y decimos

Glosario

fe (pp 240)
la virtud que nos ayuda a creer en Dios y todo lo que la Iglesia nos enseña; nos ayuda a creer todo lo que Dios nos ha dicho sobre él y todo lo que ha hecho por nosotros

fidelidad (pp 266)
lealtad a una persona, a las obligaciones, las responsabilidades y las promesas; en el matrimonio, la lealtad y la voluntad de ser fieles para toda la vida

gracia santificante (pp 36)
el don de compartir la vida de Dios que recibimos en los sacramentos

Iglesia (pp 16)
todos los que creen en Jesucristo, han sido bautizados en su nombre y siguen sus enseñanzas

iniciación cristiana (pp 36)
proceso de hecerse miembro de la Iglesia por medio de los sacramentos del Bautismo, la Confirmación y la Eucaristía

Inmaculada Concepción (pp 214)
la creencia de que María fue libre de pecado desde el momento de su concepción

Juicio Final (pp 28)
la venida de Jesucristo al final de los tiempos a juzgar a todo el mundo

laico (pp 252)
todo bautizado, miembro de la Iglesia, que comparte la misión de llevar la buena nueva de Cristo al mundo

liturgia (pp 24)
la oración pública y oficial de la Iglesia

Liturgia eucarística (pp 126)
la parte de la Misa en la que la muerte y resurrección de Cristo se hacen presentes de nuevo. Nuestras ofrendas de pan y vino se convierten en el Cuerpo y la Sangre de Cristo, que recibimos en la Comunión

Liturgia de la Palabra (pp 124)
parte de la Misa en la que escuchamos y respondemos a la Palabra de Dios; profesamos nuestra fe y rezamos por todos los necesitados

Liturgia de las Horas (pp 136)
oración pública de la Iglesia compuesta de salmos, lecturas bíblicas y enseñanzas de la Iglesia, oraciones y cantos y se reza varias veces al día

Matrimonio (pp 264)
sacramento en que un hombre y una mujer se hacen esposos y se prometen fidelidad por el resto de sus vidas

mayordomos de la creación (pp 292)
los que cuidan de todo lo que Dios les ha dado

misión de Jesús (pp 14)
compartir la vida de Dios con todo el mundo y salvarlo del pecado

Misterio pascual (pp 26)
la pasión, muerte, Resurrección y Ascensión de cielo al Cristo

obispos (pp 278)
los sucesores de los apóstoles quienes son ordenados para continuar la misión de los apóstoles y dirigir y servir a la Iglesia

obras corporales de misericordia (pp 28)
actos de amor que nos ayudan a cuidar de las necesidades físicas y materiales de los demás

obras espirituales de misericordia (pp 28)
actos de amor que nos ayudan a cuidar de las necesidades de los corazones, las mentes y las almas de los demás

Orden Sagrado (pp 278)
el sacramento en el que se ordenan hombres para servir a la Iglesia como diáconos, sacerdotes y obispos

Pascua (pp 110)
la fiesta con la que el pueblo judío recuerda la forma milagrosa en que Dios lo salvó de la muerte y la esclavitud de Egipto

Glosario

pecado (pp 166)
pensamiento, palabra, obra u omisión contra la ley de Dios

presencia real (pp 114)
Jesús está verdaderamente presente en la Eucaristía

profeta (pp 50)
alguien que habla en nombre de Dios, defiende la verdad y trabaja por la justicia

Reconciliación (pp 166)
sacramento en el que nuestra relación con Dios y la Iglesia es fortalecida o reparada y nuestros pecados son perdonados

Reino de Dios (pp 14)
el poder del amor de Dios activo en nuestras vidas y en el mundo

religiosos (pp 254)
mujeres y hombres que pertenecen a comunidades de servicio a Dios y a la Iglesia

Rito de conclusión (pp 128)
la última parte de la Misa en la que somos bendecidos y enviados a servir a Cristo en el mundo y a amar a lo demás como él nos ama

Ritos iniciales (pp 124)
la parte de la Misa que nos une como comunidad. Nos prepara para escuchar la Palabra de Dios y para celebrar la Eucaristía

sacerdocio de los fieles (pp 250)
la misión sacerdotal de Cristo que todo bautizado comparte

sacerdotes (pp 278)
ministros ordenados que sirven a los fieles cristianos dirigiendo, enseñando y especialmente celebrando la Eucaristía y otros sacramentos

sacramentales (pp 138)
bendiciones, acciones y objetos que nos ayudan a responder a la gracia de Dios recibida en los sacramentos

sacramento (pp 36)
signo efectivo dado por Jesús por medio del cual compartimos la vida de Dios

sacrificio (pp 112)
ofrenda a Dios por un sacerdote en nombre de todo el pueblo

salvación (pp 50)
el perdón de los pecados y la reparación de la amistad con Dios

santidad (pp 38)
compartir la bondad de Dios y responder a su amor con la forma en que vivimos. nuestra santidad viene por medio de la gracia

Santísima Trinidad (pp 12)
tres Personas en un solo Dios: Dios el Padre, Dios el Hijo y Dios el Espíritu Santo

santo crisma (pp 64)
aceite perfumado bendecido por un obispo

santos (pp 52)
seguidores de Cristo que vivieron vidas santas en la tierra y ahora comparten la vida eterna con Dios en el cielo

Unción de los Enfermos (pp 190)
sacramento en el cual la gracia y el consuelo de Dios son dados a los que están seriamente enfermos o sufriendo debido a su avanzad edad

vida eterna (pp 52)
vivir feliz con Dios por siempre

virtud (pp 238)
buen hábito que nos ayuda a actuar de acuerdo al amor de Dios por nosotros

vocación común (pp 38)
llamado a la santidad y a la evangelización compartido por todos los cristianos

Glossary

Act of Contrition (p. 179)
a prayer that allows us to express our sorrow and promise to try not to sin again

Annunciation (p. 211)
the name given to the angel's visit to Mary at which the announcement was made that she would be the Mother of the Son of God

Anointing of the Sick (p. 191)
the sacrament by which God's grace and comfort are given to those who are seriously ill or suffering because of their old age

Apostles (p. 17)
men chosen by Jesus to share in his mission in a special way

Assumption (p. 215)
the belief that when Mary's work on earth was done, God brought her body and soul to live forever with the Risen Christ

Baptism (p. 49)
the sacrament in which we are freed from sin, become children of God, and are welcomed into the Church

bishops (p. 279)
the successors of the Apostles who are ordained to continue the Apostles' leadership and service in the Church

Blessed Trinity (p. 13)
the Three Persons in One God: God the Father, God the Son, and God the Holy Spirit

catechumenate (p. 61)
a period of formation for Christian initiation that includes prayer and liturgy, religious instruction, and service to others

Christian initiation (p. 41)
the process of becoming a member of the Church through the Sacraments of Baptism, Confirmation, and Eucharist

Church (p. 17)
all those who believe in Jesus Christ, have been baptized in him, and follow his teachings

common vocation (p. 39)
the call to holiness and evangelization that all Christians share

Concluding Rites (p. 129)
the last part of the Mass in which we are blessed and sent forth to be Christ's servants in the world and to love others as he has loved us

Confirmation (p. 91)
the sacrament in which we receive the Gift of the Holy Spirit in a special way

conscience (p. 177)
the ability to know the difference between good and evil, right and wrong

Consecration (p. 127)
the part of the Eucharistic Prayer when, by the power of the Holy Spirit and through the words and actions of the priest, the bread and wine become the Body and Blood of Christ

conversion (p. 165)
a turning to God with all one's heart

Corporal Works of Mercy (p. 29)
acts of love that help us care for the physical and material needs of others

deacons (p. 281)
ordained ministers who have an important role in worship, leadership, and social ministries

ecumenism (p. 291)
the work to promote unity among all Christians

eternal life (p. 53)
living in happiness with God forever

Eucharist (p. 113)
the Sacrament of the Body and Blood of Christ, Jesus is truly present under the appearances of bread and wine

Glossary

evangelization (p. 25)
proclaiming the Good News of Christ by what we say and do

faith (p. 241)
the virtue that enables us to believe in God and all that the Church teaches us; it helps us to believe all that God has told us about himself and all that he has done

fidelity (p. 267)
faithfulness to a person and to duties, obligations, and promises; in marriage, the loyalty and the willingness to be true to each other always

gifts of the Holy Spirit (p. 103)
wisdom, understanding, counsel, fortitude, knowledge, piety, and fear of the Lord

holiness (p. 39)
sharing in God's goodness and responding to his love by the way we live; our holiness comes through grace

holy day of obligation (p. 139)
a day we are obliged to participate in the Mass to celebrate a special event in the life of Jesus, Mary, or the saints

Holy Orders (p. 279)
the sacrament in which baptized men are ordained to serve the Church as deacons, priests, and bishops

hope (p. 241)
the virtue that enables us to trust in God's promise to share his life with us forever; it makes us confident in God's love and care for us

Immaculate Conception (p. 215)
the belief that Mary was free from Original Sin from the moment she was conceived

Incarnation (p. 51)
the truth that the Son of God became man

Introductory Rites (p. 125)
the part of the Mass that unites us as a community; it prepares us to hear God's Word and to celebrate the Eucharist

Jesus' mission (p. 15)
to share the life of God with all people and to save them from sin

Kingdom of God (p. 15)
the power of God's love active in our lives and in the world

Last Judgment (p. 29)
Jesus Christ coming at the end of time to judge all people

laypeople (p. 253)
all the baptized members of the Church who share in the mission to bring the Good News of Christ to the world

liturgy (p. 25)
the official public prayer of the Church

Liturgy of the Eucharist (p. 127)
the part of the Mass in which the Death and Resurrection of Christ are made present again. Our gifts of bread and wine become the Body and Blood of Christ, which we receive in Holy Communion

Liturgy of the Hours (p. 137)
public prayer of the Church made up of Bible readings, prayers, hymns, and psalms and celebrated at various times during the day

Liturgy of the Word (p. 125)
the part of the Mass in which we listen and respond to God's Word; we profess our faith and pray for of all people in need

love (p. 243)
the greatest of all virtues that enables us to love God and to love our neighbor

marks of the Church (p. 287)
the four characteristics of the Church: one, holy, catholic, and apostolic

marriage covenant (p. 265)
the life-long commitment between a man and a woman to live as faithful and loving partners

Matrimony (p. 265)
the sacrament in which a man and woman become husband and wife and promise to be faithful to each other for the rest of their lives

Paschal Mystery (p. 27)
Christ's suffering, Death, Resurrection from the dead, and Ascension into heaven

Passover (p. 111)
the feast on which Jewish People remember the miraculous way that God saved them from death and slavery in ancient Egypt

Penance and Reconciliation (p. 167)
the sacrament by which our relationship with God and the Church is restored and our sins are forgiven

priesthood of the faithful (p. 251)
Christ's priestly mission in which all those who are baptized share

priests (p. 279)
ordained ministers who serve the Christian faithful by leading, teaching, and most especially celebrating the Eucharist and other sacraments

prophet (p. 51)
someone who speaks on behalf of God, defends the truth, and works for justice

Real Presence (p. 115)
Jesus really and truly present in the Eucharist

religious (p. 255)
women and men who belong to communities of service to God and the Church

sacrament (p. 37)
an effective sign given to us by Jesus through which we share in God's life

sacramentals (p. 139)
blessings, actions, and objects that help us respond to God's grace received in the sacraments

Sacred Chrism (p. 65)
perfumed oil blessed by the bishop

sacrifice (p. 113)
a gift offered to God by a priest in the name of all the people

saints (p. 53)
followers of Christ who lived lives of holiness on earth and now share in eternal life with God in heaven

salvation (p. 51)
the forgiveness of sins and the restoring of friendship with God

sanctifying grace (p. 37)
the gift of sharing in God's life that we receive in the sacraments

sin (p. 167)
a thought, word, or deed against God's law

Spiritual Works of Mercy (p. 29)
acts of love that help us care for the needs of people's hearts, minds, and souls

stewards of creation (p. 293)
those who take care of everything that God has given them

virtue (p. 239)
a good habit that helps us to act according to God's love for us

En esta sección encontrará preguntas y respuestas para repasar el contenido de *Creemos: Identidad católica*. Cada pregunta de esta sección abarca una de las enseñanzas básicas de acuerdo con los capítulos del libro del estudiante. Conteste cada pregunta para repasar lo que su hijo(a) ha aprendido. Las respuestas fortalecerán su comprensión de la fe católica y lo ayudarán a reforzar su identidad como católico(a). Las referencias al *CIC* que aparecen después de cada respuesta indican dónde se puede encontrar más información al respecto en el *Catecismo de la Iglesia Católica*.

P: ¿Quién es Jesucristo?

R: Jesucristo es la segunda Persona de la Santísima Trinidad. La Santísima Trinidad es tres Personas en un Dios; Dios Padre, Dios Hijo y Dios Espíritu Santo. Jesucristo es el Hijo de Dios quien se hizo hombre. *CIC*, 254, 422

P: ¿Cuál es la misión de Jesús?

R: La misión de Jesús es compartir la vida de Dios con todos y salvarlos del pecado. *CIC*, 714

P: ¿Qué es la Iglesia?

R: La Iglesia es todo el que cree en Jesucristo, ha sido bautizado en Él y sigue sus enseñanzas. *CIC*, 752, 759

CIC = Catecismo de la Iglesia Católica

P: ¿Qué es la buena nueva?

R: La buena nueva es el amor de Dios por todos. Él envió a su Hijo Jesucristo para mostrarnos cómo vivir y salvarnos del pecado. Jesús comparte la vida de Dios con nosotros y nos da la esperanza de vivir por siempre con Dios. *CIC*, 714, 763

P: ¿Cuál es al misión que Cristo le ha dado a la Iglesia?

R: El trabajo o misión de la Iglesia es compartir la buena nueva de Cristo y predicar el reino de Dios. *CIC*, 768

P: ¿Qué es el reino de Dios?

R: El reino de Dios es el poder del amor de Dios activo en el mundo. *CIC*, 2046

P: ¿Qué es la liturgia?

R: La liturgia es la oración pública y oficial de la Iglesia. *CIC*, 1069, 1136

P: ¿Qué es el misterio pascual?

R: El misterio pascual es el sufrimiento, muerte, resurrección de la muerte y ascensión al cielo de Cristo. Por el misterio pascual, Jesús nos salva del pecado y nos da su vida. *CIC*, 654, 1067, 1085

P: ¿Qué es un sacramento?

R: Un sacramento es un signo efectivo dado por Jesús, por medio del cual compartimos en la vida de Dios. *CIC*, 1131

P: ¿Cuáles son los siete sacramentos?

R: Los siete sacramentos son: Bautismo, Confirmación, Eucaristía, Penitencia y Reconciliación, Unción de los Enfermos, Orden y Matrimonio. Bautismo, Confirmación y Eucaristía son los sacramentos de iniciación cristiana. Penitencia y Reconciliación y Unción de los Enfermos son los sacramentos de sanación. Orden y Matrimonio son los sacramentos de servicio a la comunidad. *CIC*, 1210

P: ¿Qué es el sacramento del Bautismo?

R: Bautismo es el sacramento que nos libra del pecado, nos hace hijos de Dios y nos da la bienvenida a la Iglesia. *CIC*, 1212, 1213

P: ¿Qué símbolos se usan en la celebración del Bautismo?

R: Agua, vela de bautismo, vestido blanco y óleo sagrado se usan en el Bautismo. *CIC*, 1238, 1241, 1243

P: ¿Cómo se llama el año de la Iglesia?

R: El año de la Iglesia se llama año litúrgico. *CIC*, 1168

P: ¿Qué celebramos durante el año litúrgico?

R: El año litúrgico celebra toda la vida de Cristo, especialmente el misterio pascual. *CIC*, 1171–1173

P: ¿Qué es el Tiempo Ordinario?

R: El Tiempo Ordinario es un tiempo especial del año litúrgico cuando aprendemos sobre la vida de Cristo y crecemos como sus seguidores. Este se celebra dos veces dentro del año litúrgico. Incluye días especiales para honrar a María y los santos. *CIC*, 1163, 1168, 1173

P: ¿Qué es Pentecostés?

R: Pentecostés es el día en que el Espíritu Santo vino a los apóstoles. Ese fue el inicio de la Iglesia. *CIC*, 1076

P: ¿Qué sucede en el sacramento de la Confirmación?

R: En el sacramento de la Confirmación somos sellados con el don del Espíritu Santo y somos fortalecidos para ser testigos de Cristo. *CIC*, 1294–1296, 1303

P: ¿Cuáles son los dones del Espíritu Santo?

R: Los dones del Espíritu Santo son sabiduría, inteligencia, consejo, fortaleza, ciencia, piedad y temor de Dios. *CIC*, 1831

P: ¿Qué es el sacramento de la Eucaristía?

R: La Eucaristía es el sacramento del Cuerpo y la Sangre de Cristo. *CIC*, 1333, 1374

P: ¿Cuáles son las cuatro partes de la Misa?

R: Las cuatro partes de la Misa son: ritos iniciales, Liturgia de la Palabra, Liturgia de la Eucaristía y rito de conclusión. *CIC*, 1346, 1348

P: ¿Qué sucede durante la consagración en la Misa?

R: En la consagración, por el poder del Espíritu Santo y por medio de las palabras y acciones del sacerdote, el pan y el vino se convierten en el Cuerpo y la Sangre de Cristo. *CIC*, 1333, 1353

P: ¿Cómo oramos?

R: Oramos abriendo nuestros corazones y mentes a Dios. Podemos orar solos o con otros, en silencio o en voz alta. *CIC*, 2559, 2698–2699

P: ¿Qué son los sacramentales?

R: Sacramentales son bendiciones, acciones u objetos que nos ayudan a responder a la gracia de Dios que recibimos en los sacramentos. Algunos ejemplos son: bendiciones de personas y objetos como un crucifijo o un rosario y acciones como la señal de la cruz. *CIC*, 1670

P: ¿Qué son devociones populares?

R: Devociones populares son oraciones que no son parte de la oración pública y oficial de la Iglesia pero que forman parte de la herencia de oración de la Iglesia. *CIC*, 1674

P: ¿Qué es el Adviento?

R: Adviento es el tiempo litúrgico de gozo, espera y preparación para el nacimiento, del Hijo de Dios, Jesucristo, en Navidad. *CIC*, 524

P: ¿Qué celebramos durante el tiempo de Navidad?

R: Durante el tiempo de Navidad nos regocijamos en la encarnación—la verdad de que el Hijo de Dios se hizo hombre. *CIC*, 1171

P: ¿Qué es el sacramento de la Penitencia y Reconciliación?

R: El sacramento de la Penitencia y Reconciliación es el sacramento por medio del cual nuestra relación con Dios y la Iglesia se fortalece o restaura y nuestros pecados son perdonados. *CIC*, 980

P: ¿Qué es el sacramento de Unción de los Enfermos?

R: El sacramento de Unción de los Enfermos es el sacramento por medio del cual la gracia de Dios es dada a los que están gravemente enfermos o sufriendo debido a avanzada edad. *CIC*, 1499, 1514

P: ¿Por qué la Iglesia honra a María?

R: La Iglesia honra a María porque es la madre de Jesucristo, el Hijo de Dios. Ella es la primera y más fiel discípula de Jesús y la más importante entre los santos. *CIC*, 971

P: ¿Qué es la Cuaresma?

R: Cuaresma es el tiempo litúrgico en el que nos preparamos orando, haciendo penitencia y buenas obras, para la celebración del tiempo de Pascua. *CIC*, 1438

P: ¿Qué es el Triduo Pascual?

R: El Triduo Pascual es un tiempo durante el año litúrgico. Es nuestra celebración más importante del misterio pascual. En un período de tres días que se inicia la tarde del Jueves Santo y culmina el Domingo de Resurrección. *CIC*, 1168

P: ¿Qué son las virtudes teologales?

R: Las virtudes teologales son fe, esperanza y caridad. Son llamadas teologales porque son dones de Dios. *Teo* significa "Dios". *CIC*, 1813

P: ¿Qué es el sacerdocio de los fieles?

R: El sacerdocio de los fieles es compartir la misión sacerdotal de Cristo por todos los bautizados. Vivimos nuestro sacerdocio cuando rezamos diariamente, participamos en la liturgia y ofrecemos nuestra vida a Dios. *CIC*, 1591

P: ¿Cuál es la misión de los laicos?

R: La misión de los lacios es llevar la buena nueva de Cristo a todo el mundo. *CIC*, 898–900

P: ¿Cómo viven los hombres y las mujeres su vocación religiosa?

R: Los hombres y mujeres en la vida religiosa pertenecen a comunidades al servicio de Dios y la Iglesia. Hacen votos, o promesas, de pobreza, castidad y obediencia a Dios. *CIC*, 925–927

P: ¿Cuáles son algunas formas en las que podemos escuchar nuestro llamado vocacional?

R: Escuchando a Dios en nuestras oraciones, recibiendo el consejo de otras personas y reconociendo nuestros dones y talentos. *CIC*, 2826

P: ¿Qué es el sacramento del Matrimonio?

R: El Matrimonio es el sacramento en el que un hombre y una mujer prometen amarse y ser fieles uno al otro. Ambos se comprometen a vivir como compañeros y prometen recibir con amor a los hijos que Dios les dé. *CIC*, 1601

P: ¿Qué es el sacramento del Orden?

R: Orden es el sacramento en el que hombres bautizados son ordenados para servir en la Iglesia como obispos, sacerdotes o diáconos. *CIC*, 1538

P: ¿Cuáles son las características de la Iglesia?

R: La Iglesia tiene cuatro características: una, santa, católica y apostólica. *CIC*, 811

P: ¿Qué celebramos en el tiempo de Pascua?

R: Pascua es el tiempo litúrgico durante el cual celebramos la resurrección de Jesucristo. Es un tiempo especial en el que nos regocijamos en la nueva vida que tenemos en Cristo. *CIC*, 1169

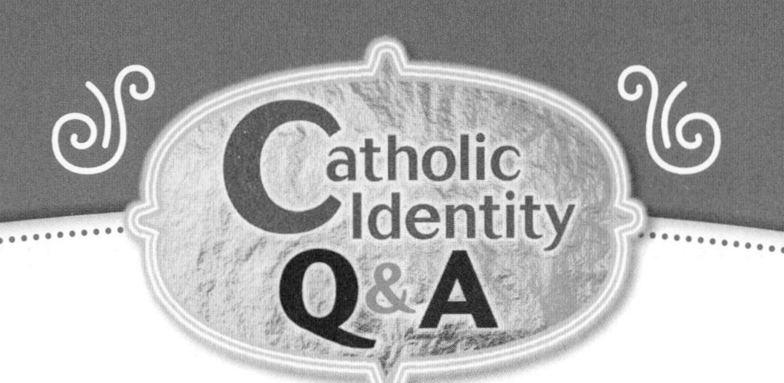

In this section, you will find questions and answers that review the content in your *Creemos: Catholic Identity Edition* book this year. Each question in this section covers the key Catholic teachings in your book, in chapter order. Answer each question to review what you have learned—whether you use this section at home, in school, or in the parish. The answers provided will strengthen your understanding of your Catholic faith and help to reinforce your Catholic Identity. The *CCC* references after each answer indicate where to find further information about that answer in the *Catechism of the Catholic Church*.

Q: Who is Jesus?

A: Jesus Christ is the Second Person of the Blessed Trinity. The Blessed Trinity is the Three Persons in One God: God the Father, God the Son, and God the Holy Spirit. Jesus Christ is the Son of God who became man. CCC, 254, 422

Q: What is Jesus' mission?

A: Jesus' mission is to share the life of God with all people and to save them from sin. CCC, 714

Q: What is the Church?

A: The Church is all those who believe in Jesus Christ, have been baptized in him, and follow his teachings. CCC, 752, 759

CCC = Catechism of the Catholic Church

Q: What is the Good News?

A: The Good News is that God loves all people. He sent his only Son, Jesus Christ, to show us how to live and to save us from sin. Jesus shares the very life of God with us and gives us the hope of life forever with God. CCC, 714, 763

Q: What is the mission of the Church, given to her by Jesus Christ?

A: The work, or mission, of the Church is to share the Good News of Christ and to spread the Kingdom of God. CCC, 768

Q: What is the Kingdom of God?

A: The Kingdom of God is the power of God's love active in our lives and in the world. CCC, 2046

Q: What is the liturgy?

A: The liturgy is the official public prayer of the Church. CCC, 1069, 1136

Q: What is the Paschal Mystery?

A: The Paschal Mystery is Christ's suffering, Death, Resurrection from the dead, and Ascension into Heaven. By his Paschal Mystery, Jesus saves us from sin and gives us life. CCC, 654, 1067, 1085

Q: What is a sacrament?

A: A sacrament is an effective sign given to us by Jesus through which we share in God's life. CCC, 1131

Q: What are the Seven Sacraments?

A: The Seven Sacraments are: Baptism, Confirmation, Eucharist, Penance and Reconciliation, Anointing of the Sick, Holy Orders, and Matrimony. Baptism, Confirmation, and Eucharist are the Sacraments of Christian Initiation. Penance and Reconciliation and Anointing of the Sick are the Sacraments of Healing. Holy Orders and Matrimony are the Sacraments at the Service of Communion. CCC, 1210

Q: What is the Sacrament of Baptism?

A: Baptism is the sacrament in which we are freed from sin, become children of God, and are welcomed into the Church. CCC, 1212, 1213

Q: What symbols are used in the celebration of Baptism?

A: Water, a baptismal candle, a white garment, and Sacred Chrism are used at Baptism. CCC, 1238, 1241, 1243

Q: What is the Church's year called?

A: The Church's year is called the liturgical year. CCC, 1168

Q: What does the liturgical year celebrate?

A: The liturgical year celebrates the whole life of Christ, most especially his Paschal Mystery. CCC, 1171–1173

Q: What is Ordinary Time?

A: Ordinary Time is a special season of the liturgical year in which we learn about the life of Christ and grow as his followers. It is celebrated twice during the liturgical year. It includes special days honoring Mary and the saints. CCC, 1163, 1168, 1173

Q: What is Pentecost?

A: Pentecost is the day on which the Holy Spirit came to the Apostles. It was the beginning of the Church. CCC, 1076

Q: What happens in the Sacrament of Confirmation?

A: In the Sacrament of Confirmation we are sealed with the Gift of the Holy Spirit. We become more like Christ and are strengthened to be his witnesses. CCC, 1294–1296, 1303

Q: What are the Gifts of the Holy Spirit?

A: The Gifts of the Holy Spirit are wisdom, understanding, counsel, fortitude, knowledge, piety, and fear of the Lord. CCC, 1831

Q: What is the Sacrament of the Eucharist?

A: The Eucharist is the Sacrament of the Body and Blood of Christ. CCC, 1333, 1374

Q: What are the four parts of the Mass?

A: The four parts of the Mass are the Introductory Rites, the Liturgy of the Word, the Liturgy of the Eucharist, and the Concluding Rites. CCC, 1346, 1348

Q: What happens at the Consecration of the Mass?

A: At the Consecration, by the power of the Holy Spirit and through the words and actions of the priest, the bread and wine become the Body and Blood of Christ. CCC, 1333, 1353

Q: How do we pray?

A: We pray by opening our hearts and minds to God. We can pray alone or with others, in silence or aloud. CCC, 2559, 2698–2699

Q: What are sacramentals?

A: Sacramentals are blessings, actions, and objects that help us respond to God's grace received in the sacraments. Examples of sacramentals include blessings of people; objects such as a crucifix or rosary; and actions such as the Sign of the Cross. CCC, 1670

Q: What are popular devotions?

A: Popular devotions are prayer practices that are not part of the Church's official public prayer, or liturgy, but are part of the heritage of prayer in the Church. CCC, 1674

Q: What is Advent?

A: Advent is a liturgical season of joyful expectation and preparation for the birth of God's Son, Jesus Christ, at Christmas. CCC, 524

Q: What do we celebrate during the season of Christmas?

A: During the season of Christmas, we rejoice in the Incarnation—the truth that the Son of God became man. CCC, 1171

Q: What is the Sacrament of Penance and Reconciliation?

A: The Sacrament of Penance and Reconciliation is the sacrament by which our relationship with God and the Church is strengthened or restored and our sins are forgiven. CCC, 980

Q: What is the Sacrament of the Anointing of the Sick?

A: The Sacrament of the Anointing of the Sick is the sacrament by which God's grace and comfort are given to those who are seriously ill or suffering because of their old age. CCC, 1499, 1514

Q: Why does the Church remember and honor Mary?

A: The Church honors Mary because she is the Mother of Jesus Christ, the only Son of God. She is Jesus' first and most faithful disciple, and the greatest of all the saints. CCC, 971

Q: What is Lent?

A: Lent is a season of the liturgical year in which we prepare for the great celebration of Easter through prayer, penance, and good works. CCC, 1438

Q: What is the Easter Triduum?

A: The Easter Triduum, a time during the liturgical year, is our greatest celebration of the Paschal Mystery. It is the three days from Holy Thursday evening to Easter Sunday evening. CCC, 1168

Q: What are the theological virtues?

A: The theological virtues are faith, hope, and love. They are called theological because *theo* means "God," and these virtues are gifts from God. CCC, 1813

Q: What is the priesthood of the faithful?

A: The priesthood of the faithful is the sharing in Christ's priestly mission by all those who are baptized. We live our priesthood when we pray daily, participate in the liturgy, and offer our lives to God. CCC, 1591

Q: What is the mission of the laity?

A: The mission of the laity is to bring the Good News of Christ to the world. CCC, 898–900

Q: How do women and men live out their vocation of religious life?

A: Women and men in religious life belong to communities of service to God and the Church. They make vows, or promises, of poverty, chastity, and obedience to God. CCC, 925–927

Q: What are ways we can listen to God's call to our vocation?

A: We can listen to God's call through prayer, advice from good people, and the recognition of our God-given abilities and talents. CCC, 2826

Q: What is the Sacrament of Matrimony?

A: The Sacrament of Matrimony is the sacrament in which a man and a woman promise to always love and be faithful to each other. They make a life-long commitment to live as loving partners and promise to lovingly accept children as a gift from God. CCC, 1601

Q: What is the Sacrament of Holy Orders?

A: Holy Orders is the sacrament in which baptized men are ordained to serve the Church as bishops, priests, or deacons. CCC, 1538

Q: What are the marks of the Church?

A: There are four marks, or characteristics, of the Church. The Church is one, holy, catholic, and apostolic. CCC, 811

Q: What do we celebrate at Easter?

A: Easter is the liturgical season during which we celebrate the Resurrection of Jesus Christ. It is a special time to rejoice over the new life we have in Christ. CCC, 1169

Recursos para la familia

En esta sección encontrará un tesoro de recursos que lo ayudarán a fortalecer su identidad católica en su hogar, parroquia y comunidad. Aprenderá más sobre las enseñanzas católicas claves en los temas del retiro *Celebrando la identidad católica*— **EL CREDO**, **LITURGIA Y SACRAMENTOS**, **MORAL** y **ORACIÓN**. Para cada tema encontrará oraciones, prácticas y devociones católicas que podrá incorporar a su vida diaria como familia católica.

Familia: "El lugar [...] donde los padres transmiten la fe a sus hijos".

—Papa Francisco

Exhortación apostólica *Evangelii Gaudium*, 66

Espiritualidad de los niños de quinto curso

Los niños de quinto curso han aumentado su capacidad de reflexionar en su vida espiritual. Ellos pueden ver cómo sus explicaciones de quién es Dios y cómo Dios trabaja en el mundo son algunas veces confirmadas o retadas por sus amigos. Apoye a su hijo(a) para vivir su fe en el hogar y entre su compañeros. Si es posible tomen tiempo para rezar y reflexionar quizás durante las comidas o antes de ir a la cama.

Su hijo(a) está empezando a pensar en forma abstracta. Empieza a entender la definición de conceptos tales como amor, paz, y justicia. También entiende lo que significa ser justo o no. Busque oportunidades para fomentar la justicia en situaciones familiares que ayuden al niño(a) a ver que tratar a otros con justicia lleva a la paz.

Los niños en quinto curso están listos para asumir ciertas responsabilidades en sus vidas y su fe. Ellos también son capaces de relacionar sus decisiones con vivir los Diez Mandamientos y las Bienaventuranzas. Enseñe responsabilidad personal dándole libertad de tomar decisiones personales. Guíele en sus esfuerzos de tomar decisiones.*

*Ver *Catechetical Formation in Chaste Living*, Conferencia de Obispos Católicos de los Estados Unidos, #19

Un Dios, tres Personas

Si se le preguntara a su familia cuál es el misterio central de nuestra fe, ¿cómo respondería? La creencia central de nuestra fe y nuestra vida de fe es la Santísima Trinidad. Creemos en tres Personas en un solo Dios: Dios el Padre, Dios el Hijo —que es Jesucristo— y Dios el Espíritu Santo. Cada vez que hacemos la señal de la cruz, estamos expresando esa creencia. Cada vez que rezamos y celebramos la liturgia, rezamos y celebramos en el nombre de la Santísima Trinidad. La Santísima Trinidad es un misterio de fe. Es una creencia que no entenderemos totalmente hasta que compartamos la vida eterna con Dios en el cielo.

En familia recen las Alabanzas al Santísimo Sacramento. Haga notar cuáles son las palabras que alaban a Dios como el Padre, el Hijo y el Espíritu Santo.

Alabanzas al Santísimo Sacramento

Bendito sea Dios.
Bendito sea su santo nombre.
Bendito sea Jesucristo verdadero Dios y verdadero Hombre.
Bendito sea el nombre de Jesús.
Bendito sea su sacratísimo corazón.
Bendita sea su preciosísima Sangre.
Bendito sea Jesús en el Santísimo Sacramento del Altar.
Bendito sea el Espíritu Santo Consolador.
Bendita sea la incomparable madre de Dios la santísima virgen María.
Bendita sea su Santa e Inmaculada Concepción.
Bendita sea su gloriosa Asunción.
Bendito sea el nombre de María virgen y madre.
Bendito sea san José su casto esposo.
Bendito sea Dios en sus ángeles y en sus santos.

Ángeles entre nosotros

Los ángeles son criaturas creadas por Dios como espíritus puros. No tienen cuerpo físico. Sirven a Dios como mensajeros. Sirven a Dios en su plan de salvación para nosotros y constantemente lo adoran. Anime a su hijo(a) a rezar esta oración a su ángel custodio.

Oración a mi ángel custodio

Ángel de la guarda,
dulce compañía,
no me desampares,
ni de noche ni de día,
hasta que descanse
en los brazos de
Jesús, José y María.

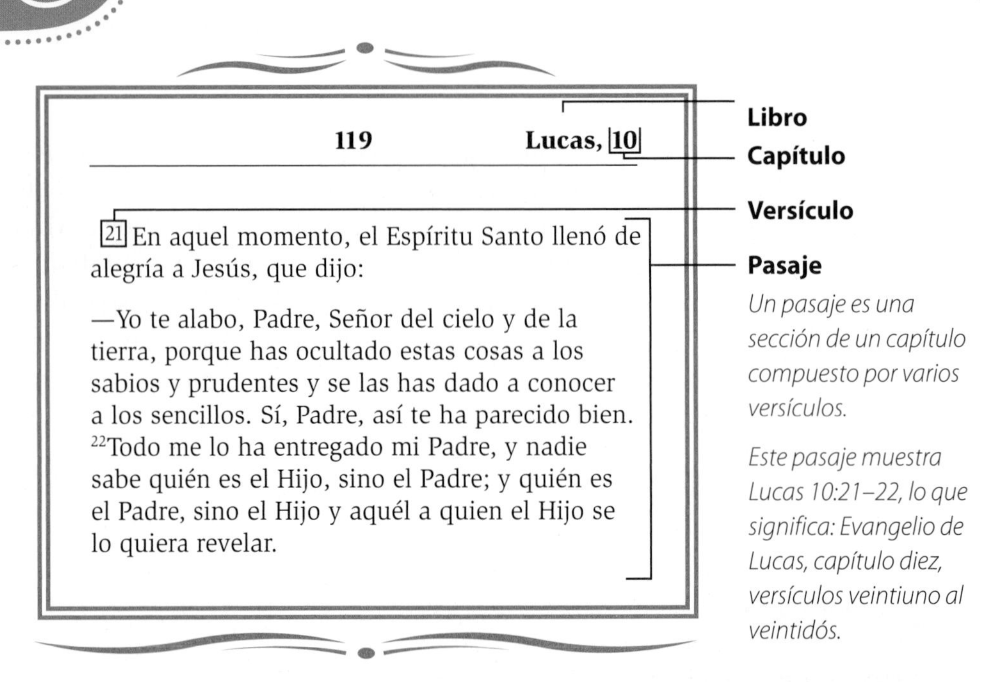

Cómo leer la Biblia en cinco pasos sencillos

La Biblia es una colección de setenta y tres libros escritos bajo la inspiración del Espíritu Santo. La Biblia está dividida en dos partes: el Antiguo Testamento y el Nuevo Testamento. En los cuarenta y seis libros del Antiguo Testamento, aprendemos sobre la historia de la relación de Dios con el pueblo de Israel. En los veintisiete libros del Nuevo Testamento, aprendemos sobre la historia de Jesucristo, el Hijo de Dios, y sus seguidores. La Biblia está dividida en libros, que a su vez están divididos en capítulos y estos en versículos. Cuando se le da a leer un pasaje bíblico puede seguir estos cinco pasos sencillos para encontrarlo. Junto con su hijo sigan estos pasos para encontrar el siguiente pasaje **Lc 10:21–22**.

1. **Encuentren el libro.** Cuando el pasaje de la Escritura contiene una abreviatura, busquen el nombre del libro cuya abreviatura se da al inicio de la Biblia. *Lc* se refiere al libro de Lucas, uno de los cuatro Evangelios.
2. **Encuentren la página.** La tabla de contenido de la Biblia indica la página donde se inician los libros. Pase a la página dentro de la Biblia.
3. **Encuentren el capítulo.** Una vez que estén en el inicio del libro, pasen las páginas hasta encontrar el capítulo. En el cuadro de arriba se muestra cómo los capítulos frecuentemente son numerados en la Biblia. Están buscando el capítulo **10** del libro de Lucas.
4. **Encuentren el versículo.** Una vez que hayan encontrado el capítulo, busquen el versículo o versículos que necesiten dentro del capítulo. Arriba se muestra cómo los números de los versículos aparecen comúnmente en una Biblia. Están buscando los versículos **21** y **22**.
5. **¡Empiecen a leer!**

La Iglesia en el hogar

Hable con su hijo(a) sobre lo que sabe acerca de los sacramentos de servicio a la Comunión. Comparta que el sacramento del Matrimonio ofrece la oportunidad a un hombre y una mujer de compartir el amor de Dios. Ambos expresan ese amor siendo fieles uno al otro y estando abiertos a la oportunidad de tener niños y ofrecerles una familia de amor.

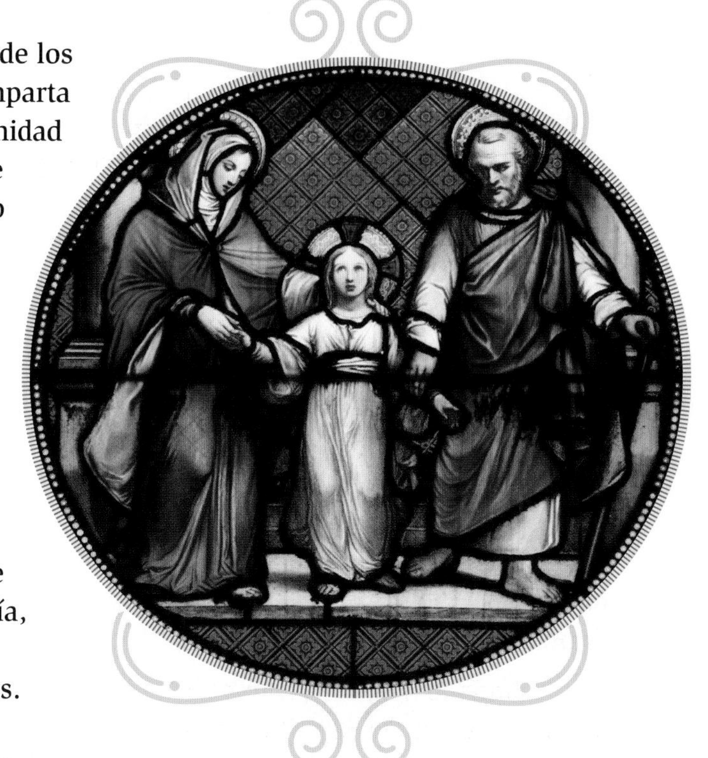

Cada familia está llamada a ser una iglesia doméstica, o sea, "una iglesia en el hogar". Es en la familia donde aprendemos a rezar y a alabar a Dios, a perdonar y a ser perdonados y a ser discípulos de Jesús. Piense en esto como un llamado a vivir como la Sagrada Familia: Jesús, María y José. Jesús creció en una familia llena de amor. Él obedeció a su padres. La familia de María, José y Jesús cumplió con las tradiciones judías: siempre rezaron y celebraron las fiestas religiosas. Igual que la Sagrada Familia, los familiares deben amarse y respetarse unos a otros. Juntos recen las siguientes oraciones:

Oración a la Sagrada Familia

"Jesús, María y José,
en ustedes contemplamos
el esplendor del amor verdadero,
a ustedes nos dirigimos con confianza.

Sagrada Familia de Nazaret,
haz que también nuestras familias
sean lugares de comunión y cenáculos de
oración,
auténticas escuelas del Evangelio
y pequeñas Iglesias domésticas.

(Papa Francisco, *Oración a la Sagrada Familia*, diciembre 29, 2013)

Oración a san José

Padre,
encomendaste a nuestro Salvador
al cuidado de san José.
Con la ayuda de sus oraciones,
haz que la Iglesia siga al servicio
del Señor Jesucristo, quien vive y
reina contigo y el Espíritu Santo,
un Dios por los siglos de los
siglos.

Amén.

La Comunión de los santos

Una de las creencias más reconfortantes de la fe católica es la creencia en la Comunión de los santos. La Comunión de los santos es la unión de todos los bautizados miembros de la Iglesia en la tierra, el cielo y el purgatorio. Esta creencia es reconfortante porque nos recuerda la unidad con nuestros seres queridos que han muerto y están unidos a los santos en el cielo e interceden por nosotros.

Esta unidad es claramente expresada en la Misa cuando el sacerdote reza la oración eucarística. También podemos expresar esta unidad con la Comunión de los santos cuando rezamos la letanía de los santos. Esta letanía se reza durante la celebración del sacramento del Bautismo y en la celebración de la Vigilia pascual. Aprenda y comparta esta oración con su familia hoy.

Celebración de los santos, por el hermano Mickey O'Neill McGrath

Letanía de los santos

Señor, ten piedad,	Señor, ten piedad
Cristo, ten piedad,	Cristo, ten piedad
Señor ten piedad,	Señor, ten piedad
Santa madre de Dios,	ruega por nosotros
San Miguel,	ruega por nosotros
Santos ángeles de Dios,	rueguen por nosotros
San Pedro y san Pablo,	rueguen por nosotros
San Juan,	ruega por nosotros
San Esteban,	ruega por nosotros
Santas Perpetua y Felicidad,	rueguen por nosotros
Santa Prisca,	ruega por nosotros
San Gregorio,	ruega por nosotros
San Agustín,	ruega por nosotros
San Basilio,	ruega por nosotros
San Benito,	ruega por nosotros
San Francisco y santo Domingo,	rueguen por nosotros
Santa Catalina,	ruega por nosotros
Santa Teresa,	ruega por nosotros
Santos y santas del cielo,	rueguen por nosotros

(Adaptación de la *Letanía de los santos*)

Viviendo dignamente

Repase con su hijo(a) lo que ha aprendido sobre la dignidad humana:

- que hemos sido creados a imagen de Dios.
- que Dios nos llama a reconocer la dignidad de cada uno.
- que podemos trabajar por la protección de la dignidad promoviendo justicia y respeto.
- que podemos ser instrumentos de la paz de Dios.

Recuerde a su hijo(a) que Jesús trató a todo el mundo con igualdad y respetó la dignidad de toda persona.

Jesús nos dio mandamientos para ayudarnos a seguir la forma en que Él vivió, respetando la dignidad de todo el mundo. Lea y recuerde estos mandamientos a la familia. Deje que guíen todas sus relaciones—en la casa, en la escuela, en la parroquia y en la comunidad.

El Gran Mandamiento

"Amarás al señor tu Dios con todo tu corazón, con toda tu alma y con toda tu mente. Éste es el primer mandamiento y el más importante. El segundo es semejante a éste: *"Amaras a tu prójimo como a ti mismo".* (Mateo 22:37–39)

El Nuevo Mandamiento

"Les doy un mandamiento nuevo: Ámense los unos a los otros. Como yo los he amado, así también ámense los unos a los otros. Por el amor que se tengan los unos a los otros reconocerán todos que son discípulos míos".

(Juan 13:34–35)

Cómo ser santo

Es verdad que todos podemos ser santos. Al ser santificado por el Bautismo y unido a Cristo, usted realmente ha sido llamado a la santidad. Los santos fueron personas ordinarias y, al igual que usted, fueron fieles discípulos de Jesús. Fueron seguidores de Cristo que vivieron vidas de santidad en la tierra y ahora comparten la vida eterna con Dios en el cielo. Por el ejemplo de la vida de los santos podemos aprender cómo amar a Dios, a nosotros mismos y a los demás. Podemos aprender cómo ser discípulos de Jesús como lo hicieron los santos.

¿Se ha preguntado alguna vez cómo decide la Iglesia quiénes se hacen santos? Aquí tiene un resumen del proceso.

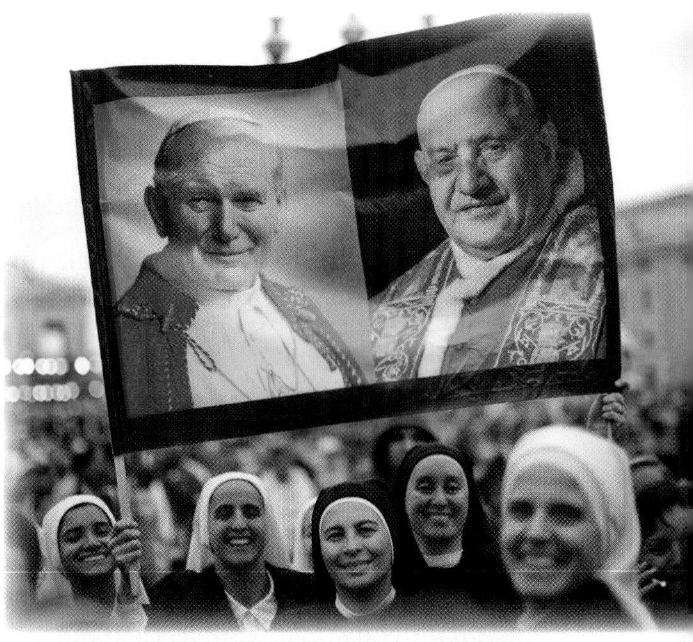

Hermanas religiosas muestran fotos de los santos Juan Pablo II y Juan XXIII durante la ceremonia de canonización de estos dos papas.

El proceso de canonización

Si alguien que ha muerto fue conocido por haber vivido una vida especialmente santa o murió como mártir por defender su fe, el obispo de la diócesis donde vivió puede empezar el proceso para que esa persona sea considerada santa.

- El primer paso es una investigación de la vida de la persona. Personas que conocieron al candidato son entrevistadas. El obispo recoge información de lo que la persona dijo, escribió e hizo. La información se envía al Vaticano. Cuando la persona se convierte en un candidato a la santidad es conocida como "servidora de Dios".
- Un grupo de cardenales del Vaticano, la Congregación para la causa de los santos, estudia la información sobre la vida del candidato. Ellos consideran si la persona es un ejemplo de vida católica virtuosa. Si lo es, la persona es declarada "venerable".
- El próximo paso es declarar al candidato "beato". Este paso es llamado *beatificación*. La beatificación ocurre si se ha demostrado que el candidato ha obrado un milagro o si la persona ha muerto como mártir de la fe. Un ejemplo de un milagro puede ser la curación de un enfermo sin explicación médica razonable, cuando alguien le pide ayuda a ese candidato. El Vaticano cuidadosamente revisa la evidencia de cualquier milagro.
- Si un segundo milagro puede ser acreditado al candidato, este es declarado santo, o canonizado.

Devociones y prácticas

¿Practica alguien en su familia una devoción como por ejemplo rezar el Rosario? Las devociones son tipos de oración que no son parte de la liturgia de la Iglesia pero que enriquecen las diversas expresiones de fe que nos han sido transmitidas por siglos. Algunas devociones incluyen novenas y el vía crucis. Católicos de muchas culturas y tradiciones diferentes practican devociones. Las devociones pueden adentrarnos en el misterio de Cristo en medio nuestro.

Novena es una devoción que se reza durante nueve días consecutivos. La palabra novena viene del latín que significa "nueve". Las novenas se han rezado desde el inicio de la Iglesia. De hecho, María y los apóstoles rezaron durante los nueve días entre la Ascención de Jesús y la venida del Espíritu Santo. (Ver el capítulo 1 de Hechos de los apóstoles). Con frecuencia la gente hace novenas por una intención particular. Esta es una oración que puede rezar con su familia durante nueve días.

Oración al Sagrado Corazón de Jesús

Sagrado Corazón de Jesús, fuente de toda bendición, te adoro, te amo y con verdadero dolor de mis pecados te ofrezco mi pobre corazón. Hazme humilde, paciente, puro y obediente a tu voluntad. Permite Oh buen Jesús, que pueda vivir como tú viviste.

Protégeme en medio del peligro, consuélame en las aflicciones, dame salud, ayúdame en las necesidades temporales, bendíceme en todo lo que haga y dame la gracia de una santa muerte. Amén.

Oración a la Divina Misericordia

La coronilla de la Divina Misericordia es una devoción que se reza usando un rosario común. Santa Faustina Kowalska, quien vivió de 1905 a 1938 en Polonia, inició esta práctica de oración por la misericordia de Jesucristo. La Iglesia celebra la fiesta de la Misericordia el Segundo Domingo de Pascua.

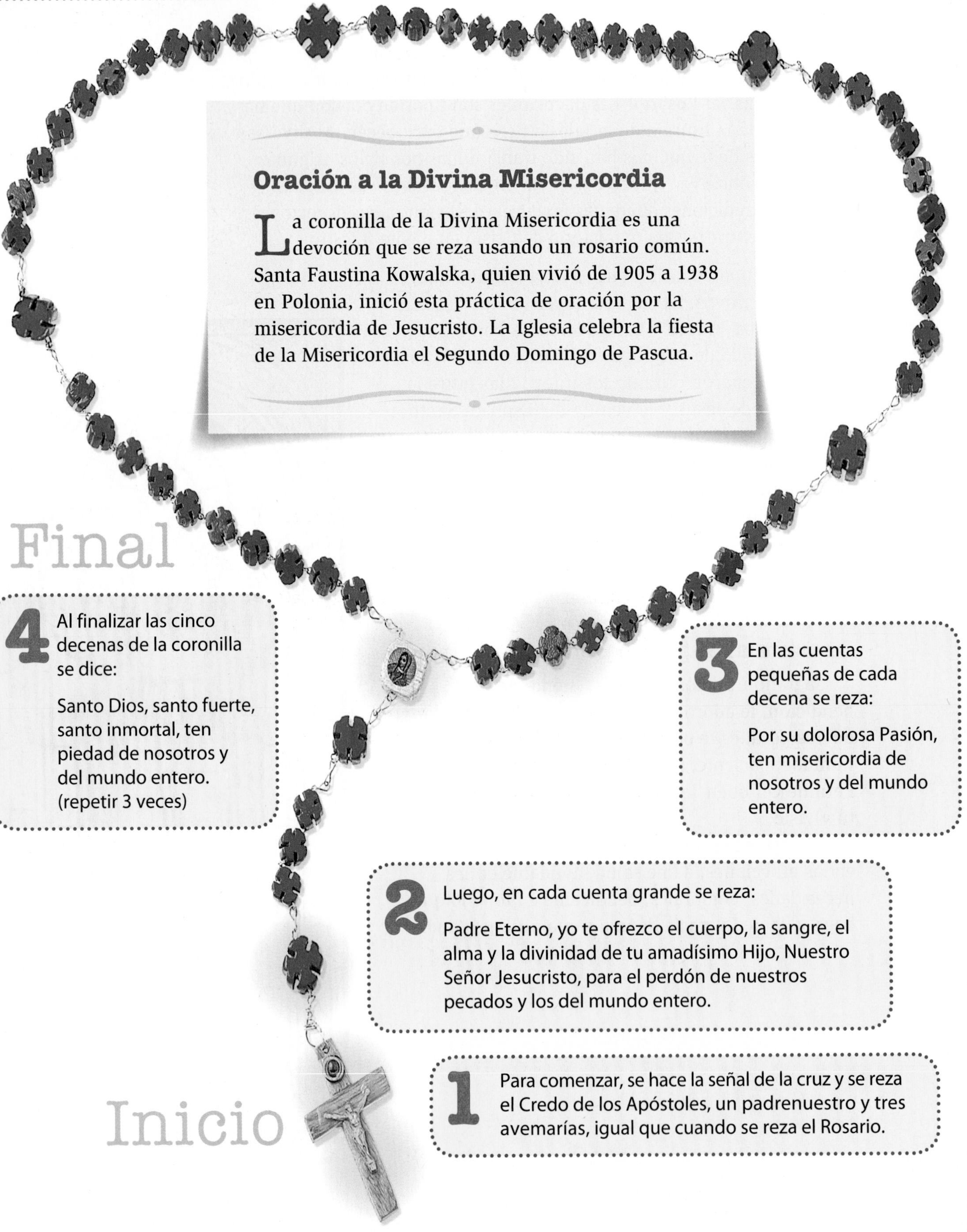

Inicio

1 Para comenzar, se hace la señal de la cruz y se reza el Credo de los Apóstoles, un padrenuestro y tres avemarías, igual que cuando se reza el Rosario.

2 Luego, en cada cuenta grande se reza:

Padre Eterno, yo te ofrezco el cuerpo, la sangre, el alma y la divinidad de tu amadísimo Hijo, Nuestro Señor Jesucristo, para el perdón de nuestros pecados y los del mundo entero.

3 En las cuentas pequeñas de cada decena se reza:

Por su dolorosa Pasión, ten misericordia de nosotros y del mundo entero.

Final

4 Al finalizar las cinco decenas de la coronilla se dice:

Santo Dios, santo fuerte, santo inmortal, ten piedad de nosotros y del mundo entero. (repetir 3 veces)

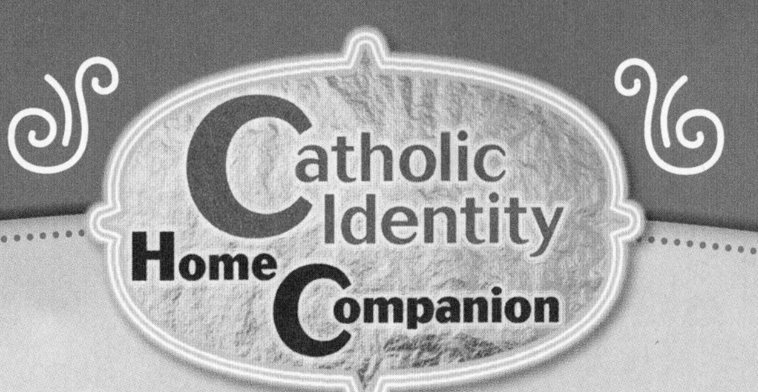

Resources for the Family

In this section, you will find a treasury of resources to help build up your Catholic Identity at home, in your parish, and in the community. Learn more about key Catholic teachings from the themes of your child's *Celebrating Catholic Identity* retreats: **CREED**, **LITURGY & SACRAMENTS**, **MORALITY**, and **PRAYER**. For each theme, you will find Catholic prayers, practices, and devotions to share with those you love—and make a part of your daily lives as a Catholic family!

Family: "the place where parents pass on the faith to their children."

—Pope Francis

Apostolic Exhortation *Evangelii Gaudium*, 66

Spirituality and Your Fifth-Grade Child

Fifth graders have an increased capacity for reflecting on their spiritual lives. They can see how their explanations for who God is and how God works in the world are sometimes affirmed by their friends and sometimes challenged by them. Support your child in living out his or her faith at home and among his or her peers. If possible, find times to pray and reflect together, perhaps at mealtime or before bedtime.

Your fifth grader is beginning to think abstractly. Concepts such as love, peace, and justice are becoming more defined. Fifth graders also have a keen sense of what is fair and what is not. Seize opportunities to encourage justice in family situations to help your child to see that treating others justly leads to peace.

Fifth graders are also greatly influenced by the values of their peer group. Be alert to behavior that might reflect peer pressure. Affirm behavior and attitudes that demonstrate respect and kindness.

Fifth graders are ready to assume certain responsibilities for their lives and their faith. They are also able to make stronger connections between their decisions and the living of the Ten Commandments and the Beatitudes. Teach personal responsibility by allowing them freedom to make personal choices. Provide guidance in their efforts at decision-making.*

*See *Catechetical Formation in Chaste Living*, United States Catholic Conference of Bishops, #19

One God, Three Persons

If your family were asked, "What is the central mystery of our faith?" how would you respond? The central belief of our faith, and our life of faith, is the Blessed Trinity. We believe in Three Persons in One God: God the Father; God the Son, who is Jesus Christ; and God the Holy Spirit. Whenever we make the Sign of the Cross, we express this belief. Whenever we pray and celebrate the liturgy, we pray and celebrate in the name of the Blessed Trinity. The Blessed Trinity is a mystery of faith. It is a belief that we will not fully understand until we share life forever with God in Heaven.

As a family pray this prayer of praise to God. Note which words praise God as Father, Son, and Holy Spirit.

The Divine Praises

Blessed be God.
Blessed be his holy name.
Blessed be Jesus Christ, true God and true man.
Blessed be the name of Jesus.
Blessed be his most Sacred Heart.
Blessed be his most precious Blood.
Blessed be Jesus in the most holy Sacrament of the altar.
Blessed be the Holy Spirit, the Paraclete.
Blessed be the great Mother of God, Mary most holy.
Blessed be her most holy and Immaculate Conception.
Blessed be her glorious Assumption.
Blessed be the name of Mary, Virgin and Mother.
Blessed be St. Joseph, her most chaste spouse.
Blessed be God in his angels and in his saints.

Angels Among Us

Angels are creatures created by God as pure spirits. They do not have physical bodies. Angels serve God as his messengers. They serve God in his saving plan for us and constantly give him praise. Everyone has a guardian angel. Encourage your child to pray to his or her guardian angel.

Prayer to My Guardian Angel

Angel of God,
my guardian dear,
to whom God's love
commits me here,
ever this day be at my side,
to light and guard,
to rule and guide.

Amen.

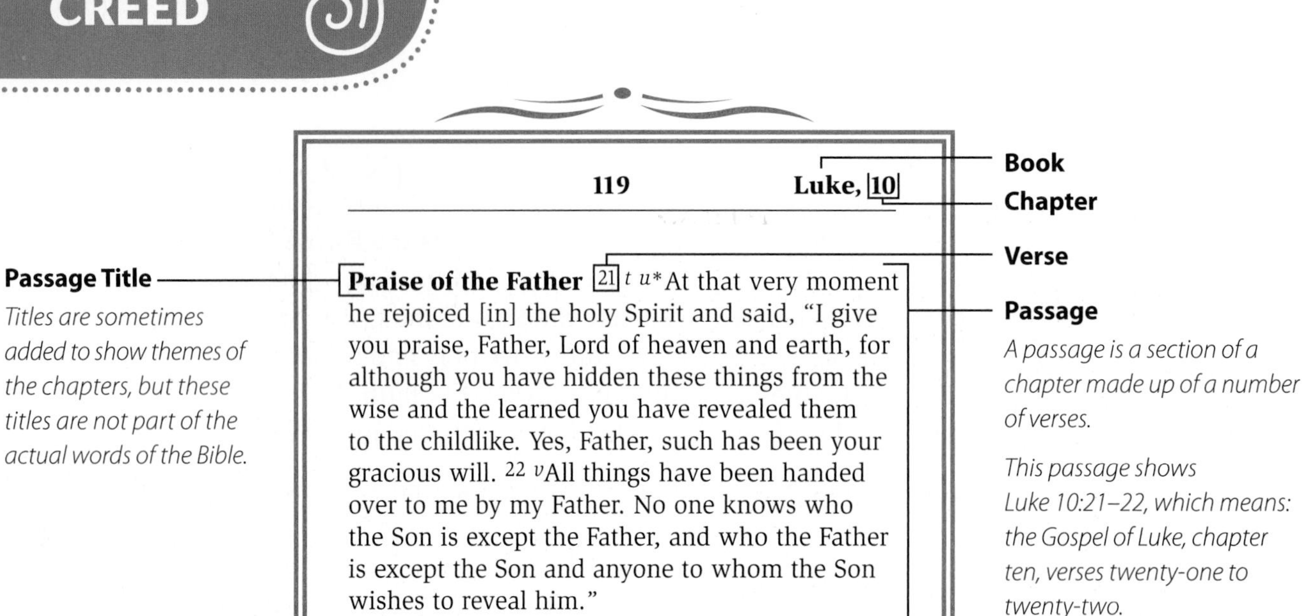

Reading the Bible ... in Five Easy Steps

The Bible is a collection of seventy-three books written under the inspiration of the Holy Spirit. The Bible is divided into two parts: the Old Testament and the New Testament. In the forty-six books of the Old Testament, we learn about the story of God's relationship with the people of Israel. In the twenty-seven books of the New Testament, we learn about the story of Jesus Christ, the Son of God, and of his followers. The Bible is divided into books, which are divided into chapters, which are divided into verses. When you are given a Scripture passage to read, here are five easy steps that will help you to find it! With your child, follow these steps to look up **Lk 10:21–22**.

1. **Find the book.** When the name of the book is abbreviated, locate the meaning of the abbreviation on the contents pages found at the beginning of your Bible. *Lk* stands for Luke, one of the four Gospels.
2. **Find the page.** Your Bible's contents pages will also show the page on which the book begins. Turn to that page within your Bible.
3. **Find the chapter.** Once you arrive at the page where the book begins, keep turning the pages forward until you find the right chapter. The image above shows you how a chapter number is usually displayed on a typical Bible page. You are looking for chapter **10** in Luke.
4. **Find the verses.** Once you find the right chapter, locate the verse or verses you need within the chapter. The image above also shows you how verse numbers will look on a typical Bible page. You are looking for verses **21** and **22**.
5. **Start reading!**

A Church in the Home

Talk with your child about what he or she knows about the Sacraments at the Service of Communion. Share that the Sacrament of Matrimony provides a man and a woman with the opportunity to share God's love. They express that love in faithfulness to each other and in openness to having children and bringing them up in a loving family.

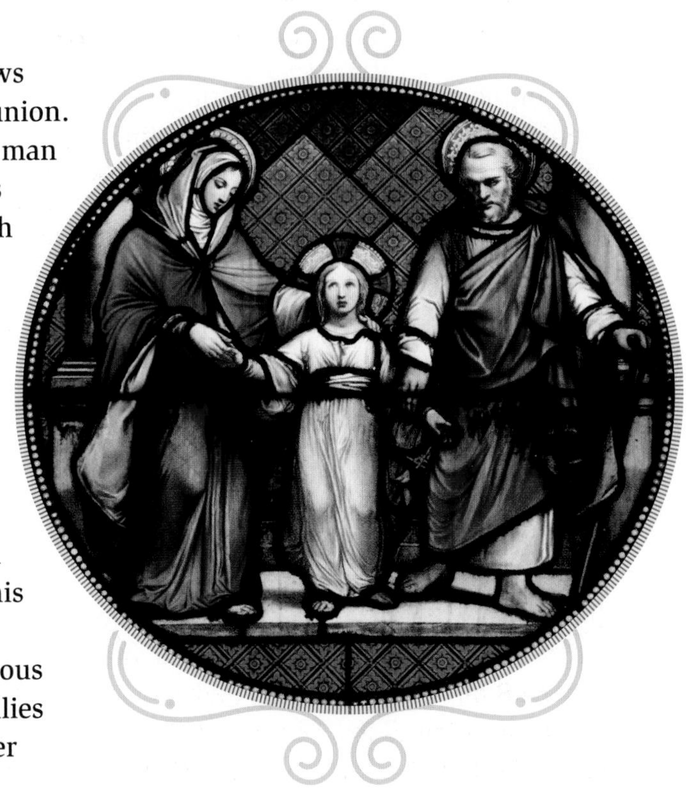

Each family is called to be a domestic Church, or a "Church in the home." It is in the family that we learn to pray and worship God together, to forgive and be forgiven, and to be disciples of Jesus. Think of this as a call to live like the Holy Family: Jesus, Mary, and Joseph. Jesus grew up in a loving, faith-filled home. Jesus was obedient to his parents. Mary, Joseph, and Jesus' family followed Jewish traditions, prayed, and celebrated the religious feasts of their time. Like the Holy Family, our families should love and respect one another. Pray together the following prayers.

Prayer to the Holy Family

Jesus, Mary and Joseph, in you we
contemplate
the splendor of true love, to you we
turn with trust.
Holy Family of Nazareth, grant that
our families too
may be places of communion and
prayer, authentic schools of the Gospel
and small domestic Churches.

(From Pope Francis's *Prayer to the Holy Family*, December 29, 2013)

Prayer to Saint Joseph

Father,
you entrusted our Savior to the
care of Saint Joseph.
By the help of his prayers
may your Church continue to serve
its Lord, Jesus Christ,
who lives and reigns with you
and the Holy Spirit,
one God, for ever and ever.

Amen.

The Communion of Saints

One of the most comforting Catholic beliefs is our belief in the Communion of Saints. The Communion of Saints is the union of all the baptized members of the Church on earth, in Heaven, and in Purgatory. This belief is comforting because we remain united with our loved ones who have died, and are all united with the saints in Heaven, who intercede for us.

This unity is most clearly expressed in the Mass when the priest prays the Eucharistic Prayer. We also express this unity with the Communion of Saints when we pray the Litany of the Saints. This litany is prayed at the Sacrament of Baptism, as well as the Easter Vigil, the Mass celebrated the night before Easter Sunday. Learn and share the prayer with your family today.

A Celebration of Saints, by Brother Mickey O'Neill McGrath

Litany of the Saints

Lord, have mercy.	Lord, have mercy.
Christ, have mercy.	Christ, have mercy.
Lord, have mercy.	Lord, have mercy.
Holy Mary, Mother of God,	pray for us.
Saint Michael,	pray for us.
Holy angels of God,	pray for us.
Saint Peter and Saint Paul,	pray for us.
Saint John,	pray for us.
Saint Stephen,	pray for us.
Saint Perpetua and Saint Felicity,	pray for us.
Saint Prisca,	pray for us.
Saint Gregory,	pray for us.
Saint Augustine,	pray for us.
Saint Basil,	pray for us.
Saint Benedict,	pray for us.
Saint Francis and Saint Dominic,	pray for us.
Saint Catherine,	pray for us.
Saint Teresa,	pray for us.
All holy men and women,	pray for us.

(Adapted from the *Litany of the Saints*)

Living with Dignity

Review with your child what he or she has learned about human dignity:

- that we are made in the image of God.
- that God calls us to recognize one another's dignity.
- that we can work toward human dignity by promoting justice and respect.
- that we can be instruments of God's peace.

Remind your child that Jesus treated all people equally and respected the dignity of every person.

Jesus gave us commandments that help us to follow the way he lived, respecting the dignity of all people. Read and remember these commandments as a family. Let them guide all your relationships—at home, at school, in the parish, and in the community.

Great Commandment

"You shall love the Lord, your God, with all your heart, with all your soul, and with all your mind. This is the greatest and the first commandment. The second is like it: You shall love your neighbor as yourself."

(Matthew 22:37–39)

New Commandment

"I give you a new commandment: love one another. As I have loved you, so you also should love one another. This is how all will know that you are my disciples, if you have love for one another."

(John 13:34–35)

How to Become a Saint

Yes, it is true, everyone in your family can become a saint! Having been made holy by your Baptism and united to Christ, you are actually called to be a saint. Saints were ordinary human beings, just like you, who were faithful disciples of Jesus. They are followers of Christ who lived lives of holiness on earth and now share in eternal life with God in Heaven. From the example of the saints' lives, we can learn ways to love God, ourselves, and others. We can learn how to be disciples of Jesus, as the saints were.

Have you or your child ever wondered how the Church decides who is named a saint? Here is a brief summary of this process.

Nuns displaying portraits of Saints John Paul II and John XXIII at the canonization ceremony for these popes

The Canonization Process

If someone who has died was known for living an especially holy life, or was martyred for his or her Catholic faith, the bishop of this person's diocese may begin the process to consider the person for sainthood.

- The first step is an investigation into the person's life. People who knew him or her will be interviewed. The bishop will collect information on things the person said, wrote, and did. The information will be sent to the Vatican. When a person becomes a candidate for sainthood, he or she is known as "Servant of God."
- A group of cardinals at the Vatican, the Congregation for the Causes of Saints, will study the information about the candidate's life. They will consider whether the person is a role model for living Catholic virtues. If so, the person will be declared "Venerable."
- The next step is declaring the candidate "Blessed." This is called *beatification*. Beatification occurs if it can be shown that a miracle occurred in connection with the candidate or if the person died a martyr for the faith. An example of a miracle might be a sudden cure or healing, with no reasonable medical explanation, when someone prayed for the candidate's help. The Vatican carefully reviews the evidence on any miracles.
- If a second miracle can be credited to the candidate, he or she can be named a saint, or canonized.

Practicing Devotions

Does anyone in your family practice devotions such as praying the Rosary? Devotions are a type of prayer that are not part of the liturgy of the Church but are rich and diverse expressions of faith that have been handed down to us through the centuries. Examples of devotions include novenas and the Stations of the Cross. Catholics of many different cultures and traditions practice devotions. Devotions can draw us into the mystery of Christ among us.

A novena is a devotion of praying for nine consecutive days. The word *novena* comes from a Latin word meaning "nine." Novenas have been prayed since the earliest days of the Church. In fact, Mary and the Apostles prayed together for a period of nine days between Jesus' Ascension and his sending of the Holy Spirit on Pentecost (see Acts of the Apostles, Chapter 1). Often people pray a novena for a special need or intention. Here is one prayer you might pray with your family as a novena.

Prayer to the Sacred Heart of Jesus

O most Sacred Heart of Jesus, fountain of every blessing, I adore You, I love You and with a true sorrow for my sins, I offer You this poor heart of mine. Make me humble, patient, pure and wholly obedient to Your will. Grant, good Jesus that I may live in You and for You.

Protect me in the midst of danger, comfort me in my afflictions, give me health of body, assistance in my temporal needs, Your blessing on all that I do, and the grace of a holy death. Amen.

The Chaplet of the Divine Mercy

The Chaplet of the Divine Mercy is a devotion that is prayed using rosary beads. Saint Faustina Kowalska, who lived from 1905 to 1938 in Poland, gave this practice of praying for the mercy of Jesus Christ to the Church. The Church celebrates Divine Mercy Sunday on the Second Sunday of Easter.

End

4 After five decades, pray three times:

Holy God, Holy Mighty One, Holy Immortal One, have mercy on us and on the whole world.

3 On the ten small beads of each decade, pray:

For the sake of His sorrowful Passion, have mercy on us and on the whole world.

2 Then, on the large bead before each decade, pray: Eternal Father, I offer You the Body and Blood, Soul and Divinity of Your dearly beloved Son, Our Lord Jesus Christ, in atonement for our sins and those of the whole world.

1 To pray the chaplet, begin with the Sign of the Cross, an Our Father, three Hail Marys, and the Apostles' Creed, just as you would when beginning the Rosary.

Start